1996

Pour W[illegible]
pour s[illegible]
liens qui ont été écrits
à Interlocuter ou moitié
en partie. et le remercient
de s'y interesser -

Francis

HISTOIRE DE LA LITTÉRATURE FRANÇAISE
dirigée par Claude Pichois
Professeur émérite à la Sorbonne Nouvelle et à l'Université Vanderbilt

DU SURRÉALISME À L'EMPIRE DE LA CRITIQUE

HISTOIRE DE LA LITTÉRATURE FRANÇAISE

Déjà parus :

De Chateaubriand à Baudelaire Max Milner, Claude Pichois

De Zola à Apollinaire Michel Décaudin, Daniel Leuwers

Du Surréalisme à l'empire de la Critique Germaine Brée, Edouard Morot-Sir.

À paraître en 1997 :

Le Moyen Âge Jean Charles Payen

De Villon à Ronsard Enea Balmas, Yves Giraud

De Montaigne à Corneille Jacques Morel

Le Classicisme Roger Zuber, Micheline Cuénin

De Fénelon à Voltaire René Pomeau, Jean Ehrard

De l'Encyclopédie aux Méditations Michel Delon, Robert Mauzi, Sylvain Menant.

HISTOIRE DE
LA LITTÉRATURE FRANÇAISE

DU SURRÉALISME À L'EMPIRE DE LA CRITIQUE

par GERMAINE BRÉE
et EDOUARD MOROT-SIR

Nouvelle édition révisée 1996

Bibliographie mise à jour
par René Rancœur

GF-Flammarion

ISBN : 2-08-070965-8

Tentons une première exploration de ces soixante années durant lesquelles se dégagent de nouvelles perspectives. On peut, dès l'abord, distinguer quatre époques :

1. *1920 à 1936 :* l'après-guerre devient l'entre-deux-guerres, et après la grande crise économique de 1929-1933, les « années folles » font place à un malaise profond qui imprègne toute la vie intellectuelle. Le thème de la révolution, sur tous les plans, « changer la vie, transformer le monde », lancé par les surréalistes, se répercute dans tout le domaine littéraire. Cependant les maîtres de l'heure, Claudel, Gide et Valéry, sont garants de la continuité d'une grande tradition dont la valeur, quand elle est mise en cause, n'est cependant guère contestée.

2. *A partir de 1936,* avec la guerre d'Espagne, puis avec la Seconde Guerre mondiale, *et jusqu'en 1952* où, avec la fin de la guerre de Corée, la hantise de la guerre s'atténue, la vie intellectuelle en France est dominée, dans une atmosphère d'apocalypse, par le souci du destin de l'homme en général et plus particulièrement celui de la France, par la conscience de ce qui paraît être l'effondrement de la civilisation occidentale. Les écrivains sont fortement marqués par des événements, qui se déroulent à l'échelle mondiale. Ils cherchent à les comprendre et essaient de les orienter. Ils vivent un engagement dont, après coup, Sartre proposera la théorie. L' « existentialisme », climat intellectuel et mode de sensibilité, supplante pour quelques années chez les jeunes, l'attrait du surréalisme.

3. *A partir de 1952,* et malgré les problèmes de la décolonisation et les crises politiques, nationales ou internationales, la littérature se désengage. De nouvelles orientations, amorcées dès 1944, se dessinent et s'affirment plus nettement après la fin de la guerre d'Algérie. Une nouvelle génération d'écrivains cherche à échapper à des structures culturelles qu'elle juge dépassées. De plus en plus affectée par les

technologies nouvelles : télévision, vidéo, sondages, comme par la transformation du marché et de la production du livre, la vie littéraire reprend dans un grand foisonnement de tendances et à un rythme accéléré.

4. *Depuis 1968 :* ce qui pouvait passer pour une simple émeute estudiantine met en évidence la crise profonde dans laquelle la France est entrée. Une grande mutation s'opère dont on n'aperçoit pas encore les résultats.

Dans l'ensemble, le mouvement littéraire témoigne d'un bouleversement de la culture qui dépasse le cadre de la France. Orchestré sur des modes différents, un grand thème parcourt ces époques : celui du monde moderne. Les motifs réitérés de la guerre, de la révolution — tant sociale que technologique —, joints à ceux de la violence, de l'aventure, de l'action, de l'histoire, constituent de simples variations. Les crises politiques et sociales, le heurt des idéologies ne sont que les manifestations les plus apparentes d'une transformation qui, en soixante ans, a fait passer la France de la IIIe à la Ve République, de l'Empire français à l'« Hexagone » et à l'idée âprement débattue d'une Europe fédérale.

Cette mutation ne s'est pas opérée sans inquiéter, ni sans provoquer de multiples conflits entre les tenants de l'« ordre » et ceux de l'« aventure » qu'Apollinaire eût aimé réconcilier. Au début du siècle, artistes et écrivains étaient convaincus qu'un nouvel âge s'annonçait, auquel devaient répondre de nouvelles formes d'art qui s'imposeraient rapidement au monde occidental tout entier. La volonté de rupture, la passion de l'expérimentation, le rapprochement de l'art et des technologies caractérisent ce que l'on a appelé « modernité ».

Courant dans l'Angleterre du début du XVIIe siècle, ce terme n'est introduit en France que sous la monarchie de Juillet. C'est Baudelaire qui, dans son étude sur Constantin Guys, le peintre de la vie moderne, lui donne droit de cité. Le concept baudelairien de « modernité » est essentiellement esthétique. Comme Gautier, Baudelaire plaide la cause du « beau moderne » qu'il oppose à l'idée classique du beau. L'artiste peut profiter du seul point de vue technique de l'étude des chefs-d'œuvre reconnus, mais il doit puiser son inspiration dans le monde contemporain, reconnaître et exprimer les traits jusqu'alors inconnus de la « beauté présente ». L'histoire de l'art serait alors l'histoire des « modernités » qui se succèdent, et qui n'ont rien à voir avec la notion historique du « moderne » qui avait suscité la « querelle des anciens et des modernes » et alimenté la pensée des romantiques. Pour Baudelaire, la face atemporelle de la beauté que l'art saisit n'apparaît qu'à travers la vie évanescente de l'instant présent.

Ce concept s'est transformé et étendu au domaine de l'art tout entier ; tout art a été considéré comme une rupture avec le passé, une recherche des possibilités non encore réalisées des médias. Aujourd'hui, la modernité, comme l'ont définie maints critiques, est une sorte de « tradition anti-tradition », qui se soucie peu d'esthétique et beaucoup plus de « création ». En ce sens, la littérature française du XXe siècle nous introduit à un nouvel âge de la modernité qu'elle cherchera même à dépasser, au point que la critique actuelle pourra aussi bien parler d'un « après le structuralisme » que d'un postmodernisme.

Les dix premières années de cette période qui se veut « moderniste » sont dominées par le surréalisme ; elles sont riches d'intuitions plutôt que de théories et de réalisations surtout poétiques. Dans la deuxième décennie le besoin de renouveau se tourne vers les sociétés et leurs structures ; un esprit de contestation politique anime la littérature. L'« acte gratuit » et le scandale font place à une inquiétude sociale qui favorise le roman. Vers 1950, l'esprit moderne subit un nouvel avatar : il recule devant une exigence critique qui se prétend scientifique. Erigeant en dogme des théories dont les hypothèses philosophiques sont souvent ignorées, des groupes de « pointe » appliquent à la littérature des méthodes d'analyse empruntées aux récentes « sciences humaines » : linguistique, sémiologie, sociologie, anthropologie. Ils mettent en question la notion même de texte littéraire.

C'est un véritable procès de la littérature qui soustend les débats de toute cette période. Les surréalistes ne récusent cependant qu'une certaine littérature devenue « possession culturelle » et la tradition dont elle relève. « Qu'est-ce que la littérature ? » demande Sartre qui propose une réponse à sa question sur la base des concepts marxistes de praxis et de lutte des classes ; il souligne la responsabilité de l'écrivain bourgeois qui peut refuser ou accepter de travailler dans le sens de l'histoire. « Pourquoi la littérature ? », puis « la littérature est-elle possible ? », ces questions amènent Sartre à condamner l'écriture « littéraire ».

Renouant à leur manière avec les visées surréalistes, les « chercheurs » des années soixante s'exercent à manipuler savamment les structures habituelles de la langue de façon à créer des expériences potentielles pour initiés, en dehors de toute représentation habituelle du monde. La même décennie voit se déclencher une forte réaction à la fois contre la culpabilisation de l'entreprise d'écrire et la réduction du « littéraire » à un fonctionnement tout mécanique du langage. Les problèmes de communication, de l'auteur avec le texte, et aussi du lecteur avec le texte, du lecteur avec l'auteur, sont à l'ordre du jour. Il semble cependant que pour beaucoup d'écrivains, l'écriture reste ce que le surréalisme voulait qu'elle fût : l'au-delà des êtres humains, ce par quoi ils se transforment.

Après 1968, de nouvelles exigences sont apparues : un vigoureux mouvement féministe qui pose à nouveau la question du rapport de la langue et de la réalité ; une renaissance juive qui affirme son identité culturelle ; la revendication du droit à l'expression de certaines minorités ethniques ; et l'on parle même d'une littérature « homosexuelle ». Le besoin se fait sentir partout de laisser jaillir la parole ou, grâce à la pratique du fragment, de laisser paraître dans toute sa complexité le cheminement de la pensée. Cette époque doit-elle être considérée comme révolue avec la disparition en 1980 de deux figures majeures : J.-P. Sartre et R. Barthes ?

Pendant cette douzaine d'années, aucun événement littéraire important, comparable au surréalisme des années vingt, à l'existentialisme des années quarante, ou même à l'essor combiné du nouveau roman et de la nouvelle critique des années cinquante et soixante, ne mérite d'être signalé. Certains parlent de « creux culturel » ou de « confusion littéraire ». Il est encore trop tôt pour juger. Cependant, même si les résultats déçoivent, le mouvement de création artistique ne s'est pas arrêté. S'il n'y a pas d'idées neuves, si les formes littéraires sont incertaines et se perdent parfois dans la discussion de problèmes ésotériques, il n'en est pas moins vrai que la réflexion critique est intense. Ce qu'on a tendance à appeler le poststructuralisme et l'après-modernité est à la recherche de sa propre définition et de sa conscience. Des directions s'esquissent, des tentatives sont faites ; tantôt à partir de Freud ou de Lacan, avec l'espoir que la critique psychanalytique est loin d'avoir dit son dernier mot ; tantôt par la voie d'une sociocritique, héritière du Marx qui a eu pour disciples Lukács et L. Goldmann, de ce Marx qu'admire Lévi-Strauss dans *Tristes Tropiques* et qui conçoit le signe comme le produit de la créativité humaine dans sa relation simultanée avec la nature et la culture ; tantôt — et la situation est encore plus trouble — à la suite de Nietzsche et de Heidegger, reconnus comme les prédécesseurs d'une herméneutique qui voudrait à la fois intégrer les résultats des recherches sémioticiennes des dernières décennies, et les dépasser au nom d'une métaphysique qui n'existe aujourd'hui que comme exigence insatisfaite. Entre ces trois grandes orientations, les voies de traverse sont multiples, ce qui rend les discours critiques d'autant plus confus qu'ils empruntent leur vocabulaire à des territoires sémantiques différents. On pourrait alors se demander si l'avenir immédiat n'incline pas vers un syncrétisme critique d'allure paradoxale, ouvert aussi aux méthodes traditionnelles de la philologie et de l'histoire littéraire. Jamais la pensée synthétique n'a été aussi combattue, et pourtant jamais le besoin de synthèse n'a été aussi fort !

Reste que la critique, telle qu'elle vient d'être exposée, appartient à un phénomène littéraire qui caractérise notre modernité : la spécification des formes littéraires, tout en étant conservée au sens le plus vague des distinctions pratiques entre roman, théâtre et poésie, tend à s'effacer et à être dominée par une nouvelle esthétique de l'essai qui peut-être fera comprendre pourquoi le discours philosophique a envahi les diverses demeures du monde littéraire, et pourquoi la critique n'accepte plus d'occuper la place de second rang que la tradition classique ou même romantique lui avait réservée.

Tout au long de ces soixante années, si riches en œuvres, en expérimentations hardies, en polémiques, la littérature a été en prise directe avec tous les aspects de la vie française. Tenter de comprendre globalement cette époque par sa littérature serait une gageure. Mais comment mieux chercher à aborder la fin de ce siècle, comment mieux deviner les possibilités futures qu'en écoutant ce dont témoigne cette littérature et ce que déjà elle laisse prévoir ?

PREMIÈRE PARTIE

1920-1975 : UNE MUTATION SANS PRÉCÉDENT

CHAPITRE I

LE CLIMAT SOCIAL

AVANT la guerre de 1914, la France s'était complu dans le rôle de centre du « monde civilisé » que beaucoup d'artistes et d'hommes politiques lui reconnaissaient volontiers. Au sortir d'une guerre dont l'âpreté des combats et l'inhumanité avaient ébranlé les consciences, la place de la France, ses possibilités de survie dans le monde nouveau qui apparaissait, deviennent problématiques, ainsi que la valeur d'une culture qui, tout en affirmant sa volonté d'être un humanisme universaliste, avait toléré le massacre de 14-18. Après la détente des années vingt, une crise de conscience se déclenche, qui ira croissant jusqu'en 1968. La révolte des étudiants semble alors en marquer le sommet et peut-être la fin. Après cette date la crise change d'orientation. L'imagination des Français est alors sollicitée par les nouveaux modes de vie que la technologie moderne met à leur disposition, et par une civilisation qui, s'adressant d'abord à ces privilégiés que sont les peuples occidentaux, se fait planétaire. Curieusement, après un long détour, on retrouve certaines tendances de la Belle Epoque et des années vingt : Paul Morand, Giraudoux et Giono sont à nouveau au goût du jour.

1919-1925, la détente

C'est sur la lancée du cubisme, du futurisme, de l'« esprit nouveau », des Ballets russes, de Stravinski et du jazz, que le Paris d'après-guerre se divertit, avec, dira Cocteau, qui en est l'un des ordonnateurs, « cette prodigalité folle d'une ville de génie ». Paris ouvre les bras à un groupe d'artistes, de compositeurs et d'écrivains qui prolongent, multiplient et exploitent les audaces de l'avant-guerre. Pendant quelques années, dans les fêtes somptueuses que donnent des mécènes, telles les « Soirées de Paris » organisées par le comte de Beaumont, dans des salons comme celui de la princesse Edmond de Polignac (née Winnaretta Singer), aux Ballets suédois ou autour de Diaghilev, dans des cabarets ou boîtes de nuit dont le célèbre *Bœuf sur le toit* patronné par Jean Cocteau, peintres, compositeurs, écrivains, jeunes cinéastes, gens de théâtre et couturiers s'inspirent les uns les autres et se lancent à la recherche de nouveaux langages plastiques et sonores. Ainsi se crée un style de vie « moderne », où les mots sont arrachés aux conventions littéraires, subordonnés aux prestiges du rythme et des images. Réservées alors à une élite, ces tendances s'adapteront facilement à des modes populaires. Evénements artistiques et mondains à la fois, les Ballets russes et plus encore suédois sont au centre du tourbillon. En 1921, *Les Mariés de la tour Eiffel* de Cocteau, en 1923, *La Création du monde* de Milhaud font date parmi les vingt-quatre ballets que créent en cinq ans Rolf de Maré et les Ballets suédois. Ils rassemblent tous les talents et toutes les tendances de l'heure ; pour les partitions, Satie et « les six », les « nouveaux jeunes » de l'avant-garde musicale, dont Milhaud et Honegger, mais à côté d'eux Cole Porter et le jazz ; pour les décors, Léger, Picabia et Picasso ; pour les livrets, Cendrars, Cocteau et Claudel. Le ballet cherche à assimiler et unifier tous les arts et tous les genres, « l'orchestre et la parole [...], la poésie, la danse, l'acrobatie, le drame, la satire » (Cocteau). En 1924, dans *Relâche* est introduit le « divertissement cinématographique » du jeune René Clair. Dans son *Ballet mécanique* (1924), Léger combine la musique, le film et un décor mécanique ; il provoque un scandale.

Ce tumulte culturel parisien opère une fusion entre la centaine de personnalités qui constitue le « Tout-Paris » mondain et « l'avant-garde » artistique et littéraire. L'argent, le talent, l'audace y compteront autant que le nom. Si, à partir de 1925, ce milieu commence à perdre son rôle de promoteur de l'avant-garde, il continue à servir de centre d'incubation à la plupart des activités artistiques et littéraires, à la fois culturelles et mondaines. Il entretient autour d'elles un certain snobisme du goût, un « parisianisme » de cercle privilégié. L'art, pour lui, n'est souvent que décor et il confond volontiers valeur et célébrité.

En même temps, l'édition se modernise. Une campagne publicitaire accompagne le lancement d'un livre nouveau : c'est le cas en 1922 du roman à scandale, *La Garçonne,* de Victor Margueritte ou en 1923 du *Diable au corps* du jeune Radiguet. Pour ce dernier, Grasset met à contribution tous les moyens de l'époque : affiches, photos, interviews, création d'un prix et même cinéma. C'est sur l'âge — vingt ans — et la personnalité de Radiguet ainsi que sur le contrat avantageux qu'il a signé que porte la publicité. Ces mœurs nouvelles choquent les critiques établis, pour qui la vente du livre est ainsi assimilée à celle d' « un laxatif ». Elles n'en signent pas moins l'entrée de la « haute littérature » dans le circuit commercial. Là encore, la frontière entre « haute littérature » et littérature de consommation s'estompe. Le lecteur « à la page » se distingue du lecteur respectable « sérieux » et « cultivé ».

C'est la fin d'une certaine homogénéité culturelle bourgeoise qui repose sur un fonds commun de lectures. L'avant-garde et les classes populaires partagent — à des niveaux différents — de nouveaux goûts non littéraires : pour Charlot, les vedettes et les vamps du film muet ; pour le cirque, le jazz et Joséphine Baker, pour l'art de Mistinguett et de Maurice Chevalier. Grâce à Chanel la mode féminine se simplifie et se démocratise. Les cheveux coupés, les chapeaux cloches, les tailleurs à jupe courte remplacent les jupes longues et entravées, les turbans et les riches tissus orientaux de Poiret. Bien avant l'apparition du mot lui-même, commence à naître une « contre-culture » qui menacera l'idéal « littéraire » d'une élite culturelle.

La « crise » de la culture

Dès la fin des hostilités, nombreuses sont les questions que se posent les milieux intellectuels. En 1919, Valéry sonne l'alarme : « Nous autres civilisations, nous savons maintenant que nous sommes mortelles. » Cette phrase, qui commence son article « Sur la crise de l'esprit », reflète le point de vue de l'Européen vivant dans ce qui avait été jusqu'alors pour lui « le cerveau d'un vaste corps », s'inquiétant de la « fragilité d'une civilisation » dont il ne contestait pas la valeur. Par ailleurs, Gide et *La Nouvelle Revue française* travaillaient à la « démobilisation de l'esprit » dont le jugement avait été obscurci par les passions de la guerre. C'est dans ce climat d'interrogation que se déroule l'une des premières polémiques de l'après-guerre, l'enquête sur l'avenir de l'Europe lancée en octobre 1922 par la *Revue de Genève*. De la droite à la gauche, de Romain Rolland, qui mise sur un internationalisme assez éclairé pour comprendre les aspirations de la jeune Union des Républiques Socialistes Soviétiques (U.R.S.S.), à Massis qui fait de la civilisation française chrétienne, classique et traditionnelle, le modèle d'un humanisme universel, les écrivains établis pensent l'avenir en termes de tradition : ils n'avaient point été combattants.

Cependant, pour nombre de démobilisés, l'insertion dans la société d'après-guerre s'avère difficile. L'image de la civilisation dont ils avaient hérité et l'expérience de la guerre des tranchées n'étaient pas conciliables. En 1919, dans l'avant-propos d'une collection d'essais, *Carnaval est mort,* Jean-Richard Bloch posait le problème de la sclérose d'une civilisation, lorsque, comme le dira Bernanos, « elle n'entretient plus avec le monde que des rapports de vocabulaire » : « Epouvantés de ce qu'ils avaient fait, les hommes se sont pris à examiner la grande idéologie sur laquelle ils se reposent avec confiance, l'idéologie *civilisation.* » Bloch soulève un problème qui sera un des grands problèmes de toute l'époque, celui des répercussions de ce doute dans le domaine de l'art : « *Carnaval est mort* signifie que là où s'efface l'adhésion morale à une croyance, disparaît le pouvoir fécondant dont cette croyance jouissait à l'égard de l'art. » Dans *Mars ou la guerre jugée* (1921), le philosophe Alain démystifie les mythes héroïques dans lesquels les Français avaient investi d'énormes capitaux d'émotion ; dix ans plus tard, Drieu La Rochelle, Giono, Céline, tous trois anciens combattants, reprenaient ce procès dans *La Comédie de Charleroi, Le Grand Troupeau* et *Voyage au bout de la nuit.*

Déracinés et désœuvrés, certains jeunes, comme Montherlant, épris de « la grande communauté » qui régnait au front, rêvent sans doute de s'évader de la vie civile pour s'intégrer à un « saint ordre mâle, saint royaume des forts » (*Le Songe,* 1922). Breton rappelle dans une de ses entrevues cette vacance d'âme propre au « mal du siècle » dont, à la *N.R.F.*, Jacques Rivière fait l'analyse : « Je tourne pendant des heures autour de la table de ma chambre d'hôtel ; je marche sans but dans Paris, je passe des soirées seul sur un banc de la place du Châtelet ; je suis en proie à une sorte de fatalisme au jour le jour. » Démobilisé, Drieu La Rochelle accumule dans d'amers sketches les signes de la « décadence » de son pays : décor de bars où erre une jeunesse désaxée, « feux follets » drogués, « valises vides », jeunes déracinés en marge de la société. La guerre a brisé les liens entre les valeurs culturelles traditionnelles et la réalité que ces jeunes gens ont vécue. Ils oscillent entre le repli sur la vie intérieure et l'inquiétude devant l'avenir collectif des masses.

Malgré le tribut payé à la guerre — Péguy, Apollinaire, Alain-Fournier parmi les disparus les plus notoires —, jamais le monde des lettres n'a paru plus brillant. Cinq générations se côtoient, au moins au début. Jusqu'à leur mort, respectivement en 1923 et 1924, Barrès et France comptent encore pour beaucoup. Entre les jeunes, nés avec le siècle et qui n'ont pas « fait la guerre », Malraux, Radiguet, et leurs aînés, Gide, Valéry et Proust qui y ont échappé, s'inscrivent deux générations : celle qui, déjà établie, s'était affirmée vers 1910 : Duhamel, Giraudoux, Morand, Roger Martin du Gard, Mauriac et le précoce Cocteau ; et celle qui, née peu avant ou avec le siècle, était passée des bancs du lycée aux rangs de l'armée : Drieu, Montherlant, Breton, Eluard et Giono, qui ne fut d'ailleurs pas lycéen. Entre ces deux générations, de grandes divergences devaient se manifester.

En 1922, la *Revue hebdomadaire* conduit une enquête sur les « maîtres de la jeune littérature ». Elle adresse deux questions à cinquante-huit jeunes écrivains. « Quels sont les maîtres à qui vous devez le plus et pourquoi ? Quelles influences vous paraissent devoir commander les directions de la littérature contemporaine, et que pensez-vous notamment de l'épuisement ou du renouvellement possibles des genres traditionnels ? » A quelques exceptions près — sur lesquelles nous reviendrons — les réponses sont unanimes. Maîtres de l'heure : Barrès, Bourget, Maurras. Parfois d'autres noms encore : Stendhal, Flaubert, Mallarmé, Péguy, France, Alain, Claudel, Gide et Proust. Pronostics pour l'avenir : un retour à la tradition, l'équilibre d'un nouveau classicisme et un épanouissement du roman.

La jeune génération littéraire reflétait très exactement l'humeur du pays politique à cette date. La célébration des valeurs éthico-sociales traditionnelles, « françaises » — réelles ou imaginaires —, sert de thème littéraire commun à nombre de romans. Les valeurs aristocratiques chez Alphonse de Châteaubriant ; les vertus familiales des grands bourgeois de Jean Schlumberger ; la patience devant le travail et l'endurance de la petite bourgeoisie que met en scène Duhamel ou la fière indépendance des poètes paysans qui peuplent le « Sud imaginaire » de Giono, portent tous le même message. Par ailleurs, le mouvement de retour vers le catholicisme amorcé dès le début du siècle se poursuit sous l'influence d'hommes comme Claudel, Jacques Maritain et Gabriel Marcel. Nombre de Français voient la guérison du malaise social dans le retour à un passé qui exclurait le « monde moderne » ou, selon le propos de Jules Romains, l'apprivoiserait pour le plus grand bien de tous. L'entente règne entre ces auteurs et les espoirs de leur public. Ainsi s'explique leur succès.

C'est contre la collusion parisienne de l'art, du divertissement, de l'argent et des personnalités à la mode autant que contre la société et la littérature établies, que s'oriente la « volonté de saccage » du groupe de jeunes qui se rassemblent autour d'André Breton. La petite chapelle littéraire qui s'était formée à l'ombre d'Apollinaire et de Reverdy passera, en une demi-douzaine d'années, à Dada puis au surréalisme. Un besoin de défi l'anime : « Le grand ennemi, c'était le public. Il fallait l'atteindre par tous les moyens, [...] il fallait faire scandale [...] Pourquoi ne pas avouer que nous avons passionnément aimé le scandale ? Il fut une raison d'exister. Nous voulions scandaliser et nous scandalisions. » De janvier à avril en 1920, et de nouveau en 1921, Dada provoque et scandalise Paris par des manifestations et des bagarres dont la plus efficace, parce qu'elle touchait à un des pontifes de la littérature, fut la mise en accusation de Barrès. Trois ans plus tard, le groupe récidive. Au moment de la mort d'Anatole France, il lance un pamphlet provocateur, *Un Cadavre*, attaquant la mystique qui faisait de l'écrivain un objet de vénération et dénonçant les complaisances de la rhétorique officielle qui le transformait en bien culturel sacré. Le dernier des grands esclandres déclenchés par le groupe éclatera en 1925 à un banquet littéraire en l'honneur du poète Saint-Pol Roux. Mais il prend une direction nouvelle ; il ne s'agit plus seulement de « transformer la vie » à la manière de Rimbaud, mais, en même temps, de « changer le monde » : on se tournera vers Marx, et la politique envahira le monde des lettres.

Dès avant la fin des hostilités, une réaction profonde contre l'inhumanité de la guerre soulève, pour certains écrivains, le problème de leur responsabilité sociale. Romain Rolland, retiré en Suisse, avait refusé son adhésion, voulant rester « au-dessus de la mêlée ». En 1923, lors de son premier congrès, le Pen Club (l'association internationale des écrivains) s'interrogeait sur le rôle des intellectuels dans les conflits révolutionnaires et leur part de responsabilité dans la création d'un « monde nouveau ».

A partir de 1925, ce sera une pierre d'achoppement pour les surréalistes ; parmi les jeunes intellectuels, les « groupes » prolifèrent qui débattent la question de l'action politique. Que l'impulsion vienne de droite, du côté de *L'Action française*, ou de gauche, d'un marxisme plus idéaliste alors que dogmatique, le procès du « régime bourgeois » est ouvert avec celui de la « culture », assimilée le plus souvent à la seule littérature.

Dans des ouvrages comme *Le Stupide XIX*e *Siècle, Exposé des insanités meurtrières qui se sont abattues sur la France depuis cent trente ans* (1922), Léon Daudet reprend les thèmes maurrassiens : xénophobie, antisémitisme, antiprotestantisme, nationalisme ; il attaque à titre égal le romantisme et le régime politique de la république.

A l'autre pôle, désespérés devant l'injustice sociale, d'autres intellectuels, antimilitaristes et anticolonialistes, adoptent les thèmes marxistes qui tiennent le capitalisme pour responsable de la violence sociale, et dénoncent dans la culture l'instrument idéologique et politique d'une bourgeoisie qui mystifie et exploite le prolétariat. La génération précoce des années vingt — celle des Aragon, Drieu, Eluard et de bien d'autres — découvre l'action révolutionnaire à travers l'engagement politique.

Devant l'échec de la Société des Nations, la crise économique de 1929, puis la montée des fascismes et les succès nazis, les intellectuels ne voient de salut que dans l'action violente, la révolution qui donnerait naissance à un « homme nouveau » intégré à une « société nouvelle », libérée des erreurs du passé. La violence, comme le notera Sartre, plus tard, fait partie de leur « imaginaire ». Après 1930, deux options s'offrent : l'engagement fasciste ou l'engagement marxiste. Cependant, malgré les désaccords les plus âpres, le milieu littéraire, centré à Paris, conserve une certaine homogénéité. Breton dialogue avec Gide et travaille à la revue de luxe, *Commerce,* avec Valery Larbaud et Valéry. Drieu, qui prendra la route du fascisme, est un auteur de Gallimard, comme Malraux ou encore Aragon qui adhère au parti communiste français, avec son allégeance stalinienne. *La Nouvelle Revue française,* tolérante sinon indifférente en matière politique, sous la férule de Jean Paulhan, maintient dans le choix des textes des critères littéraires très stricts. Quoiqu'elle aille en s'effritant, une communauté littéraire existe encore, où le littéraire continue à primer.

Avec ses trois essais, *Mort de la pensée bourgeoise* (1927), *Mort de la morale bourgeoise* (1929), *Le Bourgeois et l'Amour* (1931), Emmanuel Berl, lui-même issu de la grande bourgeoisie, entérine une perspective plus polémique que réfléchie. Paul Nizan, petit bourgeois passé par l'Ecole normale supérieure puis entré au parti communiste, clame dans *Les Chiens de garde* (1932), son mépris des intellectuels qui, selon lui, jouent le rôle de « chiens de garde » au service d'une classe d'oppresseurs. Avec *Caliban parle* (1929), le propos de Jean Guéhenno, issu d'une famille de petits artisans, est quelque peu différent. Il pose le dilemme de l'intellectuel voué à une culture qui le sépare de sa classe. Ce n'est point tant la valeur de la culture qu'il met en cause que les défaillances du système qui en exclut une bonne partie de la nation. La foi dans la fonction essentielle des lettres, dans la transmission d'une culture nationale est désormais ébranlée.

Le milieu littéraire et la guerre (1936-1952)

De 1936 à 1952, le choc provoqué par les événements collectifs ébranle la conscience intellectuelle du pays. L'option politique relève de choix éthiques personnels et soulève pour chacun des « cas de conscience ». Le milieu littéraire se dissocie et se disloque ; les critères qui avaient prévalu jusqu'alors dans le monde des lettres sont dévalorisés, sinon abandonnés. La mobilisation d'abord, puis l'exode et l'Occupation dispersent la société française et avec elle les écrivains. Bon nombre d'entre eux s'exilent en Suisse, à Londres, aux Etats-Unis, au Mexique, au Brésil ; d'autres sont emmenés en Allemagne, en captivité ou en déportation. Certains se sont réfugiés en Afrique du Nord, à Alger surtout ; d'autres enfin combattent dans les forces gaullistes. En 1980, le milieu littéraire n'aura toujours pas recouvré une homogénéité, peut-être à jamais perdue.

Cependant, en France, deux milieux littéraires antagonistes vont s'affronter. Après s'être d'abord vidé, Paris redevient un pôle d'attraction groupant d'une part, et très visibles, les écrivains « collaborateurs » et, d'autre part, ceux qui s'engagent dans les activités clandestines, et que réunira en 1943 le Conseil national des écrivains. En zone non occupée, moins soumise au contrôle nazi, du moins jusqu'en 1942, se forment de vraies « régions » littéraires : sur la côte méditerranéenne, avec des centres actifs comme Aix, Marseille et Villeneuve-lès-Avignon ; à Lyon, qui sera la capitale de la Résistance intellectuelle en zone sud.

Déjà en 1940, tout un secteur des lettres contemporaines — les œuvres de Proust, de Gide, des surréalistes — était accusé d'avoir miné le moral du pays et préparé sa défaite. La censure et les décrets antijuifs éliminent du circuit officiel tout un autre secteur de la littérature. Les écrivains juifs (Kafka, Freud et Marx) sont bannis ainsi que les Anglais et les Américains ; comme l'indique Pierre de Lescure dans le manifeste des Editions de Minuit (1942) : « Défense de réimprimer Meredith, Thomas Hardy, Katherine Mansfield, Virginia Woolf, Henry James, Faulkner, tous les autres que nous aimons. N'exposez plus dans vos vitrines Shakespeare, Milton, Keats, Shelley, les poètes et romanciers anglais de tous les temps, prescrit par ordre de la Propagande, le Syndicat des Libraires... »

Cependant un certain milieu culturel maintient une vie brillante sous le patronage d'une politique allemande de rapprochement : les concerts, les conférences se succèdent ; le théâtre, quoique soumis à la censure, l'Opéra et les salles de cinéma conservent seuls en France une vie singulière, parfois comme un défi à l'occupant. A côté du théâtre à la mode que domine le populaire Sacha Guitry, les années 1940-1945 voient une floraison de pièces brillantes : mise en scène du *Soulier de satin* par J.-L. Barrault (1943) ; création de *La Reine morte* (1942) ; des *Mouches* (1943), de *Huis clos* (1944), de l'*Antigone* (1944) d'Anouilh. Après la Libération de Paris, *Le Malentendu* (1944) suivi de *Caligula* (1945), et *Les Bonnes* (1947) de Genet annoncent une nouvelle vague de dramaturges ; et la pièce posthume de Giraudoux, *La Folle de Chaillot* (1945), éblouit Paris, en rappelant les mérites de la génération précédente.

Très tôt, des revues « libres » se lancent en zone non occupée. Créer, comme le fit René Tavernier à Lyon, *Confluences* (trente-quatre numéros de 1941 à août 1944), vouée à la publication des textes littéraires français de haute qualité, c'était défendre l'intégrité et la dignité de la pensée française. A Alger, Max-Pol Fouchet publie *Fontaine,* qui devait prendre le relais de *La Nouvelle Revue française* passée à la Collaboration. A Alger encore, paraissent plus tard *L'Arche* et *La Nef.* Les poètes, moins facilement suspects, s'organisent rapidement. A Villeneuve-lès-Avignon, Pierre Seghers lance *Poésie 40 ;* Jean Lescure publie *Messages* et Noël Arnaud les éditions *La Main à plume.* Par son existence même la littérature témoigne de la liberté de la pensée et passe de la Résistance intellectuelle à la Résistance tout court. En 1942, Pierre de Lescure et Vercors (Jean Bruller) fondent les Editions de Minuit qui publient des textes résistants et à la fin de l'année, à Paris, *Lettres françaises* rassemble la majorité des écrivains résistants.

Ces publications vivent assez difficilement, bien qu'elles soient moins pourchassées que les feuilles politiques ou les organes de liaison militaire comme *Libération* et *Combat* auxquels les mêmes écrivains apportent parfois leur contribution. Le manque de papier, la censure, la saisie des numéros, les difficultés de distribution, les problèmes de communication, le danger d'être reconnu sous des pseudonymes, les risques de déportation, tout exige des écrivains « résistants » des ressources d'énergie inhabituelles. Plusieurs d'entre eux menaient une double vie : dans la lutte clandestine comme Chamson ou Char ; dans la presse clandestine comme Paulhan, Camus, Aragon ou Roger Vailland ; et un certain nombre, comme le poète Desnos, déporté, y laissent leur vie. Chaque texte dans ces conditions compte.

Un peu partout autour de personnalités — parfois étrangères — et de revues, des réseaux littéraires se forment. A Londres, *La France libre* se préoccupe surtout, sous la direction de Raymond Aron, de questions politiques ; en Suisse, *Les Cahiers du Rhône* d'Albert Béguin et de H. Hauser restent littéraires, et en Argentine les *Lettres françaises* sont publiées sous la direction de Roger Caillois. New York abrite Jules Romains, André Maurois, Maritain, Julien Green, Saint-Exupéry et André Breton. Une maison d'édition — les Editions de la Maison française — et une Ecole libre des Hautes Etudes où enseignent des maîtres comme Focillon, Gustave Cohen, Maritain et Lévi-Strauss, y maintiennent un centre intellectuel actif. Le Canada assure la diffusion du livre français. Au Brésil, Bernanos lance ses appels à la conscience française qu'il défend avec éloquence. Les contacts clandestins avec la métropole s'établissent, les textes s'échangent, passant par exemple de Paris à Londres, pour être ensuite parachutés au même titre que les armes : ce fut le cas du poème d'Eluard, « Liberté », qui eut pour titre premier « Une seule pensée ». Il s'agit non d'innover ou de détruire, mais de maintenir les valeurs et la continuité historique d'une culture dont les écrivains se font les porte-parole et les garants.

L'engagement politique de ces années dépasse les cadres du discours. Aux interdits de l'Occupation succède « l'épuration ». Encore controversée aujourd'hui, elle est rigoureuse. Les condamnations à mort, dont la plus fameuse est celle de Brasillach, à la réclusion, à l'indignité nationale sont nombreuses. A leur tour les écrivains coupables ou suspects fuirent : Drieu La Rochelle se suicide, Céline est incarcéré dans une prison danoise. Au mois de septembre et d'octobre 1945, le Comité national des écrivains jette l'interdit sur les œuvres d'une centaine d'écrivains, dont Giono, Morand, Montherlant. Leurs livres disparaissent à leur tour des vitrines des librairies. Les revues ou journaux, collaborateurs ou neutres, sont également frappés d'interdit ; les allocations des rares stocks de papier passent aux mains des résistants. Les écrivains « nouveaux », issus de la Résistance proclament leur volonté de donner un nouveau statut à la littérature. C'est dans ce contexte que Sartre dès 1945 soulève la question de la littérature *engagée* et entreprend de redéfinir la situation et les responsabilités de l'écrivain. Entre 1948, date à laquelle Mauriac lance un appel à la réconciliation, et 1951 où, dans sa *Lettre aux dirigeants de la Résistance,* Jean Paulhan s'en prend aux excès de l'épuration, le climat d'inquisition change lentement. L'unité de la « République des lettres » est péniblement retrouvée.

Un certain vide se creuse cependant dans le milieu littéraire. La grande génération d'écrivains nés aux environs de 1870 disparaît : Paul Valéry meurt en 1945 ; André Gide en 1951, la même année qu'Alain. Les deux derniers grands représentants de cette génération, Colette et Paul Claudel, s'éteignent à leur tour en 1954 et 1955. Jean Giraudoux était mort en 1944 ainsi qu'Antoine de Saint-Exupéry. Bernanos, malade, avait abandonné le roman pour l'essai politique, comme Duhamel et Mauriac. Roger Martin du Gard restait silencieux ; Breton, de retour d'Amérique, ne retrouvera pas la même autorité ; Jules Romains encore moins. Brasillach a été fusillé et Drieu La Rochelle s'est donné la mort. Sont temporairement hors jeu Céline, Montherlant et Giono. En revanche les écrivains liés à la Résistance, Aragon et Eluard, Malraux, Sartre et Camus dominent la scène. Trois nouvelles revues sont lancées dans le vide relatif de cette après-guerre : *Les Temps modernes* dirigés par Sartre et son groupe (1er octobre 1945) ; *Critique* dirigée par Georges Bataille (juin 1946) ; *La Table ronde* animée par François Mauriac (janvier 1948). De tendances divergentes elles annoncent la fin de cette unité des « résistants » que les *Lettres françaises* avait voulu créer. Une vie littéraire plus normale recommence et tous les textes de cette époque manifestent en général un grand attachement aux valeurs du patrimoine littéraire. Mais tandis que le prestige des écrivains collaborateurs s'effrite rapidement, celui des écrivains résistants, surtout parmi les jeunes, atteint son apogée.

Le phénomène Saint-Germain-des-Prés

Pour les jeunes, le renversement brutal et contradictoire des valeurs enseignées — en 1940, au moment de la défaite, puis au cœur des paradoxes tragiques de l'Occupation, suivis de ceux de la Libération — est particulièrement déconcertant. Des écarts minimes d'âge changent le contexte d'une expérience et préparent une rapide métamorphose de la sensibilité. Tandis que les jeunes de la génération de la défaite se tournent vers leurs aînés dans leur recherche d'une éthique, la génération de la Libération s'en détache. Autour du Flore et des Deux Magots où se retrouve dès 1942 le Tout-Paris littéraire « anti-collabo » de la zone occupée, les jeunes se pressent heureux dans leur désarroi d'y retrouver Jean-Paul Sartre et Simone de Beauvoir, parfois Camus et Mouloudji, ou encore Jacques Prévert et Raymond Queneau. Entre 1944 et 1947, s'ouvrent les « caves existentialistes », le Tabou et la

Rose Rouge où Juliette Gréco chante les poèmes de Jacques Prévert (dont le recueil *Paroles*, 1944, fut un best-seller) sur la musique de Jacques Cosma. Elles semblent symboliser l'alliance entre le milieu littéraire issu de la guerre et une nouvelle génération à la recherche de formes d'expression plus populaires. Ce sera une illusion. C'est sans doute Boris Vian, trompettiste de génie, passionné de jazz, de Duke Ellington, de Louis Amstrong, qui incarne le mieux cette jeunesse et la distance qu'elle prend d'avec ses aînés. Ingénieur, journaliste, chansonnier, dramaturge, romancier, aussi doué que le jeune Cocteau, Vian était animé d'une fantaisie destructrice, macabre et drôle à la fois, qui se retourne contre le sérieux « existentialiste » du moment.

Une modernité nouveau modèle

Malgré les difficultés extérieures et la crainte d'une troisième guerre mondiale, malgré les guerres d'Indochine et d'Algérie, malgré les difficultés intérieures — réorganisation sur tous les plans, luttes des partis, problèmes économiques —, la France s'achemine vers une ère de prospérité. Centré sur la participation à la Communauté européenne et la modernisation de son industrie, ce renouvellement coïncide avec une métamorphose de la société : l'essor de la société de « consommation » dans un cadre « postindustriel ». Les réformes sociales, le vote enfin donné aux femmes répondent à la volonté de sortir de l'immobilisme du passé. Les styles de vie changent, estompant quelque peu les différences de classe ; de nouvelles catégories sociales apparaissent : le paysan devient cultivateur ; dans tous les secteurs, les « cadres » surgissent, et la spécialisation technique semble pouvoir assurer aux ouvriers une place entière dans une société longtemps « bloquée ».

La hiérarchie des pouvoirs est ébranlée. Les institutions les plus immuables en apparence, la famille, l'Eglise, l'école, sentent passer sur elles le souffle de l'esprit novateur de l'époque. Au cours des années soixante et soixante-dix trois phénomènes soulignent la volonté d'émancipation de l'époque : Vatican II, le concile qui se réunit à Rome de 1962 à 1965, avec le dessein d'ouvrir plus largement le catholicisme au monde moderne ; le mouvement insurrectionnel des étudiants en 1968, impatients devant la lenteur des réformes qui cherchaient à modifier les cadres de l'enseignement et à assurer une meilleure diffusion de la culture dans toutes les classes ; et, plus tenace et persistant, le grand mouvement d'émancipation des femmes qui se déclenche en 70. Concurremment, dans le cadre du régionalisme, les populations les plus diverses — Bretons, Basques Provençaux — affirment contre la culture française qu'impose l'école, le droit à leur patrimoine linguistique et culturel. Dans ce nouveau climat, le besoin de favoriser une activité culturelle moins centralisée, plus largement ouverte à tous, inspire des tentatives de décentralisation culturelle : festivals d'été dans les centres provinciaux, création de Maisons de la Culture et de centres d'animation culturelle qui annoncent peut-être une conception nouvelle plus libre, moins universitaire, de la fonction de la culture dans la vie quotidienne des Français. Elle trouvera sa pleine expression dans le Centre Beaubourg à Paris, inauguré en 1977.

Dès 1950, l'atmosphère commence à changer. Les revues supprimées réapparaissent avec des titres légèrement modifiés. Deux pamphlets, *Mort de la littérature* de Raymond Dumay et *La Littérature à l'estomac* de Julien Gracq, dénoncent la médiocrité d'une littérature tout entière existentialisée. En 1951, à Saint-Paul-de-Vence, protestant contre la littérature engagée et affirmant la nécessité d'un renouvellement des techniques littéraires, la revue *Roman*, sous la direction de Pierre de Lescure et Célia Bertin, réclamait l'autonomie du secteur littéraire. Une nouvelle revue, *La Parisienne* (1953), lancée par une brillante équipe de jeunes romanciers (Nimier, Blondin, J. Laurent, Félicien Marceau, Michel Déon, dits les *Hussards*), marquait la rentrée littéraire d'une droite dépolitisée qui se réclamait de l'esprit des années vingt, de Paul Morand et de Jean Giraudoux. Mais la présence, aux Editions de Minuit, d'un groupe vigoureux d'écrivains pour qui pratique de l'écriture et pensée critique théorique vont de pair, donne le ton à une nouvelle avant-garde. Ce qu'on appellera le « nouveau roman », le « théâtre de l'absurde », la « nouvelle critique », ensemble fort diversifié, va conférer à la littérature une physionomie nouvelle, une orientation vers une nouvelle problématique axée sur le langage et les modalités de l' « écriture/lecture ». Textes théoriques, textes expérimentaux, systèmes et méthodes prolifèrent. Cependant, vers 1970, la destruction des formes traditionnelles, amorcée déjà par Dada, semble parvenue à une impasse. Lassé, le public ne suit plus. La littérature s'oriente vers de nouvelles approches au réel : le fantastique, l'imaginaire, l'humain reprennent des places dont ils avaient été évincés.

Le statut de l'écrivain

De plus en plus, l'écrivain se voit classé parmi les « intellectuels ». Né de l'affaire Dreyfus, le mot a envahi l'époque. A partir des années trente, il rend archaïques les étiquettes « homme de lettres » ou « homme cultivé ». La distinction « intellectuel de droite, intellectuel de gauche » des années trente perd sa pertinence et sera remplacée par l'étiquette « collabo » ou « résistant », ce qui « désacralise » le fait littéraire. A la Libération, le débat sur le rôle de l'écrivain se polarise bientôt autour du marxisme et se fait idéologique.

Que ce soit Jean-Paul Sartre dans *Qu'est-ce que la littérature ?* (1946) ou le communiste Jean Kanapa dans une série d'articles écrits entre 1950 et 1957 et publiés sous le titre *Situation de l'intellectuel* (1957), les idéologues limitent le rôle de l'intellectuel à son efficacité politique immédiate, qui serait de dévoiler les rouages de la société. L'écrivain se trouve alors en situation d'infériorité par rapport aux spécialistes des sciences humaines et perd son domaine autonome. Toutefois, cherchant à préciser les sens du terme, Raymond Aron signalait dans *L'Opium des intellectuels* (1955) la diversité des activités qu'il recouvre, celle de l'écrivain n'étant qu'une parmi d'autres.

La société issue de la Seconde Guerre mondiale voit la multiplication du nombre des intellectuels attachés aux professions scientifiques ou techniques. Un secteur de leur activité — radio-diffusion, télévision, ordinateurs — pénètre dans le secteur culturel. L'homme de lettres se double d'un expert, et le milieu littéraire se dilue par gradations invisibles; l'activité littéraire tend à se confondre avec maintes autres activités, soit de publicité, soit d'information. La radio, la télévision, l'édition de collections diverses, de magazines ou de périodiques spécialisés offrent aux gens de lettres, hommes et femmes — car les femmes jouent un rôle considérable —, des métiers secondaires, les intégrant plus à la société que par le passé.

Après la coupure de la guerre, la production littéraire, surtout de romans, n'a cessé d'augmenter, mais proportionnellement moins que celle de livres d'information de toutes sortes. Le milieu littéraire reconstitué à Paris s'accroît. La concurrence augmente avec l'inflation de la production littéraire et des réputations, d'où la multiplication des cliques et des brèves célébrités. Essentiellement parisien, ce milieu est plus bourgeois que celui des années vingt, à la fois bohème et mondain. En 1960, sur cent soixante-dix auteurs recensés, cent cinquante-quatre vivaient à Paris et, à l'exception d'une douzaine, tous venaient de carrières touchant au monde de l'édition, du journalisme ou de l'université. « Nos lettres », notait François Nourissier en 1960, « sont parisiennes, bourgeoises [...] et les professeurs y disputent la prépondérance aux hommes de lettres. Nous avons une littérature de classe aisée, étroitement liée à la vie parisienne, livrée aux professionnels du livre et des idées [...]. L'écrivain français est par définition un tenant de l'ordre établi[1]. » Malgré la secousse de 1968, à l'occasion de laquelle un petit groupe d'écrivains de gauche forme une « Union des écrivains », occupe le siège de la Société des gens de lettres, et se propose de créer pour l'écrivain le statut de « travailleur intellectuel », cette situation n'a guère changé. En 1976, le Syndicat des Ecrivains de langue française (SELF) est créé ; sa première présidente est une romancière, Marie Cardinal. En dehors de ce milieu, le prestige de l'écrivain tient aujourd'hui moins à ses livres qu'à l'image que donnent de lui les magazines et la télévision.

Plus sans doute qu'aucun autre groupe appartenant à l'intelligentsia, les écrivains ont ressenti les effets de la transformation du milieu social. Jamais au cours de l'histoire du pays le prestige de l'écrivain français ne fut aussi grand que durant une trentaine d'années, de 1920 à 1950, tant à l'étranger qu'en France. Et aujourd'hui encore en France un certain prestige s'y attache. Mais peut-être parce que, depuis 1950, le public se fragmente, après Sartre, Simone de Beauvoir et Camus, aucun écrivain ne s'impose à tous. L'écrivain est accueilli par *un* secteur plus ou moins grand du public, inconnu des autres ou décrié. Le journalisme et la télévision attirent de plus en plus l'écrivain vers Paris, dans un milieu qui, bien qu'il

1. *Ecrivains d'aujourd'hui (1940-1960)*, Grasset, 1960, p. 43.

CHAPITRE II

LA VIE LITTÉRAIRE

A partir de 1920 la vie littéraire délaisse salons et cafés, au profit des grandes maisons d'édition, des revues et des collections qu'elles financent ainsi que des prix de plus en plus nombreux, — et à chaque fois moins significatifs — que décernent chaque année les jurys. Et vers les années soixante, un nouvel élément entre en jeu avec l'apparition à une échelle de masse de la télévision et le grand retentissement que connaissent les émissions littéraires.

Concentrée à Paris, elle est animée par de fréquents enquêtes, débats et polémiques qui, dans la deuxième moitié du siècle, n'ont souvent mis aux prises que de petits cercles intellectuels. D'autre part, les enquêtes sociologiques récentes estiment que 80 % des ouvrages de littérature sont oubliés dans l'année même qui suit leur publication, 99 % d'entre eux dans les vingt ans. Il est ainsi très difficile de se repérer dans le domaine touffu de l'édition, et de saisir les rapports qui s'établissent entre le marché du livre, la production littéraire et les quelques ouvrages de grande littérature émergeant de la masse considérable de papier qui est imprimée chaque année.

Les maisons d'édition

Parmi les maisons d'édition diversifiées, quelques dizaines consacrent à la littérature une partie de leur production, combinant la réimpression d'ouvrages connus et d'auteurs « au programme » des écoles et des facultés, à la publication — toujours hasardeuse — de nouveautés : Albin Michel, Armand Colin, Calmann-Lévy, Fasquelle, Flammarion, Garnier, Hachette, Larousse, Nathan. Certaines d'entre elles sont étroitement spécialisées : Bloud et Gay, Beauchesne, dans la publication d'ouvrages catholiques ; les Editions sociales, à partir de 1930 dans les ouvrages marxistes. Dirigées par des poètes s'adressant à un public limité, les éditions confidentielles de vers se multiplient ; ainsi les Éditions G.L.M. (Guy Levis Mano) à juste titre renommées dans les années trente, et dont la production fait aujourd'hui la joie des collectionneurs.

Grasset et Gallimard se partagent le marché des jeunes auteurs, exerçant une influence sur le goût et contribuant à faire les renommées. Amateur passionné de littérature en même temps qu'habile promoteur, s'adressant au plus grand nombre tout en maintenant un niveau littéraire élevé, Bernard Grasset lance presque toutes les « révélations », une dizaine d'années durant. Giraudoux et les célèbres quatre M — Mauriac, Maurois, Montherlant, Morand — figureront parmi ses « poulains » aux côtés de Radiguet, de Cocteau et de Malraux à leurs débuts.

Issue de *La Nouvelle Revue française* et plus austère, la maison Gallimard, se fait garante d'excellence en recueillant, souvent après leur découverte, des auteurs dont les ouvrages répondent à de stricts critères littéraires (Proust, Céline) ; elle fait aussi place aux poètes qu'accueillait surtout le Mercure de France.

A côté d'elles, des maisons d'édition nouvelles comme Kra ou Denoël diffusent une littérature plus à l'avant-garde. D'autres encore, à l'instar de Stock ou de Plon, intègrent à leur catalogue des traductions de romans étrangers fort en vogue alors.

Pendant la Seconde Guerre mondiale, des maisons d'édition sont fondées à l'étranger pour suppléer aux difficultés que rencontrent les grands éditeurs parisiens (pénurie de papier, censure) et répondre aux besoins des écrivains dispersés : les Editions de la Maison française au Canada et à New York, les Editions Fontaine à Alger. Le centre le plus actif est situé en Suisse avec les Editions de la Baconnière, Ides et Calendes et Egloff (LUF).

Avec la Libération, Paris redevient le centre de l'édition littéraire mais la géographie des maisons d'avant-guerre a changé. De nouveaux noms sont apparus, souvent issus de la Résistance. Quatre d'entre eux s'imposeront : Seghers, Julliard, les Editions de Minuit et les Editions du Seuil notamment grâce à une forte spécialisation initiale. Seghers se consacre à la poésie. Moins exigeant que Gallimard, Julliard accueille de nombreux romanciers débutants parmi lesquels Françoise Sagan ; les Editions de Minuit s'assurent la quasi-exclusivité d'une équipe de romanciers jusqu'alors inconnus mais que la vogue du « nouveau roman » rend célèbres.

Cependant, ce sont les Editions du Seuil qui connaîtront le succès le plus grand et le plus durable. Cette maison existait d'une manière précaire depuis 1937, la revue *Esprit,* depuis octobre 1932. Leur vitalité s'explique par l'amitié de leurs fondateurs respectifs, Paul Flamand et Emmanuel Mounier[1], leurs aspirations communes, et, après la guerre, leur rapprochement qui permit l'échange, tout en refu-

1. Mounier meurt en 1950. Albert Béguin lui succède ; il meurt en 1957. Jean-Marie Domenach lui succède.

sant la moindre réduction des originalités de chacun. Le Seuil comme *Esprit* ont tôt compris que l'humanisme — un humanisme chrétien et œcuménique — ne pouvait se satisfaire de la seule littérature et qu'il fallait s'ouvrir à toutes les sciences de l'homme.

Et c'est par une grande hardiesse dans la diversification que les Editions du Seuil, aidées en cela par une équipe de critiques nouveaux (Claude-Edmonde Magny, Jean-Pierre Richard) partent en flèche. Lançant la collection « Pierres vives », reprenant la collection « Esprit », avec le romancier Jean Cayrol et Dominique Rolin, puis *Les Cahiers du Rhône* d'Albert Béguin, elles font de la collection spécialisée — littérature, musique, voyages, tiers-monde — l'instrument d'une entreprise qui incarnera les tendances nouvelles de l'après-guerre. Au Seuil paraissent également les premiers ouvrages de ceux qui constitueront l'équipe de *Tel Quel*, tandis que des revues comme *Poétique*, *Communications*, *Scilicet* (Lacan), un moment *Change*, montrent la place prise par le Seuil à l'avant-garde de l'édition.

Dans les années 60-70, l'édition s'est radicalement modifiée pour s'adapter à un public nouveau et aux méthodes du *marketing*. Des études systématiques du marché du livre, fondées sur les sondages, les statistiques et les froids impératifs de la gestion moderne, jettent une lumière nouvelle sur toutes les opérations du commerce du livre. L'édition tend vers la concentration, puis vers l'internationalisation. Trois « groupes » sont actuellement en position dominante : Hachette, les Presses de la Cité et Gallimard. C'est un cri d'alarme que suscite en 1980-1981 l'achat du groupe Hachette par un vaste consortium non associé au commerce du livre, Matra.

Enfin, l'édition littéraire n'est pas à l'abri des fluctuations économiques : crise des années trente ; crise des années de guerre ; crise des années 74-75, marquée par la pénurie du papier et la naissance de la FNAC ; crise de 1979-1980 lors de l'arrêté Monory qui libère le prix du livre au préjudice des ouvrages littéraires non encore classés et considérés comme non rentables.

Ces circonstances ajoutées au fait que le métier d'éditeur est un métier difficile expliquent que nombre de petites maisons naissent au printemps pour disparaître dès les premiers froids. Mais des hommes jeunes — ou moins jeunes — ne cessent pas de créer de nouvelles enseignes : parce qu'un éditeur n'est pas seulement un commerçant ou un « manager » ; au fond de lui-même, il est un écrivain par procuration, tous les écrivains.

Les collections et les revues

Pour survivre, les maisons d'édition doivent sans cesse chercher de nouvelles formules. Dans les années vingt, portées par l'explosion littéraire, des collections de toutes sortes foisonnent, ainsi que des « cahiers » mensuels ou trimestriels adressés à des publics divers. Chez Grasset, *Les Cahiers verts* tentent de prendre la suite des *Cahiers* de Péguy tandis que *Les Ecrits* lancent des enquêtes ou des romans à portée sociale. Kra publie une série de « panoramas » des littératures étrangères contemporaines. Chez Plon, *Le Roseau d'Or* imprime surtout des écrivains catholiques.

Deux initiatives de la maison Gallimard datant des années trente ont connu un avenir durable. D'une part la « Bibliothèque de la Pléiade » créée par Jacques Schiffrin et qui, sous une forme compacte, diffuse d'abord les grands classiques de la littérature française, puis les « classiques » contemporains, et s'étend enfin aux grands textes du monde entier, presque tous soigneusement présentés, édités et annotés. 1930 voit aussi la création de la « Bibliothèque des Idées » qui offre, dans des éditions d'un prix relativement modeste, certains ouvrages tels le

Déclin de l'Occident de Spengler, *L'Etre et le Néant* de Sartre ou *Les Mots et les Choses* de Foucault. Cette initiative a sûrement favorisé la diffusion de la pensée philosophique qui prend peu à peu le pas sur le goût des lettres, faisant écrire à Maurice Sachs : « *Il s'est produit un changement historique à partir du moment où Hegel et Marx ont détrôné, dans l'admiration de la jeunesse des écoles, Rimbaud et Lautréamont.* » A plus forte raison Sartre, Foucault et Lacan.

A partir de 1952 et suivant en cela l'exemple donné par la collection « Que sais-je ? » des Presses Universitaires de France et celui des « *paper back* » américains, apparaissent les grandes collections au format de poche : « Le Livre de poche » (Hachette), « GF » (Flammarion), « J'ai Lu », « 10 × 18 », « Folio » (Gallimard), qui produisent une véritable révolution sur le marché du livre. Visant surtout le public scolaire et universitaire, les collections de textes littéraires et même critiques se multiplient. Chez Seghers, les « Poètes d'aujourd'hui » ; au Seuil les « Ecrivains de toujours », etc.

Le livre « de poche » renseigne, situe, évite le ton didactique et les textes tronqués du manuel littéraire, mais il n'avantage guère les jeunes écrivains. Ainsi, pour figurer dans une collection de « poche » tirant initialement à plusieurs dizaines de milliers d'exemplaires, il faut qu'un livre ait quelque chance de durer et d'attirer longtemps des lecteurs. Là encore, les nouveautés littéraires luttent à armes inégales.

C'est en partie grâce aux revues — qu'elles subventionnent le plus souvent — que les maisons d'édition restent en contact avec le public, le nombre et la qualité des « abonnés » qu'elles possèdent les renseignant sur l'écho qu'elles trouvent auprès du public. Elles visent d'ailleurs des secteurs différents de ce public. Par exemple, le lecteur « cultivé » et traditionaliste ou, au contraire, le lecteur d'avant-garde, la rubrique littéraire des hebdomadaires suffisant à un public désireux surtout d'être tenu « au courant ».

Revues et maisons d'édition participent au grand brouhaha qui, tous les ans, accompagne l'attribution des prix. Souvent critiqués, ceux-ci ne cessent de se multiplier et ils sont aujourd'hui plus de quatre mille à être attribués chaque année dans le monde francophone. D'autres comme le prix Nobel — d'un grand retentissement — et le prix Lénine (ex-Staline) — limité à la littérature communiste — sont internationaux. En France viennent s'ajouter au grand prix du roman décerné par l'Académie française, le grand prix national des lettres (1951) et le grand prix national du théâtre (1969). Ces prix couronnent une œuvre déjà consacrée, surtout le Nobel qui la signale à l'attention d'un public international. Voici la liste des écrivains de langue française qui ont reçu le prix Nobel depuis un demi-siècle : Roger Martin du Gard (1937), Gide (1947), Mauriac (1952), Camus (1957), Saint-John Perse (1960), Sartre (1964) — qui le refusa —, Samuel Beckett (1969), Claude Simon (1985).

Mais ce sont les quatre grands prix attribués à un roman qui suscitent le plus les passions : le Goncourt, le Fémina, le Renaudot et l'Interallié. Aux lauréats et à leurs éditeurs, ils assurent une montée en flèche des tirages, et donc de sérieuses rentrées financières. A côté d'eux, le prix Médicis, le prix des Critiques, le prix Fénéon et, plus récemment, le prix international de littérature couronnent des ouvrages novateurs, auxquels ils confèrent un indéniable prestige ; c'est également le cas des prix Apollinaire, Max Jacob et du grand prix de la Ville de Paris, décernés aux poètes.

Pour inégales que soient les sélections, les œuvres couronnées sont rarement sans intérêt et peu de romanciers de valeur n'ont jamais été distingués par un prix. Malgré le tapage publicitaire qui accompagne ces sélections et qui brouille sans aucun doute l'échelle des valeurs et des réputations, les prix littéraires, attribués par des écrivains établis et des critiques avisés, opèrent un premier tri dans la grande masse de livres où le lecteur non initié se perdrait. De plus, le fait de braquer ainsi les feux de l'actualité sur la littérature lui confère une certaine notoriété.

Le temps des hebdomadaires

Dans la grande presse quotidienne, le feuilleton littéraire signé de noms respectés — Paul Souday dans *Le Temps*, Henri de Régnier dans *Le Figaro*, André Salmon dans *L'Intransigeant* — informe le public sur la littérature de l'heure. Mais le prestige du feuilleton diminue. En revanche, l'hebdomadaire littéraire, qui connaît d'abord des jours fastes puis commence à péricliter entre les deux guerres, constitue une transition entre deux époques. Il se propose de mettre certaines formules du journalisme au service des écrivains et de servir de relais entre la grande littérature et un public plus étendu. En 1922, Maurice Martin du Gard lance *Les Nouvelles littéraires*, un hebdomadaire « littéraire, artistique et scientifique » où les lettres l'emportent sur les autres rubriques. Par leur format, leurs grands titres, la place accordée à l'actualité et à la documentation, ces hebdomadaires s'écartent du style des revues. Ils publient de brefs inédits et dans de courts articles renseignent leurs lecteurs sur les événements littéraires : prix, cinquantenaires ou centenaires dont la célébration devient rituelle.

Ils présentent aussi des reportages et, à partir de 1924, sous le titre « Une heure avec... », les célèbres « Entretiens » de Frédéric Lefèvre avec un écrivain en vue. Le « vedettariat littéraire » naissait ainsi, et l'information commençait à prendre la place de l'article critique. *Les Nouvelles littéraires* auront des imitateurs. Les hebdomadaires se politiseront rapidement, mais ce sont les romanciers, tant français qu'étrangers — Pierre Benoit, Mauriac, Vicky Baum, Bromfield, Faulkner, Hemingway — qui en assurent en somme le succès.

A leur apogée, le tirage des hebdomadaires littéraires oscille entre cent cinquante mille et trois cent mille, mettant en évidence l'existence d'un public avide de se renseigner rapidement sur les faits culturels. A l'exception du *Figaro littéraire* et des *Nouvelles littéraires,* aucun d'entre eux ne survivra à la Seconde Guerre. Tout en annonçant les voies nouvelles que prendra le journalisme littéraire, l'hebdomadaire, quelle que soit son orientation idéologique, s'inscrit dans le sillage de la littérature établie comme l'indiquent les noms qui apparaissent le plus souvent : Edmond Jaloux, André Billy, Albert Thibaudet, Benjamin Crémieux, René Lalou, Ramon Fernandez, Robert Kemp, hommes de lettres et arbitres du goût.

La coupure de la guerre élimine pour un temps les hebdomadaires. Malgré plusieurs tentatives (*Carrefour, La Gazette des Lettres, Arts* devenu *Art-Spectacles*), ils se font rares. Parmi ceux qui sont créés après 1940, seul *Les Lettres françaises,* connaîtra une réelle longévité. D'abord journal des écrivains résistants, fondé en 1942 par Jean Paulhan et Jacques Decour, ses dix-neuf premiers numéros clandestins rassemblent un vaste éventail de noms : Mauriac, Valéry, Duhamel, Camus, Eluard, Leiris, Sartre, Vercors, Benda, Martin du Gard, Malraux. Les éditoriaux, les comptes rendus, les poèmes y sont d'inspiration patriotique et la critique littéraire s'y montre peu soucieuse d'autres critères. Passant sous direction communiste, à partir de 1946, *Les Lettres françaises* posent le problème de la relation entre la littérature et l'idéologie politique. Jusqu'en 1953, date à laquelle Louis Aragon en prend la direction, la critique littéraire, fidèle au durcissement de la ligne politique du parti et aux directives jdanoviennes, y est entièrement partisane et d'une décourageante médiocrité. Ce journal cesse de paraître en 1972, laissant le champ libre aux *Nouvelles littéraires,* alors non politisées, et éventuellement aux journaux hebdomadaires d'information comme *L'Express* et *Le Nouvel Observateur* qui réservent une large place à la critique. Avec le *Magazine littéraire* en 1965 et *La Quinzaine littéraire* un an plus tard, le périodique littéraire regagne non sans peine du terrain.

Les revues et les « groupes »

Qui dit revue dit groupe. Les groupes littéraires sont nombreux et s'opposent, dialoguent, se relaient, lancent des controverses dans lesquelles chacun se distingue par un certain esprit.

Soutenu par la revue lancée en 1908, le groupe de la *N.R.F.* joue le rôle de conscience littéraire de l'époque. Réaffirmant, au sortir de la guerre, ses critères exempts d'influences « politiques, utilitaires ou théoriques », la *N.R.F.* se tient fermement au centre du mouvement littéraire et forme plutôt qu'elle n'informe ses lecteurs. C'est autour de ce groupe que, dès avant 1914, les « Rencontres » de Pontigny s'étaient établies ; elles réunissaient les hommes de lettres et les intellectuels éminents du monde occidental, et débattaient des grands dilemmes du moment.

A sa tête, André Gide manifeste une certaine austérité et un libéralisme « protestant » qui lui vaut l'antagonisme du groupe catholique de droite, dogmatique et conservateur, dont le critique Henri Massis se fait le porte-parole. Plus insaisissable, lié à la bohème artistique et littéraire de l'avant-guerre, tout un milieu littéraire assez fantaisiste gravite autour de la personnalité hors du commun du poète

Max Jacob tandis que Jean Cocteau passe d'un milieu à l'autre, du « Bœuf sur le toit » au salon thomiste de Maritain ou à la *N.R.F.*

Distant, le personnage de Romain Rolland domine le groupe « engagé » à gauche dont Henri Barbusse est la personnalité marquante et qui a pour organes les revues *Clarté* et *Europe.* Un groupe discret — le Brambilla Club — rassemble autour du critique Edmond Jaloux des écrivains comme Paul Morand, Jean Cassou et Jean Giraudoux, unis par leur goût commun pour le romantisme, surtout allemand.

Mais ce sera la jeune équipe surréaliste, réunie autour d'André Breton, qui introduira dans les mœurs littéraires un nouveau phénomène : le groupe « collectif », sorte de communauté armée d'intransigeance, liée par un dogme et une sévère discipline, dont l'histoire traversée de controverses et les débats se répercutent en France dans presque tous les domaines de l'activité littéraire. Le groupe surréaliste lance une succession de revues d'avant-garde, à tirage limité, qui ponctuent son évolution.

Cependant, c'est dans une revue moins connue du public, *Le Minotaure* (1933-1939), que s'affirment des tendances nouvelles encore confuses, mais révolutionnaires. Elles alimenteront un courant de pensée qui sapera plus profondément que le surréalisme l'idée même de « grande littérature », de « haute culture », sur laquelle reposait en somme la vie littéraire. Ainsi, au moment où sous la pression des événements, le milieu littéraire dérive vers la politique, l'équipe du *Minotaure* entreprend une enquête passionnée sur les sources psychologiques de l'expression par les formes, surtout plastiques, puisant tant chez Freud que dans le surréalisme, l'ethnologie ou l'histoire de l'art. On peut lire, à côté du nom de Breton, dans les treize numéros du *Minotaure,* ceux de Jacques Lacan, Michel Leiris, Georges Bataille, Pierre Klossowski. Roger Caillois. Les recherches où s'engage cette équipe font éclater les cadres traditionnels, littéraires aussi bien que critiques.

Sur le trajet des écrivains dispersés, des revues littéraires paraissent un peu partout pendant la guerre. Passant à la collaboration sous la direction de Drieu La Rochelle, la *N.R.F.* perd ses lecteurs. Anti-allemandes mais s'inscrivant dans la tradition de la *N.R.F.*, *Confluences* à Lyon, *Fontaine, La Nef, L'Arche* à Alger, *Lettres françaises* en Argentine, disparaîtront les unes après les autres lorsque Paris redeviendra le centre de la littérature francophone.

Trois revues tentent alors de combler le vide laissé par la *N.R.F.* qui ne reparaît qu'en 1953 sous le titre *Nouvelle Nouvelle Revue française,* avant de reprendre en 1959 son titre originel. Le sommaire du premier numéro de la nouvelle série contient les noms d'une équipe depuis longtemps reconnue : Saint-John Perse, André Malraux, Léon-Paul Fargue, Henry de Montherlant, Jean Schlumberger, Maurice Blanchot, Jules Supervielle. La revue entend rester sur ses anciennes positions et cherche avant tout à offrir au lecteur les meilleurs textes littéraires du moment. Elle vivra en partie d'un prestige acquis depuis longtemps et grâce au sens littéraire de ses directeurs, Jean Paulhan et Marcel Arland.

La Table ronde (1948-1969), tente tout d'abord de ne publier que des articles de critique littéraire et des textes inédits, mais elle ne peut en maintenir la qualité et doit avoir recours aux numéros spéciaux et aux enquêtes sociales. A l'inverse, le souci littéraire proprement dit passe au second plan dans *Les Temps modernes* et dans *Critique,* les deux revues les plus représentatives de l'époque. Portant leurs efforts sur les rapports unissant littérature et réalités sociales collectives, *Les Temps modernes* tentent de donner une direction morale et politique à la nouvelle génération ébranlée par la guerre. Bataille l'engageant dans la recherche des racines psychologiques de l'art et des liens entre l'art et le sacré, *Critique* s'oriente vers des domaines ésotériques. Ces deux revues contestent les catégories où s'enferme la littérature et l'étendent à des formes d'expression qui auparavant en étaient exclues. Les critères esthétiques tiennent peu de place dans leurs analyses où s'aménagent de nouvelles perspectives.

La « revue de jeunes », caractéristique de la vie littéraire d'avant la Seconde Guerre, se dégage avec peine. Il ne suffit pas qu'elle soit, comme *La Parisienne* (1953, directeur François Michel), lancée par une brillante équipe de jeunes romanciers réunissant, outre Nimier, Antoine Blondin, Jacques Laurent, Félicien Marceau, Michel Déon. Pour signifier à tous que l'hégémonie littéraire des écrivains résistants se terminait, celle-ci n'en partage pas moins le sort des autres revues : à part la *N.R.F.*, ne survivent guère que les publications à portée sociale et d'information générale, comme *Esprit.*

De nouvelles revues plus spécialisées prennent la place des anciennes. En décembre 1948, un groupe de jeunes intellectuels communistes lance une revue, *La Nouvelle Critique,* qui ouvre une voie nouvelle à la critique et au journalisme littéraire : la revue comme instrument de recherche collective et de théorisation systématique, visant à donner à la critique de solides assises marxistes. Un concept qui dominera à nouveau les revues d'avant-garde après 1968.

Après 1960, un certain désamorçage se fait sentir. *Tel Quel* connaîtra de nombreuses péripéties et des changements de position politique : son ton péremptoire et l'affirmation de sa fonction révolutionnaire en ont fait une revue irritante mais dynamique, et qui entend ne point rester figée sur une position. Apparaît bien sûr au sommaire l'inévitable constellation des maîtres à penser de l'heure — Bataille, Barthes, Foucault, Lacan, Derrida — mais aussi les écrivains agréés comme précurseurs — Artaud, Ponge — et, au départ, l'équipe des nouveaux romanciers ainsi que les maîtres de la linguistique contemporaine, dont Roman Jakobson et Noam Chomsky. C'est ainsi que *Tel Quel* a publié les textes expérimentaux et critiques les plus hardis et les plus contestables de l'heure. Tirant en 1970 à six mille exemplaires, cette revue a fait connaître les noms de Jean-Pierre Faye, Guyotat, Kristeva, Pleynet, Ricardou, Denis et Maurice Roche, Sollers, et elle est doublée d'une collection portant le même titre.

Change est voué aux recherches sur les jeux du langage et de la création « programmée ». *Poétique* est plus ouvert à une variété de méthodes d'analyse. *Littérature* est orienté vers la sociocritique. *Digraphe* cherche à explorer au-delà de toute distinction générique les espaces nouveaux que le texte ouvre dans la trame du langage. D'autre part, aux « rencontres » du type Pontigny succèdent des colloques dont ceux du Centre culturel international de Cerisy-la-Salle sont sans doute les plus célèbres. Sous diverses formes — colloques sur le nouveau roman, sur l'enseignement de la littérature, sur la production du sens chez Flaubert, sur l'œuvre d'Albert Camus, etc. — ceux-ci permettent la confrontation féconde de méthodes différentes et de points de vue distincts, si ce n'est opposés.

Le rayonnement de ces revues et colloques hors de France, et particulièrement aux Etats-Unis, offrirait un vaste sujet d'étude. A l'instar de l'Amérique, la France subit depuis quelques années le même attrait de ce qui est contemporain. Les séries de cahiers, carnets, archives portant sur l'actualité littéraire se multiplient. Consacrés à un seul auteur, ou à un thème, publiés une fois l'an, et surtout nourris par des communications d'universitaires, ceux-ci s'adressent aux spécialistes plutôt qu'aux amateurs lettrés comme par le passé (voir la *Revue des lettres modernes* de Minard). Cette formule semi-universitaire a été reprise par les *Cahiers de l'Herne* (1961 ; fondateur, Dominique de Roux), qui consacrent chacune de leurs livraisons à une personnalité littéraire controversée (Céline, Ezra Pound) ou célèbre mais mal connue (Samuel Beckett, René-Guy Cadou, Borgès, René Char) ou encore à un groupe, comme celui de *Grand Jeu.* Inédits, souvenirs, témoignages, essais critiques d'ordre divers, documents biographiques et bibliographiques s'y côtoient, créant un ensemble assez disparate qui s'adresse aux amateurs aussi bien qu'aux spécialistes. A partir de 1972 les numéros d'*Obliques* (trimestriel, directeur Roger Borderie) se distinguent par la qualité de leur passionnante documentation et le choix des auteurs, de Strindberg à Artaud et à Sartre. Il en va de même pour le théâtre et le cinéma : *Cahiers Madeleine Renaud-Jean-Louis Barrault; Cahiers du cinéma* (1950) ainsi que pour la télévision avec les *Cahiers littéraires* de l'O.R.T.F.

Le public doit donc choisir dans cet ensemble hétérogène. Rares sont les revues qui parviennent à se maintenir sans être subventionnées par des organismes officiels ou par des maisons d'édition. Dans ces conditions les revues purement littéraires sont menacées de disparition.

Fragmentés, dispersés dans le monde entier, les lecteurs de la revue littéraire ont changé ; ils sont devenus, dans leur majorité, des universitaires. Spécialistes plutôt que lettrés, ils semblent préférer la revue critique et théorique à la lecture régulière de textes littéraires souvent disparates et incomplets que leur proposait la revue littéraire *classique*.

CHAPITRE III

LE DOMAINE LITTÉRAIRE

Les arts et les médias

Le concept de l'avant-garde en art a été, à l'origine, emprunté au domaine politique. C'est à la « belle époque » qu'il passe d'abord dans le domaine des arts, surtout celui de la peinture ; puis, avec le surréalisme, dans la littérature. Il veut que le langage individuel du créateur, en rupture avec tout académisme, soit le langage qu'adoptera l'art du lendemain. Un tel concept repose sur une idée assez floue, et selon laquelle l'œuvre d'art, conçue comme un organisme, se développerait selon des lois qui, senties par les créateurs, assureraient aux différents arts une orientation et une continuité cohérentes. Lorsque, vers 1960-1965, la grande diversité des réalisations et la coexistence de tendances contradictoires apparaissent, la notion même d'avant-garde se perd et avec elle, le sens d'un art « orienté » selon une progression linéaire temporelle. L'avant-garde cède alors la place au groupe expérimental. Le mot souligne le changement d'horizon. Et à mesure que se déroule la décennie de 70-80, ce mouvement aussi semble conduire à une impasse, sinon à un échec.

En 1920, une avant-garde de jeunes poètes — les futurs surréalistes — animateurs de la revue *Littéra-*

ture, multiplie les manifestations contre les maîtres reconnus. La même année, un journaliste baptise groupe des Six les jeunes compositeurs Auric, Durey, Honegger, Milhaud, Poulenc et Germaine Taillefer qui, sous le patronage de Satie et l'égide de Jean Cocteau, faisaient leurs débuts à Paris ; et l'exposition des « jeunes peintres français » montre que, le cubisme perdant son hégémonie, une nouvelle avant-garde apparaît, où collaborent plus étroitement que par le passé peintres, écrivains et compositeurs.

Cette collaboration s'intensifie au cours des années vingt, puis diminue, mais n'en reste pas moins un des traits fondamentaux de l'époque : Jean Cocteau, écrivain, est cinéaste et dessinateur. Jean Arp, peintre et sculpteur, est aussi poète. Henri Michaux, poète, est peintre... Et les rencontres entre écrivains et artistes sont célèbres : Paul Eluard et Max Ernst, Breton et, pendant un certain temps, Dali ; Jean Paulhan et Braque ; Sartre et Calder ; Yves Bonnefoy et Giacometti, et l'on connaît le rôle majeur qu'a joué la peinture dans le développement de l'œuvre de Claude Simon. Elle est pour lui un stimulant technique et visuel (composition par juxtapositions, symétrie, répétitions, motifs).

Les courants culturels se rejoignent ainsi. Dans tous les arts, les années 1920-1929, 1946-1955 sont des époques charnières ; et durant la décennie 1960-1970, un même courant s'oriente vers une recherche de laboratoire faite par un « collectif ». Les groupes de recherches d'art visuel et de musique algorithmique correspondent à des groupes tels que *Tel Quel* et *Change.* Si, après 1920, la littérature partage les deux exigences qui caractérisent l'époque — la volonté de rompre avec le passé et la recherche toujours renouvelée de moyens nouveaux d'expression —, elle reste en retrait par rapport aux autres arts. C'est surtout dans les arts plastiques que la révolte de Dada aura des répercussions immédiates. Bien que ce soient des poètes — André Breton, Robert Desnos, Paul Eluard, Benjamin Péret — qui élaborent les doctrines surréalistes, ce sont les peintres qui, s'inspirant de ces doctrines, atteindront les premiers une renommée mondiale.

En soi, la recherche d'une esthétique nouvelle n'a rien de révolutionnaire. Ce qui l'est, c'est la rapidité avec laquelle l'esprit d'aventure de l'avant-guerre devient une volonté de confrontation avec le passé, de révolte et de rupture radicale. La rupture radicale avec les principes plus ou moins consciemment acceptés qui régissent un art ne pose pas les mêmes problèmes à l'artiste et au compositeur qu'à l'écrivain. La création d'un langage nouveau dans les deux premiers domaines est immédiatement perceptible, inhérente à la chose créée : on *voit* une toile de Picasso, une sculpture de César ; on *entend* une étude de Boulez. Lire est un acte intellectuel plus complexe et le « matériau » de l'écrivain, la langue, peut n'être pas immédiatement décodable. Il n'est donc pas étonnant que les arts plastiques et la musique indiquent plus clairement que la littérature la volonté de métamorphose qui est le caractère distinctif de l'art moderne, la recherche de formes d'art nouvelles et leur irruption dans le champ culturel. Et c'est l'art, avant même la littérature, qui, au cours de ces mêmes années, a suscité les révisions philosophiques les plus radicales.

En 1925, devant l'art non figuratif, Ortega y Gasset posait la question de « la déshumanisation de l'art ». En 1927, Elie Faure publiait sa méditation sur « l'esprit des formes » qui sera suivie en 1936 par l'ouvrage d'Henri Focillon sur la « vie des formes ». La question de la signification de l'art est au cœur de l'entreprise proustienne et, au milieu du siècle, inspire les grandes méditations de Malraux : *Le Musée imaginaire* (1947) ; *La Monnaie de l'absolu* (1950) ; *Les Voix du silence* (1951) ; *Le Musée imaginaire de la sculpture mondiale* (1952-1955) ; *La Méta-*

morphose des Dieux (1957). Comme le suggère Paulhan, songeant à l'art informel, les artistes anciens partaient d'un sens et devaient trouver les signes qui le communiqueraient ; les artistes contemporains créent des signes qui peut-être trouveront un sens. Lorsque l'écrivain pose la question « Qu'est-ce que la littérature ? » c'est donc dans un contexte vaste et troublant.

Dès les années vingt, des compositeurs, encore rares, cherchent à introduire dans le système musical de nouveaux matériaux. Satie intégrera à la partition de *Parade* le bruit d'une machine à écrire et d'un moteur d'avion, ouvrant la voie à la musique concrète. Edgar Varèse transformera en instruments les nouveaux appareils d'enregistrement acoustique : en ralentissant ou en accélérant un disque il obtient une décomposition du son, une matière sonore nouvelle ; et le jouant à l'envers, il renverse l'ordre des structures musicales qui, pour l'auditeur, progressent en somme par « rétrogression ». Ces premières expériences mèneront après 1950 aux recherches de laboratoire qui mettront à jour les matériaux nouveaux qu'utilise la musique électronique. Elles se prolongeront aussi par les recherches des musiciens algorithmiques dont les compositions, programmées pour les calculatrices, ne font plus aucun usage du système de notation courant et se passent d'exécutants. C'est le cas de John Cage, bien connu en France, de Stockhausen et de Pierre Boulez.

D'autre part, grâce à la radio, au transistor, au disque, à la bande magnétique, un public de plus en plus nombreux vit sous l'empire de la musique : jazz, rengaines populaires, émissions de musique traditionnelle, compositions nouvelles sont le fond sonore de la vie. Qu'il écoute ou seulement entende, un public de jeunes de plus en plus habitué à manier lui-même les nouveaux appareils comprend la nature de recherches qu'il accueille souvent avec moins de réticences que ne le font les critiques attitrés.

Il serait trop long d'énumérer les matériaux nouveaux qu'utilisent les arts plastiques et les formes nouvelles que ceux-ci rendent possibles : techniques de peinture au tube, à l'acrylique, sur papier photographique ; pour les sculpteurs, matières plastiques synthétiques, amas de ferrailles soudées ou compressions de voitures ; gamme nouvelle de matériaux synthétiques dont dispose l'architecte.

Les musées se transforment en appareils d'optique et d'enseignement souvent somptueux. De plus, la technologie fournit à l'artiste les moyens de dépasser certaines des limites qu'imposait autrefois un art : le tableau immobile se fera mobile avec les tableaux cinétiques de Vasarely ; la sculpture se débarrassera de tout poids avec les sculptures de lumières colorées de Schöffer. Une bande magnétique sonore peut projeter sur l'écran une peinture mobile, rythmée, en perpétuelle métamorphose. L'artiste se double d'un ingénieur-technicien. Des deux questions fondamentales que le public se pose instinctivement devant une œuvre d'art : « Qu'est-ce que cela signifie ? » et « Comment est-ce fait ? », la seconde prédomine. Les jugements esthétiques traditionnels déjà délaissés par les historiens de l'art sont affaire de goût personnel ou d'engouement passager. Le concept de l'art comme activité, comme action sur une matière, prévaut et favorise une certaine démocratisation de l'art. Il explique en tout cas la renaissance, générale dans les sociétés occidentales, des arts mineurs : céramique, tissage, tapisserie. Il préside à l'esprit d'expérimentation — spontané ou systématique — qui anime les médias dans leur recherche de langages nouveaux : collages, frottages, papiers collés, reliefs, graphismes des peintres ; volumes peints ; machines et « automates abstraits ». Tandis que certains artistes — Mathieu ou Michaux — tendent à faire d'une toile une « écriture », d'autres par antithèse introduisent l'objet quotidien — peint sur la toile ou tel quel — dans le musée : art brut ou pop.

Les écrivains qu'anime la même volonté de rupture et de renouveau analysent souvent les exigences des artistes contemporains ou en font la synthèse (André Breton, *Le Surréalisme et la peinture,* 1925 ; Louis Aragon, *La Peinture au défi,* 1930 ; Jean Cassou, *Situation de l'art moderne,* 1950 ; Jean Paulhan, *L'Art informel,* 1962). Ils n'ont pas, eux, les mêmes possibilités de transformer leur « matériau », ni, dans la mesure où ils le transforment, d'en communiquer directement le résultat au public, plus particulièrement au public international qui accueille l'art moderne. La langue elle-même fait obstacle à cette diffusion. Les médias (la radio et la télévision, les affiches publicitaires, les journaux et magazines) manipulent les mots, et leur puissance d'action sur les masses est indéniable, alarmante même. Mais elle est liée à la transmission d'un message, donc à une syntaxe et à un sens qui doivent être immédiatement saisis.

L'écrivain ne peut se passer de structures plus complexes. Lorsque, cherchant à renouveler son « matériau », il introduit par exemple dans son texte des éléments nouveaux — extraits de journaux, affiches publicitaires, émissions radiophoniques, procédés de collage — il rompt l'enchaînement du discours, s'attaquant à la syntaxe même. Il détruit donc le code qui instaure le langage en art de communication. Dans les arts plastiques, l'artiste produit des objets — toiles, sculptures — qui restent visuels ; et auditifs dans le domaine musical. Expérimentant avec les mots, l'écrivain peut par exemple en dissocier le sens et la sonorité. Il brise alors l'alliance mot-sens qui rend un texte littéraire immédiatement lisible. Lorsqu'en 1946 Isidore Isou se propose de décomposer les mots en phonèmes, et d'utiliser seulement leurs sonorités, il crée une sorte de chant vocal onomatopéique, non un texte « littéraire ». Le besoin qu'éprouvent certains écrivains de rompre les contraintes qu'impose le développement linéaire de l'écriture et, par le jeu de la typographie — espacement et caractères typographiques divers —, de créer de nouvelles possibilités d'expression animait déjà Mallarmé. Son *Coup de dés* fut une tentative de réaliser une forme d'écriture à dimensions spatiales. Dans *Calligrammes,* Apollinaire assimilait écriture et dessin ; et Picabia faisait de la page un tout visuel dont le mot était seulement un élément. Le mot alors passait du domaine littéraire à celui du tableau. Cette tendance atteindra sa limite, dans les années soixante, avec la poésie concrète et spatiale de Pierre Garnier où la page est le lieu d'élaboration d'une calligraphie étrange, une sorte d'imitation de partition musicale sans autre référent qu'elle-même, objet visuel, non littéraire.

Une forme plus complexe de recherches à base technologique anime certaines œuvres de Michel Butor. *Mobile,* sorte de représentation poétique de cette réalité pluridimensionnelle que sont les Etats-Unis, tente de créer un médium linguistique nouveau fondé sur une utilisation de structures comparables à celles de la musique sérielle : des séries de noms de lieu sont disposées selon un cadrage spatial ; des séries diverses de notations limitées — objets récurrents, éléments de paysage — introduisent des matériaux thématiques, qui se répètent, varient, alternent ; des cadrages verticaux et horizontaux soulignent les différences de niveau où se situe l'écriture, et les conflits latents qui existent entre eux. Avec *6810000 litres d'eau par seconde,* Butor tente de réaliser une représentation verbale des chutes du Niagara en créant une sorte de partition polyphonique dont les effets sonores peuvent être modifiés, grâce à la manipulation d'écouteurs. Enregistré sur bande sonore, et projeté dans le nouvel amphithéâtre de Grenoble muni d'appareils acoustiques individuels, le texte prévoit la séparation sonore des voix thématiques diverses et la possibilité pour l'auditeur de les « distancer » les unes par rapport aux autres à volonté : ici le texte se rapproche de la partition d'opéra. Et que dire de son *Dialogue avec trente-trois variations de Ludwig van Beethoven sur une valse de Diabelli* (1971) ? Le livre lui-même est un objet à manier. *Composition nº I* de Saporta présente au lecteur cent cinquante pages de narration, non reliées, non paginées, chacune formant un tout, comme un jeu de cartes ; offrant donc des combinaisons inépuisables. Queneau relie ensemble douze sonnets construits sur le même jeu de rimes dont il découpe ensuite les lignes, et obtient ainsi « cent mille millions » (10^{14}) de sonnets virtuels. Derrida dispose sa page en colonnes, intervenant ainsi pour rompre, par ses commentaires, la continuité « fermée » du texte qu'il commente. Ces « bricolages », comme d'autres essais plus complexes de rompre avec les conventions établies, peuvent amuser des cercles avertis mais n'atteignent pas le public plus étendu qu'attirent les arts visuels. Ce sont des textes ésotériques qui paraissent illisibles à la moyenne des lecteurs. Et si tout un groupe d'intellectuels à la suite du sociologue canadien McLuhan adopte avec une sorte d'empressement le thème de la « mort du livre », c'est peut-être parce que le livre résiste aux métamorphoses qu'on voudrait lui faire subir par une analogie assez gratuite avec celles qui transforment les arts audio-visuels.

En 1920 les écrivains sont au premier rang de l'avant-garde. Des groupes assez fluides, ouverts l'un à l'autre, prennent un élan neuf sur les lancées de l'avant-guerre et le surréalisme à ses débuts : le « groupe des Six » dont Cocteau est le porte-parole ; le groupe Dada. C'est dans l'élaboration des quelques films Dada, auxquels les artistes des deux groupes collaborent, que convergent brièvement entre 1924 et 1926 les tendances esthétiques/anti-esthétiques de l'art contemporain, le cinéma apparaissant alors, selon André Breton, comme « le seul mystère absolument moderne ». Un film Dada comme *Entr'acte* de René Clair ou *Ballet mécanique* de Léger est joyeusement expérimental ; il se moque du « grand art ». Il joue avec une machine — la caméra — et avec les lois optiques, pour détruire l'habituelle organisation visuelle de l'espace. Grâce aux montages, il enchaîne sans souci de logique les images, les plans, les perspectives, les formes, les mouvements. Il crée ainsi des dislocations, des déformations, des juxtapositions, des changements de rythme, inventant un « narratif » dont les éléments, quoique arrachés au monde concret, n'ont plus rien de mimétique.

Le continuum filmique, l'espace et le temps du film Dada nient la série causale, donc se substituent au continuum temporel, transformant la discontinuité temporelle en une continuité perçue. Il supprime les lignes de démarcation entre la forme humaine, la machine, l'objet, et impose au spectateur une succession d'images dépourvues de toute finalité d'où émane un humour aux nuances multiples. Cet humour est inhérent à tout un vaste courant de l'art moderne — des « ready-made » de Duchamp aux « Nanas » de Niki de Saint-Phalle, aux textes de Michaux comme à ceux de Queneau ou de Prévert ou encore au « Cycle de l'Hourloupe » de Dubuffet.

L'objectivation qu'autorise la caméra permet à ces premiers films de se jouer de l'aura de sérieux qui entoure l'art. Jeux de mots, jeux d'images, goût de la mystification, volonté de démystification, pendant un bref moment, les films Dada inventent en pleine liberté. Plus tard, le film sera repris par le souci du narratif ou du message. A la même époque les frottages de Max Ernst, les jeux surréalistes, les inventions de Picabia ou Duchamp ont le même caractère gratuit ; tandis que, comme l'annonçait déjà en 1919 Cocteau dans son opuscule, *Le Coq et l'Arlequin,* les jeunes compositeurs puisent dans la musique de foire, de cirque, de music-hall, de café-concert. Cocteau reproduira les mêmes motifs, les mêmes techniques insolites dans ses *Mariés de la Tour Eiffel*. Cependant dès 1924-1925, un souci de cohérence hante les écrivains, et les recherches des surréalistes comme celles des cinéastes prendront une autre direction, tandis que Cocteau, passant assez rapidement du cinéma au théâtre, à la poésie, aux réflexions critiques, cherchera les conditions d'une esthétique « moderne ».

L'exigence de renouvellement se manifeste aussi sous une forme critique et théorique. La réflexion surréaliste remet en question les fondements de l'esthétique, mais ses théories sont à base psychologique, et les méthodes préconisées ne proposent aucun système nouveau d'expression qui serait fondé sur les nécessités propres du langage. Ce que Breton veut mettre au jour, ce sont les lois du fonctionnement de l'esprit. Il n'en va pas de même dans le domaine de la musique. Travaillant à Venise avant 1914, le compositeur Arnold Schönberg élaborait un système nouveau reposant sur les douze tons chromatiques. Ce système entraînait une transformation de tous les principes de structure jusqu'alors établis qui régissaient la tonalité, le rythme, la mélodie, l'harmonie. Ils étaient remplacés par une nouvelle structure rigoureusement réglée, fondée sur la permutation de séries de tons juxtaposés. Ce système dodécaphonique, principe de la musique sérielle, ne sera connu en France qu'à partir de 1945. Il sera alors accueilli, avec cinquante ans de retard, par de jeunes compositeurs comme Pierre Boulez.

Lorsque, au tournant du demi-siècle, la question du renouvellement des formes littéraires se pose à nouveau, le besoin d'une théorie analogue à celle qui avait produit le système dodécaphonique se fera lentement jour. Une génération d'écrivains reprend la question spécifique du langage, soucieuse de la dégager de toute confusion avec les « langages » différents des autres arts. La linguistique, les travaux des formalistes russes lui serviront de point de départ. Cette recherche « scientifique » part de la théorie pour aboutir au texte-objet, tandis que Dada, lui, partait de l'improvisation et du hasard. Dans les deux cas, cependant, le texte créé n'est qu'un moment passager d'une dialectique qui se propose une même fin, à portée sociale : atteindre la société en sapant la confiance qu'elle porte à son langage. Créer un texte littéraire n'est pas une fin en soi. Dans les deux cas toutefois, le texte échappe à cette dialectique. Une fois imprimé, il devient récupérable, et se transforme malgré tout en littérature, littérature plus ou moins marginale, dite « d'avant-garde », puis « expérimentale ».

La caméra et les manipulations que peut subir la pellicule — les surréalistes et Buñuel l'avaient compris — permettent de donner l'illusion d'une réalité située en dehors de la logique de la causalité et de la cohérence exigées de l'écrivain ; l'illusion engendrée a toujours l'apparence de l'objectivité et semble douée d'autonomie. C'est donc indirectement que l'action du cinéma s'est fait sentir, dans des domaines difficiles à analyser avec précision ; car les techniques de « retour en arrière », le cadrage des scènes, les changements de rythme, le *traveling* de la caméra passant d'une vue panoramique à un gros plan, techniques propres au cinéma, ont été pratiquées par les romanciers avant l'avènement du film. Ce qui est indubitable c'est que le film a attiré un grand nombre d'écrivains : écrivains-cinéastes comme Blaise Cendrars, Jean Cocteau, Jean Cayrol, Alain Robbe-Grillet, Marguerite Duras ; écrivains qui travaillent en collaboration avec des cinéastes comme Robbe-Grillet, Jean Cayrol et Marguerite Duras qui ont d'abord travaillé avec Alain Resnais. Inversement, nombre de cinéastes ont subi l'attrait d'univers littéraires particuliers, éprouvé le besoin de les recréer sur l'écran. L'écrivain le plus engagé dans la double voie du cinéma et du roman, lui-même créateur de ciné-romans, Alain Robbe-Grillet, considère qu'il s'agit de deux moyens d'expression irréductibles l'un à l'autre.

C'est par sa charge d'imaginaire que le cinéma des années vingt a séduit une première génération d'artistes et d'écrivains ; c'est surtout par une prise de conscience de ses moyens techniques narratifs qu'il a attiré et fait réfléchir les romanciers à partir de 1950. Incontestablement, dès son apparition, le cinéma a affecté la sensibilité de son public : les jeunes surréalistes passaient inlassablement d'un film extravagant à l'autre, volontairement fascinés par les « vamps » et par la fantasmagorie d'aventures qu'ils intégraient à leur propre mythologie. Le petit Jean-Paul Sartre, *Les Mots* nous le rappellent, abordait avec délices et effroi l'univers fictif des films à épisodes — dont *Fantômas* — qui lui tenait lieu de réalité. Ramuz contait la confusion qu'apportait dans un village vaudois la première apparition des grandes figures mythiques de l'écran ; et le héros de *Voyage au bout de la nuit* s'adonne dans les cinémas de New York aux longues rêveries érotiques que lui inspirent les *stars*. Si, un instant, le passage du muet au parlant semble remettre en cause l'universalisation de cet empire du cinéma, l'obstacle sera franchi grâce au doublage. Films américains, russes, anglais, italiens, français, films de l'Europe de l'Est, — puis, plus rares, japonais, indiens, australiens — « bons » ou « mauvais », commerciaux, documentaires, expérimentaux « donnent à voir » ; c'est même leur don le plus éclatant. Ils changent pour des millions d'individus les horizons du monde et du concevable. Ils proposent des modèles de comportement, des valorisations, des « styles de vie ». Ils s'installent dans ce qui avait été considéré comme le domaine par excellence de la littérature, et sa justification.

Seules des analyses précises et difficiles permettraient de saisir l'interaction des deux médias dans le choix des thèmes, des façons de voir, de conter, de lire. Est-ce bien, comme le suggérait Claude-Edmonde Magny dans *L'Age du roman américain,* grâce à la littérature d'outre-Atlantique que certains procédés essentiellement cinématographiques ont été adoptés par les romanciers français ? On peut, bien avant cette époque, déceler par exemple une filiation nette entre les scénarios de films qu'élaborait Blaise Cendrars entre 1921 et 1924 dans le style cinématographique de l'heure et l'optique et le rythme qui caractérisent un roman comme *Moravagine* (1926) ou une autobiographie poétisée comme *Bourlinguer* (1948) : la succession rapide d'images discontinues rapproche l'œil-caméra et l'œil-mémoire ; et le rythme saccadé simule celui du muet à ses débuts. Mais quelle est la part qui revient ici au Cendrars du modernisme pré-cinéma, le Cendrars grand voyageur du Transsibérien ? Et quelle part dans le cadrage des « films d'art » revient aux suggestions des arts plastiques ?

C'est sans doute sur le plan théorique et technique que l'art du cinéma a contribué à la mise en question de la littérature, de ses buts et de ses moyens, surtout en ce qui concerne cette forme fondamentale, le discours narratif. Doté en France d'un Centre national de recherche, le cinéma avec ses revues, ses ciné-clubs, ses cinémathèques, conscient des étapes de sa brève histoire, se prête dès le milieu du siècle à la recherche théorique — souvent contestable — de ses fonctions et à l'analyse précise de ses techniques. Des cinéastes comme Fellini ou Jean-Luc Godard prennent ces techniques mêmes comme l'un des thèmes de leurs réalisations.

Qui dit cinéma dit déroulement d'images s'inscrivant dans un espace temporel déterminé — long métrage ou court métrage. Les sons, musique et paroles sont subordonnés à ce mouvement et en soulignent la continuité. Même les films d'art qui présentent des séquences purement abstraites de formes et de couleurs les montrent en voie de métamorphose, en plein mouvement. Ils transforment donc une succession d'images en histoire tout comme le fait, avec les mots, le discours narratif littéraire. Le film peut créer les atmosphères les plus diverses réfléchissant de plus près que le roman l'ambiance de l'époque. Quelle que soit l'histoire, serait-ce celle, documentaire, d'une fleur qui s'ouvre, la caméra enlève sa réalité à l'objet tout en le rendant immédiatement perceptible. Il met donc en question, comme tous les arts modernes, le bien-fondé de la théorie traditionnelle de la *mimesis,* mais il le fait de façon particulière. Le cinéaste part du concret, qu'il filme. Mais par le *travelling,* le cadrage, le découpage, le montage, la manipulation de la pellicule en somme, et la dislocation des plans, il rend ce concept plastique. « Le cinéma — dit Alain Resnais — consiste à manipuler la réalité en manipulant des images et des sons. » Le cinéaste dénonce donc le caractère illusionniste du récit fictif, qu'il soit populaire ou de plus haute visée. La reproduction la plus minutieuse du réel quotidien se donne comme une illusion, créée artificiellement au même titre que le montage le plus fantastique ; et cela est vrai de toute séquence narrative, qui est, par rapport à la réalité, une abstraction. Le vocabulaire du cinéma est un vocabulaire d'images-signes qui montrent et disent en même temps. Il pose par ce biais non seulement au romancier, mais à l'écrivain en général, la question des conditions spécifiques qui régissent l'univers des mots-signes qu'il manipule et de leur rapport avec le réel qu'il désigne seulement. Plus peut-être que les autres arts, le cinéma pose la question de la spécificité de ce que Maurice Blanchot nomme « l'espace littéraire », et cette problématique alimentera tout un courant critique à partir du milieu du siècle.

Parlant en général des médias et de leurs effets, Claude Lévi-Strauss porte sur leur action culturelle un diagnostic d'anthropologue plutôt optimiste :

« On met trop l'accent, me semble-t-il, sur leur rôle niveleur sans tenir compte qu'ils permettent à des groupes sociaux ou à des générations de se constituer très vite une culture particulière. Au lieu qu'une culture traditionnelle filtre lentement d'une génération à la suivante au sein du groupe familial, chaque nouvelle génération trouve instantanément à sa disposition par le journal, le disque, la télévision (il faudrait ajouter le cinéma) une profusion d'éléments disparates où elle peut faire un choix et les agencer en combinaisons originales se distinguant de ses aînés. » Il se pourrait en dernière analyse que la culture littéraire, réservée jusqu'à présent à une élite, s'ouvre à un public plus vaste, mieux préparé que par le passé à en saisir les valeurs spécifiques et qui n'éprouverait aucune difficulté à dépasser les contraintes et conventions littéraires désuètes. A toute époque, la littérature ne peut avoir de sens que par rapport au climat culturel qui l'environne.

La paralittérature et le best-seller

Le développement des communications de masse, crée un vaste éventail de genres, de langages nouveaux, de modes d'expression assez récents qui multiplient les perspectives ouvertes sur le domaine littéraire traditionnel. Les sociologues, les linguistes, les spécialistes de l'informatique en étudient le développement. Des revues spécialisées comme *Communications*, organe du centre d'études des communications de masse de l'Ecole pratique des hautes études, présentent le résultat de ces travaux. Si nous laissons de côté la grande presse et la publicité, la radio et la télévision, la paralittérature sous sa forme livresque pose le problème de ce que la linguistique appelle la « littérarité ». Où commence, où finit le domaine du littéraire ? A quoi tient l'énorme succès de la « Série noire » (directeur Marcel Duhamel) lancée en 1945 ?

Plus de cinq cents millions de volumes vendus, soixante-quinze pour cent traduits d'auteurs américains, et en grande partie achetés par un public d'intellectuels. Comment expliquer aussi la popularité plus récente du roman d'espionnage ? Pourquoi, après 1950, le succès de la science-fiction de type américain ? Quelle valeur accorder aux bandes dessinées, sous leur forme actuelle, venues elles aussi d'Amérique ; et à ce genre populaire par excellence des romans-photos nés en Italie et dont se vendent cinq millions d'exemplaires par mois ? Et la chanson que les disques multiplient à l'infini, ou encore les feuilletons de la télévision française ?

De catégorie en sous-catégorie le domaine de la paralittérature s'étend et se diversifie. Cette époque reconnaît que la communication sociale s'insère dans un univers de signes (mots, sigles, images, sons) où se situe la paralittérature, comme la littérature. Rimbaud le pressentit, puis les surréalistes. Mais c'est un domaine encore mal connu qu'explorent chercheurs et techniciens. Le « fait littéraire » s'avère difficile à cerner. Qu'est-ce qui, selon la formule de Roman Jakobson, fait d'un message verbal une œuvre d'art ? Ou, selon celle de Roland Barthes, distingue un « écrivant » d'un « écrivain » ? Peut-on dans l'espace du langage isoler une catégorie d'écrits appelée « littérature » ? Les frontières ne sont pas étanches entre les deux domaines. Le roman de Raymond Queneau, *Zazie dans le métro*, passera à la bande dessinée, tandis que les romans policiers de Simenon font le trajet inverse vers le « littéraire ». Boris Vian puise à pleines mains dans la mythologie des bandes dessinées, Le Clézio dans le langage publicitaire. Dans un épisode de *La Prise/Prose de Constantinople*, Ricardou utilise le thème du voyage interstellaire cher à la science-fiction. Ionesco proclame sa dette envers Groucho, Chico et Harpo Marx, Artaud envers *Animal Crackers* et *Monkey Business ;* pour *Film* Beckett fait appel à Buster Keaton ; comme, avant eux, Apollinaire, Desnos ou Queneau se référaient à Fantômas.

Des études sociologiques et psychanalytiques nombreuses explorent cet immense réservoir d'écrits et d'images et tentent de déterminer leur fonction culturelle et la raison de leur attrait. Récits réitérés, renouvelables à l'infini, ils donneraient forme aux mythes fondamentaux, aux rêves et aux désirs d'une humanité qui s'évade des dures réalités de la vie. Ce langage, selon les ethnologues, fournit une anthropologie de l'inconscient et serait donc le fondement collectif de la vie culturelle du groupe. Ces récits jouissent d'une sorte d'anonymat ; l'attitude de leurs auteurs vis-à-vis du public et du produit ne diffère pas de celle des « nègres » de Dumas ou de Willy. Parmi les quatre à cinq cents auteurs de la « Série noire », on retient une demi-douzaine de noms ; et l'on oublie le livre aussitôt lu. Ces volumes passent sans difficulté d'une langue à l'autre, se fabriquent en série, selon des variantes plus ou moins complexes adaptées à la couche de la population qui les consomme et ils touchent des millions de lecteurs. Quel est le sens culturel de ce bavardage universel dont les structures préexistent à tout contenu ? Quels rapports entretient-il avec la réalité sociale ? Et le récitant bavard qui est-il ? Sa présence met en question de façon radicale le concept de l'écrivain, source et maître de son discours.

Le phénomène du best-seller se rattache à celui de la paralittérature, mais il est plus insaisissable. Car le best-seller est un cas unique, et son succès que la publicité n'assure jamais, est imprévisible. On discerne ce qu'ont de commun avec le roman d'amour sentimental d'adolescence, variante lui-même du mythe de Tristan et Iseult, trois best-sellers comme *Le Diable au corps* (1923), *Bonjour tristesse* (1954) de Françoise Sagan et *Love Story* d'Eric Segal (1970), qui tous trois passeront aussi à l'écran. Le succès foudroyant de Henri Charrière avec *Papillon* se rattache au mythe romantique du bon forçat à la Jean Valjean. Le succès de certains romans venant de l'étranger — *Autant en emporte le vent* (1939) ; la série des *Jalna*, de l'écrivain canadien Mazo de la Roche, pendant l'Occupation ; celui de *Jubilée*, œuvre de la romancière Margaret Walker, mieux accueillie en France qu'aux Etats-Unis — semble se rattacher au romanesque exotique qui fit le succès de *Maria Chapdelaine* ou des romans de Pierre Benoit.

En revanche le succès de *Zazie dans le métro* (1959) de Queneau, comme celui de *Paroles* (1946) de Jacques Prévert, seul poète à atteindre le statut de best-seller, semble se rattacher à la veine populaire du récit parlé. C'est du récit gaulois que se rapprochent deux best-sellers de l'avant-guerre, *La Jument verte* (1933) de Marcel Aymé et *Clochemerle* (1934) de Gabriel Chevallier dont l'humour s'adresse au lecteur bourgeois moyen. Quoi qu'il en soit, le récit romanesque reste une des formes préférées du best-seller. C'est lui qui sous tous ses aspects est recherché par une masse énorme de lecteurs, ces lecteurs que charment des écrivains aussi différents que Maurice Dekobra ou Guy des Cars, comme les photo-romans charment les ouvrières et les employées. L'évasion et l'identification avec le personnage central continuent à être les moteurs qui font tourner la machine romanesque. Et l'on peut se demander si ce n'est pas le récit romanesque, à travers ces différents aspects paralittéraires, qui servira dans un avenir proche ou lointain de matrice à un langage littéraire renouvelé.

A côté du « best-seller », le « succès de librairie » : *Le Feu* de Barbusse ; *Les Croix de bois* de Dorgelès ; les romans d'André Maurois, ceux de Jules Romains, de Duhamel, de Françoise Sagan après *Bonjour tristesse ;* la grande fresque historique de Maurice Druon. Ou encore le succès des romans de Henri Troyat, fresques sociales et historiques, romans-fleuves comme la trilogie *Tant que la terre durera* ou les cinq volumes de *La Lumière des justes* situés en Russie et qui jouissent d'un public nombreux et fidèle. Il y aurait sans doute une « archéologie » du goût à établir qui éclairerait le domaine obscur des hiérarchies littéraires, des différents circuits du livre et des cas où les circuits et les hiérarchies coïncident. Ces faits mettent en lumière le caractère discutable de l'affirmation, souvent réitérée, que le roman, avec personnages et intrigue, est mort. Le lecteur de « best-sellers » y trouve ce que le roman littéraire contemporain ne lui fournit plus. Et le « succès de librairie » fait parfois partie de ce littéraire qui assure la continuité de toute tradition culturelle.

Les influences nouvelles

Le mot « étranger » est contestable, tant l'environnement culturel s'est transformé. L'avant-guerre avait déjà connu un cosmopolitisme artistique et un cosmopolitisme mondain qui parfois, comme ce fut le cas pour les Ballets russes, se rejoignaient. Le milieu littéraire se félicitait d'appartenir à une « république des lettres » universelle — réunion de grands esprits du passé —, société de gens cultivés, c'est-à-dire initiés à la culture occidentale. Le Paris d'avant-guerre était l'un des deux centres où des artistes venus de pays divers élaboraient de nouveaux langages. L'autre était Berlin, que Paris ignorait. Ce renouveau des arts paraissait donc être un fait français d'autant que c'étaient des poètes français — Max Jacob, André Salmon, Philippe Soupault et surtout Guillaume Apollinaire — qui le défendaient. Les Français avaient le sentiment d'être à l'avant-garde de la culture moderne grâce à l'équilibre de « l'invention et de la tradition » dont parlait Apollinaire. Dans le domaine des lettres les salons de Jacques-Emile Blanche, très lié avec l'Angleterre, des Américaines — Natalie Clifford Barney,

« l'Amazone » de Remy de Gourmont, Edith Wharton et Gertrude Stein — parmi d'autres, faisaient de Paris une capitale cosmopolite par excellence. Il en est de même des hommes de lettres français, dont certains, grands voyageurs et grands lettrés comme Valery Larbaud, servaient d'intermédiaires entre la France et les milieux littéraires européens. Des écrivains comme Gide, Charles Du Bos, Edmond Jaloux, René Lalou favorisaient les échanges littéraires et assuraient la diffusion d'œuvres étrangères dans les revues. Mais, avant la guerre de 14, ces échanges étaient restés sporadiques, au gré des relations et des goûts personnels, au hasard de lectures ou de traductions. Les écrivains contemporains et les écrivains d'époques passées étaient absorbés à titre égal dans le contexte français. Gide traduit ainsi Blake, Conrad et Tagore presque simultanément et les comprend en lettré. Pour ces « promeneurs littéraires », les domaines étrangers sont des annexes au grand parc de la littérature française.

Il en ira différemment après 1918. Bien plus, Edmond Jaloux décrira la grande soif d'horizons nouveaux qui caractérise les années vingt : « Des journaux furent créés, moins étriqués que les anciens ; des maisons d'édition s'ouvrirent aux nouveaux venus. La *N.R.F.*, Bernard Grasset, Daniel Halévy, moi-même nous portâmes nos efforts sur la diffusion des grands écrivains étrangers ; nous vîmes naître Rainer Maria Rilke et Hugo von Hofmannsthal, James Joyce et Virginia Woolf, Anton Tchékov et D. H. Lawrence [...], Jean-Paul Richter, Novalis, George Moore, Tourguenieff furent retirés de l'oubli » (*Essences*, 1952). Les traductions d'ouvrages littéraires venant de tous les horizons paraîtront à un rythme accéléré, à peine ralenti — peut-être même stimulé — par l'Occupation. Au mois de novembre 1920, *Europe nouvelle* mène une enquête sur « l'influence réciproque de la littérature française et des littératures étrangères ». En 1927 les *Cahiers du Sud* s'interrogent avec une certaine inquiétude sur « l'importabilité des littératures étrangères ». En 1947 *L'Age nouveau* se dote d'une nouvelle rubrique, « l'interprétation des littératures » ; et un an plus tard, les *Cahiers de la Pléiade* parlent de « littérature universelle », notion qu'Etiemble imposera.

Quatre facteurs jouent un rôle important dans cette diffusion : la présence en nombre croissant d'intermédiaires qui sélectionnent et traduisent les livres et en rendent compte dans les revues ; l'élargissement d'un public de plus en plus curieux de ce qui se passe en dehors de ses frontières ; l'intensification des relations culturelles et universitaires et les cours de littérature comparée qui sont donnés dans les universités ; enfin, après 1950, l'organisation d'un marché international du livre. Il est à peu près impossible de rendre compte avec précision du caractère de ces échanges, de leur étendue et de leurs effets. On ne peut qu'en donner un aperçu. Mais il est certain que désormais la partie littéraire ne se jouera pas en dehors d'eux. Julien Gracq l'a constaté : l'écrivain français se réfère aujourd'hui à un vaste environnement littéraire contemporain, non à un passé littéraire, fût-il français (*Préférences*, 1961).

On peut approximativement situer l'entrée en scène de certaines œuvres ; distinguer les vogues passagères de présences plus durables, qui s'intègrent aux configurations littéraires de l'époque ; ou discerner certaines filiations. Mais le champ est immense et d'une rare complexité. Sans doute, de 1922 à 1970, seuls Edgar Poe, Dostoïevski et Tolstoï, connus depuis le XIXe siècle, ont-ils acquis en France le statut de classiques, d'auteurs consacrés, au même titre que Balzac, Stendhal et Flaubert. Vers 1922 le véritable culte dont jouissait Dostoïevski en France cède à une appréciation plus mesurée où l'influence des émigrés russes se fait sentir. Si, dans cette même génération, un Roger Martin du Gard prend encore Tolstoï comme modèle, l'œuvre de Tolstoï n'est déjà plus depuis une vingtaine d'années une source de réflexion et de renouvellement pour le jeune romancier. Ce qui attache à Tolstoï l'équipe de *Clarté* et d'*Europe*, c'est le « message » tolstoïen : le pacifisme de Tolstoï et sa conception de la fonction sociale de l'art, thème que le marxisme et le sartrisme reprendront. En revanche, quoique peu lus, *Ulysses* (1922) publié en traduction en 1929 et *Finnegan's Wake* (1939) de James Joyce seront porteurs de semence. Par leur virtuosité technique ces deux livres exerceront sur la mutation du roman français après 1950 une action déterminante, peut-être même excessive. Ils proposent aux jeunes romanciers une technique nouvelle, le monologue intérieur ; puis une problématique de l'expression. Le romancier américain William Faulkner, lui-même influencé par Joyce, rejoindra celui-ci dans le panthéon français au cours des années trente.

Kafka, aussi peu lu d'abord que Joyce, semble-t-il, est pour deux générations un de leurs « phares ». Des trois auteurs allemands que Groethuysen introduit à la *N.R.F.* vers 1925-1926, Kafka, Broch et Musil, seul Kafka « passe », mais, selon une critique avisée, Marthe Robert, à contresens, il sera d'abord « surréalisé » par André Breton. La première traduction de Kafka, *La Métamorphose*, qui date de 1928, paraît chez Gallimard, mais c'est *Bifur* qui en 1930 publiera *Le Procès*. Kafka incarnera ainsi le fantastique moderne : humour noir, onirisme, un certain goût du sadisme. Interdit pendant l'Occupation, où ses œuvres circulent clandestinement, en traduction anglaise, il apparaîtra ensuite comme une sorte de figure de proue de l'existentialisme, ouvrant la voie, selon Sartre, à Kierkegaard et Hegel ; ou comme héraut de l'univers de l'absurde ; ou, selon Blanchot, il incarnera l'impossible tentative de l'écriture face au néant. Avec la publication de ses *Œuvres complètes* (1966) et l'exégèse de ses ouvrages, la connaissance de Kafka semble à présent devoir remplacer son mythe comme ce fut le cas pour Dostoïevski aux environs de 1922. Joyce, Faulkner, Kafka, Pirandello et Brecht sont des figures clés plus ou moins contemporaines. Melville est un cas particulier. Traduit à partir de 1937, ce ne sera qu'après 1941, lorsque paraît chez Gallimard la traduction de *Moby Dick* par Lucien Jacques, Joan Smith et Jean Giono, que cette œuvre plus que centenaire acquerra pour quelques lecteurs français, dont Albert Camus, une bouleversante nouveauté ; mais seul parmi les autres œuvres de Melville, *Billy Budd* rejoindra *Moby Dick*

Il est d'autres apports plus difficiles à saisir. Quelle importance réelle accorder à l'engouement des surréalistes pour l'Orient ? Il ne paraît être que l'autre face de leur révolte contre les valeurs de l'Occident, et le succès d'un livre comme *Bouddha vivant* (1927) de Morand se rattache plutôt au besoin d'exotisme caractéristique des années d'après-guerre. Mais l'Orient, ses civilisations et son art, exerce désormais sur certains intellectuels un attrait plus profond. Et cet attrait sera assez puissant pour lancer le jeune Malraux vers une Asie de rêve bien peu conforme aux réalités de l'Orient révolutionnaire qu'il découvrira. Quelques œuvres majeures de l'époque sont marquées par l'Orient ; mais, comme dans le cas de Claudel, cette influence n'est pas immédiatement perçue par les contemporains, ou, comme dans celui de Victor Ségalen ou de Saint-John Perse, l'œuvre elle-même reste d'abord inconnue. L'Inde, grâce à l'intérêt suscité dans les milieux pacifistes par la doctrine de résistance passive de Gandhi, suscite un réel intérêt dû en grande partie à Romain Rolland. Ses études répondent au besoin assez général d'une mystique libérée de tout dogme dont témoigne à la même époque le succès dans certains milieux parisiens de l'enseignement du « guru » russe Gurdjieff, dont Katherine Mansfield fut le disciple le plus célèbre. Grâce au prix Nobel (1913) et à la traduction par Gide la même année d'un de ses recueils, *L'Offrande lyrique*, Rabindranath Tagore aura en France un statut presque égal à celui de Gandhi et contribuera à donner de l'Inde une image idyllique et pastorale d'âge d'or. En général, l'Orient est, semble-t-il, le simple support d'un romantisme ambiant qui puise surtout à ses sources européennes. Mais, au lendemain de la Première Guerre — un massacre fratricide —, il apparut comme un péril pour la civilisation de l'Occident, conçue comme gréco-latine et chrétienne. Un humanisme niait l'autre. C'est ce que signifie un grand débat auquel ont été mêlés de nombreux écrivains français et allemands et que résument deux titres : *Le Déclin de l'Occident* par Oswald Spengler (1918 et 1922 pour l'édition allemande ; traduction française, 1931-1933) et *Défense de l'Occident* de Henri Massis (1927).

Si, à la faveur de son centenaire et de sa francophilie, Gœthe connaît une certaine vogue dans l'entre-deux-guerres, son œuvre est révérée plutôt que lue. Ce n'est pas le cas des romantiques allemands — Jean-Paul Richter, Hoffmann, Arnim, Kleist, Hölderlin et Novalis — qui s'accordent à une sensibilité dont le surréalisme, alliant la poésie au rêve, est la plus éloquente des manifestations. D'autres groupes les accueillent. Autour de la *Revue européenne* et grâce aux prédilections du Brambilla Club (Edmond Jaloux, Albert Béguin, Jean Cassou, le poète Jean de Boschère et, passants, Jean Giraudoux et Paul Morand) ils sont édités. Leur goût du rêve, du fantastique, leurs aspirations métaphysiques et leur recours à l'imaginaire entretiennent un climat intérieur que l'on retrouve à divers degrés dans des œuvres aussi différentes que celles de Giraudoux, Julien Gracq, René Char, Henri Bosco et Henri Thomas. Albert Béguin tracera les voies de cette filiation dans une œuvre critique qui fera date, *L'Ame romantique et le rêve* (1937).

Antithétique sans doute de ce néo-romantisme, un nietzschéisme latent, dégradé, concentré dans quelques clichés, colore les sensibilités : mort de Dieu ; mythe du surhomme ; exaltation de la virilité et de l'action ; mépris des vertus chrétiennes. Et ce sera Nietzsche qui fournira à Montherlant comme à Malraux, au jeune Sartre comme au jeune Camus, un fond d'angoisse nihiliste et le modèle d'une rhétorique chargée de lyrisme.

Certaines circonstances favorisent à divers moments le succès d'un domaine littéraire plutôt que d'un autre, ou l'accueil de certaines œuvres à défaut d'autres. Les années vingt adoptent avec enthousiasme le jeune roman anglais et la traduction des *Cahiers de Malte Laurids Brigge* de Rilke. Ces livres sont en accord avec le culte de l'intimisme et de la sincérité qui prévaut à cette époque, mais le public accueille avec infiniment plus d'enthousiasme *Contrepoint* d'Aldous Huxley (1928). Le succès de Thomas Mann date de 1931, avec la traduction de *La Montagne magique* dont le monde fermé et les débats idéologiques annoncent des préoccupations nouvelles.

Nombreux sont les succès de librairie qui ne semblent pas pour autant être significatifs du point de vue de l'histoire littéraire — accueil tardif de *L'Homme sans qualités* de Musil, succès des romanciers italiens au tournant du demi-siècle, des Russes, Pasternak ou Soljénitsyne ; ou d'un livre comme *Au-dessous du volcan* de Malcolm Lowry. Les indifférences aussi seraient à examiner ; indifférence à Fitzgerald, à Gertrude Stein ; succès partiel de D. H. Lawrence. Et les résurrections, comme celle de Virginia Woolf en 1970. Quel rôle joue dans l'accueil d'une œuvre étrangère le patronage d'auteurs français connus ? La traduction de *Mrs. Dalloway* de Virginia Woolf est préfacée par André Maurois et celle de *La Garden Party et autres histoires* (1929) de Katherine Mansfield par Edmond Jaloux. Quelle part la préface de Malraux a-t-elle eue dans le succès de *L'Amant de Lady Chatterley* (1932) de D. H. Lawrence, à peu près inconnu alors en France ? Et quel rôle a tenu le scandale ? En 1933, Faulkner doit-il sa réputation à la préface que Malraux écrit pour *Sanctuaire*, puis, en 1934, à celle de Larbaud pour *Tandis que j'agonise* ?

Dans le domaine littéraire certaines rencontres sont déterminantes et bien établies : celle de Giono avec l'*Odyssée ;* de Butor avec Joyce ; de Sartre avec Dos Passos ; de Camus avec Melville ; de Claude Simon avec Faulkner ; de Nathalie Sarraute avec Virginia Woolf. Mais dans l'ensemble, ce qui paraît déterminant, c'est avant tout le climat du milieu français littéraire et l'influence contraignante d'une tradition. La littérature étrangère est « importable », et elle est lue ; mais elle n'est que très exceptionnellement créatrice, venant à point nommé nourrir une réflexion déjà engagée ou répondre à une interrogation, favoriser un climat littéraire ou signaler une voie à explorer. Présence de Joyce, oui ; mais, plus profonde, celle de Proust. Présence des formalistes russes, mais dans le sillage de Mallarmé et de Valéry. Et derrière la problématique du récit et du point de vue, se situent les recherches si rarement citées de Gide.

Au lecteur moyen, la littérature étrangère apporte le plus souvent les joies du dépaysement. En revanche, le milieu littéraire tente souvent de l'assimiler, d'en faire le porte-parole de ses propres préoccupations. L'œuvre est intellectualisée et c'est un modèle abstrait qui est absorbé dans le contexte français du moment. Ainsi, dans le récit, le brouillage des plans temporels qu'exploitent Joyce et Faulkner se fera plus systématique chez Claude Simon. Ou l'écrivain dégage d'une œuvre un seul thème qui s'accorde à sa sensibilité. Malraux interprétera *L'Amant de Lady Chatterley* comme la manifestation d'une érotologie qui semble caractéristique des recherches d'un Georges Bataille ; et il voit dans *Sanctuaire* une figure du monde de violence et de fatalité qui est le sien. Sartre, pour qui les divers personnages de Faulkner prennent tous un seul visage « d'idole aztèque », adopte le même point de vue. Ce que Melville apporte à Camus avec *Moby Dick,* c'est le schéma d'une construction symbolique et métaphysique, emblème de la révolte humaine contre l'injustice cosmique qui est le thème fondamental de *La Peste.* D'où les « mutations » d'œuvres comme celles de Dostoïevski ou de Kafka ; vers 1930, Virginia Woolf aiguillera un certain nombre de jeunes romanciers vers une forme de récit qui, jusqu'en 1970, restera lettre morte. Et certains aspects de l'œuvre de Beckett, son humour par exemple, échappent à ses critiques français.

En France l'ouvrage littéraire non autochtone tend à se muer en symbole ou en signe et doit entrer dans le système signifiant du moment. C'est ce qui explique le sort de tentatives prématurées comme, parmi d'autres, cette première *Anthologie nègre* de Cendrars en 1921, et le peu de succès rencontré par la littérature de l'Extrême-Orient malgré les efforts de grands critiques comme René Etiemble. Dans ce domaine, il y a sans doute, selon l'expression de Cocteau, « une odeur d'époque » indéfinissable plutôt qu'un style d'époque, favorable à certaines œuvres, défavorable à d'autres. Les thèmes et les théories circulent par une sorte d'osmose, et il faut un certain temps avant que les configurations significatives de l'époque apparaissent. La sensibilité française a sûrement été colorée par les vagues d'émigrés qui se sont succédé tout le long du siècle : Russes fuyant la révolution d'Octobre ; Allemands, surtout juifs, fuyant Hitler ; Espagnols fuyant Franco ; Russes ou Européens de l'Est fuyant Staline, dissidents russes et autres des années 1970. D'autres écrivains d'origine étrangère s'intègrent librement au domaine français. Le prestige mondial de la langue et de la littérature françaises, la longue tradition internationaliste de la culture française et son souci conscient d'une éthique socio-littéraire et largement humaniste leur assurent aux uns et aux autres l'audience qu'ils souhaitent. Déracinés, leur apport sera considérable : Tzara, Adamov, Cioran, Ionesco, Kessel, Sarraute, Schéhadé, Troyat, Wiesel. A côté d'eux les « francophones » — Belges, Canadiens, et Suisses ; Nord-Africains ; Antillais ; écrivains originaires de l'Afrique noire, de Madagascar ou d'Indochine — développent leurs propres écritures. La littérature française révèle un relativisme géographique et historique sans précédent.

Avant 1960, un livre écrit en français et reconnu d'intérêt littéraire était intégré au corpus littéraire français : J.-J. Rousseau, écrivain français, né à Genève. Ce n'est qu'après 1945, dans le contexte politique de la décolonisation, que la montée du sentiment national dans le monde entier a posé la question d'une littérature de langue française décidée à se libérer de la tradition littéraire et de la culture françaises. Dans les vingt années qui ont suivi, cette littérature a pris pleinement conscience d'elle-même et de ses problèmes. Une réflexion critique active accompagne cette prise de conscience et a en quelques années forgé les premiers instruments de travail qui permettent de reconnaître et de situer l'ensemble des œuvres désignées soit comme « francophones », soit comme « d'expression française » pour les distinguer des œuvres proprement françaises. Autour de maisons d'édition — dont *Présence africaine* parmi les premières —, puis de centres universitaires, des thèses, des bibliographies, des études sociologiques et critiques, des anthologies ont paru ; des cours et des chaires universitaires ont consacré cette division. Les universités du Canada français ont pris l'initiative de rapprocher les divers groupements en créant un Centre d'études des littératures d'expression française (C.E.L.E.F.) à l'université de Sherbrooke et, à

Montréal, une Association des universités partiellement ou entièrement de langue française (A.U.P.E.L.F.), qui réunit des universités du monde entier et échappe à l'hégémonie du groupe France.

Dans l'ensemble, la rubrique est claire : il s'agit de littératures nationales ayant pour moyen d'expression la langue française. En Europe, la Belgique wallonne, la Suisse romande ; le Canada français — surtout le québecois — ; le Maghreb (Algérie, Maroc, Tunisie) ; la littérature « négro-africaine » de laquelle on rapproche celle des Antilles et de l'océan Indien. Mais la question est plus complexe qu'elle ne paraît. D'abord, parce que chacun de ces groupements présente, vis-à-vis de la France et du point de vue socio-culturel, de notables différences. Ensuite, parce qu'aucun principe de classement satisfaisant n'a remplacé celui de la langue. Où situer un poète comme Henri Michaux, une romancière comme Françoise Mallet-Joris, un dramaturge comme Jean Vauthier, Belges tous trois, intégrés à la vie littéraire française, et même Crommelynck et Ghelderode, Flamands d'origine mais le premier né à Paris, le second à Ixelles en milieu francophone ? Un Suisse, Alfred Berchtold, dans son étude sur *La Suisse romande au cap du XXe siècle,* attire l'attention sur de nombreux écrivains, musiciens et philosophes de la Suisse romande dont très peu passent la frontière. Est-ce un hasard si des écrivains comme Ramuz, Jaccottet et Robert Pinget sont considérés comme étant d'appartenance française, les deux derniers, d'ailleurs, plus que le premier ? Dans tous les domaines littéraires et critiques, un très grand nombre d'écrivains devraient être classés « d'expression française ». Les questions soulevées appartiennent au domaine de l'ethnologie, de la sociologie, de la psychologie et de l'histoire. Des études linguistiques méthodiques pourraient-elles seules régler la question, de manière satisfaisante ? Outre leur thématique, y a-t-il des différences *linguistiques* qui révèlent l'appartenance aux divers groupements ? Comme le suggère Serge Brindeau dans la préface à son anthologie, *La Poésie contemporaine de langue française depuis 1945,* peut-être « la plus intime, [...] la meilleure patrie » reste-t-elle la langue.

Cependant il est utile de distinguer trois groupes principaux d'écrivains d'expression française.

Les écrivains belges et suisses ont une longue tradition culturelle européenne et maints rapports avec la France, mais ils appartiennent à de petits pays qui sont l'un trilingue (français, néerlandais, allemand) et l'autre quadrilingue (français, allemand, italien, romanche). Pour eux, la difficulté est de dépasser les limites d'un public restreint, et le danger qui les menace est celui de toute littérature régionale.

Le Canada français possède le groupe francophone le plus important qui soit en dehors de France. Six millions d'habitants, dans un continent de près de deux cent cinquante millions d'anglophones, se définissent par leur langue, mais aussi en des termes propres à leur réalité culturelle. Ils luttent contre une double assimilation : par la masse anglophone et par la tradition française. Enfin, ils cherchent à s'émanciper intellectuellement de leur tradition : repli sur eux-mêmes et contraintes d'ordre religieux (manifeste des « automatistes », 1948). Pour eux, le problème de la langue est primordial : doit-elle s'astreindre aux critères lexicaux et grammaticaux français ou assimiler les usages canadiens ? Cette question touche de nouveau à celle du public, et aussi à celle de l'appréciation littéraire. Cette littérature doit-elle être jugée par rapport à la tradition française ? Elle n'a guère qu'un siècle d'existence et n'a commencé à prendre conscience d'elle-même qu'en 1945.

Dans le vaste domaine, si divers, des nations africaines (Maghreb et Afrique noire), des Antilles et des îles de l'océan Indien, le français est la langue littéraire d'un petit groupe d'écrivains « évolués » qui, même s'ils ont reçu leur éducation dans les lycées français, appartiennent à une tradition culturelle non européenne, de langue non française, et essentiellement orale.

Au Maghreb, c'est en Algérie qu'elle se manifeste d'abord, dans cette « Ecole d'Alger » qui pendant quelques brèves années, avant la Seconde Guerre mondiale, se définira par son appartenance à la culture méditerranéenne, et où le poète Jean Amrouche et le romancier Mouloud Feraoun se liaient d'amitié avec des Français d'Algérie comme Gabriel Audisio, Emmanuel Roblès et Albert Camus.

C'est en France, parmi les jeunes intellectuels, étudiants à Paris, que le mouvement négro-africain a pris forme au cours des années trente autour de petites revues comme la *Revue du Monde noir, Légitime Défense* et le *Journal de l'étudiant noir*, où les futurs chefs de file, Léopold Sédar Senghor, Aimé Césaire, Léon Damas développeront le concept de « négritude », dont Aimé Césaire a donné la définition dans un texte fondamental : *Cahier d'un retour au pays natal.* Plus tard combattu par d'autres écrivains noirs, ce concept situait la personnalité africaine par rapport à une tradition culturelle ancestrale et laissait percer l'espoir qu'une fois retrouvée, cette culture originelle assimilerait la culture française artificiellement entée sur elle, pour créer un humanisme véritable.

Il reste que dans l'Afrique noire ou arabe la littérature d'expression française est un phénomène sans passé. Elle éclate dans le grand tournant des années 1930-1950 et se situe par rapport au mouvement national de libération des pays colonisés. Qu'ils soient d'Afrique noire ou du Maghreb, ces écrivains usent d'une langue qui n'est pas celle de leur nation et d'un mode d'expression — l'écriture — qui les sépare profondément de leurs propres traditions. Le problème de la diffusion de leurs œuvres est donc quasiment insoluble. A part une petite minorité d'intellectuels, ils n'auront de public que français ou universitaire. Ils ont même parfois exercé par ricochet une influence sur la littérature de l'Hexagone. Cependant, le cas des Antilles est un peu différent, car la langue française y est beaucoup plus profondément enracinée.

Pour le Canada, la prise de conscience entre 1930 et 1945 d'une personnalité littéraire « québécoise » indépendante a été renforcée par la situation du Canada pendant la Seconde Guerre mondiale. Montréal et Québec ont alors joué un rôle important dans l'édition et la diffusion du livre français, assurant la relève de la France. Le livre canadien français a fait ainsi son apparition sur le marché. L'indépendance de la position canadienne par rapport à la tutelle de la France a été manifeste lors de la « purge » qui en France a suivi la Libération. Les maisons d'édition canadiennes ont refusé alors de suivre les directives du Conseil national des écrivains (1946-1947).

Les écrivains d'Afrique — arabe ou noire — se sont par contraste trouvés en une situation qui s'est rapidement transformée au cours d'un quart de siècle, entraînant des changements de position souvent pénibles vis-à-vis de la France et parfois de leurs pays ; la question de leur identité culturelle est difficile à résoudre. Toute l'œuvre d'Albert Memmi tente d'élucider ce problème, ainsi que les essais, plus violents, de Frantz Fanon, *Peau noire, masques blancs* (1952), *Les Damnés de la terre* (1961) ou, plus discutée, la préface de Sartre à l'*Anthologie de la nouvelle poésie nègre et malgache* de Léopold Sédar Senghor (1948).

Cependant on peut de façon objective et sans soulever en cela la question de la *valeur* littéraire, définir toute cette littérature selon les critères proposés pour la littérature canadienne par David M. Hayne, de l'Université de Toronto[1].

1. Conférence du 20 avril 1964 ; voir *Littérature canadienne française*, Montréal, 1969.

Il s'agit de littératures « relativement restreintes », d'éclosion assez récente, modernes, à tirage en général faible, qui sont écrites en français, une langue qui possède derrière elle une tradition littéraire séculaire. Par rapport à cette tradition, elles se classeraient donc comme des littératures mineures de langue universelle. Il s'agit pour elles de s'orienter à l'intérieur de ce dualisme. Elles sont affectées par la situation politique qui a des répercussions parfois stérilisantes sur la situation linguistique. L'avenir de l'écrivain canadien français semble, dans ce contexte, plus assuré que celui de l'écrivain maghrébin ou de l'écrivain d'Afrique noire. Mais, de part et d'autre, il s'agit d'une littérature qui se cherche dans des conditions politico-sociales très difficiles et, comme le dit un autre Canadien, G.-André Vachon[1], d'une « tradition à inventer » ou à faire passer de sa forme orale à l'écriture. Il s'agit donc d'une littérature à l'état naissant. Pour tous, la question du public, de l'édition, du but, de l'avenir de leur activité se pose en termes qui recoupent parfois les préoccupations des écrivains français à une exception près : l'attention qu'ils portent au *contenu* de l'œuvre. L'ensemble de ces œuvres a un contenu sociologique évident : amour de la terre ; révolte violente contre les traditions ou nostalgie de ces traditions ; recherche d'un équilibre entre une culture autochtone et la culture du colonisateur ; ou, la décolonisation une fois acquise, entre une nouvelle société urbanisée et l'ancienne.

Certains de ces écrivains ont acquis en France une position éminente : les Martiniquais Aimé Césaire, poète et dramaturge, et Edouard Glissant, poète et romancier ; le poète Léopold Sédar Senghor, premier président du Sénégal, récemment élu à l'Académie française, et Birago Diop, lui aussi Sénégalais ; ou, parmi les Canadiens, les poètes Saint-Denys Gar-

1. *Littérature canadienne française* ; voir ci-dessus.

neau et Anne Hébert, la romancière Marie-Claire Blais. Enfin, intégrés au milieu parisien, le romancier et essayiste tunisien Albert Memmi, le romancier algérien Mohammed Dib, le romancier marocain Driss Chraïbi, le poète algérien Kateb Yacine et le Martiniquais Frantz Fanon, porte-parole des revendications et détresses de l'Africain colonisé. Nous ne pouvons, dans le cadre de cet ouvrage, examiner l'ensemble beaucoup plus vaste de cette littérature vigoureuse, dont la recension critique se poursuit.

A tous les niveaux, et surtout en ce qui concerne vie quotidienne et « contre-culture » populaire, la langue française évolue. Sa diffusion même pose le problème de son altération. L'introduction en France d'un vocabulaire étranger, surtout américain, et de tournures d'importation, les faiblesses de syntaxe, le déclin de l'orthographe, les impropriétés qui en découlent, c'est tout cela, « babélien » ou « franglais », que dénonce Etiemble avec une juste indignation. Et pour l'écrivain, cette évolution pose le problème grave du mandarinat. Pendant les trois derniers siècles, dans les milieux cultivés, la langue parlée tendait à se rapprocher de son expression littéraire. Aujourd'hui l'écart entre le français parlé et la langue « littéraire » s'accroît. Rares sont les écrivains, tels Raymond Queneau, Le Clézio ou Michel Tournier, qui, à la suite de Céline, puisent largement dans le vaste réservoir de la langue parlée, et créent une langue littéraire originale, à égale distance du parler populaire et de la langue « cultivée » de leurs lecteurs. Dès Dada, puis avec les surréalistes, le besoin de faire violence à une langue trop rigidement réglementée s'était manifesté. Le siècle semble s'achever sans que la question soit résolue. Mais la langue continue à se transformer ; et, pour l'écrivain placé devant de telles mutations linguistiques, le choix d'un registre devient incertain.

La recherche scientifique

« L'âge du fondamental recommence », déclare Malraux aux alentours de 1930 à propos de la « condition humaine ». Ce sont les fondements mêmes de la pensée occidentale que remettent en question les découvertes scientifiques des soixante années que nous considérons ici. Il serait impossible d'en résumer l'histoire. Ce qui la caractérise, c'est le changement du paradigme de la recherche scientifique qui, au lieu de partir de l'observation pour établir un modèle théorique grâce à l'induction, postule d'abord un modèle théorique qu'il s'agit ensuite de valider. Nous rappellerons brièvement les progrès qui ont affecté le plus profondément la pensée contemporaine :

— De 1920 à 1940, l'élaboration de la physique moderne à partir de conceptions mathématiques nouvelles portant sur la constitution de la matière. Elle conduit à la réalisation de la fission nucléaire (1938), premier pas vers la maîtrise de l'énergie nucléaire et inaugure une nouvelle cosmogonie.

— Le développement de la biologie moléculaire et de la génétique.

— Depuis 1948 — sous l'influence de la guerre —, le développement de l'électronique qui fonde l'informatique, science de l'information, et la cybernétique. Ces découvertes révolutionnaires ont affecté les autres domaines de la pensée, souvent avec retard. Elles agissent non seulement par les résultats obtenus mais aussi par l'immensité de l'inconnu sur lequel elles débouchent et qu'affrontent les chercheurs, aujourd'hui plutôt semeurs d'interrogations que de certitudes. Elles détruisent les principes de la raison classique, ébranlent les métaphysiques, mettent à l'épreuve les croyances et bouleversent le langage que les hommes tiennent sur eux-mêmes. Elles affectent ainsi directement le domaine littéraire.

Une physique révolutionnaire

En 1922, Einstein reçoit le prix Nobel. Cette distinction couronne un ensemble de travaux théoriques qui modifient les notions de temps, d'espace, d'énergie et de masse auxquelles adhèrait la physique mécanique. Einstein formule la théorie de la relativité restreinte dès 1905 ; en 1919 des observations la vérifient. Elle est rapidement étendue à une théorie de la relativité généralisée qui apporte certaines restrictions à l'universelle applicabilité de la gravitation newtonienne jusqu'alors tenue pour acquise. — D'autre part, étudiant les éléments de la matière (atomes) ou de la lumière (photons), la physique quantique constate qu'il existe au niveau des microphénomènes des éléments de discontinuité et d'indétermination. Elle propose de substituer le concept de probabilité statistique — dérivé des mathématiques — à celui de la détermination causale rigoureuse qui fondait jusqu'alors la méthode scientifique. Cette idée nouvelle, que nombre de savants, y compris Einstein, refusent d'accepter, remet en cause la prévisibilité des phénomènes naturels. Ce qui dans ces théories et observations frappe l'imagination des profanes, c'est d'abord, outre la destruction d'une image familière de la réalité, les résonances de certains termes comme « relativité », « quatrième dimension », « discontinuité », « indétermination », « incertitude », souvent transposés dans le cadre non scientifique du discours quotidien. Mais plus déconcertant encore est le fait qu'Einstein a entièrement formulé sa théorie à l'aide de formules mathématiques théoriques et non d'après l'observation et la mesure de phénomènes concrets : leur vérification après coup pose la question de la relation entre l'ordre observé dans la nature et les constructions abstraites de l'esprit. Cet abandon de toute démarche empirique initiale est à l'origine de bouleversements dans d'autres sciences et même dans la critique littéraire.

La théorie einsteinienne ne définit plus l'espace par rapport à trois variables (longueur, largeur, hauteur). Elle en ajoute une quatrième : le temps. Au lieu de l'univers tridimensionnel que proposait la géométrie classique, elle considère un univers à quatre dimensions. De plus, certains mathématiciens, comme Riemann, postulent le caractère axiomatique des mathématiques qui cessent d'être des vérités nécessaires déduites de principes universels et deviennent des systèmes formels et relatifs dépendant d'un choix axiomatique. C'est ainsi que les axiomes euclidiens fondent une géométrie euclidienne ; d'autres axiomes permettent d'autres géométries. L'univers à quatre dimensions d'Einstein crée une de ces géométries. Jusqu'alors accepté, le concept d'une seule échelle temporelle réglant tous les phénomènes du cosmos fait place au concept d'échelles différentes de temps selon les phénomènes étudiés. L'observation des galaxies du point de vue terrien, étant donné les lois de la propagation de la lumière, comporte l'observation de phénomènes antérieurs au moment terrien où est situé l'observateur. L'écart variait selon les distances qui se comptaient en années-lumière. Et le savant qui s'était cru un observateur extérieur aux phénomènes qu'il observait reconnaît qu'il opère à l'intérieur d'un système, ce qui relativise ses observations. Une question se pose devant la diversité des ordres qu'on découvre dans la nature, selon le modèle utilisé : quelle foi accorder à nos représentations du monde ? Une réinterprétation du sens de la « loi » scientifique s'impose.

Les développements de la technologie ouvrent aux hypothèses einsteiniennes, en combinaison avec d'autres branches des sciences — la chimie par exemple —, deux champs d'investigation et de vérification spectaculaires : l'astronomie et la physique nucléaire. Et après la Seconde Guerre mondiale, l'importance cosmologique de la théorie de la relativité généralisée devient visible même pour les non-initiés, lorsque les progrès de l'instrumentation scientifique mettent à la disposition des chercheurs les télescopes géants. Ceux-ci permettent en effet d'explorer un univers astronomique n'ayant que de lointains rapports avec l'univers newtonien. L'étude des galaxies, la découverte des novae et supernovae, de la matière interstellaire et des étoiles en nombre incalculable, tout en déconcertant l'imagination, l'exaltent et peut-être l'angoissent, provoquant bien des réflexions sur la « condition humaine ». L'angoisse cosmique inspire ainsi à André Malraux d'éloquentes méditations à résonance pascalienne et fournit à certains poètes modernes une imagerie nouvelle : la terre, devenue l'étroite demeure de l'homme, y apparaît comme perdue, tournant dans un vaste univers de pierre et de feu. Dans ce cosmos, l'importance que l'homme s'attribue semble dérisoire, et l'univers littéraire anthropocentrique paraît se rattacher à des représentations quasi médiévales.

A l'autre bout de l'échelle, grâce aux puissants cyclotrons, les recherches sur la constitution de la matière aboutissent à la découverte d'une source d'énergie nouvelle dont la capacité à transformer les conditions de l'existence humaine semble illimitée. L'ère atomique s'annonce par un événement qui frappe d'une sorte de stupéfaction les hommes sur la planète entière : la bombe atomique lancée le 6 août 1945 sur Hiroshima. Dès lors le pouvoir de destruction de l'énergie nucléaire éclipse dans les imaginations ses autres promesses. Sous la menace des armes thermonucléaires et des dangers non résolus de radiation et de pollution qui accompagnent l'utilisation de cette source nouvelle d'énergie, les « enfants d'Hiroshima », comme nous appelle Pierre Emmanuel, sentent une menace peser sur leur avenir et sur l'avenir de la planète.

La biologie moléculaire et le code génétique

« Drôle de vie la vie de poisson, doradrôle, vairon. » Ainsi dans le roman *Saint Glin-Glin* de Queneau commence le monologue d'un personnage méditant devant les étranges habitants d'un aquarium. Descendant l'échelle des poissons jusqu'aux organismes les plus primitifs, l'auteur se demande où se place cette ligne qui sépare l'organisme conscient des autres formes vivantes. Il pose à l'envers la question de l'évolution biologique et de l'unité de toutes ces créatures bizarres dont il ne se sent pas du tout l'aboutissement prédestiné. Qu'est-ce que la vie ? et quelle est la place et la nature de cet organisme complexe qu'est l'homme dans les schèmes évolutionnaires ? Ce sont les grandes questions que depuis Darwin se pose la biologie.

En 1970 paraissent deux essais de biologistes qui, cinq ans auparavant, avaient obtenu un prix Nobel : *Le Hasard et la Nécessité* et *La Logique du vivant.* Jacques Monod et François Jacob s'interrogent sur le sens de développements récents en biologie. Ceux-ci découlent de la découverte que faisaient en 1953 Watson et Crick, l'un américain l'autre anglais, travaillant au niveau ultra-microscopique de la molécule. Il s'agit de la découverte de la « double hélice », c'est-à-dire de la structure de l'acide désoxyribonucléaire (ADN). Cette découverte éclairait le fonctionnement de la cellule, élément biologique infiniment complexe, centre d'un processus commun à tous les êtres vivants, qui règle le mécanisme de leur reproduction. Ces travaux montraient que l'ADN, élément du noyau cellulaire, était porteur d'un code ; que les mécanismes cellulaires assuraient la transmission de ce code qui réglait rigoureusement le développement de l'organisme et sa reproduction. Ainsi, la « double hélice » de l'ADN contient toute l'information dont l'être vivant a besoin pour se gouverner et elle détermine son organisation. Le biologique apparaît alors essentiellement comme un système capable de résister pendant un certain temps à la loi de l'entropie et disposant d'un système cybernétique d'autorégulation, le code génétique. Tout organisme, l'homme comme les autres, serait un produit essentiellement aléatoire, le produit d'une sorte de « loterie cosmique », selon Edgar Morin. Comme les autres organismes vivants, l'être humain ne peut donc plus penser sa vie en termes d'une force — Dieu, vitalisme ou Histoire — qui lui donnerait une place et une signification dans un schème évolutionnaire prévisible et continu. Le phénomène évolutif ne comporterait ni filiation, ni continuité, ni finalité. L'organisme biologique qu'est l'homme serait pur accident.

« L'homme, conclut Jacques Monod, sait enfin qu'il est seul dans l'immensité indifférente de l'univers d'où il a émergé par hasard. Non plus que son destin, son devoir n'est écrit nulle part. » La science biologique débouche sur d'austères perspectives qui rejoignent la vision « absurde » de Camus, cité par Monod.

L'informatique

C'est en 1948 qu'un chercheur américain, Claude E. Shannon, formulait une « théorie mathématique de la communication ». La même année, un autre chercheur, Norbert Wiener, publiait un livre intitulé *Cybernetics,* donnant ainsi son nom à une jeune et vigoureuse science. Dérivé du mot grec qui signifie « gouvernail », le mot cybernétique désignait désormais « l'ensemble des théories relatives aux communications et à la régulation dans l'être vivant et la machine ». L'informatique, plus vaste, comprend à la fois la cybernétique et ses applications technologiques. L'essor de cette science de l'information a été assuré après la guerre par le développement d'un outil nouveau, issu de l'électro-mécanique, l'électronique. Par contraste avec la réaction générale devant l'énergie nucléaire, les réalisations dues à l'électronique se sont aisément intégrées à toutes nos activités quotidiennes, et ceci à l'échelle planétaire : écouter la radio ; regarder la télévision ; téléphoner ; retenir un billet d'avion, tous ces gestes se font aujourd'hui grâce à l'électronique. Autour de nous des mécanismes familiers reçoivent et émettent des signaux de toutes sortes, transmettent des messages, procèdent avec une grande rapidité à des calculs de plus en plus complexes, contrôlent d'autres mécanismes et, sans intervention humaine, corrigent leurs propres erreurs. Ils accomplissent donc des opérations qui semblaient être la prérogative du cerveau humain.

La science de l'information repose sur une théorie *physique* des langages divers qui sont mis en action dans l'acte de communication, y compris le langage parlé ou écrit. Le langage perd son statut de « logos ». L'informatique comprend donc deux zones de recherches : les problèmes techniques ; les recherches biologiques, puisque le cerveau et le système nerveux central humain sont en quelque sorte le « modèle » même d'un mécanisme de réception, de transmission et d'émission de messages. Les problèmes qui se posent selon Shannon, dans le processus de communication, sont de trois ordres :

Avec quel degré d'exactitude les symboles utilisés — écriture, voix, image à deux dimensions, signes mathématiques — peuvent-ils être transmis de l'émetteur au récepteur ? (Problème technique.)

Comment passer de la transmission à l'interprétation du message ? (Problème sémantique.)

Comment mesurer et assurer l'efficacité du message, c'est-à-dire la réaction du récepteur ? (Problème pragmatique.)

Les conséquences pratiques de l'informatique nous sont familières. Du point de vue des recherches littéraires, leurs possibilités commencent déjà à apparaître. Elles bouleversent l'organisation des bibliothèques ; elles peuvent fournir rapidement des renseignements bibliographiques, tracer l'état présent d'une question précise. En outre, elles offrent un outil d'analyse textuelle dont les possibilités et les limites restent encore mal définies. Plus important peut-être, elles permettent d'aborder sous un nouvel angle les problèmes du langage et de cette forme spéciale de la communication qu'est la littérature : le texte littéraire relèverait d'abord d'une problématique des signes.

Par ses structures toute langue constitue en effet un système codé qui permet la transmission d'une série de « messages » ; pour la langue française la liberté de sélection de l'émetteur serait d'environ cinquante pour cent. Il semble donc que toute une zone d'échanges par la parole ou l'écriture soit structurée d'avance ; et que le système dans sa totalité limite les combinaisons nouvelles transmissibles. Certaines des théories des linguistes ainsi que les recherches de groupes comme *Tel Quel* et *Change* ont été profondément influencées par l'informatique.

D'autre part, la cybernétique, plus particulièrement liée à la neurophysiologie, pose la question de la nature même de la pensée. L'ordinateur offre un « modèle » mécanique des processus, conscients et inconscients, de la pensée humaine et peut la remplacer déjà lorsqu'il s'agit de décisions encore simples mais où entre un élément de jugement. Cette capacité a toujours été considérée comme spécifiquement humaine. Du point de vue de la création littéraire, Paul Valéry déjà, au cours des heures matinales qu'il passait en tête à tête avec ses *Cahiers*, avait longuement médité sur les opérations grâce auxquelles, partant d'un choix aléatoire — la première ligne d'un poème et l'ensemble de règles qu'elle propose (rythme, vocabulaire, jeu de sons) — le poète (ou serait-ce le langage ?) produit quasi mécaniquement ce système linguistique qu'est un poème. L'une des ambitions de certains écrivains — dont Georges

Bataille — sera de transgresser les limites du code linguistique admis en littérature. Examinant cet outil qu'est le langage critique en circulation, de nombreux « nouveaux critiques », dont Roland Barthes, chercheront à renouveler le « message » en renouvelant le code linguistique en usage. Et les recherches d'une revue comme *Communications* sont, pour une part influencées par la théorie de l'information.

La linguistique

Le linguiste moderne se propose d'étudier la langue en tant que système de signes — ou sémiologie — qu'il s'agit de décrire avec exactitude en mettant entre parenthèses la question du sens qu'il transmet, et en dehors de tout souci de son évolution passée afin d'en formuler les principes explicatifs à tous les niveaux : phonologique, syntaxique, sémantique. En ceci son activité se distingue nettement de l'étude comparative et historique des langues qui avait été le domaine des philologues. Un demi-siècle sépare le *Cours de linguistique générale* (1916) de Ferdinand de Saussure du livre d'Emile Benveniste, *Problèmes de linguistique générale,* laps de temps au cours duquel la linguistique a poussé ses recherches en plusieurs directions. Ce sont les théories de la linguistique générale que nous examinerons brièvement ici, parce que ce sont elles qui ont profondément affecté le vocabulaire et les théories littéraires à partir de 1960[1].

Le *Cours de linguistique générale* de Saussure est un ensemble de notes publiées après sa mort. Il propose une problématique du langage et une méthodologie que l'on a rattachées après coup à la linguistique structurale qui, à proprement parler, a été développée indépendamment à la même époque par

1. L'exposé qui suit doit beaucoup à cinq pages magistrales de Peter Caws, professeur de philosophie (*Diacritics*, Summer 1973, p. 15-21).

un petit groupe de chercheurs à Moscou, puis à Prague, les « formalistes » Shlovsky, Eichenbaum, Propp, Jakobson et Troubetskoï entre autres, puis au cours des années cinquante par un linguiste américain, Noam Chomsky. Les travaux de Saussure et des formalistes russes n'ont eu aucun retentissement en France avant les années quarante et la rencontre aux États-Unis de Roman Jakobson avec l'anthropologue Claude Lévi-Strauss. Dès le début donc, dans la France de l'après-guerre, la linguistique et l'anthropologie dites « structurales » ont été étroitement associées, créant parfois des confusions de terminologie.

La linguistique de Saussure comportait une théorie du signe, théorie qui a une longue histoire, et une conception originale de la langue comme système. Saussure présentait le signe linguistique comme arbitraire, c'est-à-dire comme n'ayant aucun rapport nécessaire avec les choses auxquelles il se réfère. L'ordre des mots ne s'articule donc pas avec l'ordre des choses. Le signe réunit deux éléments, unis comme les deux faces d'une pièce de monnaie, selon l'image même de Saussure : une image acoustique, le signifiant ; et un concept, le signifié. D'autre part, Saussure opérait une distinction entre la langue et la parole. Il avançait l'hypothèse selon laquelle une langue est un système synchronique où « tout se tient » ; la parole serait le propre de l'individu lorsqu'il exerce sa faculté de parole. Le code linguistique ayant été intériorisé cette sélection serait inconsciente. Pour Saussure la langue est le fait du groupe social, la parole est l'usage que fait l'individu du code linguistique du groupe.

Il restait à articuler le concept de signe et celui de système l'un par rapport à l'autre pour obtenir la notion de langue comme structure, un concept qui se développera à partir de la phonologie, puis, avec Chomsky (qui reprend en les nommant compétence et performance les concepts saussuriens de langue et de parole), de l'étude de la syntaxe, comme l'a explicité Nicolas Ruwet dans son *Introduction à la syntaxe généralisée.*

Les recherches des formalistes russes portent uniquement sur le langage littéraire. Plutôt que de la linguistique proprement dite, elles relèvent donc directement de la critique ou de la théorie littéraires. Pour les formalistes, toute œuvre littéraire et tout genre littéraire constituent un système fermé dont la structure linguistique doit être étudiée en dehors de tout « message » ou contenu. Bien entendu, qu'il s'agisse de linguistique ou de ce qui fut désigné plus tard par le terme « structuralisme », la mise entre parenthèses des questions relevant de la sémantique (l'étude du rapport entre un système linguistique et un système de connaissance) est une question de méthodologie et non une affirmation de l'irréductible rupture entre le langage et la pensée ou toute autre expérience. Dire qu'un système linguistique est synchronique, c'est-à-dire tout entier « présent », est une hypothèse qui permet au linguiste d'étudier le fonctionnement du langage séparément de l'évolution des données historiques d'une langue. Dire que l'on peut déterminer la structure du conte, par exemple, sans se préoccuper du contenu de chaque conte, ce n'est pas nier ses contenus, mais dégager le système constant de relations qui les organise, c'est-à-dire le « modèle » générateur typique.

Mais si certains domaines de l'étude de la linguistique sont proprement scientifiques, ainsi la phonologie, d'autres explorations spéculent à partir de métaphores empruntées à la science sans arriver pour autant à des conclusions rigoureuses. Ce fait est important lorsqu'on aborde les « modèles » du structuralisme littéraire. Ce sont des modèles hypothétiques, descriptifs et analytiques, qui ouvrent la voie, non encore à une science de la littérature, mais, d'une part, à une théorie de la littérature, d'autre part, à une nouvelle rhétorique du discours. Liée à la linguistique, une science des signes ou sémiotique cherche à se constituer, dont en juin 1974 le premier congrès international soulignait à la fois la vigueur et les incertitudes. L'éclectisme des points de vue, corrigeant les divers dogmatismes des groupes français, démontrait que cette nouvelle discipline est bien loin encore d'avoir trouvé les résultats scientifiques recherchés.

Le comportement humain : nouvelles perspectives

« L'homme, disait Cocteau, n'a pas tellement changé depuis Homère. » Ce lieu commun n'est pas partagé par les psychotechniciens du comportement, « behavioristes » américains et « pavloviens » soviétiques.

Pour Freud les données de la nature et de la situation humaine restent les mêmes, mais il pense aussi que de tout temps les hommes les ont méconnues.

Ces deux orientations antagonistes des recherches psychologiques ne trouvent que tardivement un écho dans la France satisfaite des modèles psychologiques hérités du XVIIe siècle, retouchés par le siècle des Lumières et à peine affectés par l'évolutionnisme du XIXe. Devenus des vérités de manuel, ces modèles prévalaient encore dans le drame et dans les romans d'analyse morale à la Paul Bourget. Behavioristes et psychanalystes mettent en question un des bastions de la pensée française — héritage chrétien et cartésien —, le respect de la conscience individuelle, et la croyance en la capacité départie à tout individu de régler son comportement sur les injonctions de cette conscience, source de raison et de vertu.

Psychotechniques

Les psychotechniciens étudient les réflexes des êtres — animaux et humains — et, dans des situations soigneusement déterminées, la façon de susciter automatiquement et ainsi de contrôler leurs réactions tant physiologiques que psychologiques. Toute une pédagogie et une éthique, une politique aussi, et même une métaphysique peuvent être et seront déduites de leurs observations. Ces recherches n'influenceront guère les écrivains français, sauf peut-être les auteurs de science-fiction qui exploitent les versions modernes de « l'homuncule » médiéval, l'homme-monstre ou le robot fabriqué dans les laboratoires. C'est un Anglais, Aldous Huxley, très proche des milieux scientifiques, qui dans *Le Meilleur des Mondes* (1932), un best-seller, fait la satire virulente d'une société fictive où l'individu, dès avant même sa naissance, est déshumanisé par le conditionnement impitoyable que lui impose une technocratie au pouvoir. *L'Archipel du Goulag* de Soljénitsyne (1974) montre l'aspect prophétique de cette utopie. Ce n'est sans doute qu'à partir du milieu du siècle, avec le développement de la neuro-chirurgie, de la chimie biologique et de la cybernétique, que l'on commence à saisir dans toute son étendue l'écart croissant entre les faits établis et les schèmes d'explication psychologique en circulation.

Psychanalyse

C'est Freud qui, sans conteste pendant une trentaine d'années, construit pas à pas et malgré de graves controverses une théorie révolutionnaire du fonctionnement psychique et une nouvelle thérapeutique, la *psychanalyse,* qui auront une influence si profonde qu'on considère parfois l'avènement de la psychanalyse comme le « grand événement » de ce siècle. Si les psychotechniciens s'intéressent au comportement extérieur observable et aux lois qui le régissent, Freud, lui, concentre son attention sur les processus subjectifs, souvent profondément masqués, de la psyché humaine.

Freud, qui était venu à Paris étudier sous Charcot, a beaucoup de mal à faire admettre son œuvre en France. L'antigermanisme et l'antisémitisme ont sans doute autant de part à cette résistance que la fidélité à la psychologie traditionnelle. Avant que la première traduction ne paraisse, on devine des osmoses. Tel rêve de Swann[1] ne doit-il rien au maître de Vienne ? Paul Bourget dans son roman *Némésis* (1918) appelle Freud « un des plus originaux parmi les psychiatres modernes » et salue sa « doctrine profonde ». Ces deux formules sont citées par Edouard Claparède dans l'introduction à la *Psychanalyse,* première traduction française due à Yves Lelay (Payot, 1921), qui reparaît en 1923 sous le titre de *Cinq leçons sur la psychanalyse.* La *Traumdeutung,* qui date de 1900, n'est traduite qu'en 1925 sous le titre : *Le Rêve et son interprétation,* qui deviendra *La Science des rêves.* C'est Genève — avec Claparède, professeur à l'Université, Charles Baudouin et d'autres — et la *Revue de Genève* qui ont servi de relais entre Vienne et Paris. Au lendemain de la guerre une des élèves de Freud, le Dr Eugenia Sokolnicka (la Sophroniska des *Faux-Monnayeurs...*) tente, mais sans succès, d'éclairer le groupe de la *N.R.F.* sur celui que Gide appelait « cet imbécile de génie ». La Belgique apporte sa contribution avec le numéro que *Le Disque vert* consacre en 1924 à Freud. A Paris, les docteurs Allendy, René Laforgue et Marie Bonaparte ne sont connus que de quelques cercles intellectuels. Ce n'est qu'en 1926 que se constitue la Société psychanalytique de Paris, et ce ne sera qu'en 1953, à l'occasion de la rupture bruyante du Dr Jacques Lacan avec cette société, que les milieux culturels français passeront de l'indifférence à un engouement aussi néfaste[2].

Freud adopte une thérapeutique qui nous est maintenant familière. Allongé sur un canapé, le

1. *Du côté de chez Swann* (1913) dans *A la recherche du temps perdu,* « Bibliothèque de la Pléiade », t. I, p. 378 sq.
2. Sur l'intégration du freudisme dans la culture française et l'importance de l'apport de J. Lacan, voir p. 132-133.

patient est encouragé à parler librement, au fil de ses associations d'idées ; présent, le psychanalyste reste en retrait, invisible. Dans les propos de ses clients Freud décèle des associations troublantes, des déplacements de sens, des lapsus en apparence absurdes. L'étude de ces phénomènes l'amène à formuler l'hypothèse de l'intervention de processus inconscients dans les représentations de la réalité qu'élabore le malade et à conclure qu'il existe dans la psyché une censure qui fait obstacle à la prise de conscience des conflits psychiques dont le malade est la victime. Cette censure et les refoulements qu'elle provoque, Freud les met en relation avec la présence d'un sur-moi, sorte de juge intériorisé qui punit le moi coupable pour avoir enfreint ou pour avoir voulu enfreindre une injonction inviolable, un tabou. En premier lieu, cette culpabilité est liée, aux yeux de Freud, à la sexualité, prise dans un sens large, c'est-à-dire comme un ensemble de pulsions dont dérive la libido et dont le grand réservoir est une partie entièrement inconsciente de la personnalité, qui est nommée le « ça ». Les modalités de satisfaction ou de privation des désirs par lesquels se manifestent les pulsions, s'établissent dans le cadre de la famille : père, mère, enfant. Le conflit entre le sur-moi et le ça donne naissance à des complexes parmi lesquels le complexe d'Œdipe est fondamental : désir inconscient de l'enfant mâle pour sa mère, sa rivalité avec le père, d'où la crainte de la punition (angoisse de castration) et le sentiment de culpabilité.

Ayant reconnu la force de la censure à l'œuvre chez tous ses patients, Freud distingue dans leurs discours deux niveaux, l'un manifeste — ce qu'ils se permettent d'exprimer consciemment —, l'autre latent — les contenus refoulés qui s'expriment, à l'insu du malade, sous le voile du discours conscient —. Très tôt, il rattache les associations a-logiques du rêve à ces contenus latents.

Le rêve est selon lui un des langages du désir

refoulé, sa réalisation symbolique et déguisée. La tâche du psychanalyste consiste à faciliter le retour du patient vers l'origine du blocage psychique dont il souffre, afin de lui permettre de déchiffrer lui-même en quoi celui-ci consiste. Pour Freud il n'est pas question de juger ces pulsions déroutantes, mais d'en libérer le patient en l'amenant à les comprendre ; cette compréhension doit ouvrir la voie à une meilleure adéquation du comportement du patient à ses propres désirs ainsi qu'aux exigences du monde extérieur. Toujours dans l'optique freudienne, le désir de satisfactions directes et immédiates orienterait le comportement enfantin selon le *principe de plaisir ;* la maturité consisterait à accepter de différer ces satisfactions et à reconnaître ainsi les limites et contraintes qu'impose le *principe de réalité.* Les conflits entre le principe de plaisir et le principe de réalité sont donc l'aspect que prend l'inévitable polarité individu-société. Pour Freud, si les schèmes conflictuels sont fondamentaux, la façon dont les individus y sont engagés et les vivent est strictement personnelle : chaque inconscient, pourrait-on dire, élabore son langage. Pour son ami, puis adversaire, C. G. Jung, l'inconscient de chaque individu participe d'un inconscient collectif, propre à l'espèce humaine et inscrit dans ses mythes et ses légendes. Mieux accueillies en France que celles de Freud, les théories de Jung, jugées peu scientifiques par Freud lui-même et ses disciples, s'accordent plus facilement avec la tradition spiritualiste française. Parmi les romanciers de la génération née vers 1885, ceux qui tentent d'explorer le fond trouble de la psyché humaine, Mauriac, Bernanos, Julien Green, se placent dans le cadre chrétien et leur adhésion aux dualités chrétiennes — âme et corps, mal et bien, péché et grâce — est incompatible avec la pensée freudienne ; aussi, à quelques exceptions près — dont le poète et romancier Pierre Jean Jouve — cette génération ne subit-elle guère l'influence de Freud.

La génération qui est née avec le siècle s'avère plus accueillante, bien qu'un Malraux, voué aux valeurs héroïques d'origine nietzschéenne, condamne la fascination qu'exercent sur les imaginations de ses contemporains les « secrets » que recèle l'inconscient qu'il juge monstrueux. Ce n'est pas, pense-t-il, en grattant l'individu qu'on rencontre l'homme, et les « secrets » d'un homme lui importent moins que ses actions : pour Malraux l'homme est ce qu'il fait. Les surréalistes — Breton surtout, qui ira voir Freud à Vienne — font à Freud un accueil enthousiaste, mais cherchent surtout en lui une sorte de justification de leurs propres convictions. Sur les rapports de l'inconscient et de la surréalité — l'inconscient comme clé de la surréalité, le désir comme voie royale soit vers le merveilleux, soit vers la connaissance du vrai fonctionnement de l'esprit — Freud n'avait pas grand-chose à leur apprendre.

Cependant, certains aspects de la psychanalyse freudienne — surtout l'analyse des complexes et des masques que revêtent les passions — ont si bien pénétré le roman qu'en 1930 (*Formes,* 5 avril), Emmanuel Berl dénonce l'abus qu'on fait du freudisme. C'est pourtant assez lentement, après 1950, que le freudisme se fait vraiment sentir surtout dans le roman. Et peut-être est-ce à travers l'*Ulysse* de Joyce, le plus « psychanalytique » des romans de l'époque, qu'une génération accède à la vision freudienne.

Portés par une seule voix, celle du « je » d'un sujet, des mondes romanesques apparaissent où les plans temporels se situent verticalement, les uns par rapport aux autres. Ils interfèrent et se confondent, posant le problème des mythes et des masques du sujet. La critique freudienne, qui jusqu'alors s'était cantonnée dans la biographie psychanalytique des écrivains, se tourne vers l'interprétation des textes littéraires.

Pour Freud, l'activité de l'artiste est analogue à

celle du rêve, l'artiste substituant à la réalité un monde imaginaire qui le satisfait. L'auteur qui se croyait maître de son œuvre apprend ainsi qu'elle lui échappe et que ses intentions les plus claires sont sujettes à interprétation. La révolution freudienne, dans la mesure où l'écrivain en accepte le bien-fondé, change les rapports de l'auteur avec son texte et avec ses critiques. C'est *l'obliquité* du discours littéraire chargé d'un sens caché que cherche à mettre au jour le critique qui applique à l'œuvre la méthode psychanalytique.

Littérature philosophique et conquête d'une intériorité culturelle

Dans *Regards sur le monde actuel*, Paul Valéry observe que « le chef-d'œuvre littéraire de la France est peut-être sa prose abstraite », ajoutant : « Depuis le XVIe siècle, il n'est pas d'époque chez nous qui n'ait produit des ouvrages de philosophie, d'histoire, ou même de science pure admirables par l'ordonnance et par le style. » Il ne veut pas dire par là que la littérature d'idées a envahi en France toutes les expressions littéraires possibles ; il pense au contraire que cette prose abstraite, dans ses perfections successives, résulte d'un « souci de la forme en soi », qui transforme le langage abstrait et théorique en matière universelle de l'art. Cette observation de portée historique s'applique à notre siècle qui prolonge cette tradition et même la renouvelle : le sens du *nouveau* se manifeste dans la valeur donnée à la forme du langage, dans une nouvelle alliance entre littérature et philosophie, dans la domination de l'*essai* comme expression littéraire, à la fois naturelle et savante. Artisan des abstractions, le philosophe institue un discours universel qui prétend englober tous les autres, grâce à une double action, à la fois théorique et pratique. Il groupe les unités lexicales élémentaires en thèmes à partir desquels, consciemment ou non, un autre discours s'organise : il bâtit ainsi une pensée dont les expressions sont situées dans une expérience intérieure qui, à notre époque, selon les individus et leurs goûts, se déploie, par degrés, entre la dureté conceptuelle d'un Monsieur Teste et la souplesse métaphorique des analyses bergsoniennes. Notre langage philosophique offre aux cultures les moyens de se posséder comme intériorité conquérante et de produire du sens à l'aide d'une *thématisation,* ou mise en forme des concepts, c'est-à-dire des mots du vocabulaire abstrait. Ce double effort de création artistique et linguistique anime la vie de la prose abstraite, lui donne un statut littéraire et lui assure une présence originale auprès des genres établis.

Exploitation et prolongement de l'héritage idéaliste et cartésien

Pendant près de trois siècles, la prose abstraite française s'est soumise aux exigences du cogito cartésien, selon lequel la réflexion, permettant d'écrire « je pense, donc je suis », signifie la *subjectivité de tout langage :* il n'est pas de discours qui ne se réfère à un *je* découvert ou caché. Et ce je, replié sur lui-même au moment où il pense le monde, affirme la priorité d'une *maîtrise intérieure* sur cette autre maîtrise, scientifique ou technique, qui conduit à la possession de l'univers. Le cogito des *Méditations métaphysiques* annonçait en 1641 l'avènement d'un nouveau langage hypothético-déductif des mathématiques appliqué à la réalité physique. Mais la proposition par laquelle le cogito introduisait la science moderne n'était pas elle-même scientifique. Les philosophes, après Descartes, aujourd'hui comme hier, ont cherché à déterminer la nature de ce langage qui sous-tend la science, qui est capable de la juger et, plus encore, de la limiter. Telle est la *problématique idéaliste* de notre modernité. Telle est la source profonde de l'ambition littéraire de nos langages.

L'histoire de la philosophie donne au mot « idéalisme » un sens plus restreint et l'oppose au « réalisme », le premier désignant une philosophie selon laquelle le monde extérieur est « ma représentation ». Avec des fortunes diverses, le combat entre réalistes et idéalistes s'est poursuivi pendant trois siècles. Mais la problématique de la prose française reste idéaliste. En dépit d'un désir périodique de « défenestrer » Descartes, elle n'échappe pas à la question que pose le cogito et qui se subdivise en diverses options entre lesquelles un écrivain doit choisir : quelle est cette intériorité de la pensée ? Est-elle une introduction à la science ou le signe d'une vie qui risque d'être détruite par la science ? Et cette vie, hors du langage des algorithmes, est-elle une expérience d'intelligence ou est-elle supra-intellectuelle ? Travaillant à façonner les réponses à ces questions, le philosophe contemporain détermine les droits du langage à ne pas être scientifique ; à sa façon, qui n'est que rarement lisible pour tout lecteur et compromet souvent l'élégance d'expression au nom d'une clarté plus secrète, il revendique le droit à la « littérarité » comme idéal d'intériorité des signes. Certes, le philosophe est alors menacé par le pédantisme et le jargon, ces deux maladies chroniques de la prose abstraite. Le dialogue entre le pédant et l'honnête homme se poursuit depuis Montaigne ; il prouve que le philosophe a droit de cité dans les forêts de la littérature, même s'il risque parfois de les détruire ou de saccager leurs belles frondaisons. Sur ce point notre époque n'est pas différente des précédentes. Et le pédant dont se moquaient Charron, Pascal et Voltaire est toujours plus arrogant. Ce qui montre encore que la littérature est plus que jamais remise en question : le philosophe seul peut dire si une prose abstraite est encore possible, ou si la langue française doit se résigner à subordonner ses vieux lexèmes au symbolisme mathématique ou à la logique de l'ordinateur. Nos cultures ont besoin de langages qui, pédantesques ou non, qualifient l'intériorité des signes. Pour des raisons de commodité, et en soulignant que les divisions proposées ne désignent pas un monde de concepts étanches, distinguons trois directions principales que les philosophes en notre siècle ont tenté de prendre pour décrire l'intériorité à laquelle nous devrions accéder : *a*) la direction *positiviste*, *b*) la direction *réflexive* et *métaphysique*, *c*) la direction *mystique*.

Au XIXe siècle, Auguste Comte, après avoir rejeté dans un passé révolu l'usage des théologies et des métaphysiques et salué la science comme le nouveau langage intellectuel et moral, avait tenté de récupérer l'intériorité spirituelle des anciennes religions en annonçant l'avènement d'un âge positif où les hommes vivraient une nouvelle intimité, celle d'un « nous » dans lequel leurs « je » dispersés trouveraient leur sens et vocation. C'était l'utopie d'une alliance entre l'universalité scientifique de la loi et l'intériorité du cœur. Les guerres et les révolutions, par leurs catastrophes répétées et leur gigantisme progressif, n'ont pas tué l'espérance positiviste, mais, pour notre époque du moins, elles ont modéré les ardeurs linguistiques des nouveaux thuriféraires de la science. Ceux-ci se sont réfugiés dans une intériorité intellectuelle qui ne croit plus que timidement en son pouvoir de changer les mondes physique et moral. Le problème reste le même : comment intégrer la réalité à un univers qui soit intelligible ? Les résistances du réel sont vivement ressenties ; le philosophe s'évertue à convertir en triomphes des constats d'échec qui deviennent pour le mathématicien ou le physicien le seul langage théorique possible en face d'une expérimentation de plus en plus énigmatique. Tel est le sens de la tentative de Léon Brunschvicg dans ses grandes études : *Les Etapes de la philosophie mathématique* (1912), *Nature et Liberté* (1921), *Le Génie de Pascal* (1924), *Le Progrès de la conscience dans la philosophie occidentale* (1927), *Les Ages de l'intelligence* (1934). Elles sont animées par l'espoir que la science, qui seule — croit-il — peut donner à l'homme le sens de l'universel, atténuera les conflits entre les nations et conduira vers l'internationalisation concrète de nos cultures. Une génération plus tard, Gaston Bachelard ne se berce plus de telles illusions. Il aperçoit dans les théories scientifiques de notre temps le signe d'une profonde révolution de la pensée et explore simultanément les domaines de la créativité intellectuelle et artistique, tirant profit de la phénoménologie de Husserl et de la psychanalyse, mais pour les dépasser. Sensible surtout à la libre dialectique qui circule entre les concepts et les images, il décrit les divers aspects du « nouvel esprit scientifique » aussi bien que les images qui portent les rêves des poètes : « Il y a là, pour un rationaliste, un petit drame journalier, une sorte de dédoublement de la pensée... Mais ce petit drame de culture, ce drame au simple niveau d'une image nouvelle, contient tout le paradoxe d'une phénoménologie de l'imagination : comment une image parfois très singulière peut-elle apparaître comme une concentration de tout le psychisme ? » (*La Poétique de l'espace*, p. 2.) L'œuvre de Bachelard qui a eu un rayonnement plus vaste en critique littéraire qu'en épistémologie, est faite d'essais brillants où la fantaisie se mêle à la rigueur, l'érudition à l'expérience quotidienne. Citons entre autres *La Dialectique de la durée* (1933), *La Psychanalyse du feu* (1937), *L'Eau et les Rêves* (1940), *La Philosophie du « non »* (1940), *L'Air et les Songes* (1942), *Le Rationalisme appliqué* (1949), *La Poétique de l'espace* (1957).

La reconnaissance de la science comme fait culturel sans précédent, même quand elle s'accompagne d'une admiration sincère pour la production artistique, suppose le postulat d'un « progrès de la conscience », comme dit Brunschvicg, ainsi que la distinction entre une ère préscientifique et une ère scientifique de la civilisation. Un tel optimisme scientifique est loin d'être partagé en notre siècle qui a constamment instruit le procès de la technologie et de ses conséquences économiques. Sont contestés l'idée même de vérité scientifique, la capacité qu'aurait la science de résoudre les problèmes pratiques de nos cultures, et le postulat du dépassement de la métaphysique. La science est accusée d'extérioriser et de réifier l'homme, ses actions et sa pensée. La philosophie aurait alors pour mission de défendre l'autonomie et la valeur d'une intériorité par laquelle l'esprit se libère d'un monde mécanique d'objets, trouve sa vraie liberté, non dans le pouvoir sur les choses, mais dans une pure expérience critique et morale qui prend des formes philosophiques variées. La vie intérieure reconquise peut être limitée à l'expérience morale ou étendue à la vie religieuse. Alain tend à trouver l'écriture philosophique dans le propos court, à mi-chemin entre la maxime et l'essai. Il invite le citoyen à lutter « contre les pouvoirs », qu'ils soient physiques, spirituels ou politiques. Jean Nabert, en des œuvres telles que *L'Expérience interne de la liberté* (1923), *Essai sur le Mal* (1955), *Le Désir de Dieu* (1966), découvre le caractère dramatique de l'intériorité de la conscience : « Toutes les métaphores échouent à dire ce fond d'impatience qui est au cœur de l'être humain et qui fait qu'il s'apparaît invinciblement comme inégal à lui-même » (*Le Désir de Dieu,* p. 31). Le manifeste de 1934, par lequel Louis Lavelle et René Le Senne lançaient la collection « Philosophie de l'Esprit », dénonçait le positivisme et le sociologisme universitaires, le dessèchement intellectualiste et l'aliénation scientifique. Ces deux philosophes souhaitaient redonner à la pensée le sens de sa totalité concrète, associé au sens de la transcendance. Ils invitaient à renouer avec le courant spiritualiste français, celui des Malebranche, Maine de Biran, Hamelin et Bergson, grâce à une philosophie de la participation et de la valeur. Commencée en 1934, la collection accueille les phénoménologues allemands, les spiritualistes russes, des traductions de Kierkegaard, la première traduction de la *Phénoménologie de l'Esprit* de Hegel, ainsi que les premiers essais de philosophie existentielle. Les œuvres métaphysiques de Le Senne — *Obstacle et Valeur* (1934), *La Destinée personnelle* (1951) — abandonnent la forme traditionnelle du traité pour se faire méditations. Lavelle poursuit la conquête de l'intériorité spirituelle à deux niveaux d'expression, celui de l'analyse abstraite dans la série intitulée *Dialectique de l'Eternel Présent*, et celui de l'essai moral et spirituel avec des œuvres telles que *Le Moi et son destin* (1936), *L'Erreur de Narcisse* (1939), *La Parole et l'écriture* (1943).

Au début du siècle, Henri Bergson — dont l'œuvre continue toujours à rayonner sur la pensée française, même et surtout quand il n'est pas cité — avait placé la philosophie en face du dualisme insurmontable du langage et de l'expérience intérieure, de l'exprimable et de l'ineffable, de l'abstrait conceptuel et du concret intuitif. Il donnait au langage philosophique une leçon de modestie. La philosophie pouvait prétendre à être la reine du savoir, mais la poésie et la religion lui restaient supérieures quand l'homme tentait de sentir ou de vivre la réalité profonde de son esprit. Des écrivains ont relevé ce défi bergsonien. S'installant à la frontière de l'exprimable, ils ont interrogé l'ineffable, transformé la réflexion idéaliste en une pensée des limites de l'intelligence. Très différents les uns des autres, parfois même opposés, poursuivant leurs recherches linguistiques dans une indépendance inflexible, farouche et quelquefois tragique, ils ont donné à la littérature philosophique de nouveaux moyens d'expression. Leurs textes atteignent parfois la beauté singulière de la plus haute littérature mystique.

Certains prennent le catholicisme pour point de départ ; ils se trouvent associés au grand renouveau de la pensée religieuse en notre siècle. En témoigne une littérature considérable, annoncée à la fin du XIXe siècle par *L'Action* de Maurice Blondel (1893), prolongée au milieu de polémiques ardentes. Etienne Gilson, s'efforçant de faire sortir la philosophie médiévale de l'oubli où trois siècles de méthodologie cartésienne l'avaient jetée, veut prouver qu'une pensée orthodoxe vivante est toujours possible et que le spiritualisme chrétien est fondé en raison dans *Les Idées et les Lettres* (1932), *La Philosophie au Moyen Age* (1944), *L'Etre et l'Essence* (1948), *Peinture et Réalité* (1958). — La pensée de Jacques Maritain n'est pas, comme on l'a cru, une néoscolastique. Elle est marquée par son origine bergsonienne : Maritain dit et organise l'ineffable. Il découvre dans le langage de l'homme une double fonction médiatrice, celle de la connaissance et celle de l'art. L'analyse logique, appuyée sur un luxe de définitions formelles, est vivifiée par l'intensité de la pensée analogique qui éclate en métaphores poétiques. Des essais, tels que *Art et Scolastique* (1913), *Primauté du spirituel* (1927), *Les Degrés du savoir* (1932), *Humanisme intégral* (1937), *Creative Intuition in Art and Poetry* (1953), révèlent comment, dans le laboratoire du langage, la connaissance poursuit son œuvre de lumière en faisant appel à la nuit de la poésie. — La tradition catholique est aussi repensée par Jean Guitton, dont l'œuvre, riche et multiple, s'étend de la métaphysique à l'histoire de la philosophie et de la religion, et à la littérature spirituelle, dans des ouvrages tels que *Portrait de Monsieur Pouget, Le Temps et l'Eternité chez Plotin et saint Augustin, Pascal et Leibniz, Le Problème de Jésus.*

Par une œuvre qui se veut à la fois spirituelle et scientifique, lyrique et conceptuelle, Pierre Teilhard de Chardin, géologue, anthropologue et jésuite, réunit le langage du mystique et celui du savant. Son œuvre centrale, *Le Phénomène humain* (1955), qui déploie un immense discours de l'incarnation, décèle la présence christique dans la somptuosité de la matière, traverse les phases végétale, animale et humaine de la biosphère et extrapole l'avenir de l'homme dont la conscience, « centre qui explose sur lui-même » est « en porte à faux », penchée en avant vers la noosphère, cet univers de connaissance vers lequel les hommes marchent lentement mais irrésistiblement, et qui tend vers un point *omega,* moment d'hyper-réflexion où l'homme retrouvera sans doute Dieu à la fin du voyage cosmique et mystique de la Création.

L'œuvre de Simone Weil n'a pas cette sérénité de la foi appuyée sur la connaissance. Elle parle d'attente, d'humiliation, d'urgence tragique ; elle dénonce les mystifications innombrables de nos civilisations et leurs dogmatismes ; elle se situe « à l'intersection du christianisme et de tout ce qui n'est pas lui » (*Attente de Dieu,* p. 138). Elle doit elle-même s'éprouver par l'action. La vie de Simone Weil a témoigné pour sa pensée. Elle a été ce témoin frémissant qui sait que le dire ne deviendra jamais un faire, et que pourtant le faire a besoin d'être dit. Le langage se dirige vers l'Autre ; il est alors une pathétique prière qui refuse de demander, il est le savoir d'une science pratique, renoncement à soi-même au bord de l'infini, attente de Dieu, fatale attente d'un autre langage, conscience aiguë d'une absence : « Je ne peux m'empêcher quelquefois, avec crainte et remords, de me répéter un peu ce qu'il m'a dit. Comment savoir si je me rappelle exactement. Il n'est pas là pour me le dire » (Prologue à *Attente de Dieu*). Cette exigence d'absolu, ce besoin d'amour et d'humilité cherchent leur expression dans des pages qui n'avaient pas pour objet d'être publiées : *La Pesanteur et la Grâce* (1948),

L'Enracinement (1949), *Attente de Dieu* (1950), les *Cahiers* (1951-56) ont donné à la foi de notre temps des accents qui font écho au Pascal du *Mystère de Jésus*.

Quand le sens de l'intériorité est possédé par la hantise de l'Autre comme transcendant, il devient une méditation sur l'échec, la limite, l'impossible. Emmanuel Levinas, dans *Totalité et Infini, Essai sur l'extériorité* (1961), *Noms propres* (1975), décrit les capitulations existentielles de la conscience, et tire les conséquences dialectiques de la mort de Dieu dont l'absence est le moyen même de la présence : « Je te cherche pour ne pas te trouver, et te perdant, je te trouve par ton absence. »

Sur une voie parallèle, Georges Bataille a tenté l'une des plus radicales épreuves à laquelle l'homme peut soumettre son langage : exiger du langage qu'il conquière son intériorité — que Bataille appelle sa *souveraineté* — en se faisant contestation permanente, *transgression* des mots par les mots. Cette œuvre de destruction, à la fois nécessaire et impossible, commence par la décristallisation du langage théologique, de ses structures rationnelles et unifiantes. Alors la pensée peut entreprendre « un voyage au bout du possible de l'homme ». C'est le jeu métaphysique ultime qui « détermine, dans les limites de la raison, de brèves possibilités de sauts par-delà ces limites » (*Œuvres complètes*, V, p. 19). Cette épreuve de contestation s'accomplit surtout en cinq moments d'exception : le rire fou, l'extase érotique, le sacrifice, la poésie et la méditation. Bataille juge de la manière suivante le sens de son œuvre quand elle met à l'épreuve la langue par les moyens du roman, de l'essai et de la poésie : « S'il fallait me donner une place dans l'histoire de la pensée, ce serait, je crois, pour avoir discerné les effets, dans notre vie humaine, de l' " évanouissement du réel discursif ", et pour avoir tiré de la description de ses effets une lumière évanouissante;

elle n'annonce que la nuit » (*Œuvres complètes*,V, p. 231).

Le besoin d'un réalisme révolutionnaire

La vie intérieure et l'individualisme qui souvent l'accompagnent, ont été dénoncés pour leur pouvoir mystificateur et récupérateur de valeurs dites bourgeoises : ils divertiraient l'élan créateur de sa vraie vocation révolutionnaire. Et ici se découvre dans la pensée française, l'aspect complémentaire de son idéalisme. En faisant le procès du rationalisme et du libéralisme modernes, la dénonciation de la bourgeoisie, de ses théories et valeurs, donne le ton à une culture qui reste bourgeoise tant par son origine sociale que par la formation scolaire de presque tous ses écrivains. Le problème posé est fort simple : *Comment la pensée peut-elle se couper de ses racines sociales et linguistiques ?* Le surréalisme est un authentique effort pour fournir une solution positive à cette question. Le terme même indique une volonté déterminée d'éliminer non seulement l'idéalisme de la vie intérieure mais tous les réalismes métaphysiques ou scientifiques qui croient saisir le réel par la raison et ses principes logiques. Par ses effets, le surréalisme a bouleversé les cadres et les valeurs de la littérature et des arts. Il a été reconnu comme la grande révolution littéraire et artistique de notre siècle. Plus encore, il a mis en procès les cultures modernes, l'idée même de culture et surtout les prétentions orgueilleuses de la civilisation occidentale. Allant au-delà du dadaïsme, jugé purement négateur, le surréalisme a rejeté en bloc les conventions esthétiques, les rhétoriques et les morales bourgeoises. Il a ainsi porté la lutte sur le plan du discours abstrait, en associant étroitement théorie et polémique. De là ces *manifestes,* ces proclamations de foi, qui se substituent comme langage de la conscience à l'écriture philosophique traditionnelle — dénoncée comme fausse intériorité. La vraie intériorité est celle d'un langage non falsifié, non corrompu, celui de l'inconscient. C'est surtout par l'intermédiaire du surréalisme que Freud entre dans une pensée française qui continue néanmoins à lui résister tout au long du siècle. Même dans le cas du surréalisme, le malentendu reste profond : André Breton et ses amis veulent libérer l'inconscient des pièges de la conscience quand Freud espère délivrer la conscience et le moi des hypothèques de l'inconscient.

Avant d'être culturelle, morale et sociale, la révolution doit être linguistique. Les manifestes de 1924 et de 1930, ainsi que les proclamations ultérieures, le répètent avec obstination et ferveur : la conversion révolutionnaire se prolongera par un monde utopique où les rencontres, devenues imprévisibles, seront gouvernées par le principe du *hasard objectif* et où les êtres et les choses deviendront surréels, transfigurés par *l'amour fou,* sorte d'équivalent de la grâce mystique. Hasard objectif et amour sont étroitement associés à l'*écriture automatique,* si mal comprise : elle doit être un retour à la spontanéité linguistique qui peut être captée par des exercices d'automatisation verbale, par des exploitations d'associations involontaires, par des récits de rêves, etc. Elle est le refus radical d'un langage organisé par la raison. Les surréalistes ne condamnent pas cependant le discours conscient. Ils ont dit et redit qu'un tel discours doit intervenir pour éviter les perversions du pouvoir logique récupéré par le pouvoir politique, mais il faut que l'inconscient balise la vie et les opérations de la conscience. Tout acte révolutionnaire est vain s'il ne se soumet à l'épreuve régénératrice d'un élan non contrôlé du langage. Et c'est de cette exigence qu'il faut partir pour saisir ce que Breton cherchait quand il donnait à deux de ses revues les titres suivants : *La Révolution surréaliste* et *Le Surréalisme au service de la révolution*. Pour lui et ses amis, la révolution était d'abord une pratique, car toute thématisation risque de faire retomber le langage dans les ornières logiques et civilisatrices d'où il doit essayer de sortir.

Partout en France, et non seulement chez les surréalistes, se fait sentir le besoin d'une *critique de la pratique révolutionnaire*. On comprend ainsi la fascination, positive ou négative, que le marxisme a exercée sur presque tous les intellectuels. Même après 1968, la philosophie de Marx restera le modèle théorique de la pratique révolutionnaire, auquel il est obligatoire de se confronter. En effet, le marxisme offre de nombreuses garanties à l'appétit de changement : un fondement historique et le sentiment, rassurant pour un intellectuel, qu'être marxiste, c'est être placé dans le sens de l'histoire ; un fondement objectif, puisque cette philosophie procure à l'action politique et à la prise du pouvoir une base théorique et leur confère une nécessité scientifique ; un fondement moral enfin : être marxiste c'est prendre la défense des opprimés, lutter pour établir la justice sociale et faire le procès de la culture française sous les espèces de l'idéologie bourgeoise.

Le surréalisme, le premier, cherche alliance avec le parti communiste français comme représentant du marxisme authentique, et non avec le parti socialiste jugé réformiste et traître. Certains surréalistes, dont Louis Aragon, Paul Eluard, croient cette alliance possible. Mais leur option implique l'abandon des principes formulés dans les manifestes de 1924 et 1930. Ce que Breton comprit très vite : le surréalisme ne peut se mettre au service de la politique marxiste sans perdre sa ferveur et son intransigeance. Plus tard, après la Seconde Guerre mondiale, et avec de nettes différences de style, la *confrontation du marxisme et de l'existentialisme* est vécue dans une histoire analogue à celle du surréalisme, avec la même ambiguïté finale et l'affirmation d'un anarchisme incompatible avec le sociologisme marxiste.

Cependant, dans le cas de l'existentialisme, les débuts de ce rapprochement ne sont pas euphoriques : rien de commun avec l'enthousiasme qui dicte à Breton et ses camarades un télégramme d'allégeance à Staline, publié dans le premier numéro du *Surréalisme au service de la révolution.* Pour Jean-Paul Sartre, l'union est de raison, pour ne pas dire tactique ; elle est justifiée par une haine personnelle que l'auteur des *Mots* avoue en évoquant la mémoire de Maurice Merleau-Ponty : « Je vouai à la bourgeoisie une haine qui ne finira qu'avec moi » (*Situations,* IV, p. 249). Sartre a été pendant une vingtaine d'années, et jusqu'à la rupture de 1968, un compagnon de route pour les communistes. Il a même été jusqu'à cet acte d'humilité orgueilleuse de reconnaître dans le marxisme la philosophie dominante de notre siècle. L'existentialisme serait, par rapport au marxisme, ce que Kierkegaard a été pour Hegel, une mise en garde, une « idéologie » correctrice, une épine dans la chair du système dogmatique ; car, comme « Question de méthode » (texte publié en guise de prolégomène à *Critique de la raison dialectique,* 1960) l'explique, le marxisme est la structure théorique « indépassable » pour notre temps et l'écrivain ne peut que réagir à ce donné systématique de nos cultures ; selon Sartre, « l'intellectuel » a la responsabilité du discours critique qui seul peut empêcher la sclérose inévitable qui menace la pensée au pouvoir.

Même dans le cas des intellectuels, commentateurs et interprètes des textes marxistes, et si l'on ne tient pas compte du militant fidèle paraphrasant une orthodoxie, l'union du marxisme et de la tradition culturelle française ne va pas sans équivoques, orages, ruptures et hétérodoxie endémique. Sans entrer dans le détail d'une comédie faite de malentendus pathétiques, citons deux exemples révélateurs. A travers une œuvre très riche, orientée vers la sociologie culturelle, Henri Lefebvre fait appel au marxisme pour trouver le sens de notre modernité. Et, très vite, le lecteur comprend que le marxisme sert d'habits neufs à une pensée révolutionnaire plus ancienne, trouvant ses origines dans la Révolution française et rêvant d'une « renaissance de la fête dans une société doublement caractérisée par la fin de la pénurie et par la vie urbaine » (*Critique de la vie quotidienne.*

Louis Althusser cherche à définir une nouvelle orthodoxie marxiste, en particulier dans deux livres parus en 1967 : *Pour Marx* et *Lire le Capital* (ce dernier en collaboration avec J. Rancière et P. Macherey). Il s'attaque à la théorie de la *praxis*, et subordonne le mouvement progressif de l'histoire à l'analyse de la dialectique comme *structure* déterminée par les trois moteurs du déplacement, de la condensation et de la mutation. Justifiant la légitimité d'une idéologie marxiste, il confère à celle-ci une fonction épistémologique qu'on ne lit pas sans frémir : « On ne peut *connaître* quelque chose des hommes qu'à la condition absolue de réduire en cendres le mythe philosophique (théorique) de l'homme » (*Pour Marx*, p. 236).

Les acteurs d'une telle « comédie de l'intellect », pour reprendre la formule de Valéry, semblent être les victimes innocentes d'un vaudeville tragique. Récemment, un dernier acte, tout provisoire, a été ajouté, avec une série de nouveaux essais, entre autres : *La Cuisinière et le Mangeur d'hommes* (1975) d'André Glucksmann, *La Barbarie à visage humain* (1977) et *L'Idéologie française* (1980) de Bernard-Henri Lévy, et pour lesquels, selon une perspective historique qui reste à justifier, et une théorie du pouvoir héritée des métaphysiques post-nietzschéenne de la mort de Dieu, le marxisme, loin d'être le modèle de la pensée révolutionnaire, serait la théorie du pouvoir absolu dans les sociétés modernes ; il est, alors, la pire des mystifications et le pire des esclavages.

Faut-il conclure que la pensée française, d'abord

fascinée par le marxisme, l'écarte définitivement, parce qu'il est incompatible avec les exigences du langage français en notre siècle ? La variété des raisons qui rendent compte de l'impossibilité d'une conciliation, malgré la sincérité et la bonne volonté des partenaires, ne doit pas cacher l'unité d'une problématique vouée à l'échec. Dans les dernières pages des *Vases communicants*, André Breton délimite ainsi le champ de cette problématique : « L'essence générale de la subjectivité, cet immense terrain et le plus riche de tous est laissé en friche. » Pour lui donc, comme pour Sartre, Camus et beaucoup d'autres, en des contextes fort différents, opposés même, voici la vraie tâche d'une pensée révolutionnaire : cultiver, valoriser, exalter le terrain, individuel et collectif, de la subjectivité, et ainsi en constituer la théorie et la pratique. *La subjectivité est le terrain révolutionnaire par excellence.*

La réflexion sur la création et la liberté

Parallèlement à l'entreprise surréaliste, parfois même avec la volonté de s'en distinguer, la philosophie française s'attache après 1930 à l'exploration de la subjectivité, à la découverte des ressources conscientes et inconscientes de l'esprit humain. Elle renouvelle alors les concepts traditionnels autour de quelques mots qui semblaient faire peur au philosophe — l'absurde, le mystère, l'intentionnalisme, l'angoisse, l'ambiguïté — grâce auxquels elle revivifie les vocables usuels d'être, de néant, de liberté et de nécessité, de conscience et d'inconscient, d'existence et d'essence, etc. Peu à peu les doctrines se classent les unes par rapport aux autres à l'aide du mot « existentialisme » et l'adjectif « existentiel » devient la monnaie d'échange la plus courante après 1945.

Simone de Beauvoir et Sartre attribuent à Gabriel

Marcel, qui ne semble pas en être convaincu, la responsabilité de la création du mot « existentialisme ». Quoi qu'il en soit, il est certain que son *Journal métaphysique*, dont les notes remontent à 1913 et se poursuivent jusqu'en 1922, annonce un style original et un nouvel accès à l'être : ce que lui-même appelle une « écoute » très fine, œuvre d'une conscience attentive, non plus à ses formes théoriques, mais aux aspects d'une existence concrète saisie grâce à une méditation sur le sens de « mon corps ». Alors le langage philosophique doit retrouver son « poids ontologique » et être capable de décrire les sentiments par lesquels l'homme fait l'expérience de sa vie religieuse : le sens du mystère, la fidélité, la foi, l'espérance, l'amour. Le mystère est reconnu comme un acte positif et intuitif, il est le contraire de notre façon de le rationaliser sous forme de problème. Il donne à la religion et à ses démarches concrètes une valeur, non pas conceptuelle, mais existentielle. La philosophie ne prétend plus expliquer. L'ineffable est révélé en « approches » successives. Toutes les formes littéraires sont essayées, depuis la méditation, comme discours « métaproblématique », jusqu'au roman et au théâtre. L'œuvre de Gabriel Marcel se distribue en textes philosophiques tels que *Etre et Avoir* (1935), *Du refus à l'invocation* (1940), *Le Mystère de l'être* (1951), en de nombreuses pièces de théâtre, dont les plus remarquables sont *L'Homme de Dieu* (1925), *Le Monde cassé* (1934), *Le Chemin de crête* (1936), *Le Dard* (1936), *Rome n'est plus dans Rome* (1951), et même en des compositions musicales.

Tourné vers l'action politique et morale, conscient des catastrophes qui se préparent, soucieux de défendre l'homme, de lui redonner confiance à l'intérieur d'un christianisme et d'une Eglise rénovés, Emmanuel Mounier fonde en 1932 la revue *Esprit ;* il invite les hommes de bonne volonté à se rassembler autour du *personnalisme* — attitude philosophique qu'il oppose à l'individualisme égoïste et bourgeois. Dans un langage où alternent l'exposé doctrinal et le plaidoyer, l'analyse et l'enthousiasme, la polémique et le témoignage, il promeut les valeurs d'élan et de communication ; la relation humaine est une expérience de transcendance ; elle s'éprouve sur tous les plans de l'action économique, politique, sociale, religieuse. Le personnalisme fait éclater les cadres d'un moi replié sur son nombril ; il dégage l'interaction entre le dedans et le dehors, la double intériorité et extériorité de la personne, à la fois individuelle, collective, cosmique et divine. Ce grand appel généreux, qui condamne le désir de possession et propose une morale du don, se manifeste à travers une œuvre qui éclate dans toutes sortes de directions : essais philosophiques tels que *Révolution personnaliste et communautaire* (1935), *Le Personnalisme* (1949), études psychologiques (*Traité du caractère*, 1946), analyses politico-sociales (*De la propriété capitaliste à la propriété humaine*, 1936, *Liberté sous condition*, 1946), critique et histoire littéraire ou philosophique (*La Pensée de Charles Péguy*, 1931, *Introduction aux existentialismes*, 1947).

Cependant, le fait culturel qui se prépare entre les deux guerres, puis domine la scène française après 1945, consiste dans une pensée *critique* et *agnostique* qui s'attaque à toutes les justifications idéologiques des pouvoirs politique, moral et religieux. Cette pensée, fort complexe, est souvent simplifiée par l'historien et ramenée à un « existentialisme athée », en d'autres termes, à un humanisme qui détermine les mesures concrètes de l'homme. En publiant en 1947 une petite étude intitulée *L'Existentialisme est un humanisme*, Jean-Paul Sartre n'a pas peu contribué à entretenir la confusion parmi ses interprètes, amis ou ennemis. Sa propre doctrine de « psychanalyse existentielle », telle qu'elle apparaît dans *L'Imaginaire* (1940), *L'Etre et le Néant* (1943), *Critique de la raison dialectique* (1960), est une philosophie de l'existence démystifiée et libérée, à mi-chemin entre la description psychologique et l'appel moral, entre une analyse réflexive et une exigence d'objectivation de la conscience. Se libérer de quoi ? de la *situation humaine* qui est en même temps une prison et un rêve. Au point de départ, et au cours des années 40, l'effort sartrien d'assainissement intellectuel utilise les instruments du langage psychologique. Il s'agit d'abord de détruire les cadres du rationalisme conceptuel et théologique fondé sur l'idée d'être, et, en conséquence, de parler de l'homme en terme de néant ; être conscient, c'est faire une expérience non d'être, mais de néant ; exister, c'est s'éprouver dans un néant dynamique, une *néantisation* qui donne son sens à l'acte par lequel la conscience s'affirme et affirme sa liberté en face du monde des objets. Telle est la portée de la dialectique du *pour-soi,* par laquelle le *je* se dégage sans cesse de ses structures pour se relancer vers un avenir d'action, et de l'*en-soi,* qui est acceptation de soi comme objet réalisé et rectifié ; en 1960, Sartre dira comme « objet travaillé », comme « totalisation totalisée ». En tout individu gît la responsabilité d'être pour-soi, de refuser les possessions de l'en-soi, de toujours remettre en question les situations et propriétés acquises.

Jean-Paul Sartre a fait appel au marxisme pour élaborer la théorie socio-économique des relations — ce qu'il appelle « théorie des ensembles pratiques », et surtout à la notion de *praxis* qui qualifie et prédétermine la réforme générale de toutes les actions humaines. La *Critique de la raison dialectique* a pour objet principal de transposer *L'Etre et le Néant* du plan psychologique et individuel au plan sociologique et collectif, et de donner alors à l'homme le langage par lequel il prend finalement conscience de lui-même au sein des groupes humains. La psychanalyse existentielle devient socio-analyse dialectique.

Dans une démarche qui n'est paradoxale qu'en apparence, Sartre fait de la critique philosophique un acte d'*objectivation culturelle* qui atteint son sommet dans *Les Mots* (1963), où, par l'intermédiaire de l'exorcisme de l'enfance, la culture bourgeoise est dénudée, dépouillée de ses faux effets de transparence. Alors s'achève l'opération intellectuelle éprouvante grâce à laquelle la mort de Dieu s'accomplit dans la mort de la culture. La connaissance ultime est plus qu'une docte ignorance en face de la réalité ; elle transmue le savoir en pratique ; elle a cessé d'être établissement d'objectivités scientifiques et a trouvé son authentique vocation dans une tension sans cesse reprise vers plus d'objectivations de soi-même et des autres. La *Critique de la raison dialectique* a pour mission secrète de préparer une critique de nos langages modernes en dénonçant le complot qui, par la matérialité des mots, met au service du pouvoir politique la grammaire et la sémantique. La psychanalyse existentielle des années 40 s'est convertie en *pratique linguistique :* complice de l'esclavage humain, le langage reste la seule source de libération possible — ni prison ni rêve, mais *réalisation* de l'homme par l'homme.

Jean-Paul Sartre part de l'idée de néant pour rénover l'appareil sémantique du langage philosophique. D'autres écrivains, dans un effort parallèle, choisissent un mot voisin pour redonner un sens à la créativité humaine — celui d'*absurde.* Le mot « absurde » apparaît dans *La Tentation de l'Occident* (1927), et il restera pour André Malraux la base secrète à partir de laquelle il construira son œuvre romanesque et esthétique. L' « absurde » donnera un poids sémantique original aux mots clés du vocabulaire malrucien : destin, mort, histoire, conquête, métamorphose, création, art, culture. Malraux s'est souvent servi de l'adjectif « agnostique » pour qualifier sa pensée. En effet, le lien est direct entre la conscience de l'absurdité du monde et l'agnosticisme, et tous deux désignent les conditions de la création. L'absurde malrucien est infiniment plus que l'état de contradiction auquel le limitent les logiciens. Il est le devenir même des choses, la loi implacable des métamorphoses se détruisant les unes les autres, se succédant sans continuité ni finalité ; il est la finalité de l'histoire et des révolutions ; il est le vice interne de nos cultures, l'annonce de leur mort. Les conquérants n'échappent pas à ce destin, leurs royaumes sont aussi éphémères qu'imaginaires. Seul l'art peut arrêter le mouvement irrésistible de l'absurde et, par ses créations, fixer en une œuvre une éternité provisoire. Il y a ainsi, pour Malraux, deux imaginaires à l'intérieur desquels l'homme organise sa vie, ses cultures et sa mort. L'un, celui de l'histoire, est fait des tourbillons incessants de l'action ; le conquérant laisse des cicatrices sur le sable et les royaumes qu'il bâtit reviennent un jour ou l'autre au désert ou à la jungle. L'autre, celui de l'art, transcende le devenir et se conserve en œuvres immuables. L'œuvre littéraire d'André Malraux s'organise autour de ces idées. Elle décrit la poésie dramatique de la création contre l'histoire ; elle avertit l'homme de sa précarité, au moment même où elle exalte sa créativité. En passant du roman à la philosophie de l'art, Malraux a voulu manifester qu'il était du devoir de l'écrivain de dire simultanément l'histoire et l'anti-histoire des cultures, la mort et la survie des hommes. A la fin de sa vie, quand il médite sur *L'Homme précaire et la littérature,* il se demande, en un retour vers le catastrophisme spenglérien, si l'art que nous connaissons n'est pas destiné lui-même à être la victime de la loi des métamorphoses et si, avec la littérature, il n'a été qu'un moment fugitif de l'universelle illusion.

A la suite d'André Malraux, Albert Camus déroule son langage en « juxtapositions » successives autour de l'idée d'*absurde,* et peut-être de façon plus approfondie que ne l'a fait l'auteur de *La Condition humaine,* car l'absurde camusien est vécu sur trois plans — comme expérience, pensée et art. Il y a l'homme absurde, le penseur absurde, l'artiste absurde. Dans cet idéal de vie, l'homme qui sent l'absurde dans son existence doit réussir à transformer ses expériences en pensée, en une philosophie qui obéisse à une logique absurde, qu'il ne faut pas confondre avec la logique de l'absurde ; enfin, s'il est doué, il peut devenir artiste et inscrire sa pensée dans une œuvre qui lancera un double appel moral et esthétique.

L'expérience camusienne de l'absurde ne se limite pas, comme on le dit trop souvent, à la conscience d'une contradiction entre le désir et la réalité, entre le plaisir et la souffrance, entre la vie et la mort, encore que ces états d'incompréhension de l'être humain devant l'existence soient toujours présents tout au long de sa vie. Il y a une contradiction plus profonde, celle qui était au centre de l'enseignement de Jean Grenier, celle de la *passion* et de l'indifférence : « J'ai toujours été déchiré entre mon appétit des êtres, la vanité de l'agitation, et le désir de me rendre égal à ces murs d'oubli, à ces silences démesurés qui sont comme l'enchantement de la mort » (*Notes de voyage en Amérique du Nord,* 1946). La réalité est enveloppée dans une indifférence que Camus qualifie de « profonde », « tendre », « sereine et primitive », « naturelle », et pour qui tout est égal, car l'indifférence signifie d'abord la non-différence de valeur, et ensuite entropie et mort, qui sont la paix suprême des choses. L'auteur de *La Femme adultère* est loin du poète de *La Maison du berger* et de ses malédictions. Camus vit en lui-même, au plus secret de son cœur, cette indifférence qui est insensibilité, « sommeil du cœur », et qui s'exprime dans le silence des pauvres. C'est au contraire la passion qui arrache les cris de révolte et qui fait que l'homme transforme son action en crime. Une double métaphore du *Mythe de Sisyphe* éclaire la relation entre l'indifférence et la révolte : Camus parle du « vin de l'absurde et du pain de l'indifférence ».

Ainsi les hommes se nourrissent d'indifférence, et se laissent emporter par l'ivresse de l'absurde. L'homme absurde, le criminel, tel Caligula, est l'homme ivre d'absurdité. L'absurde est le côté solitaire de la révolte ; et celle-ci se comprend comme révolte au moment où elle découvre qu'elle est elle-même expression de solidarité. Tel est le sens du fameux cogito camusien : « Je me révolte, donc nous sommes », par lequel s'ouvre *L'Homme révolté.*

Ce cogito est présent, cependant, dès les premières pages du *Mythe de Sisyphe* car la méditation de l'absurde est la première révolte du penseur absurde qui déroule ses réflexions entre l'ascèse d'un zéro de valeur, grâce à laquelle l'intelligence remonte à la source de l'indifférence cosmique, et l'ascèse qu'impose une logique de la limite, par laquelle la passion de la révolte comprend et accepte ses frontières. Camus écarte les philosophies existentielles, quelles qu'elles soient, celles d'un Kierkegaard, d'un Dostoïevski, d'un Heidegger, d'un Kafka, et plus encore, celle d'un Sartre : toutes commettent le péché de transcendance, elles s'évadent de la condition absurde au nom de Dieu, de l'Etat ou de l'individu. On a beaucoup reproché à Camus le vague de sa morale où la création des valeurs dans la passion de la révolte — et cela au double sens du mot « passion » — finit en soumission et renoncement. Mais Camus, en refusant d'être un anarchiste nihiliste, ne s'est jamais complu dans l'anarchisme utopique de la douceur. L'équilibre de la mesure se situe entre deux limites, celle *en deçà* de laquelle l'homme s'interdit de rester, et celle *au-delà* de laquelle il ne s'engage pas. Position intellectuellement et moralement difficile à tenir, Albert Camus en était conscient.

A d'autres de poursuivre l'interrogation interrompue. Cependant, Camus a laissé une réponse que la critique n'a peut-être pas replacée dans sa vraie perspective : *la forme la plus haute de la révolte est la création artistique,* là où l'homme crée sa liberté, là aussi où l'ivresse de la création est l'expérience même des limites. Tout art, à tout moment, est une telle expérience, et Camus rejoint Malraux contemplant le musée imaginaire, lieu de rencontres des cultures mondiales. L'art serait-il la seule solution possible ? La seule forme possible de pensée et d'action pour un agnosticisme insurmontable ? Camus espérait-il aller plus loin que Malraux dans cette direction, dans un engagement qui ferait de l'artiste l'homme d'action par excellence ? Certes, il se méfiait des artifices de l'espérance et il aurait cherché des solutions sans illusions. Un fait au moins est certain : une morale absurde est solidaire d'un art absurde et c'est par l'art que l'homme réconcilie révolte et création. Mais une politique absurde est-elle possible ?

Il semble que Maurice Merleau-Ponty ait voulu répondre à cette question dans une œuvre, elle aussi inachevée, et qui a pour point de départ, non le mot « absurde », mais le mot voisin « ambiguïté », pour qualifier le statut psycho-moral de l'homme dans sa double relation avec les choses et avec les autres êtres. Cette recherche philosophique s'est constituée en une *critique phénoménologique* de la relation entre perception et langage, critique qui dépasse la dualité moderne de l'empirisme et de l'idéalisme : « Ils s'accordent en ce que ni l'un ni l'autre ne saisit la conscience *en train d'apprendre*, ne fait état de cette ignorance circonscrite, de cette ignorance *vide* encore, mais déjà déterminée, qui est l'attention même » (*La Phénoménologie de la perception*, p. 36). Telle est l'ambiguïté d'une conscience qui n'est ni sujet ni objet, mais les deux à la fois, qui n'est ni perception ni langage, mais les deux en même temps ; car le langage est une perception transposée, tandis que la perception est déjà une saisie signifiante du monde, — une conscience qui est à la fois sens et non-sens, lumière et ombre, signification et silence. La logique occidentale cherche en vain à séparer ces tensions et ces pôles, en les durcissant artificiellement en concepts. Merleau-Ponty prolonge ainsi Bergson en essayant de décrire l'ineffable.

L'ambiguïté de la conscience est solidaire de la relativité des sujets inséparables de leur corps. La conception sartrienne d'un sujet de conscience libre et tout-puissant est rejetée. Dans *Aventures de la dialectique,* publié en 1955, Merleau-Ponty observe : « Le sujet n'est pas le soleil, d'où rayonne le monde, le démiurge de mes purs objets » (p. 268). Les sujets, moi et les autres, se situent à un « point de stationnement », et nul n'est privilégié : il n'y a pas de Dieu transcendant ou immanent pour donner au monde, au langage et à leur coopération une unité architecturale. Tel est l'agnosticisme de Merleau-Ponty — et ce terme est un autre nom pour désigner un pluralisme irréductible des sujets dont l'harmonie réside dans une « pensée interrogative » : celle-ci n'est pas le système « question-réponse » de la logique classique, mais la modalité d'une nouvelle logique de la *réversibilité.* Dans les dernières œuvres de Merleau-Ponty, et surtout dans *Le Visible et l'Invisible,* le mot « réversibilité » tend à remplacer « ambiguïté ». Il suggère à la fois une cosmologie et une éthique, une vision du monde et une conduite, l'une et l'autre fondées sur le fait universel de la relation chiasmatique : « En un sens, comme dit Valéry, le langage est tout, puisqu'il n'est la voix de personne, qu'il est la voix même des choses, des ondes et des bois. Et ce qu'il faut comprendre, c'est que, de l'une à l'autre de ces vues, il n'y a pas renversement dialectique, nous n'avons pas à les rassembler dans une synthèse : elles sont deux aspects de la réversibilité qui est vérité ultime » (*Le Visible et l'Invisible,* p. 204).

Les tentatives précédentes pour faire de l'homme une puissance de création et de liberté admettent, de façon explicite ou non, que le lieu des pensées et des actions est la conscience, et que celle-ci est une sorte d'espace où l'art et le langage déploient leurs essais d'invention. La résistance de la pensée française à

Freud et à la notion d'inconscient est un fait culturel connu. C'est pourquoi l'enseignement de Jacques Lacan, dont on trouve les échos dans les *Ecrits* (1966 et 1971), puis dans le *Séminaire* est d'autant plus significatif et exemplaire. Par un « retour à Freud » (*Ecrits,* 1966, p. 302) Lacan propose de concevoir l'inconscient comme un langage, non pas comme une substance, mais comme une structure, le signifié du signifiant, le « ça » qui se cache derrière les première et deuxième personnes énonciatrices de paroles. L'inconscient est « cette partie du discours concret en tant que transindividuel, qui fait défaut à la disposition du sujet pour rétablir la continuité de son discours conscient » ; en bref, il est le « discours de l'Autre », et la causalité profonde des sujets. L'aspect le plus remarquable de la pensée lacanienne réside dans sa méditation sur le langage et son propre en deçà, sur la parole et le silence. Cette réflexion s'applique à la dualité de l'*imaginaire* et du *symbolique.* Lacan rejoint la préoccupation secrète qui anime tout langage philosophique au XXe siècle : comment se servir du langage pour le dépasser, pour atteindre la réalité et ne plus rester enfermé dans la relation sujet/objet ? La dualité lacanienne de l'imaginaire et du symbolique éclaire la condition humaine. Dans un texte qui fait écho à Malraux, Lacan observe : « C'est aussi que ce lambeau de discours, faute d'avoir pu le proférer par la gorge, chacun de nous est condamné, pour en tracer la ligne fatale, à s'en faire l'alphabet vivant » (*Ecrits,* 1966, p. 446). L'homme vit déchiré entre la nostalgie de la Mère dont il pressent constamment la présence dans un imaginaire indicible et le besoin de construction symbolique sous l'autorité phallique du Père idéal. Le mur du langage ne se laisse pas franchir, et pourtant il est ressenti comme une béance : l'obstacle est en fait une déchirure sans cesse rouverte dans l'épaisseur des symboles. Lacan est conscient que son « retour à Freud » prend le sens d'une révolution culturelle, et que cette nouveauté pour la pensée française s'appelle « un style » (*Ecrits*, 1966, p. 458).

Il n'importe guère ici de se demander si la pensée du maître de Vienne est trahie quand elle s'ouvre sur de telles perspectives, si la psychanalyse selon Lacan peut encore prétendre à l'objectivité revendiquée par Freud, ou si elle a été surtout l'occasion d'une métaphysique du langage. Mais il est certain que l'enseignement de Lacan est en synchronie avec les exigences les plus actuelles de la langue française, quand celle-ci s'interroge sur elle-même pour se saisir dans sa force créatrice, pour comprendre les limites de sa souveraineté — comme dirait Georges Bataille — et pour établir un nouveau pacte entre sa propre intériorité signifiante et la réalité des choses/signes ou celle des autres.

Le besoin de langage objectif et le problème des sciences humaines

Le langage d'intériorité est un besoin permanent de la culture française qui a réussi, à sa façon, à soumettre le freudisme et le marxisme à ses propres exigences. Ce besoin est aussi à l'origine de l'alliance conclue en notre siècle entre la philosophie et la littérature, et il fait comprendre la communication qui s'est établie entre le discours de la philosophie et ceux des grands genres — alliance inverse de celle que les encyclopédistes du XVIIIe siècle ont voulu contracter. Ceux-ci rêvaient de *sciences humaines* à l'imitation de la physique newtonienne ; et leur rêve s'est prolongé dans le positivisme du XIXe siècle. Le bergsonisme, le surréalisme, les existentialismes, les philosophies de l'absurde, toutes ont été des protestations contre cette ambition de faire de l'homme un objet de science, et de sa vie intérieure, un modèle d'intelligibilité scientifique. On aurait pu croire, en 1950, que ces condamnations théoriques et pratiques de la science avaient refoulé pour longtemps le besoin d'objectivité. Nous étions loin du compte : si loin même que la seconde partie de notre siècle pourrait être interprétée comme un nouvel effort pour donner à l'homme le langage scientifique qui lui convienne. Le mythe encyclopédiste reparaît sur la scène culturelle, mais l'*analyse* qu'exaltaient Condillac ou Du Marsais est remplacée par l'exigence de *synthèse :* l'objet « homme » n'est plus une *nature* primitive ou sociale à décomposer en éléments distincts ; il est une *culture* qui aspire à une théorie synthétique, en partie double, synchronique et diachronique. Cette relance de l'espoir scientifique s'est traduite par un nouveau pacte d'écriture entre science et littérature : anthropologues, linguistes, historiens, sociologues tendent la main à l'écrivain, et l'invitent à s'associer à une entreprise collective : connaître l'homme par la science. De façon singulière, et aux antipodes de l'optimisme qui soulevait aussi bien les fondateurs de l'*Encyclopédie* que les grands utopistes d'avant 1848, la science semble avoir pour mission d'annoncer la mort de l'homme, et même de dénoncer en lui un animal déprédateur responsable de son déclin. « Le monde a commencé sans l'homme et il s'achèvera sans lui... Depuis qu'il a commencé à respirer et à se nourrir jusqu'à l'invention des engins atomiques et thermonucléaires, en passant par la découverte du feu — et sauf quand il se reproduit lui-même — l'homme n'a rien fait d'autre qu'allégrement dissocier des milliards de structures pour les réduire à un état où elles ne sont plus susceptibles d'intégration. » Telle est, en 1955, la conclusion que Claude Lévi-Strauss donne à *Tristes Tropiques.*

Pour les commodités de l'analyse, nous distingue rons trois directions principales suivies par cet effort pour donner à la pensée française un langage scientifique applicable à l'homme lui-même ; mais n'oublions pas que ces distinctions cachent une identité de but, une parenté méthodologique et souvent une communauté de terrain. Les chercheurs se rencontrent en ce lieu où langues et cultures mêlent leurs produits. Il s'agira donc moins de différences théoriques que de différences d'accentuation et d'objet quand nous parlerons d'abord d'*exigence structuraliste, d'histoire culturelle* ensuite, et enfin de *recherche sémiotique.*

Suivant, d'ailleurs, l'exemple que leur donnent les sciences de la nature, « les sciences de l'homme seront structuralistes, ou bien elles ne seront pas », déclare Lévi-Strauss, dont l'œuvre dans son ensemble est une *anthropologie structurale,* faite d'études anthropologiques proprement dites (*Les Structures élémentaires de la parenté,* 1949, et la série des *Mythologiques,* à partir de 1964), et d'essais théoriques (*Anthropologie structurale,* 1958, *La Pensée sauvage,* 1962). L'épistémologie classique s'appuyait sur un principe d'explication causale linéaire : A est cause de B, qui est cause de C, qui est... ; elle négligeait le fait d'une causalité de structure, c'est-à-dire le fait que les êtres existent et se comportent à l'intérieur d'un *système* dont les éléments constitutifs prennent sens les uns par rapport aux autres, et qui sont en état d'interaction. Connaître l'homme consistera à dégager les structures qui le forment. Les événements successifs de ses histoires obéissent sans doute à une causalité linéaire, mais celle-ci ne se comprend elle-même qu'à l'intérieur d'une structure qui est forme en devenir. Lévi-Strauss tend à sous-estimer, sans toutefois l'oublier, la succession par rapport à l'organisation en structures ; il parle de « l'inanité de l'événement » (*Du miel aux cendres,* p. 408). L'histoire est contingente, la seule nécessité que l'anthropologie puisse saisir est celle des structures concrètes. Pour être connues, celles-ci doivent être confrontées à des *modèles théoriques* qui sont construits par le chercheur au contact de l'expérience, mais qui servent à la comprendre. Un tel modèle est un système opératoire de transformations prévisibles. Dans le domaine humain il a la fonction d'un *symbole ;* il est un signifiant, source de significations indéfinies, à la manière d'un langage. De là l'hypothèse d'un inconscient culturel à fonction symbolique. Lévi-Strauss en trouve des exemples dans la vie des mythes et dans les règles de parenté. « Nous ne prétendons pas montrer comment les hommes pensent dans les mythes, *mais comment les mythes se pensent dans les hommes et à leur insu* » (*Le Cru et le Cuit,* p. 25). La comparaison avec la musique est tentante : « Le mythe et l'œuvre musicale apparaissent ainsi comme des chefs d'orchestre *dont les auditeurs sont les silencieux exécutants* » (*Le Cru et le Cuit*, p. 25). Aveu révélateur : le poète qu'on devine à travers l'anthropologue garde la nostalgie d'une pensée « magique » qui est plus qu'un « bricolage », et cette pensée magique transfigure la fabrication des symboles. La ruche humaine est peut-être condamnée à bourdonner sans cesse dans le retour éternel des transformations structurelles ; mais, pendant de brefs instants, l'homme découvre parfois son essence par l'art. Lévi-Strauss ne dit pas si ces intervalles de lumière artistique appartiennent à l'œuvre d'anthropologie structurale ou s'ils la dépassent. On a l'impression que son structuralisme, quelle que soit par ailleurs sa valeur scientifique, s'incline en secret devant les mystères de la création littéraire et artistique dont dépend son propre langage.

Michel Foucault a transféré la méthodologie structurale de Lévi-Strauss dans le domaine de l'interprétation historique et culturelle ; l'histoire des idées devient alors une théorie des structures culturelles. Dans son premier livre, *Histoire de la folie à l'âge classique* (1961), il formule sa problématique de la façon suivante : « Comment notre culture en est-elle venue à donner à la maladie le sens de la déviation et au malade un statut qui l'exclut ? Et comment, malgré cela, notre société s'exprime-t-elle dans ces formes morbides où elle refuse de se reconnaître ? » Ensuite, *Les Mots et les Choses, une archéologie des sciences humaines* (1966) présente, après le miroir de la folie, celui de la raison. L'analyse de la mutation culturelle qui s'opère dans l'Europe des XVIIe et XVIIIe siècles conduit à l'excavation d'une structure profonde que Foucault appelle *épistème*, et qui est un savoir anonyme, un « champ d'extériorité où se déploie un réseau d'emplacements distincts » (*L'Archéologie du savoir*, 1969, p. 74). La même méthode a été ensuite appliquée au problème de la répression sociale. En 1975 est publié le premier tome, *La Volonté de savoir*, d'une *Histoire de la sexualité*.

Le pessimisme antihumaniste qui imprègne l'œuvre entière de Lévi-Strauss se retrouve chez Foucault qui, à la suite de l'auteur de *Tristes Tropiques* annonce la mort, probablement proche, de l'homme. Selon la déclaration fracassante au début des *Mots et les Choses*, « l'homme n'est qu'une invention récente, une figure qui n'a que deux siècles, un simple pli dans notre savoir » (p. 15). Est condamné, bien entendu, non pas l'homme biologique, pas même l'homme culturel, mais une certaine conception subjectiviste et individualiste de l'homme, un humanisme qui a d'ailleurs contribué à l'édification des sciences modernes. Cet humanisme doit-il disparaître pour permettre aux sciences humaines de trouver leur statut scientifique ? On peut en douter.

On comprend encore pourquoi, depuis un demi-siècle, le problème du langage est passé au centre de toute réflexion, et pourquoi tout essai de sciences humaines requiert une critique du langage. En conséquence, pour devenir structuralistes, les sciences humaines doivent s'associer à la théorie du langage et du signe : le *signe est l'être culturel par excellence*. La problématique générale devient celle d'une *sémiotique* universelle. Au début du XIXe siècle, Auguste Comte rêvait d'absorber toutes les sciences dans la sociologie ; un siècle plus tard, le rêve est repris, mais avec la linguistique et son élargissement sémiotique.

L'histoire de cet envahissement des sciences humaines par la linguistique est complexe et passionnante. Elle s'étend sur tout notre siècle. L'immensité de cette « littérature », sa complexité technique et, plus encore, la pluralité de ses bases théoriques — telle qu'il n'y a pas de linguistique générale, mais une variété d'hypothèses théoriques qui diffèrent entre elles dès la conception même de la relation sémiotique — laissent le lecteur, même spécialisé, perplexe et étourdi. Cependant, la richesse de ces recherches, leur inventivité qui défient tout effort de synthèse, sont les indices certains d'une exigence culturelle propre à notre siècle et à ses langues. On comprend aussi comment cette interrogation constante des langues par elles-mêmes s'est emparée de la littérature proprement dite : les écrivains s'y passionnent, et leurs œuvres elles-mêmes se plaisent à devenir des théories et des pratiques du signe.

La terminologie change d'un auteur à l'autre, même quand le vocabulaire est apparemment le même, et même à l'intérieur de l'œuvre d'un auteur, d'un livre à l'autre. Saussure propose d'appeler « sémiologie » la théorie générale des signes ; elle doit se consacrer à l'étude des « systèmes de signes ». Plus tard, et encore aujourd'hui, le terme « sémiotique » tendra à prévaloir, et Hjemslev établit une distinction entre recherches sémiologiques et sémiotiques. Pour contrôler les définitions des termes techniques en usage, on consultera avec profit *Sémiotique, Dictionnaire raisonné de la théorie du langage* (1979), par A. J. Greimas et J. Courtès. A la limite extrême de ses ambitions, la sémiotique remplacerait à la fois l'ontologie et l'épistémologie classiques : étudiant le signe dans son être et dans sa fonction signifiante, elle serait la connaissance philosophique et scientifique qui détermine les lois de la pensée et de l'action humaines.

Les effets de ces études sur l'évolution de la

littérature sont indiscutables. Elles ont participé, parfois directement, souvent par imprégnation subtile, à la remise en question des grands genres, à une nouvelle conscience de l'acte poétique, à la critique que les romanciers et les dramaturges ont faite des problèmes concernant la narration, la description et la caractérisation. Elles ont contribué à l'expansion prise par l'essai comme une sorte d'inter-genre et même comme milieu littéraire premier. Enfin, grâce à leur condamnation de l'historicisme, elles ont débarrassé les études historiques du grand principe épistémologique qui, s'il a fait de l'histoire au XIXe siècle l'un des plus grands instruments de découverte de l'homme par lui-même, a aussi appauvri l'analyse historique en réduisant l'explication causale à la linéarité d'un enchevêtrement de séries économiques, politiques ou sociales.

Curieuse et ironique situation que celle du langage historique aujourd'hui : Michelet est-il encore possible ? A la fin du XIXe siècle, l'histoire semble vouloir abandonner à jamais le territoire littéraire ; elle plaide pour un anoblissement scientifique, au nom d'une objectivité dont Ch. Seignobos et Ch. Langlois formulent les grandes règles dans leur *Introduction aux études historiques* (1897). Un demi-siècle plus tard, le concept d'objectivité historique est mis en question par des sociologues comme Max Weber et, à sa suite, par Raymond Aron dans *Introduction à la philosophie de l'histoire* (1938). Cependant, romanciers et philosophes continuent à croire que la matière sur laquelle ils travaillent est le temps : tous les problèmes deviennent les aspects d'une temporalité dont on suit les mouvements ; la seule question est de savoir si, marxiste ou non, on a pris place dans le train de l'histoire. Soudain, après 1950, cette ivresse historisante se dissipe. Le premier avertissement sérieux nous est donné par *L'Homme révolté* (1951). Il semble qu'alors l'historien, à la fois menacé sur ses arrières et désillusionné par d'excessives ambitions, fasse retour vers la littérature sans pour autant abandonner l'enseignement des Seignobos. Il fait de son langage un moyen de résurrection et de présence culturelles. Le public prend goût à l'histoire qui lui parle le langage qu'il attendait. Sous les espèces de monographies de plus ou moins grande ampleur, l'histoire trouve une audience inattendue ; au-delà de la biographie romancée et des popularisations simplistes, après avoir assuré la rigueur scientifique de son expression, le récit historique redevient littérature et modernité. Pierre Nora conclut un article, « Le Retour de l'événement » (dans *Faire de l'histoire, nouveaux problèmes,* 1974), par un nouvel acte de foi dans l'histoire : « Aujourd'hui où l'historiographie tout entière a conquis sa modernité sur l'effacement de l'événement, la négation de son importance et sa dissolution, l'événement nous revient — un autre événement — et avec lui, peut-être la possibilité même d'une histoire proprement contemporaine » (p. 227). Dans cette perspective, le livre d'Emmanuel Le Roy Ladurie, *Montaillou, village occitan, de 1294 à 1324,* revêt, par le succès que lui a fait le grand public, une signification particulière, celle d'un témoignage sur notre époque. Tout en cherchant à maintenir les principes stricts de l'analyse historique, l'auteur n'hésite pas à utiliser les ressources des techniques narratives qui semblaient appartenir au romancier, et même celles qui sont pratiquées par les nouveaux romanciers — mise en abyme du texte, réflexivité, descriptions, réduction du langage psychologique aux comportements, construction polyphonique, etc. Il ne s'agit pas d'offrir au public une histoire romancée ou du roman historique, mais de revivre aujourd'hui, avec un outillage méthodologique rigoureux, l'espérance qui illuminait les textes de Michelet ; il s'agit de donner au langage historique le pouvoir de recréer les cultures humaines. A l'origine de ce mouvement qui a réintégré l'histoire dans notre modernité littéraire,

devenir *conscience de lui-même comme signe et signe de signe.* Mais il se sent prisonnier de sa propre réflexivité. De là, et quels que soient les moyens d'expression choisis, ces variations infinies sur le thème du miroir, ces glissements des langages concrets vers des langages abstraits que la critique appelle aujourd'hui, à la suite de la logique, « méta-langages », c'est-à-dire langages formels se référant aux langages naturels dont ils font la théorie. Là où le philosophe déploie des arabesques sémantiques autour des mots « absurde », « ambiguïté », « ambivalence », « dialectique », et fait de la critique philosophique un moyen de contrôle théorique des langages, l'écrivain qui opte pour l'un des genres constitués reconnaît qu'il doit devenir son propre critique. Il ne cherche plus à remplacer les genres par un langage d'analyse ; il consent à la présence du langage critique au cours de toute écriture. La fameuse « mise en abyme » gidienne n'est autre que la critique du roman installée à l'intérieur du roman. Les échafaudages font partie de la structure interne de l'œuvre. L'écrivain veut être son propre juge, et ses œuvres sont des actes de conscience qui s'achèvent dans une esthétique de contrainte et de contrôle. Le texte se complète par un commentaire de lecture, explicatif, herméneutique, normatif. Le livre se fait attente de lecture. La relation écriture/lecture est plus qu'une relation complémentaire entre production et consommation ; elle est tout entière consommation ; et la production du langage se comprend comme l'acte d'un lecteur qui est l'être-de-culture par excellence. Une telle attitude a entraîné une vie intense de la *critique littéraire,* à la fois esthétique et pédagogique, théorique et pratique, faite de préciosité intellectuelle et de lourdeur didactique. L'univers des lettres n'est plus menacé d'être conquis par les professeurs, par ceux qui, déjà à la fin du XVIe siècle, étaient traités de pédants. Il s'est peu à peu uniformisé ; écrivains, lecteurs, se confondent sous la même livrée du critique qui façonne amoureusement sa statue.

Ce phénomène de prolifération critique peut être étudié en trois phases. Dans la première, la littérature est mise en question ; le surréalisme offre un modèle de radicalisme critique. Dans la deuxième, la littérature se découvre comme culture ; l'existentialisme fait la théorie de cette promotion des signes en objets culturels de consommation. Enfin, les idées de forme et de structure s'emparent du terrain artistique ; c'est notre histoire actuelle avec ses tentations inverses de structuration et déstructuration, de formalisation et de déconstruction du langage.

Avant d'examiner le nouveau dialogue que notre siècle poursuit entre genres et critique, il convient de rendre hommage au travail qui s'accomplit à l'ombre des universités et dont la contribution à la vie des langages contemporains est essentielle. Cette œuvre patiente entre dans les catégories conventionnelles de la critique des textes et des sources, de la critique historique, de la critique psycho-sociologique, de la critique thématique. Ce que nous mentionnons sans oublier les travaux sur le Moyen Age et tant de scrupuleuses éditions, a valeur d'exemple et ne prétend pas au palmarès. Nous nous en tenons à notre génération et à ses voisines : René Pintard, *Le Libertinage érudit dans la première moitié du XVIIe siècle* (1943) ; René Pomeau, *La Religion de Voltaire* (1956) ; Pierre-Georges Castex, *Le Conte fantastique en France de Nodier à Maupassant* (1951) ; Marie-Jeanne Durry, *La Vieillesse de Chateaubriand* (1933) ; Jean Pommier, *La Jeunesse cléricale d'Ernest Renan* (1933). Dans ces livres consacrés, quelle richesse de documentation et d'interprétation !

La « nouvelle critique », comme conscience de la confrontation nécessaire de la littérature avec elle-même, naît quand Jacques Rivière écrit ses articles sur Marcel Proust, ou « De la sincérité envers soi-même » et « Le Roman d'aventure ». A sa suite,

Ramon Fernandez formule l'idée d'une « critique philosophique » s'opposant à la critique historique. André Suarès associe la critique au culte des écrivains dans un style de caractère nietzschéen. Alain commente en philosophe lettré les poèmes de Valéry, les romans de Stendhal et de Balzac. Henri Bremond engage en 1926 un combat qui pour quelques années passionne Paris, autour du problème de la *poésie pure*, cependant qu'il compose une histoire vivante et partiale du sentiment religieux en France. Albert Thibaudet se rappelle qu'une certaine critique qui est au cœur de la création littéraire a été inaugurée par Montaigne auquel il consacre une étude toujours actuelle. A la critique universitaire, Thibaudet aime opposer la « critique des beautés » qui illumine les textes grâce à un art savant des comparaisons, prenant pour matière les idées et les images. On lira toujours avec profit sa *Physiologie de la critique* (1930), son *Mallarmé*, ses études sur Bergson, ses *Réflexions sur le roman*, et son œuvre posthume, *Histoire de la littérature française de 1789 à nos jours* (1936), où il expose une théorie de l'*ordre par générations* qu'il oppose à l'histoire littéraire selon les époques, de Brunetière, ou encore selon les empires et les climats de Lanson, Bédier et Hazard. Thibaudet sent les œuvres littéraires comme parties d'un immense corps en train de se créer, formant, de génération en génération, des harmonies contrastées. Il pressent le mouvement de la critique vers l'essai ; et à l'occasion de Remy de Gourmont, parle justement de « critique essayiste » (*Histoire*, p. 464) ; il pressent aussi la « jouissance » barthienne quand il évoque une critique de découvertes sensuelles (*Histoire*, p. 516-17).

Si Thibaudet oriente la critique vers l'art de l'essai, un autre bergsonien, Charles Du Bos, invite la critique à un autre style de plaisir littéraire, celui de l'intimité du *journal* qui retrouve la gravité et la foi de la prière silencieuse. Le mot *Approximations* lui servira à rassembler des analyses qui ont l'allure de confidences et d'actes de confiance : la littérature est la culture de notre vie intérieure enveloppée dans une atmosphère religieuse. N'est-il pas significatif qu'au moment où Thibaudet choisit Montaigne pour guide, Du Bos prenne Pascal qui est « la plus haute réponse humaine que la France puisse produire » ? Il posera aussi la question que Sartre relèvera : *Qu'est-ce que la littérature ?*

Successeur de Jacques Rivière à la direction de *La Nouvelle Revue française,* Jean Paulhan, a incarné pendant près d'un demi-siècle le paradoxe du critique qui garde la nostalgie d'un langage sauvage, mais qui ne se résigne pas à abandonner le contrôle d'un goût littéraire où la critique d'humeur s'associe à la critique savante, l'érudition à la fantaisie. En ce sens, Paulhan est le critique français par excellence. Il l'est aussi par son souci de réflexion philosophique, par son nominalisme esthète : non seulement il sait, plus que tout autre, que la littérature est faite de mots, mais il croit que tout problème humain relève du langage. Face aux textes, le critique est l'écrivain qui devient démystificateur des pièges dans lesquels tombe l'usage de la parole, et plus encore, dénonciateur des fausses positions philosophiques qui corrompent la pratique des lettres. La pointe, la surprise, le paradoxe seront les principaux instruments de sa panoplie critique dans des ouvrages contenus et brillants, dont le plus célèbre est *Les Fleurs de Tarbes* (1942) ; il faut citer aussi des œuvres où les langages narratif et critique s'allient, tels *Le Guerrier appliqué* (1915), *F. F.*[1] *ou le critique* (1945), *Entretiens sur des faits divers* (1945), *Lettres aux directeurs de la résistance* (1951). Paulhan s'est attaqué à un certain *terrorisme,* hérité du bergsonisme : « Les mots font peur » (*Les Fleurs,* p. 41). Et cette peur engendre une terreur qui pèse sur le monde des lettres.

1. F. F. : Félix Fénéon, qui fut le Paulhan des années 1900.

Paulhan lui oppose une rhétorique qui restaure un juste équilibre entre la pensée et les mots : « C'est que toute idée *se paie* d'autant de mots, toute pensée d'autant de langage » (*Les Fleurs*, p. 73). Partageant la même conviction nominaliste, le philosophe Brice Parain a publié en 1942 un livre qui a exercé une forte influence sur l'orientation de la critique en France après la Seconde Guerre mondiale, *Recherches sur la nature et les fonctions du langage.*

Cette hantise critique — si forte en notre siècle qu'on pourrait parler d'un « complexe du critique » comme il y a un complexe d'Œdipe — obsède les écrivains eux-mêmes qui, si occupés qu'ils soient par ailleurs à écrire des poèmes, des romans, ou des pièces de théâtre, éprouvent le besoin de s'expliquer, de se justifier, de parler de leur art et de leurs intentions, et qui parfois, dialoguant avec eux-mêmes, éclaircissent sur les pages d'un journal leurs droits et devoirs d'écriture. Ainsi, parmi les plus grands textes critiques de notre époque il faut citer le *Journal* de Gide, les *Cahiers* de Valéry, les textes de Paul Claudel, tels que *Art poétique* (1907), *Positions et propositions* (1928 et 1934), *L'Œil écoute* (1946), etc. Les plus belles perspectives sur notre passé littéraire ne sont-elles pas ouvertes par Malraux quand il nous parle des *Liaisons dangereuses*, ou qu'il évoque une Bibliothèque idéale dans *L'Homme précaire et la littérature* (1977), par Giraudoux parlant de Racine ou de La Fontaine, dans *Littérature* (1941) ou dans *Les Cinq Tentations de Jean de La Fontaine* (1938), par François Mauriac (*La Vie de Jean Racine*, 1928 ; *Journal* en quatre volumes), par Jean Prévost dans *La Création chez Stendhal* (1942), etc.

Quoi de plus lucide que l'article de Sartre sur *L'Etranger*, ou les analyses de Camus sur Chamfort, Kafka, Francis Ponge. André Breton, Julien Gracq montrent ce que peut devenir le langage critique quand il est manié par un poète ou romancier surréaliste. *Les Pas perdus* (1924), les courtes notes de l'*Anthologie de l'humour noir* (1940), *La Clef des champs* (1953) de Breton, le pamphlet *La Littérature à l'estomac* (1950), les textes réunis par Gracq sous les titres *Préférences* (1961), *Lettrines* (1967), *André Breton* (1948), *En lisant, en écrivant* (1981), révèlent le point critique auquel le surréalisme veut atteindre. Plus tard encore, les nouveaux romanciers ont ajouté leurs offrandes critiques au pied de l'autel littéraire avec *L'Ere du soupçon* de Nathalie Sarraute (1956), *Pour un nouveau roman* d'Alain Robbe-Grillet (1953), *Problèmes du nouveau roman* (1967) et *Nouveaux problèmes du roman* (1978) de Jean Ricardou, et les nombreux essais de Michel Butor. Tel est peut-être le phénomène littéraire le plus significatif de notre siècle. Comme Proust l'avait déjà pressenti quand il écrivait dans *La Prisonnière* que l'écrivain a besoin de compléter son œuvre par une préface-miroir, le langage critique satisfait une exigence permanente et impérative de la littérature. Celle-ci s'accomplit dans la conscience de son inachèvement, et ce serait la fonction de la critique de *dire* cet inachèvement.

Avec Jean-Paul Sartre la critique cherche son unité par-delà les esthétiques, la critique historique et la critique thématique, dans une *théorie de la littérature*. Le fait littéraire est compris comme un être culturel qui se pose des problèmes théoriques et pratiques. La critique devient alors une *science humaine de l'individuel*, qui lance un défi au dogme aristotélicien : « Il n'y a de science que du général. » La critique sartrienne explore, avec une infinie patience, la relation biocritique entre un auteur, sa situation et son œuvre. Elle a pour mission première de désenchanter, pour ainsi dire, la littérature, en la situant dans son milieu culturel, en la rattachant aux idéologies dont elle est imbibée et par lesquelles elle se justifie, en l'objectivant grâce à une psychanalyse existentielle. L'œuvre critique de Sartre se répartit en deux groupes — un travail théorique, *Qu'est-ce que la littérature ?* (1947), et des prolongements pratiques ou applications de la théorie, des articles republiés dans *Situations I* et du *Baudelaire* (1947), aux trois tomes (1971, 1971, 1972) de *L'Idiot de la famille* en passant par *Saint Genet, comédien et martyr* (1952) — textes capitaux dans le corpus sartrien, et qui montrent comment l'auteur de *L'Etre et le Néant,* tout au long de sa vie d'écrivain, a rêvé d'un langage qui soit à la fois critique, historique et interprétatif, réalisant ainsi la synthèse de l'imagination et de la réflexion. A cette entreprise critique, il convient d'associer *Les Mots* (1963) : cette autobiographie est en pratique une objectivation critique de la littérature ; elle est aussi la matrice de toute genèse d'écriture et de vie culturelle.

Selon Sartre, le langage critique doit être simultanément diachronique et synchronique. La prise de conscience du texte commence par une genèse historico-sociologique et culmine dans la saisie d'un projet irréductiblement individuel. Le marxisme s'avère le meilleur instrument d'analyse sociale ; il permet de délimiter la situation de l'écrivain et plus généralement de l'intellectuel (voir *Plaidoyer pour les intellectuels,* 1972). Il a aussi aidé Sartre à répondre à une obsession qui semble ne pas l'avoir quitté depuis son enfance : Comment ne pas se sentir « de trop », hors de l'existence ? Comment se faire libre sans se condamner à l'exil ? En effet, les trois questions qui dominent *Qu'est-ce que la littérature ? :* qu'est-ce qu'écrire ? pourquoi écrire ? pour qui écrit-on ? répondent indirectement à la hantise de ne pas être un parasite. Eternel annexé-rejeté par les classes dominantes, l'écrivain est la mauvaise conscience du langage en marche vers son avenir ; l'œuvre littéraire est faite de négativité et de construction ; elle est un miroir critique impitoyable, destructeur ; mais elle invite à la fête où les mots se réconcilient et, à travers eux, les hommes, les lecteurs, ces autres exilés, ces autres aspirants à la liberté. Semblable aux êtres qui, dans l'évolution biologique, repassent par toutes les phases de la vie végétale et animale, l'écrivain, après avoir lu, et pour être lu, doit avoir revécu les moments successifs de l'expérience littéraire. De là, le mouvement lyrique de la conscience critique quand il s'agit de reconnaître les miracles de la prose de Genet en vue d'une canonisation littéraire ; de là aussi, avec Flaubert, la marche inverse d'un procès de décanonisation qui dénonce le péché mortel flaubertien : laisser le sens s'agglutiner au signe. Alors se découvre la fonction permanente du langage critique : *assurer la liberté du sens par rapport aux signes.*

Cet esprit du langage critique anime certaines pages de Simone de Beauvoir, dont les « Mémoires » participent à la même entreprise de démystification littéraire et d'hyperlucidité. La première œuvre de Roland Barthes, *Le Degré zéro de l'écriture* (1953), et peut-être les dernières, se rattachent à cette même intention : existentialiser une herméneutique marxiste, dégager les doubles fonctions linguistique et sociologique de l'écriture, comprendre la genèse qui conduit à un état limite d'écriture, compléter l'explication génétique par une typologie de la vocation littéraire, et finir dans un art de la lecture qui prétend se suffire à lui-même. La tentation de la critique est alors de se prendre pour sa propre fin et de devenir la présence littéraire par rapport à un passé d'écritures périmées.

La théorie critique de Lucien Goldmann, appliquée à Pascal, à Racine, au roman moderne (*Le Dieu caché,* 1955 ; *Pour une sociologie du roman,* 1964), quoique dérivant directement de G. Lukács, appartient à cet effort pour ressaisir la richesse individuelle et concrète des œuvres à l'intérieur de structures historico-sociologiques et de visions du monde en quoi se manifestent des idéologies culturelles. Dans une tout autre direction, que certains jugent même opposée, mais selon la même problématique qui cherche à objectiver la subjectivité secrète des langages, il convient encore de citer les études de Charles Mauron (*Mallarmé l'obscur*, 1941 ; *Psychocritique du genre comique*, 1964). Gaétan Picon, avec *L'Ecrivain et son Ombre* (1953) et *L'Usage de la lecture* (1960), montre comment la littérature devient son propre objet, fait la théorie de sa création, et conduit à la naissance d'un nouveau type de lecteur invité à parachever une œuvre qui est constituée incomplète. Le mouvement initial sartrien est renversé : non plus lire pour écrire, mais écrire pour lire, la lecture devenant l'acte culturel primordial, la finalité du langage.

Très souvent, à travers ces essais pour formuler une langue critique qui soit théorie de la littérature, dépassement et parachèvement des œuvres, on croit entendre une nouvelle déclaration de décès en ce siècle qui s'est appliqué à identifier toutes les variantes de la mort de Dieu : est-ce la mort de la littérature que le critique consacre de son paraphe ? Est-ce l'aveu que certains langages ne sont plus « valables » ? Le critique serait-il le meurtrier de la littérature ? C'est alors que la science et la philosophie prétendent imposer leurs méthodes à la critique.

Au cours des années 60, l'expression « la nouvelle critique » a désigné une crise du langage critique qui a parfois pris l'allure d'une querelle des anciens et des modernes, et suscité des pamphlets vigoureux, tels que *Nouvelle Critique ou nouvelle imposture* de Raymond Picard en 1965, et la réponse de Roland Barthes, *Critique et Vérité*, en 1966. Sous le nom de lansonisme, était condamnée une certaine idée de la critique historique et de la critique des sources, une conception causale de la relation entre l'auteur et son texte, et, plus généralement, une théorie linéaire de la causalité littéraire. Côté positif, la nouvelle critique s'est manifestée suivant plusieurs tendances, dont nous retiendrons trois orientations principales, souvent mêlées les unes aux autres : *la recherche d'une nouvelle science de la littérature, la théorie de la critique comme herméneutique, la métaphysique de la déconstruction du texte littéraire.*

Les pères fondateurs en sont d'abord Saussure et Freud, puis les formalistes du Cercle de Prague, enfin les tenants du structuralisme, au point que parfois, dans l'esprit de quelques critiques structuralisme et nouvelle critique se confondent, du moins jusqu'en 1968. Plus tard, l'expression « post structuralisme » désigne l'effort pour dépasser l'idée d'une science de la littérature fondée sur des principes structuralistes. Autre fait frappant : une volonté de faire scientifique, et un essai, parfois naïf, de donner au discours critique un vocabulaire bien défini et rigoureux, qui remplacerait les termes sociologiques et psychologiques si vagues de l'ancienne critique. En est résultée la prolifération, mal contrôlée, d'un jargon où se trouvent mêlés en un douteux mariage l'ancienne et la nouvelle rhétorique, les formules hégéliennes et marxistes, un vocabulaire psychanalytique enrichi par les inventions verbales de Lacan, enfin — et surtout — des concepts linguistiques détachés de leurs contextes théoriques, que ceux-ci se réfèrent à Saussure, Peirce, Jakobson, Hjemslev, Greimas, etc.

La sociologie de ce phénomène littéraire est relativement simple. D'abord, la nouvelle critique se proclame anti-universitaire jusqu'au moment où elle doit constater qu'elle est faite par des universitaires ! Son point de départ et de lancement est la sixième section de l'E.P.H.E. ; animée par F. Braudel, elle rêve de devenir une faculté des sciences humaines. Ses ports d'attache sont des maisons d'édition, en particulier les Editions du Seuil, les Editions de Minuit et Larousse. Puis le mouvement conquiert la plupart des grandes maisons d'édition parisiennes, comme il envahira l'Université. Trois revues sont créées, dont les premiers numéros prennent l'allure de quasi-manifestes. Au printemps de 1960, c'est *Tel Quel*, annonçant dans la *Déclaration liminaire* une passion théorique de l'écriture qui « n'est plus concevable sans une claire prévision de ses pouvoirs ». Dix ans plus tard, c'est le premier numéro de *Poétique*, revue de théorie et d'analyses littéraires, qui, dans la *Présentation*, proclame un « réveil de la conscience et de l'activité théoriques » dans les études littéraires qui sortiraient du sommeil où les avaient plongées « un quasi-monopole des discours historiques ». C'est enfin *Littérature*, en février 1971, qui s'installe, nous dit la première page, « en ce lieu d'interdisciplinarité sans frontières stables, au point où s'articulent la connaissance de la littérature et les sciences humaines... » On ne parle plus de la causalité des textes, mais de leur fonctionnement et de la production de leur sens.

Pendant vingt ans, approximativement de 1960 à 1980, les travaux sont nombreux et variés. Individuels ou collectifs, ils oscillent entre la théorie pure et l'analyse textuelle. La revue *Communication* accueille par exemple dans son numéro 8, un ensemble d'études sur la narratologie. Des articles divers sont rassemblés en volumes. Dans sa période sémioticienne, Barthes domine dès 1957 la scène critique avec *Mythologies* et en 1964 avec *Essais critiques*, suivis de brefs essais qui tournent autour du même problème de la signification de l'écriture. Il fera aussi une incursion sémiotique hors de la littérature avec *Système de la mode* (1967). Tzvetan Todorov contribue à la diffusion des travaux du Cercle de Prague dans *Théorie de la littérature, Textes des formalistes russes* (1966). Avec Oswald Ducrot, il publie un *Dictionnaire encyclopédique des sciences du langage* (1972). Son œuvre théorique comprend en particulier *Introduction à la littérature du fantastique* (1970), *Littérature et Signification* (1967) où il définit la « poétique » comme science du discours littéraire, c'est-à-dire comme étude des conditions qui rendent possible l'existence de ce discours, *Théorie du symbole* (1977). Gérard Genette représente sans doute la position la plus radicale pour donner à la « poétique » une rigueur formelle et objectiviste, dans la série des trois volumes de *Figures;* en particulier *Figures III* qui est une théorie de la narratologie à laquelle *A la recherche du temps perdu* sert de prétexte. Julia Kristeva élabore une sémiotique du texte dans *Sémeiotikè, recherche pour une sémanalyse,* en 1969, et en 1975, avec *La Traversée des signes.* En marge de son œuvre poétique, Marcelin Pleynet poursuit des explorations critiques poststructuralistes dans *Lautréamont par lui-même* et *Art et littérature.* A côté de la critique littéraire proprement dite, mais en rapport direct avec la grande entreprise d'une science de la littérature, il convient de mentionner de nombreux travaux dans les domaines voisins de la sémantique, de la grammaire et de la rhétorique : telles sont les recherches du groupe Mu, animé par Jacques Dubois, dans *Rhétorique générale* (1970), *Grammaire structurale du français* (1965), *Rhétorique de la poésie* (1977). A. J. Greimas met en application les formes élaborées dans sa *Sémantique structurale* (1966) au niveau du microtexte dans *Maupassant, la sémiotique du texte* (1976).

Le succès de ces idées et méthodes a-t-il réussi à faire oublier la critique et l'histoire littéraires du début du siècle ? Loin de là. Certaines méthodes, critiquées à juste titre pour leur caractère superficiel, ont été abandonnées. Mais la tradition de l'histoire littéraire s'est maintenue. Elle s'est même renouvelée en même temps que se renouvelaient les méthodes historiques. Cette continuité a été assurée par les travaux universitaires (voir p. 141) et par la *Revue d'histoire littéraire de la France,* qui montre comment l'érudition patiente et rigoureuse appliquée à l'étude des textes et des milieux littéraires peut s'allier avec des jugements esthétiques audacieux.

Dans le prolongement de l'histoire littéraire et

d'autres méthodes, la sociocritique contribue depuis peu, sous l'impulsion, notamment, de Claude Duchet, à renouveler l'interprétation des textes. Différente de la sociologie de la littérature qui se situe en amont et en aval du texte, qui étudie ses conditions de production (statut de l'écrivain) et de consommation (marché du livre aussi bien qu'influence et réception), la sociocritique lit l'inscription de l'histoire dans le texte et en détermine la « socialité » : son espace-temps interne, la société idéelle, avec ses orientations politiques et économiques, qu'il renferme et propose, parfois ou même souvent à l'insu de l'écrivain ; ce qui montre qu'une telle méthode peut s'articuler aussi bien avec des approches structuralistes qu'avec l'emploi de la psychanalyse (des textes plutôt que des auteurs).

Les limites du formalisme prôné par la critique dite structuraliste ont été senties très vite par ceux-là mêmes qui ont commencé par éprouver le besoin d'une nouvelle critique. Ce dépassement du formalisme s'est manifesté dans deux directions, voisines par leur origine phénoménologique, mais opposées par leurs fins : *la critique herméneutique* et *la critique déconstructionniste.*

La première se rattache à une tradition de la pensée allemande qui remonte à Herder et Schleiermacher, et même au-delà, à Luther lui-même. Elle s'est retrouvée à notre époque dans la métaphysique existentielle de Heidegger et dans la théorie de la littérature de Hans Gadamer. L'influence de cette tradition sur la critique est réelle, diverse et diffuse. Cependant, la pensée française a eu son propre essai d'herméneutique avec Gaston Bachelard dans ses écrits consacrés à la littérature : en particulier *La Psychanalyse du feu* (1942), *L'Eau et les Rêves* (1942), *L'Air et les Songes* (1943), *La Poétique de l'espace* (1957) proposent une phénoménologie des expériences primitives de la rêverie et de l'écriture. Bachelard cherche à capter l'inconscient normal de l'homme dans sa fonction de l'irréel : l'image est saisie, selon une formule heureuse de *La Poétique de l'espace,* « dans l'espace de son bonheur » (p. 29), qui est l'espace même de son langage se développant en rêverie poétique, en une double fête de la création et de la lecture, du poète et du critique, en une fête qui, par la médiation du langage, réconcilie l'homme et les éléments naturels. L'œuvre de Bachelard a été lue et méditée par la nouvelle critique, même quand celle-ci tourne le dos à la phénoménologie. Les travaux de Jean-Pierre Richard (*Poésie et Profondeur,* 1955 ; *Proust et le Monde sensible,* 1974, etc.) ressuscitent l'univers des qualités sensibles qui forment la trame signifiante de l'écriture d'un poète ou d'un romancier. Le philosophe Paul Ricœur a montré dans *Le Conflit des Interprétations* (1969) comment l'herméneutique pouvait se dégager de l'interprétationisme freudien ou heideggérien, et dans *La Métaphore vive* (1975), comment la méthode phénoménologique aidait à renouveler la théorie des formes littéraires. Proches de cet esprit herméneutique sont aussi les critiques, parfois désignés sous le nom d'Ecole de Genève : Marcel Raymond (*De Baudelaire au surréalisme,* 1933), Jean Rousset (*Forme et signification. Essais sur la structure littéraire,* 1962), Jean Starobinski (*L'Œil vivant,* 1961). A cette tendance appartiennent aussi les recherches de Georges Poulet dans ses volumes d'*Etudes sur le temps humain* (1949) et celles, plus anciennes, d'Albert Béguin (*L'Ame romantique et le rêve,* 1937). Une place à part doit être faite à René Girard pour son effort indépendant d'herméneutique psychanalytique : dans des œuvres telles que *La Violence et le Sacré* (1972), il jette un pont entre l'analyse anthropologique, la métaphysique et l'exégèse des textes sacrés.

Avec ou sans textes sacrés pour la fonder, l'herméneutique, dont il ne faut jamais oublier l'origine dans l'exégèse biblique des XVIIIe et XIXe siècles, soulève des problèmes de métaphysique linguistique qui ont été vécus en des styles différents, voire opposés, par Nietzsche et Heidegger, qu'il s'agisse du « cercle herméneutique [1] » du relativisme qui menace le perspectivisme historique référé à une tradition insaisissable, de la distinction entre « expliquer », et « comprendre ». Ces problèmes ont été repris par une épistémologie analytique française, qui a refusé d'intégrer à sa problématique l'idée, dérivée de Dilthey, d'une dualité de principes entre sciences de la nature et sciences de l'homme. Le courant herméneutique a pris alors en France une allure originale à la fois antistructuraliste et antiherméneutique. Il a suscité un nouveau style de critique, dont les principaux représentants sont Michel Leiris, Maurice Blanchot, Jacques Derrida.

Le point de départ est un doute hyperbolique concernant la légitimité de la littérature elle-même. La critique, presque toujours appuyée sur un postulat implicite, qui admet que le langage est possible puisqu'il existe, limite ses investigations au « comment » et au « pourquoi » du possible littéraire. Un tel optimisme est arbitraire et naïf. Le langage, dans son essence même, doit être mis en doute. Il est

1. Sans entrer dans le détail des philosophies herméneuticiennes contemporaines qui ont leur source dans la pensée de Heidegger et de son disciple Hans-Georg Gadamer, notons que le « cercle herméneutique » caractérise la condition historique de la connaissance humaine, de telle sorte que le « cercle » n'est pas le résultat d'une erreur de raison, mais une situation épistémologique à laquelle la pensée philosophique ne peut échapper : interpréter, c'est retrouver l'intentionalité originelle d'une pensée dans sa subjectivité et par rapport à une tradition qui constitue son intersubjectivité. Mais ce mouvement de compréhension n'est possible que par rapport au présent historique de l'interprétation et à l'intentionalité de l'interprétant. Tel est le paradoxe inévitable de ce qu'on appelle l'herméneutique : elle forme son langage à l'intérieur d'un mouvement de compréhension inversé, par lequel, simultanément, le présent comprend le passé, et le passé aide à l'interprétation du présent. A l'objectivité dont continuent à rêver les sciences de l'histoire se substitue une intersubjectivité historique sans cesse en train de se réinterpréter.

souvent victime d'un malin génie qui falsifie ses expressions et, en deçà, ses intentionnalités et ses structures profondes. Dans *Biffures* (1948) et les trois volumes de *La Règle du jeu*, Leiris explore le drame de l'usager des mots, écrivain ou lecteur, doublement dupe quand il prend le langage pour une convention ou, à l'opposé, pour une révélation, sans jamais savoir s'il faut voir dans la littérature un être ou un signe. Maurice Blanchot s'est fait le prisonnier volontaire de cette contradiction, le supplicié de cette question. L'unité du langage est irréalisable : « Il n'y a pas de langage vrai sans une dénonciation du langage par lui-même, sans un tourment de non-langage, une obsession d'absence de langage de laquelle tout homme qui parle sait qu'il tient le sens de ce qu'il dit » (*La Part du feu*, p. 265). La sémantique implique une non-sémantique ; la rhétorique, une antirhétorique. Comme le silence, le non-sens est partout présent, non simplement comme menace, mais comme obligation. Pas plus que la métaphysique n'est capable de passer du néant à l'être, l'artiste ne peut sortir du non-sens pour créer du sens. Et, devant l'œuvre écrite, la critique doit connaître son devoir : ramener la production du langage vers ses contradictions initiales, ne jamais les convertir en succès, dénoncer les perversions du sens telles qu'elles se manifestent à travers les arts poétiques et les esthétiques. En bref, faire une critique d'échec, comme on peut l'observer dans les œuvres romanesques et critiques de Blanchot (*Thomas l'obscur*, 1941 ; *L'Espace littéraire*, 1955 ; *Le Livre à venir* 1959 ; *L'Ecriture du désastre*, 1980), c'est entreprendre la déconstruction du langage sans en faire une construction nouvelle.

La critique déconstructionniste de Jacques Derrida est fondée sur une métaphysique du langage et le procès du « logocentrisme [1] » qui sert de base séman-

1. La notion de « logocentrisme », qui est utilisée par J. Derrida et qui dérive de F. Nietzsche et de G. Bataille, vise la

tique aux langues occidentales et à leurs littératures. Il donne le nom de *grammatologie* à ce nouveau type de réflexion qui porte à la fois sur le contenu et la forme de la parole, ainsi que sur l'écriture, quand celle-ci est mise au service de la parole. Il invite à remonter au-delà de la parole articulée et de ses modèles graphiques pour sentir la présence de cette « différence », de cette *trace,* qu'il est impossible de saisir directement en faisant appel aux différenciations sémantiques et phonétiques ; car les utiliser, ce serait retomber dans le positivisme métaphysique du rationalisme de notre tradition. De là, la nécessité de recourir à la « déconstruction » comme opération avec, sur et contre le langage. Et telle est la fonction du critique : aller plus loin que tous les efforts connus de démystification du langage, qu'ils soient marxistes, existentialistes, structuralistes, — dénoncer tous les artifices de la construction verbale. Quand la littérature comprend sa mission de mise en garde du langage par lui-même, elle reconnaît sa vocation déconstructionniste. Le rêve mallarméen d'un espace graphique est repris. Et c'est ce rêve qui confère aux œuvres de Derrida — *De la grammatologie* (1967), *L'Ecriture et la Différence* (1967), *Marges de la philosophie* (1972), *La Dissémination* (1972), *La Vérité en peinture* (1978), *La Carte postale* (1980) — l'atmosphère singulière d'un voyage fantastique aux bords de l'inédit et du non-sens.

La critique déconstructionniste a éveillé de nombreuses vocations. L'une des plus intéressantes est

---

condition épistémologique de la philosophie occidentale issue de Platon ; elle désigne l'idéal de cohérence linguistique et logique auquel toute connaissance devrait obéir. Dans cette perspective rationnelle, connaître, c'est donner au discours la forme du système, de là l'expression de logocentrisme : la diversité des idées et des expériences doit se ramener, par l'effort de systématisation propre à la philosophie, à l'unité de l'ordre des significations. Hegel est le modèle du logocentrisme moderne.

celle de Michel Serres, mathématicien et philosophe, qui renouvelle l'histoire de la philosophie dans *Le Système de Leibniz et ses modèles mathématiques* 2 vol., 1968), analyse les grandes catégories du langage — la communication, l'interférence, la traduction, la distribution — dans la série *Hermès* (1969-1980) ; dans *Le Parasite* (1980), il médite sur la nature polyphonique et polysémique des signes, à l'aide d'un langage qui projette sans cesse les structures abstraites contre l'opacité des mots concrets. Dans le chantier déconstructionniste nous trouvons de nouveau un Roland Barthes déçu dans ses espérances structuralistes et sémioticiennes, plus fortement marqué qu'auparavant par l'exemple nietzschéen et par l'écrit lacanien. C'est le Barthes de *S/Z* (1970), de *Le Plaisir du texte* (1973), du *Roland Barthes par lui-même* (1975). Dans une perspective de lecture-création du texte, il distingue deux qualités de plaisir esthétique — le plaisir proprement dit et la jouissance, qui correspondent à deux types de textes, en gros le texte classique et la modernité. Le texte est le « catalogue personnel de nos sensualités ». Barthes vire insensiblement vers une typologie du lecteur-consommateur-producteur, quand il distingue le fétichiste, l'obsessionnel, le paranoïaque et l'hystérique. Le déconstructionnisme serait-il une invitation détournée à une nouvelle caractérologie de la littérature ?

Une analyse typologique, parallèle à celle de Barthes, mais portant sur la totalité du fait culturel, est poursuivie par Gilles Deleuze et Félix Guattari dans leurs œuvres *L'Anti-Œdipe* (1972) et *Mille Plateaux* (1980) sous le titre général « Capitalisme et Schizophrénie » : ces essais ont l'ambition de renouveler le vocabulaire par lequel l'homme détermine le milieu où il évolue grâce à des « agencements » qui font de la terre un lieu de fermetures et d'ouvertures, et dont on trouve les modèles littéraires chez Kafka et Beckett.

DEUXIÈME PARTIE

L'ESPACE LITTÉRAIRE

CHAPITRE I

UN CHANGEMENT TOPOGRAPHIQUE

Vue d'ensemble

Un ancien surréaliste, André Thirion, écrivant un demi-siècle plus tard, notait que dans les années vingt, le « ton de l'époque » était donné par Gide, Morand, Valéry, Giraudoux, Cocteau, Max Jacob, Roger Martin du Gard et Valery Larbaud, c'est-à-dire par les représentants de l' « esprit nouveau » d'avant-guerre. Deux de ces écrivains seulement sont cités dans la double liste des auteurs recommandés ou au contraire exclus par les surréalistes — pour y être déconseillés : Valéry et Max Jacob. Malgré ce silence, c'est en grande partie de cette matrice que, sous le choc de Dada, naquit le surréalisme lui-même. Que ce mouvement relevât de courants plus profonds, André Breton lui-même s'en doutait, et déclarait en 1922 : « J'estime que le cubisme, le futurisme et Dada ne sont pas à tout prendre trois mouvements distinctifs et que tous trois participent d'un mouvement plus général dont nous ne connaissons encore précisément ni le sens ni l'amplitude. » Si, dès la fin des années trente, le groupe surréaliste était sur son déclin, son influence avait bouleversé le panorama littéraire et l'intérêt croissant du public pour ses productions — surtout extra-littéraires —

révèle la complicité qu'il a su entretenir avec l'époque.

Aucun autre mouvement ne parviendra à s'imposer. En 1930, un ouvrier-écrivain, Henry Poulaille, cherche à grouper ses homologues de Paris et de province. Le groupe ainsi constitué lance en 1932 le *Manifeste* de l'Ecole prolétarienne, réunissant parmi ses signataires une demi-douzaine de bons romanciers, dont Charles Plisnier, Edouard Peisson, Tristan Rémy et Eugène Dabit, et organisant une première exposition prolétarienne.

Poulaille définit l'écrivain prolétaire selon trois critères : né dans le prolétariat, autodidacte, il continue à exercer un métier manuel ou est petit employé, instituteur. C'est dire qu'il est resté en liaison étroite, moins avec la « classe ouvrière » selon la définition marxiste, qu'avec « le peuple » et a évité l'aliénation que dénonçait Guéhenno. L'Ecole prolétarienne tient à se distinguer du groupe populiste formé par Léon Lemonnier en 1928-1929 et qui, en réaction contre la littérature du « beau monde », se propose de revenir à la tradition réaliste et de peindre les « petites gens » comme l'avaient fait Léon Frapié dans *La Maternelle* (1904) et Charles-Louis Philippe. « Nous nous sommes dits populistes, écrit Lemonnier, parce que nous croyons que le peuple offre une manière romanesque très riche et à peu près neuve. » Poulaille et son groupe, par contraste, veulent une littérature enracinée dans les occupations, le travail et les soucis du peuple. En fait, des écrivains comme Eugène Dabit, Louis Guilloux, Jean Guéhenno et André Chamson, populistes à leurs débuts et sortis des rangs du peuple, s'amalgament rapidement aux milieux intellectuels classiques.

Dans une série de revues, *Nouvel Age* (janvier-décembre 1931) ; *Le Prolétariat* (1933-1934) ; *A contre-courant* (1935-1936), Poulaille publie un éventail de textes où Maïakowski, Victor Serge, Upton Sinclair, Pio Baroja, Pasternak, Zweig voisinent avec

Cendrars, Giono, Malraux, Ramuz et Vildrac. D'autre part, de nombreux romans, le plus souvent autobiographiques, dans la tradition de Marguerite Audoux, Charles-Louis Philippe et Lucien Jean, dus à des écrivains associés au groupe, livrent de saisissants tableaux de la dure condition ouvrière. Pierre Hamp poursuit une sorte de reportage intitulé « La Peine des hommes » où il décrit les métiers qui font vivre l'ouvrier. Avec *Le Pain quotidien* (1930), *Les Damnés de la terre* (1935), *Le Pain du soldat* (1937), *Les Rescapés* (1938), Poulaille montre la vie d'une famille ouvrière, la sienne, jusqu'en 1920, tandis que *La Maison du peuple* de Louis Guilloux (1927), *Porte Clignancourt* de Tristan Rémy (1928), *Hôtel du Nord* de Dabit (1929) avaient déjà affirmé avec un certain éclat la présence ouvrière dans le domaine littéraire.

Cependant, lorsqu'en 1932 le groupe des ouvriers-écrivains publie son manifeste, c'est pour s'affirmer contre l'orientation négative à leur égard du Parti communiste russe. Mettant fin en 1930 à la grande effervescence littéraire russe des années vingt, la conférence de Kharkov réserve aux intellectuels le domaine de l'expression littéraire et renvoie les ouvriers à leurs métiers. En France elle reconnaît, comme chefs de file, non le groupe de Poulaille, mais les écrivains militants d'origine bourgeoise comme Aragon. Et, au premier congrès des écrivains soviétiques en 1934, le Parti communiste français délègue comme représentants des intellectuels bourgeois : Jean-Richard Bloch, Louis Aragon, André Malraux et Paul Nizan.

En fait, l'apport des groupes ouvriers et populistes se rapproche plus de celui d'écrivains « établis » comme Georges Duhamel, créateur de Salavin, que des œuvres d'un Aragon qui offre du milieu ouvrier une image fortement idéalisée. C'est une même image qu'ils nous donnent de la condition ouvrière : incertitude quotidienne ; crainte du chômage et répression des grèves ; abrutissement dû à un travail physique épuisant ; logements étroits sans cabinets de toilette ; couloirs obscurs et nauséabonds ; vies sans issue mais où règnent un sentiment de solidarité, l'amour du métier et un certain mépris de l'argent. Ainsi, la tentative de Poulaille restera en définitive marginale.

D'autre part, on peut parler d'un « climat existentialiste » et du « groupe » des *Temps modernes.* Mais ses participants ne jouent pas le même rôle provocateur que les surréalistes. Ils ne s'attaquent pas à la langue littéraire, ni ne mettent en question la valeur même du langage comme système de représentation du réel. A partir de 1960, les attitudes intellectuelles des groupes de pointe, dont celui de *Tel Quel,* apparaissent comme des manifestations assagies qui ne dépassent pas les limites de chapelles.

Au cours de ces années, Proust, Gide, Claudel, Valéry et, toujours à part, Colette atteignent une pleine maturité. Leurs œuvres prennent rang parmi les grandes œuvres de la littérature occidentale. A côté d'eux, les générations se côtoient plutôt qu'elles ne se relaient. Tous les genres se renouvellent. Le *roman* connaît des jours fastes avec François Mauriac, Jean Giraudoux, Jules Romains, Georges Duhamel, Roger Martin du Gard, Louis Aragon, bientôt Georges Bernanos, Jean Giono, Julien Green, puis André Malraux et Céline ; et, moins connus, Marcel Jouhandeau, Raymond Queneau, Henri Bosco ; enfin Sartre, Simone de Beauvoir, Marguerite Yourcenar et Camus lui donnent plus de présence et de diversité encore. Paraissent aussi des œuvres plus secrètes, celles de Jean Cayrol, de Julien Gracq, celles, étranges, de Maurice Blanchot, ou encore de Raymond Abellio. Et tandis que les théories du « nouveau roman » ou du « nouveau nouveau roman » font couler beaucoup d'encre, les ouvrages de Samuel Beckett, de Claude Simon, de Jean-Marie Le Clézio, de Michel Tournier, trouvent un public, restreint peut-être, le même sans doute qui suit avec intérêt, de roman en roman, l'évolution de Michel Butor, d'Alain Robbe-Grillet, de Marguerite Duras, de Robert Pinget et lit les volumes successifs où Nathalie Sarraute perfectionne une technique narrative originale.

Le théâtre connaît d'abord une renaissance. Une pléiade de directeurs transforme la scène et participe au mouvement international, renouvelant l'art dramatique sous tous ses aspects. Avec Claudel, Giraudoux, Cocteau, Armand Salacrou, Jean Anouilh, Sartre, Henry de Montherlant, Camus, puis Samuel Beckett, Eugène Ionesco, Arthur Adamov et, à un degré moindre, Roland Dubillard, François Billetdoux, Romain Weingarten, Fernando Arrabal, littérature et théâtre renouent leur alliance et atteignent un nouveau public.

De nombreuses *œuvres poétiques* s'élaborent et peu à peu sortent de l'ombre. Pierre Jean Jouve, Jules Supervielle, Saint-John Perse, Henri Michaux, Francis Ponge, Paul Eluard, Jean Tardieu, Louis Aragon, Jean Follain, André Frénaud, Yvonne Caroutch, René Char, Pierre Emmanuel, Yves Bonnefoy, Joyce Mansour, Alain Bosquet, Philippe Jaccottet, Denise Miège, Robert Sabatier, Jean-Claude Renard... où arrêter cette énumération ? Plus de trois cents poètes méritant l'attention sont publiés en France, les noms se succédant de décennie en décennie. De plus, que d'œuvres inclassables, ou hors cadre, comme celles de Georges Bataille, de Michel Leiris ou, tardivement connue, celle de Jean Paulhan ! La publication d'une œuvre majeure comme la sienne, longtemps restée dans l'ombre, peut modifier l'idée d'ensemble que nous nous faisons du domaine littéraire, comme l'a remarqué le poète T. S. Eliot et, après lui, Philippe Sollers.

Journaux intimes, mémoires, autobiographies, nouvelles, essais — souvent de haute qualité — sont reconnus comme des « genres » distincts. Il existe donc un écart considérable entre les pronostics qui rituellement annoncent la « mort » d'un genre comme le roman ou celle de la littérature en général et la richesse incontestable de l'espace littéraire. Entre 1920 et 1970, certains écrivains français ont poussé très loin l'exploration des vastes possibilités offertes par le langage et les structures littéraires, ne reconnaissant plus aucune restriction de vocabulaire, de syntaxe ou de forme qui limiterait le déploiement du discours. D'autres restent fidèles aux codes anciens souvent dénoncés ; d'autres encore trouvent une solution de compromis, plus ou moins personnelle. On peut aborder ce vaste réseau de textes de diverses façons, mais non le réduire à l'homogénéité.

En perdant ses contours familiers, le domaine littéraire se débarrasse des hiérarchies. Les « chefs de file », les « maîtres », qui polarisaient les aspirations et orientaient les tentatives de renouvellement disparaissent. Seules restent « visibles » les tendances extrêmes. Le champ littéraire est décentré ; la confusion règne. D'innombrables contradictions, des conceptions incompatibles quant à la valeur, la nature et la fonction de la littérature s'affrontent. Toute tentative pour dégager de cet ensemble une seule orientation écarte ou laisse dans l'ombre trop d'œuvres d'égal intérêt. Aussi, les critères de classement, les genres sont-ils brouillés : d'où les tensions que l'écriture moderne exhibe et l'attention quasi obsessionnelle qui lui est accordée.

Un courant perturbateur : Dada et le surréalisme

L'histoire de ce mouvement en France n'est plus à faire. André Breton en a jalonné les étapes de manifestes et écrits divers. Depuis 1945, date à laquelle est parue l'*Histoire du surréalisme* de Maurice Nadeau, les études s'accumulent qui en ont étudié tous les aspects. Des textes qui se voulaient éphémères ont été redécouverts et soigneusement réédités. La critique a exploré les antécédents littéraires et philosophiques du mouvement, ses théories, mythes et mystifications, ses contradictions, réalisations et échecs. « Il y a peut-être eu des écoles plus riches en génies isolés », note Julien Gracq, surréaliste du « deuxième convoi », « mais les fonds du surréalisme sont d'un éclat et d'une variété auxquels je ne vois pas d'équivalent » *(Lettrines)*. D'où son rayonnement. Plutôt qu'une école, le surréalisme a d'abord servi de centre de ralliement à un groupe fluide de poètes et d'artistes qu'attiraient la personnalité intransigeante et passionnée d'André Breton et la haine de tout ce qui est établi, figé. L'on a pu distinguer des vagues successives d'adhérents remplaçant ceux qu'éloignaient les dissensions et ostracismes qui déchiraient la vie du groupe. Il serait sans doute utile de distinguer trois étapes dans l'histoire de ce mouvement qui, de près ou de loin, a affecté toutes les générations qui sont venues à l'écriture à partir de 1925. Exclus, ou s'excluant d'eux-mêmes, s'ils cherchent à échapper à l'influence personnelle de Breton, les écrivains qui ont vécu un certain temps au sein du groupe surréaliste n'en gardent pas moins un état d'esprit initial qui se diffuse bien au-delà des limites du groupe constitué.

Le surréalisme prend forme entre 1920 et 1924, d'abord en symbiose avec Dada dont Breton s'écarte vers 1922. La rencontre à Paris d'un petit groupe de jeunes poètes — constitué de Breton, d'Aragon et de Soupault — avec Tristan Tzara et Francis Picabia, dadaïstes déjà légendaires, est explosive. La revue *Littérature*, que viennent de lancer les jeunes Français, ne se distingue guère des autres petites revues de l'époque que par une certaine insolence. Ces poètes sont, comme Apollinaire, Cendrars et Marinetti, désireux de créer un art « moderne » ; ils héritent simultanément de la violente insurrection verbale de Lautréamont ou de Jarry et de la tradition poétique qui, à travers Mallarmé et Rimbaud, remonte à Baudelaire. Ils honorent Valéry et Gide. Cependant, *Littérature* s'aventure déjà dans une voie qui va s'avérer féconde. En 1920 paraissent *Les Champs magnétiques*, un texte écrit en commun par Breton et Soupault sous la « dictée » de l'inconscient. S'inspirant en cela de Freud, Breton utilise une technique employée par les psychiatres : l'écriture automatique. Il s'agit de transcrire, en principe sans intervention du scripteur, les mots se présentant spontanément à l'esprit. Ce texte — qui passe inaperçu — prélude à l'aventure surréaliste et pose déjà, sur la nature du langage, certaines questions qui restent encore aujourd'hui sans réponse.

C'est Dada qui infuse à l'équipe de *Littérature* le goût de l'agression et le dynamisme qui lui permettent de trancher sur le fond pourtant turbulent du Paris de l'après-guerre et de polariser malaise et aspirations d'une partie considérable de la « génération de 1925 ». Nihiliste par idéalisme, Dada, au cours de son insubordination générale, s'est épris de sa propre liberté. Semer le scandale, tourner en dérision le public parisien « éclairé » — ce qu'il fait avec allégresse par de multiples manifestations en 1920 et 1921 — n'est qu'un aspect de sa volonté de rupture, sorte d' « entreprise de salut public » (Crevel) à rebours. Mais Dada tire de ses refus des inventions surprenantes dont l'urinoir-objet d'art de Marcel Duchamp et les machines parodiques et érotisées de Picabia sont les emblèmes. L'inquiétude qui traverse l'époque — et dont Nietzsche avait fait le diagnostic, — trouve chez Dada un contrepoids dans la pleine liberté du jeu avec les mots et les formes. Dada est un artisan, « fabricant » libre d'objets fantastiques. Toute une production « infiniment grotesque » (Aragon), sur fond bizarre de fantaisie souvent saugrenue et d'humour — souvent, mais pas toujours, noir —, apparaît dans l'art et dans le champ littéraire. Sans doute permanent et sous-jacent à toute l'histoire littéraire, ce courant fournit à la littérature de notre temps un de ses traits distinctifs. Dada fait revivre Jarry et préside encore aux activités du « Collège de pataphysique » fondé sous son égide en 1948. Ce n'est pas un hasard si le jeune Boris Vian et Eugène Ionesco à ses débuts y côtoient Raymond Queneau et les dadaïstes d'origine comme Marcel Duchamp et Max Ernst. Démystificateurs mystifiants, opposés à tout système et à tout sérieux, les pataphysiciens se proposent de constituer « une science et un art qui permettent à chacun de vivre comme une exception et de n'illustrer d'autre loi que la sienne ». L'esprit anarchisant de Dada reste vivant dans des œuvres aussi individuelles que celles de Queneau, de Henri Michaux, de Jean Tardieu, de Jacques Prévert, de Boris Vian, d'Eugène Ionesco...

C'est cette volonté d' « antisérieux » qui causa en 1922 la rupture, d'ailleurs temporaire, avec le groupe de Breton, lequel adopte néanmoins les attitudes provocatrices de Dada et son goût du jeu, mais en leur donnant un but : changer le monde. Le surréalisme s'affirme avec le *Manifeste* de 1924 et sa revue d' « action collective », *La Révolution surréaliste.* De 1926 à 1928, paraissent des textes décisifs qui témoignent de l'accord profond qui anime alors les travaux du groupe comme de l'envergure de son entreprise. *Nadja* de Breton, *Le Paysan de Paris* d'Aragon, *La Liberté ou l'amour!* de Robert Desnos, *L'Esprit contre la raison* de René Crevel sont ainsi des textes-manifestes de belle tenue littéraire tandis qu'avec *Capitale de la douleur* d'Eluard et *A la mystérieuse* de Desnos, le surréalisme conquiert de haute main sa place dans la poésie. C'est l'époque où il exerce une forte attraction sur d'autres petits cercles et croît par ce biais d' « adhésions passionnées » ou d'alliances plus précaires.

De 1925 à 1929 commence le processus de fission et de dispersion qui s'accentuera au cours des années trente : Antonin Artaud, Roger Vitrac, Raymond

Queneau, Georges Bataille, Michel Leiris, fortes personnalités, suivent d'autres voies. Aragon se rallie en 1930 au marxisme. Et Breton écarte les jeunes écrivains du « Grand Jeu », dont au moins l'un d'entre eux, René Daumal, devait se révéler écrivain de classe. Dali, Buñuel, Marcel Jean, Pieyre de Mandiargues, Joyce Mansour, René Char, puis Julien Gracq se rallient au mouvement. Mais tandis qu'il atteint une audience plus vaste et s'internationalise, le surréalisme perd le dynamisme de son premier jet. Le *Second Manifeste du surréalisme* (1930) et la conférence de Breton *Qu'est-ce que le surréalisme ?* (1934) mettent en évidence quels sont les soucis et les vicissitudes de ces années. En 1938, cependant, la première grande exposition internationale du surréalisme a lieu à Paris. Désormais, des expositions successives — celles de 1947, 1959, 1965, 1974 en particulier — témoignent de l'accueil de plus en plus ouvert que lui réserve le public. Devenu ferment actif dans le domaine culturel, le surréalisme perd son rôle de grand insubordonné.

Malgré l'appui que lui apporte Benjamin Péret qui, dans un pamphlet véhément, *Le Déshonneur des poètes*, semble retrouver le ton des dénonciations auxquelles s'était livré le surréalisme à ses débuts pour attaquer la poésie engagée des poètes de la Résistance (*L'Honneur des poètes*, 1943), André Breton, rentré à Paris, n'en est pas moins sur la défensive. Le cercle qui se reconstitue autour de lui tient plus de la chapelle que du groupe militant. Désormais, ce sont les œuvres individuelles qui suscitent l'intérêt ainsi que la personnalité de Breton. Les quelques slogans surréalistes qui orneront les murs de la Sorbonne en 1968 témoignent d'une nostalgie plutôt que d'une renaissance.

En 1930, la revue *Le Surréalisme au service de la Révolution*, puis *Minotaure* (1933) exerçaient une influence certaine ; ce ne sera le cas d'aucune des revues que Breton lancera après 1945 — *Néon*,

Médium, Le Surréalisme même, La Brèche. En 1966 un colloque sur le surréalisme se tient à Cerisy-la-Salle. S'il témoigne de la présence de poètes fidèles aux doctrines de Breton (Philippe Audouin, Claude Courtant, Henri Givet, Alain Jouffroy, Annie Le Brun, Gérard Legrand, Jean Schuster...), il souligne surtout la diffusion de ses pratiques d'écriture dans tout le corpus littéraire. Et l'on pourrait d'ailleurs affirmer que la lecture des textes dadaïstes et surréalistes comme le repérage de leurs qualités distinctives ne sont devenus possibles qu'à la lumière de la nouvelle critique, parachevant ainsi le mouvement commencé vers 1916, mais dans une direction autre que celle dans laquelle l'engageaient ses démarches littéraires et le champ qu'il avait ouvert à l'imaginaire.

La grande conviction qui animait Breton avait pour source sa découverte des propriétés autonomes du langage. Cependant, les textes « dictés » des *Champs magnétiques*, puis ceux de *Poisson soluble* qui accompagnaient le *Manifeste* de 1924 diffèrent des textes Dada. Ils s'organisent selon les règles de la syntaxe. Il en sera de même du langage « parlé » en état d'hypnose, des rêves notés, des jeux comme celui du « cadavre exquis » ou des proverbes parodiques. Pour ces derniers d'ailleurs, la syntaxe est assurée par la règle du jeu. Mais, structurés par cette syntaxe, les mots s'assemblent « par chaînes singulières » et surprenantes. Le texte fonctionne sans nul souci de la convention qui exige qu'il produise une « copie conforme » au monde quotidien auquel il était censé se référer. Les surréalistes découvrent ainsi que le « système de signes » qu'est le langage ne repose pas sur « l'ordre des choses ». La fonction représentative de la littérature est mise en question.

Le premier manifeste affirme le mythe fondamental qui fonde la démarche du groupe. C'est celui du paradis perdu avec l'enfance, la vision rousseauiste d'un homme « naturel » qui serait aliéné par le milieu social. Ainsi, pour Breton, l'homme moderne est emprisonné par les conventions de la raison, de l'utilitarisme et des petits calculs dont vit une société sans horizon, qui nage dans une médiocrité que le langage convenu lui impose. Pour lui il s'agit donc de démolir la cloison qui sépare cet homme de l'inconscient où sa vie plonge pour retrouver tous les pouvoirs de l'esprit. Selon le *Second Manifeste,* il faut arriver à la totale récupération de notre force psychique par la descente vertigineuse en nous, l'écriture étant l'instrument de « l'illumination systématique des lieux cachés ».

A ses débuts, l'exploration surréaliste, menée en commun, ouvrait la porte à un monde nouveau riche en mythes et en images qui semblent garantir au groupe une possibilité de création illimitée. Conquête de l'amour, de la liberté, d'une vie à la mesure du désir des êtres humains, tel est le généreux mythe collectif que vivent les jeunes surréalistes ; d'où l'attrait qu'exerce sur eux l'espoir de la *révolution sociale.* Ils projettent sur le plan social la libération qu'ils poursuivent sur le plan individuel.

Le regard neuf qu'ils posent sur le monde du rêve, sur le monde des choses, sur l'érotisme, gonfle leur langage d'une richesse nouvelle ; et leur grande foi en la puissance révolutionnaire de la poésie est contagieuse. Donnant au langage une nouvelle dimension, ils pensent accorder ainsi une nouvelle valeur à la vie et réintégrer le merveilleux dans le quotidien. Le « merveilleux » surréaliste semble parfois le fruit d'une volonté artificielle factice, mais dans ses meilleurs textes, il propose au lecteur une expérience bouleversante où le quotidien et l'imaginaire se rejoignent dans un foisonnement d'images. Si pour les surréalistes, le langage s'est libéré de son rôle référentiel, réaliste, étroit, il n'en débouche pas moins sur un monde où les êtres et les choses sont métamorphosés et recréés à la hauteur de leur désir.

Ils proclament que la poésie est inhérente à tout comportement humain et à la portée de tous, et qu'elle a sa source dans une subjectivité libérée de toute contrainte. Ils ouvrent ainsi, il est vrai, la porte à un déferlement de textes informes et médiocres. Aragon et Eluard d'abord, puis Breton reconnaissent la difficulté et soulignent le caractère purement expérimental des divers exercices auxquels le groupe s'adonne. D'autre part, le surréalisme, en faisant de la poésie — à la suite du symbolisme qu'il récuse —, un moyen de connaissance privilégiée, parallèlement à la science, et un moyen de salut, devait aboutir à une impasse, ce qui explique en partie l'effort théorique démystificateur qui suivra, la réduction du poème à un fait de langage.

Néanmoins, ce courant pose en termes nouveaux les problèmes des parts respectives de l'inspiration et du travail dans la création poétique, de la nature du phénomène poétique, de la relation du lecteur avec un texte devenu énigmatique, « ouvert », sans univocité. Comme le surréalisme constitue la poésie en une sorte d'essence errante qui se joue du langage, « poésie » et langage non utilitaire semblent se confondre. Les catégories « prose » ou « poésie » n'ont plus cours et s'effacent. Il n'est donc pas surprenant que la recherche d'une poétique préoccupe ultérieurement les romanciers autant que les poètes. Ce qui distingue toutefois ces héritiers du surréalisme, c'est que leur recherche porte sur *l'élaboration du texte* et se détourne des spéculations métaphysiques de Breton. Après la reprise de la tradition réaliste, dont Sartre est le porte-parole, c'est l'expérience du langage —, souci initial du surréalisme —, qui préside à l'évolution littéraire. *La métaphysique cède ainsi le pas à l'épistémologie.* L'espoir surréaliste de résoudre les grandes antinomies de la vie par l'entremise de tourbillons étonnants d'images ou des surprises du « hasard objectif », « signes » de plus vastes horizons, apparaît alors comme une géniale fiction. Les surréalistes ne *cherchent* pas le sens de ce langage nouveau ; ils le lui *attribuent* dès 1924. Ainsi s'introduit un renversement dont le surréalisme a conscience : le langage du poète est la promesse d'une « autre » réalité, qu'il institue. Plus sûrement que le « rêveur définitif » ou « l'explorateur » des premiers manifestes, en tant qu'homme du langage, le poète est l'homme du réel. Le surréalisme est dès lors un humanisme.

Transgressant certaines pratiques, s'insurgeant contre le réalisme, le surréalisme ne peut lui-même échapper aux déterminations historiques, littéraires et sans doute sociales qui, par le langage même, imprègnent la vision surréaliste des choses. La double question de « l'au-delà » du langage et des jeux linguistiques formels est à la fois présente et non résolue dans la symbiose de Dada avec le surréalisme. Pour les surréalistes, c'est de la juxtaposition inattendue des images que part l'étincelle poétique qui illumine la « réalité inconnue ». Cette étincelle ne peut jaillir que dans l'esprit du lecteur. La charge poétique est donc virtuelle. Les poèmes surréalistes exigent des lecteurs qu'ils lisent comme le poète crée, ce qui demande un apprentissage.

Ces poètes trouvent aujourd'hui de nombreux exégètes, sensibles à la beauté du spectacle que déploie le langage et explorant avec patience le jeu des relations, des tropes, qui constitue le texte et en assure la communication. Paradoxalement, l'intérêt que suscite le surréalisme est ainsi littéraire avant tout. Ce qui est acquis, c'est que le texte surréaliste ne peut être abordé selon les critères classiques. Le jeu, effectivement, a changé, et les critères d'évaluation sont affaire de lectures individuelles étayées par des analyses textuelles méticuleuses. Le « nouveau roman » —, du moins dans sa seconde phase —, dérive directement de cet aspect du surréalisme dans son effort pour créer de nouveaux lecteurs et non de nouvelles histoires.

Autre prolongement du surréalisme, les activités de l'*Oulipo* (Ouvroir de littérature potentielle). Elles se réclament des jeux avec le langage qui présidaient à l'élaboration des textes de Raymond Roussel ou des travaux du Collège de pataphysique dévoué à Jarry. Refusant toute idéologie, l'Oulipo explore, parfois même avec l'aide des ordinateurs, les possibilités nouvelles que recèle le langage : ainsi Queneau élaborant, à partir de douze sonnets construits sur le même jeu de rimes, cent mille millions de sonnets virtuels ; ou Pérec, construisant des textes-romans, tels *La Disparition* (1969), sans jamais utiliser la voyelle « e », ou *Les Revenantes* (1972) où aucune voyelle sauf l' « e » n'apparaît. Mais ces écrivains ne confondent pas ces jeux avec les textes littéraires qu'ils élaborent par ailleurs. Et ils ne prétendent pas que leurs recherches vont transformer le monde.

Les genres littéraires : une volonté d'innovation

Rien n'est aujourd'hui plus discuté que le problème des genres littéraires, et rien n'est plus confus non plus. Lorsqu'un écrivain comme Cocteau classe ses œuvres sous les rubriques « poésie de théâtre », « poésie de roman », « poésie critique », ce n'est point par besoin de se singulariser. Si les trois catégories, roman, poésie, théâtre peuvent aujourd'hui encore servir de cadre à une poétique, celui-ci restera précaire. D'autres « genres » s'imposent : l'essai, l'autobiographie, la nouvelle. Le théâtre, à cause de ses éléments constitutifs les plus élémentaires — scène, acteur, public, texte —, est sans doute facile à délimiter. Mais comment aborder dans leur diversité les textes qui tombent sous cette rubrique ? « Tragédie », « comédie », « drame » font de plus en plus place à la seule désignation : « Pièce ». D'autres classements ont été proposés, rangeant les œuvres selon des typologies reconnues et définies par la critique : épopée, lyrisme, satire, etc. ; et d'autres divisions, plus vagues sont apparues pour tenter de classer les auteurs : écrivains traditionnels, inventeurs, auteurs appartenant au « domaine de la découverte », ceux du nouveau théâtre, du nouveau roman, de la poésie actuelle.

Sont caractéristiques de l'époque l'importance du « fragment », la prédominance du texte et la volonté d'expérimentation qui anime la littérature en donnant naissance à un foisonnement d'œuvres divergentes que l'on ne peut classer sans fausser les perspectives. Selon Maurice Blanchot, la littérature de l'avenir devrait apparaître « loin des genres, en dehors des rubriques — prose, poésie, roman » *(Le Livre à venir).* Sollers exprime la même ambition qui semble avoir été réalisée par des écrivains aussi différents que Georges Bataille, Michel Leiris, Francis Ponge, Henri Michaux et Michel Butor.

En tout cas, rupture avec le passé et méfiance à l'égard des conventions usées sont de plus en plus répandues parmi les écrivains. On notera d'ailleurs plusieurs éléments contradictoires : le mépris de l'art facile et le refus de l'esthétisme ; une interrogation poussée sur les conditions de l'art littéraire et le besoin de s'en évader ; l'appel au lecteur et le dédain — si ce n'est l'hostilité — envers le public ; la volonté d'objectivité et le recours à une subjectivité totale. Enfin, l'artiste revendique la « carte blanche » (Cocteau), c'est-à-dire le droit à une entière liberté, et en même temps il se soucie du *code* et de ses contraintes.

Cependant, pour insuffisant que soit le classement traditionnel par genres, nous le maintiendrons puisque aucune autre typologie ne s'est encore imposée[1].

Vers 1970, aucun grand courant littéraire ne se dessine, si ce n'est l'explosion d'une littérature fémi-

1. Le chapitre sur l'essayisme étudiera les conséquences de l'éclatement des genres littéraires.

niste qui cherche sa voie propre. Elle éclaire rétroactivement une production littéraire souvent laissée dans l'ombre par les critiques : le discours féminin. L'œuvre de Colette, celle de Simone de Beauvoir apparaissent sous un jour nouveau. Les noms de Marguerite Yourcenar, Simone Weil, Nathalie Sarraute, Marguerite Duras, Violette Leduc, Monique Wittig et Hélène Cixous sont des points de repère. Comme l'évolution des littératures francophones, ce mouvement met en évidence un fait essentiel. Telle l'étendue spatiale, l'espace littéraire n'est point un espace constitué une fois pour toutes. Lorsqu'on parle de la « mort du roman » ou de la « mort de la littérature », on fait abstraction de la fluidité de l'espace littéraire, de son extrême plasticité qui sans cesse fait apparaître de nouveaux groupements, dégage de nouvelles perspectives et, comme l'espace même que nous habitons, de nouvelles configurations.

CHAPITRE II

LE ROMAN

Un genre en pleine mutation

La guerre une fois finie, le public se montre avide de lectures et surtout de romans. Les années vingt voient un déferlement de talents, quelques-uns passagers, d'autres qui vont nourrir des œuvres pendant près d'un demi-siècle. Le grand massif romanesque de Proust sort de l'ombre. Avec *Les Faux-Monnayeurs* (1925) Gide parachève son œuvre. La génération qui avait débuté vers 1910 fait après la guerre une rentrée brillante : Mauriac, Morand, parfois Giraudoux, Julien Green, Duhamel, Martin du Gard. Recherchés et fraîchement démobilisés, les jeunes débutants connaissent une grande faveur. Montherlant, Drieu La Rochelle, puis Giono, Malraux et Bernanos, bien que plus âgés, font leur entrée. Avec deux romans, *Le Diable au corps* et *Le Bal du comte d'Orgel,* le jeune Radiguet connaît un fulgurant succès.

Aux environs de 1930, la crise économique et l'inquiétude politique mettent fin à ces jours fastes du roman. Parmi les diverses tendances qui caractérisent la production romanesque, certaines finissent par s'imposer au détriment des autres. Les années trente voient ainsi la publication de grands romans-fleuves à arrière-fond historique tels ceux de Jules Romains, Georges Duhamel, Roger Martin du Gard[1] ou la série d'œuvres dans lesquelles Louis Aragon évoque l'histoire des luttes ouvrières. Mais ce sont les romans de « la condition humaine », de Malraux, Céline ou Bernanos, qui expriment le plus clairement l'inquiétude de ces années ; ce qui importe au lecteur, c'est le contenu, non la structure du livre. C'est à ce courant que se rattachera le roman dit existentialiste, celui qu'illustrent les noms de Camus, Simone de Beauvoir et Sartre.

Après 1950, resurgissent certaines tendances du roman qui avaient été temporairement éclipsées. En guerre contre les soucis didactiques et métaphysiques du roman « existentialiste », des auteurs renouent avec le courant qui, depuis 1910, avait cherché à renouveler tous les arts. Les « nouveaux romanciers » font partie d'un mouvement plus ample et qui les dépasse de toutes parts.

Tous les grands romanciers qui s'imposent au cours des années vingt —, Proust, Gide, Thomas Mann, Virginia Woolf, plus tard Kafka et Faulkner —, veulent consciemment assouplir les formes romanesques héritées du XIXe siècle. Ils brisent le récit linéaire et chronologique ; ils multiplient les points de vue à l'intérieur du récit ; ils usent du monologue intérieur, mêlent les plans de la temporalité, juxtaposent des modes narratifs divers et cherchent des schémas de structuration autres que le développement de l'intrigue.

C'est au nom d'une plus grande vérité qu'ils mettent en doute les conventions du roman « réaliste ». Leur critique de l'esthétique romanesque porte sur l'adéquation entre la forme et ce qu'elle prétend représenter, non sur sa fonction essentielle

1. Pour les *Pasquier* de Duhamel et les *Thibault* de Martin du Gard on utilise parfois l'expression « chronique de famille ».

qui est d'éclairer ou de révéler la réalité. Cependant, le souffle iconoclaste de « l'Esprit nouveau » passe dans le roman. Dans *Le Cornet à dés*, Max Jacob parodie les procédés stylistiques des romanciers. Les quatre romans qu'il publie entre 1918 et 1924 — *Le Phanérogame, Le Terrain Bouchaballe, Flibuste ou la montre en or, L'Homme de chair et l'homme de reflet* — créent des fictions où la logique et les conventions du roman-bien-fait le cèdent aux jeux de l'imagination et du langage. Avec *Moravagine* (1926) et *Dan Yack*, Blaise Cendrars déroule des sortes de fresques épico-burlesques non sans analogie avec les scénarios pour film muet qui le fascinent. Dans ses huit romans — de *Suzanne et le Pacifique* (1921) à *Choix des élues* (1938) —, Giraudoux déleste l'histoire de son poids de réalité. L'intrigue n'est plus qu'une trame légère, une fiction manifeste et donnée pour telle, qui entraîne des personnages transparents dans des situations de fantaisie. Ce qui compte, c'est *l'attitude* du romancier devant son monde, sa confiance dans les pouvoirs du langage qui permet de communiquer, par sa texture même, une vision heureuse — mais non naïve — de l'existence. La conviction de Giraudoux, et sa thématique profonde, c'est que le langage façonne les relations avec soi-même, les autres et le monde : choisir son langage, c'est choisir son être et son destin. Il renverse ainsi les principes du réalisme et du naturalisme.

Giraudoux joue avec le langage, mais ne met pas en cause son pouvoir de conférer un sens à la vie et de le communiquer. Raymond Roussel, expérimentateur méconnu dont la carrière d'écrivain commence en 1897 pour se terminer en 1936 par la publication posthume de *Comment j'ai écrit certains de mes romans*, fait aujourd'hui figure de précurseur. Vidant soigneusement l'acte d'écrire de toute fin préétablie, il partait, explique-t-il, de stimulants extérieurs : un objet, souvent minuscule, comme l'étiquette d'une bouteille d'eau minérale *(La Source)* ; un mot comme

« billard » *(Impressions d'Afrique).* Ce premier motif, ou signe « générateur », oriente l'écriture vers une suite de mots, un texte né de phonèmes dépourvus de tout contexte autre que les associations phoniques ou graphiques : par paronomase, billard amène pillard et une suite de mots, « Les lettres du blanc sur les bandes du vieux billard », change complètement de sens grâce au remplacement d'une seule consonne par une autre. Les calembours, les mots portemanteaux et autres jeux de langage font partie du vieil arsenal littéraire, mais Roussel en use pour constituer un système autogénérateur d'un texte imprévu et sans signification autre que cette génération *(Locus Solus, Nouvelles Impressions d'Afrique).* Sur un plan purement lexical, Roussel illustre une autre direction de recherche qui affecte le roman : non point transformer les techniques pour rapprocher le récit des structures réelles de l'expérience, mais *créer des structures pour examiner ensuite quels aspects nouveaux elles révèlent.* Il annonce la direction que prendront, cinquante ans plus tard, les « néo-modernistes », c'est-à-dire les « nouveaux-nouveaux romanciers » — dont Jean Ricardou et Philippe Sollers.

Enfin, pour les surréalistes, c'est la nature même de la réalité que visait le romancier qui est mise en question. Le « réel » n'est pas donné ; on l'aborde difficilement par le rêve ou par l'automatisme, selon d'obscurs cheminements dans l'inconscient. Très brefs, mal connus, les récits surréalistes ne peuvent être réduits à un seul modèle, sauf en ceci : un « locuteur » suit un double dans les parcours imprévisibles et pourtant nécessaires que jalonnent des *signes,* des configurations qui échappent aux lois de la causalité et qui constituent des chaînes de signifiants sans signifiés. Ce n'est point le déploiement de l'histoire, avec un début, un milieu et une fin qui importe, mais l'apparition d'un plan énigmatique inscrit dans le champ du quotidien. *Nadja* de Breton en fournit un exemple bien connu : la rencontre par hasard d'un personnage ambigu (Nadja), prostituée, folle, voyante, révèle au locuteur (André Breton) la présence d'un réseau énigmatique de forces, d'un « champ magnétique » sur lequel, pourrait-on dire, Nadja est branchée. Le récit surréaliste constitue un champ de possibilités, et le personnage, inconnu à lui-même, est un nœud de relations virtuelles à déchiffrer. Le « Qui suis-je ? » qui ouvre le récit de Breton représente le leitmotiv des récits surréalistes. L'étrange entre en scène, et le « moi-il » étranger, fragmentaire, dialogue avec le « moi-je » du narrateur, déplaçant le personnage de roman. Le langage usuel devient problématique et la « réalité » en tant qu'elle est « surréalité » le dépasse.

Par là, « l'ère du soupçon » — selon l'expression de Nathalie Sarraute — s'annonçait.

Les romans expérimentaux se développent en marge du grand flot des livres contemporains, qu'ils affectent diversement, tandis que chaque romancier expérimente, avec plus ou moins de prudence, les nouveaux procédés narratifs. Dans l'ensemble, ils restent d'abord plus ou moins fidèles aux esthétiques du personnage, de l'intrigue et de la représentation. Ils supposent une réflexion sur les moyens que met en l'œuvre le romancier et la fin qu'il poursuit. Leur but a d'abord été de se débarrasser des codes et structures devenus stéréotypés ; puis dans le cadre de l'analyse linguistique et narratologique, ils distinguent les divers éléments du texte et leur fonction ; ensuite, poussant plus loin l'analyse, ils repèrent les liens implicites du langage avec le réseau plus vaste des codes et mythes sociaux, ou dégagent leur résonance psychanalytique. Une première ambition assez simple et en somme traditionnelle — on peut penser à Cervantès — était de *créer par le récit des structures nouvelles,* non pour *interpréter* la réalité, mais pour mettre en cause les structures inadéquates de la pensée non critique. A cette expérimentation des structures succède la méthode rousselienne de l'autogénération d'un récit qui se referme sur la *seule aventure de la plume* inscrivant des mots sur la page. A grand renfort de débats théoriques, l'attention s'est ainsi déplacée des problèmes plus ou moins complexes de représentation vers les schémas structurants, puis vers les associations et résonances qui s'éveillent dans le tissu verbal. Et parmi les théoriciens du texte expérimental, outre les émules de Queneau et le groupe Oulipo, dont l'activité est surtout ludique, on peut distinguer ceux qui, comme Butor, veulent élargir les cadres trop étroits de la culture occidentale, et singulièrement française, pour l'ouvrir aux nouveaux horizons qui sont ceux du monde actuel, et ceux qui, comme Ricardou et Sollers à ses débuts, cherchent à détruire les schèmes et mythes « bourgeois » lovés dans le langage, pour faciliter l'avènement de la « révolution » marxiste, but qui s'estompera peu à peu.

En marge des romans largement diffusés, Raymond Queneau et Louis-Ferdinand Céline publient tous deux à partir des années 30 leur premier roman *Le Chiendent* (1933) et *Voyage au bout de la nuit* (1932). Les deux véritables continents romanesques qui s'annoncent ainsi ne se situeront dans la perspective de l'histoire littéraire qu'après 1960. Il en est de même des œuvres de Maurice Blanchot, *Thomas l'Obscur* (1941) et *Aminabad* (1942). Antérieurs, deux textes de Georges Bataille, inconnus à l'époque, sauf d'un groupe d'initiés, *L'Anus solaire* (1927) et *Histoire de l'œil* (1928), ne révéleront leur virulence qu'une quarantaine d'années plus tard. Blanchot, Bataille et Queneau avaient tous trois participé à l'entreprise surréaliste à ses débuts. Plus humbles, *Tropismes* de Nathalie Sarraute (1938) et, publié à Londres en anglais, *Murphy* (1936), le premier roman d'un inconnu, Samuel Beckett, passaient aussi inaperçus. Pourtant, ces œuvres avaient en commun d'annoncer l'avenir.

Comme Céline,* Queneau s'attaque au langage littéraire. L'étude du chinois avait attiré son attention sur l'écart considérable qui existe en France — moins qu'en Chine il est vrai — entre langue littéraire et langue parlée. Il s'exerce à rompre l'emprise d'une langue prisonnière du déjà écrit. La lecture de Joyce, sa participation aux jeux surréalistes l'avaient rendu attentif au caractère linguistique des effets stylistiques, découverte qu'il illustre dans *Exercices de style* en donnant quatre-vingt-dix-neuf versions d'un même fait parfaitement futile. Queneau créa à son usage une langue qui utilise des mots d'argot, des néologismes, des mots-valises, des calembours et, ce qui est encore plus frappant, des transcriptions phonétiques et des formes syntaxiques du parler populaire. Le « doukipudonktan » de *Zazie dans le métro* en est l'exemple le plus célèbre. Cette langue est génératrice d'un comique verbal et fantaisiste dont Boris Vian notamment a tiré profit et qui chez lui aussi sert de contrepoint à une vision plutôt négative de l'humanité.

Céline a poursuivi de roman en roman une transformation du discours narratif en un véhicule dynamique — ce qu'il appelait des « rails » émotifs devant entraîner le lecteur dans le flux des émotions qui avaient au départ engendré le roman. Langage parlé, a-t-on dit ; plutôt langage savamment calculé pour imiter rythmes et tournures de la langue parlée. De plus en plus heurtée à partir de *Guignol's Band I*, ponctuée par l'usage des trois points qui en deviennent la marque personnelle, l'écriture de Céline passe de la scatologie à l'invective, puis au fantastique le plus délirant, par tous leurs intermédiaires. Le style célinien est l'outil de création d'une des œuvres les plus puissantes de notre temps, qui donne à une vision purement négative de l'époque et de l'humanité une dimension épique niant cette négativité. Comme Joyce, Céline obtient des effets parodiques en juxtaposant des styles « narratifs » jugés incompatibles, un procédé qui réapparaît chez Jean-Marie Le Clézio dont les romans créent, à partir d'un même déferlement du langage, de semblables fluctuations de niveau : passage du quotidien au lyrique, à l'épique, selon le diapason des émotions que les événements requièrent.

L'invention d'une *écriture* caractérise l'effort de Nathalie Sarraute dès *Tropismes.* Comment rendre le magma caché d'émotions, d'avances, de reculs, de refoulements qui naissent des contacts humains avant qu'une claire conscience ne profère ces paroles quotidiennes qui trahissent, plutôt qu'elles ne traduisent, le fond tourbillonnant et incertain dont elles émergent ? Supprimant peu à peu la désignation des personnages, les marques qui distinguent « il » d' « elle », « celui-ci » de « celui-là » et celles qui différencient la conversation des échanges non verbalisés qu'elle nomme « sous-conversations », Nathalie Sarraute traduit en un *bruissement* de langage continu les réseaux d'échanges, les féroces et burlesques micro-drames de la vie en société. Son texte est une sorte de transposition verbale, rythmique et musicale, des modalités d'une vie psychique collective, où se distinguent à peine des personnages et qui, d'un texte à l'autre, se déleste de toute intrigue.

La création d'un discours narratif propre au romancier et qui s'écarte des normes littéraires caractérise le roman moderniste. Dans certains cas comme ceux de Samuel Beckett et de Marguerite Duras, c'est lui seul qui donne à l'œuvre la cohérence que fournissait autrefois le déroulement de l'intrigue, obligeant le lecteur-critique à dégager la poétique propre de chaque œuvre, comme il était jusque-là habitué à le faire d'un poème.

Roquentin, l'anti-héros de *La Nausée*, de Sartre, découvre notamment qu'entre la réalité et la manière dont nous nous la représentons, il y a solution de continuité ; en particulier, la notion même d'*aventure* ou d'*histoire* relève non d'une expérience vécue mais de l'*organisation narrative*, effectuée après coup, de cette expérience. Ce faisant, Roquentin détruit l'axiome qui exigeait que l'histoire fictive fût modelée sur la façon dont les choses se passent en réalité. Comment donc structurer un roman ? Ce problème s'était posé à Gide, à Proust, à Thomas Mann ou à Virginia Woolf au début du siècle, mais c'est surtout Joyce qui inspire les nouvelles recherches structurelles.

En avril 1922, Valery Larbaud explique dans la *N.R.F.* la structure formelle d'*Ulysse* fondée sur des règles strictement observées ; chacun des dix-huit épisodes correspond à une heure de la journée, et à un organe du corps, pour ne citer que quelques corrélations. Dans *Bâtons, chiffres et lettres*, un volume de réflexions critiques, Queneau remercie les romanciers anglais et américains, Joyce surtout, de lui avoir appris qu'il y avait une technique du roman. Dès son premier ouvrage, *Le Chiendent*, il se propose des contraintes complexes, fondées par exemple sur les nombres : sept chapitres contenant treize sections dont la dernière a une fonction spéciale. Mais d'autres règles entrent encore en jeu — symétrie et « assonances », pourrait-on dire, des situations et des personnages se répondant comme des rimes dans un poème, cadres narratifs spécifiques : un épisode dialogué succède à un épisode en monologue intérieur que suit un échange de lettres. Cet effort est aussi celui de Robbe-Grillet — restriction du lieu, du temps, du thème, du motif *(La Jalousie, Dans le labyrinthe)* ; de Butor avec *Degrés* et de Jean Ricardou dans *La Prise/Prose de Constantinople*.

Les « *nouveaux romanciers* » n'ont jamais formé une école, pas même un groupe. Un jeune éditeur,

Jérôme Lindon, qui continue, après la Résistance, les Editions de Minuit, décide de ne publier que des ouvrages qui tranchent par leur originalité pour se distinguer des maisons d'édition établies. C'est ainsi qu'à partir de 1951, paraissent les œuvres de Samuel Beckett, Michel Butor, Claude Ollier, Robert Pinget, Alain Robbe-Grillet et Claude Simon. Deux textes théoriques, *L'Ere du soupçon* (1956) de Sarraute, et *Pour un nouveau roman* (1963) de Robbe-Grillet, expliquent après coup au public une pratique qui le déconcerte, pendant que dans ses *Essais critiques* (1964), Barthes se fait l'interprète de la nouvelle tendance. L'écriture de Beckett est une méditation solitaire sur les problèmes de la création littéraire. Et si, à leur début du moins, un certain air de famille rapproche Butor, Ollier et Robbe-Grillet, en revanche Sarraute et Pinget poursuivront en toute indépendance leurs recherches.

Ces romanciers ont le mérite de prendre conscience des questions que posent l'éclatement des formes romanesques et l'insuffisance des modèles qu'avait exploités la tradition ; ils dégagent des procédés techniques inédits et les mettent systématiquement en pratique dans la composition de leurs propres œuvres. Cependant ils ne rejettent pas la forme romanesque en général, et se réfèrent volontiers à leurs prédécesseurs : Balzac, Flaubert, Proust, Dostoïevski, Joyce et Woolf. Pour une seconde vague de « nouveaux romanciers », issue de la première et se rattachant à *Tel Quel*, la théorie prend franchement le pas sur la pratique. Une série de colloques et de publications — *Le Nouveau Roman, hier-aujourd'hui* (1971) — *Pour une théorie du Nouveau Roman* (1972) — *Problèmes du Nouveau Roman* (1973) — attirent entre 1970 et 1975 l'attention de la critique sur le travail de ces romanciers. Vers 1975, ceux-ci avaient créé une véritable mythologie : le nouveau roman devient une abstraction masquant l'irréductible particularité de tentatives diverses. Les imitateurs pullulent. Les innovations deviennent poncifs. D'autre part, en marge de ces débats théoriques, d'autres novateurs tentent une aventure parallèle : Marguerite Duras, Jean-Marie Le Clézio, Michel Tournier, à qui l'évolution de romanciers chevronnés comme Jean Giono et Louis Aragon doit peut-être quelque chose.

Il est aussi difficile d'évaluer la signification de ces tentatives pour renouveler l'art de la fiction que d'en peser le sens social. Et il est non moins délicat d'en dégager l'unité. De chaque œuvre il faudrait analyser en détail les structures, ce qui serait impossible dans le cadre de cette étude, d'autant plus que toutes suivent leur dynamique propre et que chaque romancier obéit à un principe de dépassement permanent.

Soigneusement prémédités, ces schémas structuraux sont très divers, et ils sont difficilement perçus par le lecteur. Ils transforment le roman en rébus dont le décodage devient l'affaire de ces lecteurs spécialisés que sont les critiques universitaires[1]. Les innovations techniques relèvent dans chaque cas de l'idée que se fait l'auteur de la fonction narrative. De ce point de vue, rien de commun, sauf la langue. Pour Butor, le texte est une quête : arrachée au passé, dispersée et fragmentée, la conscience moderne confronte un immense conglomérat hétérogène de phénomènes naturels, culturels, quotidiens tandis que les races, les cultures, le passé et le présent se juxtaposent dans l'espace. Ainsi, il s'agit de découvrir le réseau complexe de relations qui donne à cet ensemble une signification, alors que les anciens cadres de la culture française et occidentale ont éclaté. Le jeu des signes projetés sur la page — écriture, collages, jeux typographiques — a donc une fonction de révélation. « L'œuvre d'un individu, écrit Butor, est une sorte de nœud qui se produit à

1. Pour la discussion de l'œuvre de Beckett, Duras et Simon, on se reportera à la dernière section du livre.

l'intérieur d'un tissu culturel au sein duquel l'individu se trouve non pas plongé, mais apparu. » Il s'agit pour lui de déchiffrer ce tissu, et de rechercher le sens du continuum espace-temps où il est situé, son ouverture sur l'avenir. Tout texte devient une lecture globale et un voyage vers une totalité occultée; l'écriture est donc l'action par excellence et le livre digne de ce nom occupe dans notre civilisation une place centrale. Le langage décapé reprend sa fonction référentielle. Les textes de Butor se réfèrent à un monde « réel » extra-linguistique, historique et social, qu'ils veulent rendre intelligible. Chacun d'entre eux est à la fois un voyage dans le monde extérieur et un parcours spirituel. Les lieux « représentés » deviennent de plus en plus vastes — les Etats-Unis tout entiers *(Mobile)* — ou plus complexes — la basilique de Saint-Marc à Venise *(Description de San Marco)* —, et Butor abandonne tous les éléments romanesques autres que celui du rapport narrateur-objet-texte.

Il n'en est pas de même des romans de Robbe-Grillet. *Projet pour une révolution à New York* (1970) ne se contente pas de « lire » cet ensemble hétérogène — la ville de New York — pour en déchiffrer le sens humain. L'auteur part de quelques images obsessionnelles et mythiques que le nom de New York suffit à susciter : violence, crime, perversions, argent. Au moyen de juxtapositions, collages, parodies, répétitions, il crée un ensemble menaçant et imaginaire qui, selon lui, révèle les pulsions érotiques, sado-masochistes, qui hantent l'inconscient urbain, tant européen qu'américain. Démystifiant et parodique, le texte joue alors le rôle de catharsis. Pour Ricardou, fidèle au néo-positivisme marxiste, toute fiction doit démasquer sa propre « fictionnalité », le fonctionnement autonome et arbitraire du langage. Sollers cherche à mettre en scène le « drame » de la création littéraire, la lutte entre la pulsion érotique vers l'écriture et la résistance de l'ordre articulé du langage. Il s'agit d'ouvrir l'espace du langage à de nouvelles possibilités. Les structures initiales seront donc « violées », désarticulées, en contraste avec le rôle « structurant » qu'elles ont dans le texte de Butor. Et l'œuvre explosera en une sorte de polyphonie, dans les mille mouvements, simultanés et contradictoires, de la psyché.

Ces textes n'ont plus guère à voir avec ce que l'on entendait par « roman », au milieu du siècle ; mais ils suscitent une prise de conscience dont celui-ci peut bénéficier.

Les discussions sur le « roman » se polarisent en général autour d'un modèle de livre plus ou moins abstrait : le roman « réaliste » que dénonce André Breton, ou le roman « bourgeois » du critique marxiste Lukács, né selon lui, au XIXe siècle avec Balzac. En fait, la fiction narrative occupe un champ littéraire varié et indéfini, et relève de plusieurs longues traditions. Gide notait qu'il était sans loi. Dans son ouvrage intitulé *Roman des origines et origines du roman* (1972), Marthe Robert note son « impérialisme » tout en le nommant « genre indéfini ». En fait, puisque le roman se rattache à plusieurs traditions, le récit fictif est multiforme : de la littérature, le roman fait rigoureusement ce qu'il veut : rien ne l'empêche d'utiliser à ses propres fins la description, la narration, le drame, l'essai, le commentaire, le monologue, le discours ; ni d'être à son gré, tour à tour ou simultanément, fable, histoire, apologue, idylle, chronique, conte, épopée ; aucune prescription, aucune prohibition ne vient le limiter dans le choix d'un sujet, d'un décor, d'un temps, d'un espace ; le seul interdit auquel il se soumette en général, celui qui détermine sa vocation prosaïque, rien ne l'oblige à l'observer absolument ; il peut, s'il le juge à propos, contenir des poèmes ou simplement être « poétique ». La plupart des romanciers se sont pleinement arrogé ces prérogatives sans se soucier outre mesure de théoriser leurs pratiques. Ils s'accommodent des éléments, plusieurs fois centenaires, qui permettent de raconter une histoire : des personnages engagés dans une action qui se déroule de page en page.

Dans la période qui nous intéresse, c'est à la conquête de nouveaux territoires que les romanciers se lancent, adaptant à leurs fins les codes narratifs établis.

Tournant le dos au roman d'analyse, la génération d'après-guerre lui préfère le « roman d'aventures » que réclamait Jacques Rivière dès avant le conflit : les sports, les voyages, le décor « nouveau » des bars et des boîtes de nuit, l'érotisme, la guerre, l'exotisme sollicitent l'imagination des jeunes romanciers. Deux orientations conflictuelles dominent la production romanesque : d'une part, une certaine allégresse et une confiance devant la vie (Romains, Aragon, Giono, Bosco et Saint-Exupéry — et, plus modestement, après 1960, Sabatier) ; d'autre part, de plus en plus insistant, le sentiment du vide, de la déréliction de l'individu et sa révolte dans une société qui nie ses aspirations les plus profondes (Drieu, Nizan, Mauriac, Bernanos, Céline, Malraux, plus tard Duras). C'est selon cette ligne de partage de leurs œuvres que s'établiront les grands romanciers, et qu'ils échafauderont la dialectique personnage/monde qui donnera sa structure et son dynamisme à leurs mondes imaginaires.

Avant-coureurs, les brefs récits de Paul Morand, *Ouvert la nuit, Fermé la nuit, Bouddha vivant,* situés entre l'autobiographie, le grand reportage et la fiction, font défiler en des notations brèves et concrètes — et aux rythmes nouveaux des voyages en auto et bientôt en avion — une sorte de film où s'affrontent pacifiquement les pays et les civilisations. On n'oubliera pas, au début de *Rien que la terre* (1926) : « Le tour de la cage sera vite fait. Hugo, en 1930, écrirait : “ L’enfant demandera : — Puis-je courir aux Indes ? Et la mère répondra — Emporte ton goûter ”. » Le voyage, hors des cadres de la vie française, prendra toutes les formes et donnera naissance à plus d’une province de l’imaginaire quitte à fournir ensuite une thématique de la démystification.

Toute une thématique issue de la pensée surréaliste est axée sur les cheminements et modalités du rêve, grâce auxquels l’action et les personnages échappent à l’emprise de la réalité. Elle favorise des récits dont l’*ambiance* s’imprègne de poésie, d’angoisse, de mystère. La quête, le dépaysement, l’aventure insolite et inexpliquée, la transgression l’alimentent. Ainsi les romans et récits de Blanchot — une dizaine — de *Thomas l’Obscur* à *L’Attente, l’Oubli* — engagent des personnages obscurs qui, d’un roman à l’autre, se font de plus en plus anonymes, dans des quêtes elles aussi sans gloire. Des sites sans nom, des labyrinthes, des villes et des immeubles étranges prennent vaguement forme à leur approche. Dans ces romans, une mythologie secrète semble présider à ces rencontres, ces errances et ces échanges de paroles que rien n’explique. Ces romanciers annoncent la destruction d’une société dont la décadence perturbe une révolution sociale.

Le *roman d’aventures* en est renouvelé. L’œuvre de Julien Gracq — *Le Rivage des Syrtes* en particulier — se rattache à cette orientation, ainsi que celle de Henri Bosco (qui met, par exemple, en œuvre les traditions des Rose-Croix), d’André Dhôtel, de Henri Thomas. Les premiers romans de Robert Pinget, les histoires robustement érotiques de Pieyre de Mandiargues (qui parfois s’inspirent de l’astrologie) — *Le Lis de mer* (1956), *La Motocyclette* (1963) — en relèvent également. Le motif de la quête et du dépaysement organise le champ romanesque des années cinquante et soixante, animant par exemple les romans de Marguerite Duras. Le courant d'érotisme « sauvage » qui apparaît avec la consécration du marquis de Sade et après *Histoire de l'œil* de Georges Bataille, éclate dans des ouvrages comme *Orgueil anonyme*, de Henry Raynal, *Eden, Eden, Eden* de Guyotat, ou encore dans le libertinage plus cérébral qui inspire l'*Histoire d'O* (Pauline Réage, pseudonyme) et le sensualisme éclatant des textes de Monique Wittig (*Les Guérillères* et *Le Corps lesbien*).

A la suite des grands romanciers du XIXe siècle — Balzac, Tolstoï, Zola et Dostoïevski —, un groupe d'auteurs s'attache à évoquer les différentes couches de la société française, depuis les hors-la-loi de la « zone » parisienne que peint Carco ou les paysans de toutes les régions de France, jusqu'aux grandes familles semi-aristocratiques et terriennes, fermées sur elles-mêmes et séparées en clans étrangers les uns aux autres, comme celles que mettent en scène Jean Schlumberger dans *Saint-Saturnin* (1931) et Jacques de Lacretelle dans *Les Hauts-Ponts* (1932-1935). Les plus importants de ces romans sont inspirés par un sens très vif d'une transformation sociale et par une conscience nouvelle des rapports qui lient les comportements individuels aux structures sociales. Prenant comme protagoniste une femme, Annette Rivière, Romain Rolland rompt, dans *L'Ame enchantée* (1922-1933), avec l'optique sociale traditionnelle et dénonce une société bourgeoise dont l'inhumanité et l'égoïsme transformeront son héroïne en une militante marxiste révolutionnaire : la fresque sociale se fait politique. Bien plus violente, la génération précoce des années vingt — Aragon, Drieu La Rochelle, Paul Nizan — instruit le procès de la classe bourgeoise : mariages d'argent, femmes bornées ou vénales, familles désunies, malthusiennes, qui élèvent précautionneusement leurs rares enfants à l'écart de toute réalité ; enfants bourgeois, réduits à l'impuissance, pour qui le rêve remplace l'action ;

« rêveuse bourgeoisie » qui se perpétue en vivotant dans l'illusion, dévouée en paroles aux hautes vertus traditionnelles, mais en fait rongée par l'avarice et se traînant à la remorque des puissances d'argent. Lorsqu'ils appartiennent à la génération de 1885, c'est leur propre passé que scrutent les romanciers. L'image qu'ils proposent de la société et de son évolution relève d'idéologies plus ou moins conscientes. Dans les romans de la génération « de 1910 » — Duhamel, Romains — le thème de l'ascension sociale domine. Dans *la Chronique des Pasquier,* Georges Duhamel retrace la montée d'une famille petite-bourgeoise d'avant-guerre vers les professions libérales, artistiques et intellectuelles, au sein d'une société démocratique et foncièrement humaniste, soucieuse d'assurer la formation de nouvelles élites. Jules Romains, adoptant pour *Les Hommes de bonne volonté* une conception socialiste de type jauressien, se propose, après 1933, de décrire la transformation des conditions collectives de vie et de mœurs — plus libres, plus riches —, les nouvelles structures du monde moderne apparues entre 1908 et 1933 et les nouveaux types sociaux ainsi produits. Plus profondément pessimiste, Roger Martin du Gard montre dans *Les Thibault* la disparition avant-guerre d'un certain type de grands bourgeois catholiques et l'évolution des fils hors des cadres religieux vers les carrières scientifiques, ou la littérature et la révolte anarchisante, une fresque qui s'achève sur les conséquences destructrices de la guerre de 1914-1918 où sombre la famille presque tout entière.

Passant au communisme en 1930 et abandonnant dès lors le surréalisme, Aragon évoque dans un cycle de romans intitulé *Le monde réel* l'épopée du peuple ouvrier montant à l'assaut d'un monde capitaliste pourri. Son robuste optimisme, sa nouvelle chevalerie « ouvrière », fortement idéalisée selon les directives du « réalisme social » défini à Moscou, contraste avec les romans de Henry Poulaille où la « condition ouvrière » apparaît comme une sorte de symbole de la précaire « condition humaine » révélée dans toute sa nudité.

Le drame chrétien essentiel est celui du salut qui met en jeu des forces surnaturelles, ouvrant le roman aux cheminements inattendus et au mystère. S'appuyant sur une vision métaphysique et une ontologie structurées, le romancier chrétien se libère plus facilement des procédés narratifs conventionnels. Dans son roman autobiographique *Augustin ou le maître est là* (1932), l'histoire d'un lent cheminement vers le salut, Joseph Malègue est fidèle à l'esthétique du roman réaliste. Mauriac met en scène des personnages opaques et hallucinés (*Thérèse Desqueyroux*, 1922 ; *Génitrix*, 1923 ; *Le Nœud de vipères*, 1932), en proie à un destin dont ils méconnaissent la signification. Leurs drames se déroulent dans des décors chargés d'un intense symbolisme, ceux du Bordelais ou ceux de Paris, transformés au diapason de leur âme.

Héritier de Léon Bloy, Bernanos clame son horreur du monde moderne dans ses romans comme dans de virulents pamphlets qui ponctuent les événements politiques. En une vingtaine d'années, une demi-douzaine de livres — de *Sous le soleil de Satan* (1922) à *Monsieur Ouine* (1946) — décrivent un monde en proie au Mal et à la bestialité. Le Mal, pour Bernanos, n'a rien d'abstrait, c'est Satan, présent parmi nous qui transforme les êtres vivants en âmes mortes. Le héros du monde bernanosien est le prêtre, symbolisant l'homme chrétien qui dans une lutte à mort contre Satan doit lui arracher les âmes et les amener au salut. L'histoire de l'humble curé d'Ambricourt, le héros du *Journal d'un curé de campagne*, est de ce point de vue exemplaire. Souvent chaotique, violente et tourmentée, l'écriture de Bernanos déborde les codes de la fiction. Là où, chez Mauriac ou Green, le drame se noue autour de la notion de péché individuel —, et surtout de péché charnel —, pour Bernanos le drame est celui de la société désacralisée et privée de tout espoir de transcendance. La violence de ses romans traversés de crimes, de suicides, de viols, révèle la pulsion de mort qui selon lui entraîne le monde moderne vers sa perte. Sa prose tient ainsi de la prédication ou des imprécations des anciens prophètes ; l'auteur intervient sans hésiter dans sa fiction pour exhorter, dénoncer, interpréter, souvent au détriment du symbolisme onirique puissant de ses représentations. Cet univers fortement subjectif trouve son expression la plus pure dans la *Nouvelle Histoire de Mouchette.* C'est, nous dit Bernanos, le terrible gâchis des jeunes vies humaines pendant la guerre d'Espagne qui inspira ce bref récit. La sobre et hallucinante description de la destruction d'une enfant, prisonnière d'un monde brutal, trompée, violée, humiliée, se charge d'une puissante valeur symbolique. Elle traduit fidèlement l'angoisse de Bernanos devant la violence sans frein d'un monde qui ne cesse de répéter le massacre des saints Innocents. C'est cette assurance dans le mal que Bernanos tente de remettre en question au moyen des « étranges images » qui l'habitent et de la vérité dont il se sent le dépositaire.

Le visage chrétien de l'homme et le rassurant modèle psychologique d'avant 1914 s'éclipsent pour certains : il faut donc « réinventer » l'homme. Des écrivains s'en chargent, Malraux d'abord, mais après lui, Saint-Exupéry, Sartre et Camus. Le roman devient le banc d'essai de cette élaboration. Ce visage de l'homme, qui sort à peine de la glaise primordiale chez Beckett, se dérobe sans cesse devant les nouveaux romanciers ou devient objet de quête... Sur ces traces fuyantes renaît un mythe : le héros aux mille visages qui se perd ou se retrouve dans d'innombrables labyrinthes ou des voyages d'initiation, tel celui des romans de Malraux, de

Giono, d'Aragon, de Le Clézio, de Michel Tournier. C'est son visage aussi que scrute Marguerite Yourcenar, tel qu'à ses yeux il s'incarne dans les archives de l'histoire, avec l'empereur Hadrien ; ou dans la fiction, avec Zénon, homme des débuts de la Renaissance. Liés à une époque ces personnages singuliers sont vulnérables mais marqués au sceau de la lucidité et du courage, donc porteurs, aux yeux de Yourcenar, des plus hautes qualités humaines. C'est le monde actuel qui transparaît à travers ces reconstitutions, après avoir été instauré à sa place dans la fresque de l'histoire humaine.

Deux évolutions exemplaires : Jean Giono et Louis Aragon

L'œuvre de certains romanciers suit les méandres du siècle. De ce point de vue nous tiendrons pour exemplaires l'évolution de Giono et celle d'Aragon : Les modifications des structures narratives et des thèmes y sont étroitement liées aux répercussions des événements politiques qu'ont connus ces deux écrivains.

« Le Sud imaginaire » de Giono habite son écriture avec une telle intensité que nombre de ses lecteurs l'ont confondu avec le Manosque qu'il habitait ou le Contadour qui accueillait, pendant les années trente, un groupe acquis à ses idées : pacifisme et retour à la vie simple du monde préindustriel. Avec la *Trilogie de Pan* (*Colline*, *Un de Baumugnes* et *Regain*, 1928-1930) Giono atteint d'emblée un public qui partage sa révolte contre une civilisation responsable à ses yeux du gâchis de la guerre. Formé par la lecture de la Bible et d'Homère, et par les contes des veillées provençales, il introduit dans le roman les modalités du conte oral, transformant son pays provençal en un domaine semi-légendaire peuplé d'êtres à mi-chemin entre le paysannat et la poésie ; dans un décor de re-création du monde, Giono anime des scénarios et une action où reprennent place les valeurs simples et solides qu'il oppose aux mœurs d'une humanité selon lui décadente. Cet univers de début de monde, ses travaux et ses joies, ses peines aussi — amours, mort — relèvent de la vieille tradition utopique du retour à une nature primordiale où l'homme retrouverait le bonheur. Une seconde série de romans — *Le Chant du monde, Que ma joie demeure* et *Batailles dans la montagne* — se rapproche de l'épopée. Dans les deux cas, une seule voix génératrice, non située, conte de vastes événements qui n'ont d'autre garant qu'elle, mais dont Giono tire une éthique confondant le réel et l'imaginaire.

Par deux fois son pacifisme intégral rend Giono suspect au cours de la guerre : comme objecteur de conscience, puis comme prétendu collaborateur. Giono abandonne ensuite son rôle de guide moral. De la troisième série d'œuvres qui s'annonce en 1947, la voix affirmative, parfois messianique, du narrateur omniscient disparaît. Dans *les Chroniques,* auxquelles il travaille jusqu'à sa mort, le narrateur unique est remplacé par une multiplicité de narrateurs qui se relaient de volume en volume. Une sorte de mouvement de mémoire collective, rempli d'incertitudes, tisse en zigzag un texte où les personnages, les lieux, les événements et les époques se confondent ; vies mythiques, captives des mots, mais jamais immobilisées. Roman-charnière entre les deux versants de l'œuvre gionesque, *Le Hussard sur le toit* (1951) est un de ses meilleurs romans ; et les schémas narratifs des *Chroniques* annoncent les préoccupations du « nouveau roman ».

Vers la fin de sa longue et riche carrière littéraire, tout pour Louis Aragon devient roman. *Le Roman inachevé* (1956) est un recueil de poèmes ; romans aussi des textes qui échappent au classement : *Henri Matisse, roman* (1971) ; *Théâtre/roman* (1974) ;

« romance », sinon roman, un grand texte intitulé *Le Fou d'Elsa* (1963) où les formes les plus diverses — poèmes, lettres, narration — s'entrecroisent ; « roman » encore, selon Aragon, les réflexions critiques des *Incipit* (1970). C'est dire que tout discours est pour lui fiction. C'est en romancier qu'une cinquantaine d'années plus tôt, Aragon débutait avec *Anicet ou le panorama,* parodie des œuvres picaresques. Dans les limites de cet ouvrage, nous ne pouvons qu'indiquer brièvement les étapes parcourues et signaler l'importance de ce maître romancier pour qui notre époque est « le siècle du roman ».

Les premiers textes en prose d'Aragon relèvent des recherches surréalistes dont il ne reniera jamais les prémisses. Avec son entrée dans le Parti communiste, il passe au roman. Il adopte l'esthétique et les modes de narration préconisés par Jdanov, et s'en explique dans *Pour un réalisme socialiste* (1935). Un premier massif romanesque, celui du « Monde réel » (quatre romans et les cinq volumes des *Communistes,* roman inachevé), s'y conforme avec une verve exceptionnelle. Après la mort de Staline, une *Postface au Monde réel* annonçait la remise en question, non de la foi politique d'Aragon, mais de son esthétique. Amorcée avec *La Semaine sainte* (1958), une nouvelle étape s'affirme dans *La Mise à mort* (1965) et *Blanche ou l'oubli* (1967). Les rapports qu'entretiennent auteur, personnage et texte sont transformés. La problématique moderne de l'écriture apparaît. Ce n'est pas par hasard que le héros de *La Mise à mort,* Antoine, lui-même double de l'auteur, se dédouble, « homme virtuel » que son double insaisissable, Alfred, reflet dans un miroir, pousse à la folie. Miroir ou texte ne renvoie au romancier que des images virtuelles, remettant en question son existence même. Dans *Blanche ou l'oubli,* le personnage principal est un linguiste, né comme l'auteur le 3 octobre 1897, qui se confond avec lui et prend conscience « d'être dans les mots ». Aragon retrouve ainsi un des thèmes essentiels de la littérature de pointe. Et à travers ces personnages qui sont « dans les mots » se pose le problème du rapport du sujet et de son discours : « Qui suis-je ? Celui qui parle et ne peut se retenir de se nommer. » Pour Aragon, le « diseur d'histoire » est surtout celui qui continue néanmoins à dire « le grand rêve de tous qui ne peut avorter ». Le romancier retrouve ainsi le projet surréaliste de ses débuts et le mouvement d'ensemble d'une période qui, reprenant les thèmes romantiques, cherche souvent à les collectiviser.

Contes et nouvelles

La ligne de démarcation qui existe entre le roman et la nouvelle, entre celle-ci et le conte est difficile à préciser. De nombreux récits ou textes brefs (les textes de Marguerite Duras les plus récents ; *Comment c'est* et *Le Dépeupleur* de Samuel Beckett ; les *Instantanés* de Robbe-Grillet ; les œuvres surréalistes) compliquent cette question d'une définition. Comme le signale René Godenne (*La Nouvelle française*, P.U.F., 1974), qui tente de dégager la spécificité structurale du genre, une certaine confusion règne aussi depuis le XIXe siècle, dans l'usage des termes « conte » et « nouvelle ». Il en va de même pour « récit ». Mais au XXe siècle le mot *conte* désigne en général un court récit où des éléments fantastiques entrent en jeu. Les recueils de contes se font rares et s'adressent souvent aux enfants : les *Contes du chat perché* de Marcel Aymé, les contes d'André Dhôtel et même, quoique ce ne soit pas le cas pour le conte qui donne son titre au recueil, *L'Enfant de la haute mer et autres contes* de Supervielle. Mais les conteurs les plus brillants sont sans doute les Africains francophones qui s'inspirent d'une littérature orale séculaire transmise par les « griots ». Désormais classiques sont les recueils de contes de Birago Diop, l'un des meilleurs parmi les écrivains sénégalais, qui a recueilli les contes d'un griot attaché à sa famille, Amadou, fils de Koumba, lui aussi griot. *Les Contes d'Amadou Koumba, Les Nouveaux Contes d'Amadou Koumba,* et *Contes et Lavannes* renouvellent un genre traditionnel. D'autres conteurs moins connus, les Camerounais Jacques-Marcel Nzouaïnkeu et Benjamin Matip ainsi que le Sénégalais Ousmane Socé ont su, comme Diop, faire passer dans la langue française le charme et la poésie de ces histoires d'un autre monde qui enrichissent le domaine de l'imaginaire où le conte puise ses ressources.

La *nouvelle* a tenté un plus grand nombre d'écrivains, mais reste un genre mineur assez proche encore des formes qu'elle a prises au XIXe siècle. Godenne distingue la « nouvelle-histoire », qui est concentrée sur un seul épisode, de la « nouvelle-instant » qui, à l'instar de Tchékov et de Katherine Mansfield, évoque l'ambiance d'un moment. Il constate la préférence du nouvelliste du XXe siècle pour la nouvelle-instant. De nombreux écrivains, par ailleurs connus, ont été tentés par ce genre qui s'avère très souple. La critique intègre en général les nouvelles à l'ensemble des œuvres d'un auteur, plutôt que de les traiter en genre séparé (*Le Mur* de Sartre ; *L'Exil et le Royaume* de Camus). Trois nouvellistes, Marcel Aymé, Georges Simenon et Marcel Arland se distinguent dans un genre qu'illustre aussi l'apport peu commenté de Larbaud, Morand, Mauriac, Giono, Bernanos, Jouhandeau, Jacques Perret, Pieyre de Mandiargues, Boris Vian, Marguerite Yourcenar et Françoise Mallet-Joris, parmi tant d'autres.

Des six recueils de nouvelles de Marcel Aymé, *Le Passe-muraille* et *Le Vin de Paris* sont les plus connus. Combinant le récit-anecdote, la satire et l'invention cocasse, Aymé part de situations quotidiennes soigneusement observées — marché noir, rationnement — pour passer du réel au fantastique sans modifier le ton raisonnable du récit. Georges Simenon a groupé autour du commissaire de police Maigret les quelque soixante-dix volumes de nouvelles qui constituent autant de classiques du roman policier, mais appartiennent au domaine littéraire par la qualité de l'imagination psychologique et de l'écriture. Le seul auteur de fiction qui soit presque exclusivement nouvelliste, Marcel Arland, illustre, avec plus d'une centaine de nouvelles à son actif, les diverses modalités d'un genre trop souvent traité en parent pauvre du roman.

Autobiographie, mémoires et journaux intimes

Dès le XVIIIe siècle, avec l'essor de ce que l'on a nommé la « prose d'idées », mais surtout à partir du romantisme, se sont développés en marge des genres établis des écrits en prose, souvent considérés comme mineurs. Rompant avec le souci mimétique et le formalisme générique, ils correspondent à l'intrusion massive du « moi-je » dans le champ littéraire. Ils se soucient avant tout d'*expressivité* et tendent en fait à dominer le champ littéraire du dernier demi-siècle, favorisés sans aucun doute par le souci existentialiste du témoignage et du document psychologique : autobiographies, mémoires, confessions, essais intimes.

Il n'est guère d'écrivains qui n'aient participé à cette littérature dite intime, dont la pratique gidienne constitue un exemple éclatant. La liste serait longue qui comprend, entre autres, François et Claude Mauriac, Alain, Julien Benda, Gabriel Marcel, Georges Duhamel, André Maurois, Francis Carco, Jean Guéhenno, Claude Lévi-Strauss, Henri Bosco, Pierre Emmanuel, Violette Leduc, François Nourissier, Georges Simenon ; et, avec plus de notoriété encore, *Les Mots* de Sartre, Simone de Beauvoir et ses quatre volumes de mémoires ou Malraux avec ses

Anti-Mémoires. D'où l'effort de prospection et de définition critique récemment entrepris, dont témoignent les livres d'Alain Girard, *Le Journal intime* (1959), et de Philippe Lejeune, *L'Autobiographie en France* (1971).

Les lignes de démarcation séparant l'autobiographie de la fiction restent néanmoins floues. Les écrits autobiographiques en prose de Cendrars — *L'Homme foudroyé, La Main coupée, Bourlinguer* — créent un double de l'auteur et de son monde aussi mythiques que ses longs poèmes-voyages ou ses romans. Marcel Jouhandeau s'est à peine déguisé dans ses récits fictifs sous les trois personnages autour desquels s'organise successivement la narration : l'enfant Théophile, l'adolescent Juste Binche, Monsieur Godeau. Il crée par ailleurs d'autres miroirs de lui-même dans son *Mémorial* (six volumes autobiographiques) et, depuis 1961, publie son journal intime, *Journalier,* sans guère modifier son écriture ou ses propos. Le cas le plus flagrant est celui de Jean Genet qui, publiant son autobiographie, le *Journal du voleur,* définit nettement son intention : donner la dimension du mythe aux vies « immondes » des personnages déchus qu'il célèbre en même temps qu'il crée sa propre légende. Et c'est sa propre légende de paria qu'il dresse face aux « honnêtes gens » dans les quatre romans qui ont établi son succès d'écrivain : *Notre-Dame-des-Fleurs, Miracle de la Rose, Pompes funèbres, Querelle de Brest.*

Le rapport est étroit aussi entre *Les Mandarins,* roman de Simone de Beauvoir, et ses mémoires qui passent insensiblement de l'autobiographie à la chronique et absorbent des fragments de journal. Sartre lui aussi a glissé dans son roman *La Nausée* des pages de son journal et l'enchevêtrement des modes d'expression de cette prolifique littérature intime peut dans une certaine mesure expliquer l'austérité avec laquelle d'autres écrivains bannissent le « moi-je » de leurs écrits.

La « zone off-limits » : au-delà des frontières

La « zone off-limits » dont parle Michel Leiris se situe au-delà de toute classification et correspond à des tentatives qu'illustre la démarche de deux écrivains : Georges Bataille et Leiris lui-même. Tous deux appartiennent à la génération turbulente née entre 1895 et 1905 ; tous deux passent par le surréalisme, puis se tournent vers l'ethnologie, Leiris poursuivant en Afrique ses recherches d'ethnologie, Bataille se plongeant dans l'étude de Sade, Hegel et Nietzsche. Tous deux sont influencés par Freud et explorent les diverses formes de la pensée orientale. Tous deux s'intéressent profondément aux arts, surtout à la peinture. Cette configuration n'est pas exceptionnelle parmi les écrivains d'une génération qui n'adhére plus aux cadres culturels officiels que la guerre avait ébranlés, cadres néanmoins intériorisés et qu'ils cherchent à dépasser. Pour déboucher dans cette « zone off-limits » de l'expérience, il leur faut donc se faire violence. La transgression est un thème qui leur est commun, et le refus de tout système qui organiserait *a priori* leurs écrits.

Les textes de Georges Bataille échappent à toute notion consacrée de littérature, les frontières entre le littéraire et le non-littéraire (scatologie, pornographie, économie politique) sont effacées ; le texte présente des phrases incomplètes, des blancs, se jette *in media res,* propose des fragments de récit, d'autobiographie, de poèmes qui passent d'un écrit à l'autre. D'autre part, dès l'*Histoire de l'œil,* l'outrance des phantasmes érotiques et scatologiques qui s'y réalisent et leur incongruité perturbent le lecteur averti qui sent que la figuration — personnages et épisodes — se réfère à un au-delà impossible à saisir. Monstrueux en termes de raison quotidienne, le récit semble une sorte de « Koan » bouddhiste exorbitant. Bataille absorbe dans son discours — qui les dissout

— des modalités littéraires disparates et se situe en effet « hors d'orbite », dans des régions de l'expérience psychique que le langage ne peut pas atteindre mais seulement *mimer :* vide de la mort, folie, horreur et excès où l'homme de chair confronte sa figure mythique sacralisée. C'est la prescience de ce non-moi, ce non-dicible, cet impossible, cette non-forme, dont il veut traduire l'expérience intérieure par une autre non-forme.

L'entreprise de Leiris est d'une autre sorte. Elle se situe au niveau de la vie quotidienne et se présente comme une recherche autobiographique. Dans sa postface (1946) à *L'Age d'homme* (1939), point de départ de cette recherche, il situe son projet parmi les manifestations de la littérature intime dont il souligne la pléthore. Il l'en distingue par le souci de combiner le plus strict respect de l'exactitude documentaire avec la recherche d'une forme qui établirait un genre littéraire sans précédent, en dehors de tout chemin reconnu, genre selon lui *majeur* et seul authentique aujourd'hui. Il en définit les règles dans un texte « La Littérature considérée comme tauromachie ». Cérémonial public, rituel, l'exercice de la littérature doit engager l'écrivain dans un combat dangereux, un jeu stylisé dont il doit respecter les règles. Leiris s'est donné pour règle de composition de noter avec une méticuleuse précision les éléments de son expérience psychique. De *L'Age d'homme* à *Biffures, Fourbis, Fibrilles, Frêle Bruit*, le récit autobiographique se fragmente ; les souvenirs, anecdotes, rêves, impressions disparates se juxtaposent et ne s'expliquent pas. Les textes apparaissent alors comme des sortes d'hiéroglyphes dont le code syntaxique manquerait.

A cette tentative de déborder les genres établis, on serait tenté de rattacher Michaux, Artaud, peut-être le Butor de textes comme *Où*, le Sollers de *Paradis* aussi, et enfin, quoique de plus loin, Beckett et le Céline des dernières années.

Dans une étude technique et théorique intitulée *Texte du roman* (1970), Julia Kristeva concluait à la « position névralgique » de ce genre « dans notre culture ». Cette conclusion pourrait s'étendre à toutes les formes de narration qui occupent le champ littéraire. Rien ne semble justifier de ce point de vue le thème réitéré de la « mort du roman ». Vers la fin de notre époque, un nouveau groupe de romanciers, ne reconnaissant point de zone off-limits et peu contraints par la théorie ou les limites anciennes du genre, lancent le roman en plein dans le mythe, le mythe issu du monde moderne. En 1980, *Désert*, de Le Clézio, souligne la présence dynamique d'un romancier qui, depuis *Le Procès-Verbal* (1963), n'a pas cessé d'accumuler de puissantes œuvres lyrico-épiques et satiriques tandis que la publication par Michel Tournier de *Gaspard, Melchior et Balthazar* consacre une réputation que *Météores* avait déjà établie.

CHAPITRE III

LA POÉSIE

DE tous les domaines littéraires, celui de la poésie est le plus difficile à cerner, dans ses assises socio-historiques comme dans ses tendances, configurations et polarités. La poésie vit dans d'innombrables petites revues, souvent éphémères, dans des rencontres de poètes, des groupes temporaires dont, depuis quelques années seulement, le *Centre d'information et de coordination des revues de poésie* fait régulièrement le bilan. Mais elle vit aussi dans les œuvres qui se poursuivent, de recueil en recueil, parfois pendant un demi-siècle et épousent le mouvement intérieur d'un poète et les modifications de sa poétique. Tout auteur se cherche d'abord à travers ses prédécesseurs, dont il doit détruire le langage pour dégager le sien propre ; et cependant il est rare qu'il ne trouve pas dès ses premiers poèmes le ton qui parcourra son œuvre entière. Nous ne pourrons ici qu'entamer l'étude requise pour dégager ces différents visages de la poésie et la démarche de chaque poète qui sollicite notre intérêt.

En second lieu, à partir du moment où l'on a « touché au vers » (Mallarmé), à la fin du XIXe siècle, la notion même de poésie et celle de poème n'ont pas cessé de s'élargir. Le surréalisme séparait le concept de poésie de toute association avec des formes de versification traditionnelle. Pour un certain nombre d'écrivains, comme Bataille, le mot « poésie » désigne tout texte qui échappe aux conventions des genres établis. Le poème en prose, genre plus que centenaire, prend des formes nouvelles. Ainsi, les textes de Francis Ponge, de Henri Michaux et ceux de Butor à partir de *Mobile* où les formes linguistiques comptent moins que le réseau de relations établies par un assemblage de mots dont les structures sonores importent peu ; ainsi, les derniers textes de Marguerite Duras dont les structures rythmiques sont au contraire le mode d'expression dominant, et les œuvres de Sollers — surtout *Paradis* — qui, selon Alain Bosquet, ont effacé toute distinction générale entre la « prose » et la « poésie ».

Si le panorama poétique est assez clairement dessiné jusqu'aux environs de 1950, il n'en est plus de même dans les années qui ont suivi. Dans son *Dictionnaire de la poésie française contemporaine* (1968), Jean Rousselot signale 749 poètes vivants. Au cours des années 70 plusieurs anthologies, composées par des poètes, répondent au besoin de jeter quelque lumière sur ce foisonnement et d'assurer à la poésie une audience qui lui manque : Dans *Le Livre d'or de la poésie française 1940-1960* (2 vol.), Pierre Seghers présente par ordre alphabétique 265 poètes, et refuse tout classement. La vaste anthologie (500 pages) de Serge Brindeau, *La Poésie contemporaine de langue française depuis 1945* (1973), s'organise selon des critères très généraux ; celle de Bernard Delvaille, *La Nouvelle Poésie française* (1974), se limite à une génération et recense une centaine de poètes de « moins de quarante ans ». En 1980, l'anthologie d'Alain Bosquet, *La Poésie française depuis 1950,* indique succinctement certaines des orientations que l'on peut discerner dans l'abondance des œuvres individuelles.

Un consensus fondé sur des arguments divers fait

donc de la décennie 1940-1950 l'un des moments critiques de l'histoire de la poésie. Pierre Seghers l'attribue à une prise de conscience qui, sous le choc des événements de 1940, met en question les principes de la poétique surréaliste. « C'est en 1950, affirme-t-il, en corollaire de l'existentialisme et de concert avec l'avènement du nouveau roman que notre poésie franchit une étape capitale. » Celle-ci serait marquée par un clivage entre les « laborantins » et les « poètes ». La recherche des premiers porterait uniquement sur le fonctionnement du langage lui-même, dont il s'agit de dépasser les structures établies, tandis que les poètes reprendraient à leur compte la grande aventure poétique plusieurs fois centenaire, la mise en présence du moi et du monde par le truchement d'un langage qui les fonde tous deux. Deux tendances qui seraient « irréconciliables ».

Dans le cadre plus nettement délimité, mais essentiel, de la prosodie française, Jacques Roubaud voit aussi 1950 comme un moment critique. Son essai, *La Vieillesse d'Alexandre* (1978 ; Alexandre désignant ce héros de la prosodie française, l'alexandrin), suit la lente institution et la stricte réglementation de la poésie française ; puis sa mise en question par le « vers libre ». Tout en bannissant l'alexandrin et en attaquant à travers lui les autres formes traditionnelles, en utilisant le vers « non compté », « non mesuré » et sans rime, les surréalistes ne remettent pas en cause la notion même du « vers », marque distinctive de la poésie par rapport à la prose ; ils tirent parti de résonances multiples qui accordent leurs poèmes à tout un arrière-plan de rythmes, d'usages typographiques ou syntaxiques où les lecteurs reconnaissent les « signes » propres au discours poétique. Ce vers et ces associations, c'est, selon Roubaud, ce que les poètes s'acharnent à détruire par tous les moyens. Ils créent donc des poèmes et des « non-vers », dissolvant la continuité du poème, sa cohérence rythmique et syntaxique, sa mesure de « signifiance », pour aboutir, dans certains cas, à une sorte de mépris rageur devant la poésie elle-même.

Il n'est pas étonnant que les problèmes soulevés par la linguistique aient troublé les poètes souvent conscients jusqu'à l'angoisse des ambiguïtés du langage qu'ils manipulent et des pièges de la rhétorique. Mais il semble bien qu'au cours des années soixante, la linguistique elle-même revienne sur nombre d'hypothèses hasardeuses pour souligner la puissance de communication et d'évocation du langage, et la part de continuité qui est la condition même des possibilités d'innovation pour l'individu qui en use. Il se peut que de ce point de vue la révolte contre le « déjà-dit » et le « déjà-entendu » atteigne sa limite. Que pour quelques-uns vienne le moment du « silence » ne suffit pas à condamner chacun au mutisme.

Nous avons noté ailleurs les innovations techniques qui, dès avant 1914, tentent d'arracher le poème à la linéarité puis à la page, en en transformant la disposition typographique ou en proposant un développement purement phonique (spatialisme de Pierre Garnier, lettrisme d'Isidore Isou, poésie phonétique d'Henri Chopin), ou encore en entreprenant depuis Dada d'en subvertir la syntaxe. Nous ne reviendrons guère là-dessus dans cette section. En ce qui concerne les questions techniques de versification, nous renvoyons le lecteur à notre bibliographie et plus particulièrement aux travaux de Th. Elwert, *Traité de versification française des origines à nos jours* (1965), et au volume édité par Monique Parent, *Le Vers français au XX*e *siècle* (1967). Pour « libérée » que soit la versification contemporaine, la majeure partie de la production poétique, comme l'indique aussi Roubaud, ne s'écarte pas autant des structures traditionnelles du poème qu'un siècle et demi de révolte contre leurs contraintes semblerait l'indiquer : « Les innovations modernes — conclut

Elwert — sont syntaxiques et stylistiques, voire graphiques, mais non métriques. »

Nous ne pouvons dans les limites de cet ouvrage rendre compte des caractéristiques de chacun des poètes que nous citons et nous contentons donc de signaler dans notre bibliographie les principaux ouvrages critiques qui leur sont consacrés.

C'est un bref tableau d'ensemble que nous présentons. Sans être exhaustif, il permettra de situer les générations successives de poètes. Nous souhaitons que chaque lecteur le complète par et pour lui-même.

Tour d'horizon : les générations poétiques

En 1920, la scène poétique est confuse ; le chef de file de l'avant-garde, Apollinaire, est mort. Nombre de poètes, qui écrivaient avant 1914, passent au roman, genre qui atteint le grand public (Romains, Duhamel, Morand, Cendrars). Valéry et Claudel seront pour les Français les deux grands poètes contemporains, tous deux héritiers du XIXe siècle : Claudel, du grand lyrisme hugolien et de Rimbaud ; Valéry, de Baudelaire et de Mallarmé. Ils prolongent la tradition poétique des romantiques. Valéry distinguait à juste titre dans la « sphère poétique » d'entre les deux guerres la « résonance » de l'œuvre de Baudelaire. Mais la grande rhétorique du lyrisme romantique transmise par Claudel reparaîtra aussi. Et l'on pourra de plus détecter, de génération en génération, une polarisation prosodique entre le verset claudélien et les formes fixes que cultive Valéry.

La poésie qu'incarne Apollinaire, lui-même issu de Baudelaire directement ou *via* Laforgue et Rimbaud, domine la scène littéraire : Max Jacob, Pierre

Reverdy, Blaise Cendrars, présences actives dans le champ littéraire de l'après-guerre, en illustrent les trois orientations. Modernistes et futuristes, ces poètes veulent à la suite d'Apollinaire faire entrer la poésie française dans le tourbillon du xxe siècle et arracher le poème à la métaphysique symboliste comme aux préoccupations humanitaires de Jules Romains et des poètes de l'Abbaye. Démystificateur, Max Jacob exploite les ressources souvent cocasses du langage en liberté, contestant par l'absurde le bien-fondé de la rhétorique poétique ; Cendrars tente de traduire les rythmes et la beauté du monde moderne (*Du monde entier; Au cœur du monde*) et leurs réverbérations dans la conscience du poète (« Tout est couleur, mouvement, explosion, lumière. ») Grâce à la vitesse cinétique du déroulement d'impressions, de sensations, de souvenirs enchevêtrés, la continuité d'un poème de Cendrars est créée, comme celle des poèmes-promenades d'Apollinaire, par un effet de déplacement spatial dû à la succession rapide des impressions entraînées selon un rythme qui semble improvisé. Plus proche de Mallarmé par la concentration du langage, Pierre Reverdy s'éloigne du dualisme symboliste (images-idées ; monde physique-monde mental ; poème-réalité, métaphysique). Il lie en configurations d'images des éléments disparates auxquels une perception intense — souvent d'attente, de prémonition de désastre — donne leur unité, révélant une présence non dite au centre vide du poème dont le moi du poète semble absent.

Ces tendances contradictoires coexistent et s'enchevêtrent dans le tourbillon poétique du dernier demi-siècle : l'esthétique de la cohérence, de l'unité et de l'harmonie du poème et l'anti-esthétique de la surprise et de la disparate ; la fidélité aux formes traditionnelles et la contestation de leur efficacité ; le grand lyrisme de célébration et d'harmonie avec la création (Claudel) ; le poème orphique de la descente intérieure et du chaos maîtrisé dans la lente composition du chant (Valéry) ; et le poème de l'incomplétude, de la rapidité des perceptions et de la réalité inépuisée (Cendrars). Le « je » du discours poétique est abandonné (Reverdy), ou s'objective (Valéry), ou s'affuble de mille masques souvent dérisoires (Jacob), quand il ne s'affirme pas (Cendrars) ; le poème peut se présenter comme une entité maîtrisée ou un déroulement fragmentaire. Le culte de la perfection formelle est tenu comme seule justification de l'activité du poète-artisan (Valéry) ; le poète se veut prospecteur de l'informe aux frontières du champ culturel (Apollinaire)...

Si, vers 1950, il a pu sembler aux contemporains que Valéry et Claudel appartenaient désormais à une époque poétique close, l'examen rétrospectif de la situation poétique qui se dessine dans les années cinquante ne confirme pas entièrement ce jugement.

Par trois fois, les événements politiques ont influencé le panorama poétique. Ainsi une continuité profonde s'est trouvée éclipsée par des manifestations plus immédiatement apparentes. A partir de 1920, l'immédiat après-guerre a mis en vedette un groupe de poètes précoces — les surréalistes — aux dépens de leurs aînés. La Seconde Guerre mondiale a quant à elle favorisé une réaction qui creuse un abîme entre les poètes tandis que le recours à une thématique de l'événement national s'accompagne parfois d'un retour aux formes traditionnelles. A son tour, 1968 suscitera une poésie de révolte et de contestation. Et, c'est ainsi qu'à gros traits, émergent quatre générations successives de poètes dont les œuvres jalonnent ce demi-siècle.

Nés entre 1884 et 1887, quatre poètes — Pierre Jean Jouve, Saint-John Perse, Jules Supervielle et Pierre Reverdy —, publient leurs premiers grands recueils aux environs de 1925 : *Les Mystérieuses Noces* (Jouve, 1925), *Anabase* (Perse, 1924), *Gravitations* (Supervielle, 1925), et *Les Epaves du ciel*

(Reverdy, 1924). Jouve et Supervielle sont des auteurs d'une abondance lyrique ininterrompue, au cours d'une longue vie. Après *Anabase,* Perse restera silencieux jusqu'en 1942 par égard pour sa carrière de diplomate ; alors, grâce à une série de grands poèmes lyriques, il prendra rang, en une vingtaine d'années, parmi les auteurs majeurs de l'époque. Poète de moindre envergure et de la parole rare, Reverdy fait contraste avec ses trois contemporains.

La génération née au tournant du siècle, entre 1895 et 1903, est constituée de novateurs. Outre les poètes associés à Dada et au surréalisme, Tzara, Eluard, Breton, Aragon, Desnos, Péret, et un peu plus tard Char, elle présente des figures originales et indépendantes : Antonin Artaud, Raymond Queneau, Jean Tardieu, le populaire Jacques Prévert et enfin deux poètes plus profondément novateurs encore, Henri Michaux et Francis Ponge.

Ces auteurs trouvent chacun leur voie dès les très riches années vingt avec *De nos oiseaux* (Tzara, 1923) ; *Mourir de ne pas mourir* et *Capitale de la douleur* (Eluard, 1924, 1926) ; *Clair de Terre* et *Poisson soluble* (Breton, 1923, 1924) ; *La Liberté ou l'amour* (Desnos, 1927) ; *Le Grand Jeu* (Péret, 1928). Char débute en 1928 avec *Les Cloches sur le cœur.* Si *L'Ombilic des limbes* et *Le Pèse-Nerfs* (1925, 1927) leur sont contemporains, Artaud ne se verra reconnu comme poète que vers les années soixante ; Michaux, dont l'originalité s'affirme avec *Mes propriétés* (1929), n'est vraiment découvert que dans les années quarante, au moment où s'impose Ponge, dont en 1926 les *Douze Petits Ecrits* avaient signalé la présence. Ce recueil est la première manifestation d'une entreprise poétique unique et longuement mûrie qui fera de lui, un quart de siècle plus tard, aux yeux de *Tel Quel,* l'exemplaire poète d'avant-garde. Ce n'est que beaucoup plus tard avec *Les Ziaux* (1943) et *Monsieur, Monsieur* (1951) que Queneau et Tardieu prendront respectivement rang parmi les poètes de cette étonnante génération. A quelques exceptions près — Artaud, Péret, Michaux et Ponge —, ces poètes abandonneront presque tous la bruyante révolte contre la prosodie classique et useront souvent de formes fixes à syntaxe précise et au langage limpide.

Une génération approximativement née entre 1920 et 1925 prend la parole à partir de 1950. Dans son *Anthologie de la poésie nouvelle*, Jean Paris signale en 1956 leur présence et tente de définir leur physionomie, singulièrement différente de celle des nouveaux romanciers. Il s'agit de poètes, encore vivants aujourd'hui, qui ont récusé dans l'ensemble le côté antilittéraire de la poétique surréaliste et se situent dans la tradition lyrique romantique. On retrouve chez eux soit les rythmes hugoliens, soit la recherche mallarméenne d'un langage poétique condensé.

Ces poètes renouent consciemment avec une tradition à l'*intérieur* de laquelle ils cherchent un langage nouveau, comme leurs aînés du premier groupe. Entre eux et les surréalistes, s'interposent des poètes indépendants de grande valeur, soit sortis d'un surréalisme qu'ils ont dépassé sans le renier, soit puisant à d'autres sources — bibliques dans le cas de Jean Grosjean et de Patrice de La Tour du Pin ou comme pour Pierre Emmanuel en suivant l'exemple de Pierre Jean Jouve. Chez eux, on rencontre une même sorte de polarisation que dans le premier groupe, entre l'ampleur verbale du discours poétique — Jacques Charpier, Jean Laude, Charles Le Quintrec, Jean-Claude Renard, Robert Sabatier, Claude Vigée — et la tendance à la densité verbale — Edith Boissonnas, André Marissel, Robert Marteau; André du Bouchet pousse cette tendance à sa limite. Une telle densité verbale renvoie tout aussi bien aux poètes baroques comme Sponde qu'à Baudelaire, Mallarmé ou Reverdy. Un poète de cette génération, J.-P. Faye, annonce en 1960 une nouvelle orientation.

La génération des poètes nés dans les années trente et qui débutent aux environs de 1955 trouve sa voie vers 1960. Parmi eux, signalons Marc Alyn, Michel Deguy, Yvonne Caroutch, Pierre Oster, Marcelin Pleynet, Denis Roche et Jacques Roubaud. Cette génération se scinde en deux. D'une part, les poètes comme Alyn, Caroutch, Deguy et Oster, qui ne cherchent pas à s'écarter de la tradition prosodique mais à renouveler le langage du poème ou sa thématique ; et les poètes de la recherche formelle comme Pleynet, Roche et Roubaud, qui posent en premier lieu des problèmes de forme et rappellent singulièrement les préoccupations de Valéry. Lorsque Jacques Roubaud crée le « sonnet des sonnets » en faisant subir des permutations à la forme du sonnet selon les règles du jeu japonais de « go », il établit un texte qui permet de lire les séquences de trois façons ; de même, lorsque, en collaboration avec une équipe de poètes de nationalités différentes — Octavio Paz, Eduardo Sanguinetti et Charles Tomlinson —, il compose un « renga » japonais, il rappelle Valéry par ce souci de créer une forme consciemment contrôlée. Cette préoccupation explique sans doute la faveur dont jouissent d'autres formes fixes japonaises, dont le *tenga* et le *haiku* qui, lui, avait déjà connu une brève popularité vers 1920. S'il intitule *Ruptures* un recueil de récits-poèmes, Jean Pérol ne se sent pas moins attaché à la tradition française qu'à l'inspiration japonaise. La plongée dans le subconscient semble vouloir faire place au souci artisanal, banni depuis les années vingt, de la forme parfaite (finie), souci qui annonce, peut-être, le retour à une esthétique formelle.

Simultanément, réapparaissent des formes différentes de poésie descriptive avec les *Illustrations* de Butor, ou les poèmes de Ponge ; ou de poésie narrative — tels les poèmes de Robert Champigny qui récupère le récit abandonné par les théoriciens-praticiens du .roman. De telles formes semblent marquer elles aussi un retour vers l'objectivité poétique et un nouveau pacte avec le langage. C'est ce pacte que refuse Denis Roche qui, en 1972, a annoncé sa rupture simultanée avec la poésie et le groupe *Tel Quel*, jugeant peut-être la pratique de la poésie définitivement « inadmissible », comme l'avait fait pour d'autres raisons Jacques Vaché un demi-siècle auparavant.

Traducteur avisé d'Ezra Pound et de E. E. Cummings, passionné de peinture, adepte des théories de Kandinsky, Denis Roche avait activement participé aux discussions de *Tel Quel* à partir de 1964. Soucieux du rôle de l'écrivain marxiste dans une société capitaliste et bourgeoise, il avait pris le parti, comme ses coéquipiers de *Tel Quel* et selon leur perspective du moment, de travailler à la transformation sociale en dénonçant par la « mécriture » l'imposture des structures littéraires établies (« La poésie est inadmissible », 1968). Depuis son premier recueil, *Récits complets* (1963), jusqu'à *Le Mécrit* (1972), il développait, à partir de son étude des techniques de Kandinsky, une théorie de la poésie comme production de formes purement abstraites, vides de toute résonance sémantique (communication de sentiments, impressions ou idées), et sans visée esthétique. Le poème traduirait seulement par ses tensions, chocs et mouvements sur la page, la présence d'une activité ludique. Peut-être est-ce la résistance du langage à une telle volonté d'abstraction qui explique que ce poète finisse par renoncer à cette tentative de transformer le langage en un simple « matériau ».

Cependant, il est bon de noter aussi que le « poème discontinu » cède parfois la place, dans la faveur des auteurs de ce demi-siècle, au *long poème* à développement soutenu et à résonances familières.

Ce bref tour d'horizon ne donne qu'une image succincte des étonnantes variations d'un langage poétique qui se meut entre l'altière rhétorique d'un Saint-John Perse et les rythmes familiers de rengaines dont rêve Queneau ; entre le solide éclat verbal de Char et les variations mélodiques du virtuose qu'est Bosquet ; entre le « Chant » de Supervielle et les harmonies complexes vers lesquelles s'est orienté Jean-Claude Renard.

D'autres noms s'ajouteraient facilement à ce tableau : André Frénaud, Jean Follain, Eugène Guillevic, René-Guy Cadou. Cependant, certains poètes ont été largement consacrés et font maintenant figure de « grands ancêtres » : Jouve, Supervielle et Saint-John Perse ; puis Eluard, Char, Michaux, Ponge ; et enfin Bonnefoy. C'est autour d'eux que nous organiserons une brève étude thématique au cours de laquelle nous indiquerons, s'il y a lieu, la conception que se fait le poète de son activité — une démarche qui trouve sa première limite dans le fait qu'à l'inverse d'une idée couramment admise, les poètes ne sont guère théoriciens avant les années soixante.

Thématiques : continuité et mutations

De tout temps, le *moi* a été considéré comme l'origine — sinon la source — de l'acte poétique. Depuis les romantiques, le moi, ses états de conscience et de perception, ont ainsi été la matière privilégiée du poème et, en beaucoup de cas, continuent à l'être. Le moi est alors conçu comme une donnée, un centre de conscience qui perçoit les émotions qui l'affectent et colorent ses perceptions du monde : amour, ennui, joie, colère, désir, admiration, dérision.

Le lyrisme d'un Eluard peut, jusqu'à un certain point, se rattacher à cette tradition. Mais, pour le poète surréaliste, la position du moi a changé par rapport au poème. La *fin* de l'activité poétique, et non son origine, réside dans la *révélation*, la libération, d'un moi inconnu et le *dévoilement* simultané du monde qu'il habite à la *lumière* du langage. Le poème réalise *verbalement* cette coïncidence merveilleuse du moi et du monde qui, pour Eluard, est la forme que prend l'amour. La femme aimée ouvre alors la voie vers ce mode d'existence, car, selon la mythologie surréaliste, elle est par ses pouvoirs intuitifs plus profondément en harmonie avec les forces du subconscient. Comportement irrationnel, l'amour est un « comportement lyrique » qui favorise la « débâcle de l'intellect » (Breton et Eluard, *Notes sur la poésie :* 1936), source de l' « intégration du moi conscient au moi profond ». Le poème fait naître le poète à la conscience et « L'amour la poésie » est la condition de son perpétuel renouvellement. Eluard distingue cependant très tôt le poème du jaillissement verbal qu'est l'écriture automatique. Pour lui, le poème est le résultat d'un acte. Un acte délibéré et conscient. C'est Artaud qui dénonce violemment l'échec de la tentative surréaliste pour atteindre le moi unifié par le recours au poème. Ce qui apparaît à Artaud dans le langage des contraintes logiques, c'est la présence de forces non humaines et dangereuses qui nient et désintègrent le moi. Le moi sexualisé et créateur d'Eluard n'est plus pour Artaud que la proie d'un Eros destructeur ; et cet Eros n'est qu'un des masques de la mort.

Pour Michaux : « Il n'y a pas un moi ! Il n'y a pas dix moi ! Moi n'est qu'une position d'équilibre. » Et cet Henri Michaux qui signe son volume n'est lui-même qu'une configuration momentanée de ces éléments disparates dont il met inlassablement en scène les modes d'existence hasardeux et discontinus, ce qui lui permet de « sortir » du chaos et de rester maître de lui. Ponge abandonne l'attention au moi, pour aborder un autre problème : « Comment manifester, par l'acte de la formulation verbale, la relation fondamentale de l'homme avec les choses ? » (Jacques Garelli, *La Gravitation poétique*). Il rompt par là avec une longue tradition. Et, abandonnant le moi, il abandonne les thèmes dont ce moi est la source : l'angoisse, la quête métaphysique, la révolte contre la condition humaine et, fort tranquillement, l'« objeu » accédera à l'« Objoie », au plaisir d'être chez lui parmi les choses : « Le monde muet est notre seule patrie. »

La poésie contemporaine reflète donc plus directement que le roman *la mise en question du statut du moi qui caractérise la pensée de l'époque.* Rares sont les poètes qui n'en sont pas affectés. Le vif sentiment du peu d'importance de ce « moi » destitué inspire le ton désinvolte d'un courant poétique qu'illustrent les œuvres de Queneau, Tardieu et Bosquet.

Encore altier chez Saint-John Perse, sacré par le don du chant, et par là même étranger, le poète est aussi le témoin, celui qui participe à l'aventure dont son poème est l'inscription : il est, pour Breton, le libérateur et l'avant-coureur de l'homme futur. Si, à l'époque de l'Occupation et de la Résistance, le poète a témoigné pour la « France malheureuse » et les souffrances subies, transformant, comme Aragon, l'histoire en légende, peu à peu il s'efface en tant que créateur pour devenir l'artisan qui se soumet aux exigences de son « matériau ».

Le mystère chrétien est un des thèmes les plus constamment présents. La carrière poétique véritable de Jouve commence, selon lui, avec une double conversion : au christianisme d'une part, à la psychanalyse, de l'autre. A partir des *Mystérieuses Noces,* le drame chrétien du péché et de la rédemption est au centre de ses poèmes, et il trouve son expression la plus puissante dans *Sueur de sang.*

Les cadres de référence du christianisme sont modifiés par la synthèse tout individuelle que réalise Jouve entre le péché chrétien et l'éros freudien. Un symbolisme d'une grande complexité lie le drame œdipien au thème chrétien de la culpabilité et de la faute. Le mal apparaît comme faisant corps avec l'être sexualisé qu'est le poète, lequel vit, dans l'inconscient, l'angoisse de la chute, de l'expulsion du

Paradis et du déchirement. La mort et la sexualité ont partie liée dans l'obstruction des voies qui s'ouvrent sur la rédemption. Dans son parcours, le poème est une voie douloureuse : celle du sacrifice charnel, consenti dans l'angoisse et la « sueur de sang » d'une crucifixion cruelle et nécessaire, pour qu'advienne, désespérément recherchée, la réconciliation avec le Père.

Le retour à l'origine est le mouvement naturel d'une conscience chrétienne et de l'analyse freudienne. C'est lui qui donne au poème de Jouve son dynamisme et lui permet d'intégrer, selon le principe freudien du symbolisme multiple, une grande variété de mythes et de figures mythiques : la descente vers la mort et la remontée vers la vie suggèrent le mythe orphique, et le thème sexuel obsédant propose des visages féminins légendaires. Jouve réalise ainsi un texte poétique dense où le déroulement somptueux du langage voile le caractère très particulier des obsessions du poète.

La nouvelle génération qui s'affirme dans le deuxième après-guerre comprend plusieurs autres poètes encore dont le thème est le mystère chrétien. Inspiré par Jouve, Emmanuel intègre à ses débuts de nombreux mythes, dont celui de Prométhée, au drame de la chute, de l'incarnation et de la rédemption ; mais pour lui, comme pour ses contemporains, le mal est le mal de la terre, incarné dans les tyrannies contemporaines ou passées qui sont « la figure monstrueuse de notre commun péché », dont seul le drame, toujours recommencé, de la Crucifixion du Christ, peut le délivrer. Riche source de figures symboliques et mythologiques, la Bible influence Pierre Emmanuel, dont peu à peu, la langue, d'abord obscure, se fait plus limpide, tandis que la structure du poème s'affermit. Avec *Una ou la mort la vie* dont les 160 douzains décasyllabiques de structure identique évoquent une seule et déchirante aventure spirituelle de mort et de régénération,

Emmanuel atteint une pleine maîtrise de son art dans la grande tradition des poètes métaphysiques.

S'il est heureux dans sa certitude, le poète chrétien découvre le *monde* comme un texte somptueux qui lui révèle la face de son Dieu. Supervielle, en revanche, rencontre le monde, ses espaces, éléments et êtres, comme autant d'amis familiers, et de cette intimité naît, dit-il, le chant intérieur qui est la source de ses poèmes. Pour lui tout est à la fois familier et mystérieux : les paysages intérieurs de la mémoire, comme les paysages extérieurs avec leurs arbres, les cailloux et leurs jardins, comme la vie et la mort, ou ce dieu inconnu et distrait auquel il adresse parfois la parole sans savoir s'il existe. Ce thème du monde ami et familier réapparaît chez les poètes du second après-guerre, mais lié à un sentiment nouveau, celui de sa vulnérabilité. Aucune génération antérieure n'a senti plus profondément, pendant quelques années, l'imminence d'un « monde muet » que celle qu'Emmanuel nommait « les enfants d'Hiroshima ». Comme l'indiquait Bosquet, la relation de l'homme avec le monde changeait. Pour la première fois, le monde entier partageait la vulnérabilité humaine. Cette même attention aux joies que donnent les contacts les plus simples avec l'univers permet à plusieurs poètes de « bâtir » leur demeure : Edmond Jabès, Rouben Melik, Armen Tarpinian, Claude Vigée et le très subtil artiste qu'est Philippe Jaccottet ; chez lui le sens aigu de la beauté du monde s'allie tout naturellement à celui de l'extrême fragilité de tout moment de bonheur, de tout être et de toute chose.

Pour Char, il ne s'agit pas du monde, mais de *la terre* et d'une terre particulière, celle de L'Isle-sur-la-Sorgue dans le Vaucluse, qui fournit la substance de ses poèmes ; et c'est à travers elle qu'il se situe en tant qu'homme conscient, homme de toujours et homme du moment, vivant par la pensée aux frontières d'une réalité inhumaine, inquiétante. Le feu, l'eau, la terre, l'air ; le martinet, la truite, la moisson, la rivière ; la mort et l'amour, la lumière et l'ombre créent un univers linguistique riche en suggestions où s'affrontent les complexités et les paradoxes de l'expérience humaine : « Nous ne pouvons vivre que dans l'entrouvert, exactement sur la ligne hermétique de partage de l'ombre et de la lumière. » Le poète est celui qui, par sa parole rigoureuse, réconcilie l'homme avec cette situation pleinement appréhendée.

Pour Cendrars, *le voyage* a lieu à la surface de la planète. Chez le surréaliste, le voyage est intérieur ; et le voyage vers la source ou l'origine — l'enfance, le plus souvent — constitue une métaphore privilégiée. Le voyage, chez Saint-John Perse, prend avec *Anabase* la forme d'une vaste expédition et d'une conquête, d'une aventure cyclique toujours recommencée. Dès avant 1914, par son titre même et par le premier mot, « Palme », *Eloges* annonçait un poète de la célébration. Perse retrouvait la forme de l'ode pindarique qu'il agrandira à la dimension de l'épopée cérémoniale et rituelle qu'il fait sienne. Les trois grands poèmes de Saint-John Perse, *Anabase, Vents* et *Amers,* célèbrent l'aventure des hommes, poussés toujours plus avant par des forces inconnues et qui, d'étape en étape, reprennent une tâche collective, différenciée pour chacun : instituer et organiser cette conquête de l'homme qu'est la culture sous toutes ses formes. Les « vents » qui emportent ainsi les êtres humains vers l'inconnu soufflent en eux et font d'eux des étrangers, de perpétuels exilés sur cette terre. L'exil, autre face du voyage, fut le thème premier du jeune Perse : « Exil de Crusoé de retour parmi les hommes loin de son île » ; dans *Eloges,* l'exil du poète lui-même, loin de l'île caraïbe de son enfance ; enfin, l'exil du poète, obligé de quitter son pays en 1940, éloignement qu'il accepte comme une des lois de la condition — et de la grandeur — humaine. Selon Perse — qui d'ailleurs n'a qu'occasionnellement (par exemple au moment où il reçoit le prix Nobel) défini la nature de son activité —, le poète est l'homme de mémoire et de présence qui vit le plus intensément le voyage humain et en reconnaît la continuité sous toutes ses manifestations, dont *l'une* est l'inscription de cette aventure dans l'écriture du poème.

La quête, intime, mystérieuse et parfois douloureuse, est le thème par excellence d'Yves Bonnefoy qui, par la haute tenue d'un langage riche en symbolisme, à multiple résonance, est de la lignée des poètes qui tendent vers l'hermétisme, tels Char ou Perse, et avant eux, Mallarmé. Cette quête, selon Bonnefoy, n'est pas métaphysique. C'est la quête de l'instant où, dans un *lieu terrestre* et particulier, le poète se tient sur le *seuil* d'une révélation, en *présence* d'une réalité qui transcende le visible. C'est dans *Arrière-Pays* (1972) que Bonnefoy explique cette recherche d'un *lieu* physique que transfigurerait l'expérience de l'unité retrouvée — quête de l'Eden perdu, selon lui apparentée à la recherche gnostique. La recherche du « lieu » et les mystérieuses « Ordalies » qui l'accompagnent traduisent sous des métaphores linguistiques la lente progression vers le *lieu* où le mouvement du poème s'immobilisera dans l'espace de l'écriture arrivée à son terme. C'est l'aventure difficile de l'artiste à la recherche d'une vision, éclairant ses fins et origines, que narre le poème. Ici, le voyage est à la fois refus et signe de l'exil.

La poésie, la révolte et l'action

Pour Dada, écrire est un acte de pure agression ; son arme est l'irrévérence. *La révolte* surréaliste contre les contraintes des formes de l'art reconnu a un aspect nietzschéen : l'artiste selon Nietzsche détruit les formes données pour créer, par jeu, des combinaisons nouvelles. Elle a aussi un aspect prométhéen hérité du romantisme. La révolte surréaliste est donc à double face, et la subversion du langage est d'abord un outil qui doit permettre au surréaliste d'atteindre son but positif : un homme libéré. L'irrévérence ne s'adressera qu'aux institutions sociales et ne sera que dans certaines circonstances le thème essentiel d'un poème surréaliste. La *pensée marxiste,* en revanche, alimente le courant de poésie antibourgeoise assez traditionnelle et ayant elle aussi un double aspect (*Front rouge* d'Aragon). Elle mêle l'imprécation aux sentiments pieux, et se veut engagée politiquement. Aucun poète n'a pourtant trouvé le moyen de concilier poésie et politique. Aucun n'a pu, en dehors de circonstances particulières, créer des poèmes dont l'efficacité militante soit hors de doute. Un seul poète, devenu populaire, Jacques Prévert, anarchiste et iconoclaste dans la lignée de Dada, use de certains procédés surréalistes pour évoquer et réduire à l'absurde les réalités sociales contre lesquelles il lutte, et réussit cette difficile combinaison. Par ailleurs, Henri Pichette à ses débuts a tenté dans ses *Apoèmes* de créer une rhétorique de la révolte intégrale, mais ce fut avec un succès partiel ; son effort n'a pas été renouvelé.

La guerre d'Espagne, la Seconde Guerre mondiale, l'Occupation et la bombe atomique ont inspiré quelques grands poèmes de révolte contre la violence déchaînée : *Placard pour un chemin des écoliers* (Char), *La Marche dans le tunnel* (Michaux), *Combats avec tes défenseurs* (Emmanuel) ; et, de moins haute tenue, *Le Musée Grévin* d'Aragon qui, avec *Le Nouveau Crève-cœur,* fait feu politique de tout bois. Dans l'atmosphère de la France occupée, un poème comme *Le Crève-cœur* ou la célèbre litanie d'Eluard, *Liberté,* ont pu polariser des émotions collectives latentes et peut-être inciter leurs lecteurs à s'engager dans l'action ou à s'y maintenir. Mais, depuis Mallarmé, la poésie française s'adresse de plus en plus à un public d'initiés. Tout en proclamant une volonté révolutionnaire, elle a renoncé à faire du poème une arme efficace dans les conflits de chaque jour. C'est surtout dans le domaine du texte et de la théorie du langage que les poètes s'engagent. Alain Bosquet s'insurge contre cette tendance dans un recueil, *150 sonnets pour une fin de siècle* (1980), doublement anticonformiste, dans la forme et le fond. La poésie doit, selon lui, reprendre pied dans le réel. Il faut qu'elle « dise la vie » aussi bien que la mort. Ironiques, satiriques, lyriques, surgissant dans un perpétuel devenir, ces poèmes traduisent le mouvement d'une vie vécue à plusieurs niveaux et qui est prise en charge par les mots.

L'engagement poétique en soi est souvent considéré comme une révolte et parmi les poètes de notre époque, comme Claude Vigée l'indique dans son livre *Révolte et Louanges*, il s'accompagne du besoin d'affirmer : l'amour face à la violence, la liberté face à la tyrannie, l'espoir face à sa négation. C'est peut-être pourquoi la tentative de faire vivre une poésie engagée de révolte politique — reprise en 1950 par de jeunes poètes groupés à Marseille autour de la revue *Action poétique* — n'a pas été heureuse. Et c'est peut-être aussi la raison pour laquelle la contestation politique des poètes de *Tel Quel* devenus militants s'est déplacée du terrain de la contestation politique à celui de la contestation linguistique, en un mouvement inverse de celui du surréalisme. La grande poésie de la révolte et de l'engagement surgira ailleurs, chez les poètes francophones d'Afrique, à l'aube de la décolonisation.

De Dada à Denis Roche, ce qui est en question, c'est l'homme, son langage, ses pouvoirs, son destin, ses relations avec lui-même, avec les autres, avec les éléments et objets qui l'entourent. L'amour des mots, dit Ponge, est la voie vers la création poétique, qui ne se distingue pas de celle de la création de soi. Si les grands thèmes poétiques sont sensiblement les thèmes traditionnels que module la poésie occidentale, les résonances ont changé. Sauf peut-être par leurs tentatives ésotériques et paradoxales pour forcer le langage à s'ouvrir sur un au-delà du langage qui serait un autre langage, les poètes ont peu à peu abandonné l'attitude prométhéenne : ils ne se posent plus en *voyants*. Ils hésitent à se nommer poètes. Cette poésie, même celle qui croit à la promesse chrétienne d'une immortalité, se veut enracinée dans les choses concrètes. Malgré ses excès et parfois ses prétentions — en particulier la tendance à l'abstraction —, elle semble, dans sa variété, rassembler les éléments d'un nouveau discours grâce auquel les poètes se re-situent par rapport à leur passé, mais au-delà de lui, dans ce « lieu du seuil », pour emprunter le mot de Bonnefoy, où ils se tiennent aujourd'hui.

Une poésie a-lyrique : Henri Michaux et Francis Ponge

Feuilleter un recueil de Michaux, par exemple *Plume* précédé de *Lointain intérieur*, est instructif. Le volume se présente comme une collection disparate de textes relevant de divers genres : une série d'anecdotes mettant en scène un personnage fictif, Plume ; une lettre adressée par une « elle » à un « vous » ; deux pièces en un acte ; des aphorismes ; et, sur le ton documentaire des manuels d'histoire naturelle, des descriptions d'animaux fantastiques ; une section de « poèmes » en vers libres ; de courtes anecdotes modelées d'après la rhétorique objective du fait divers mais qui mettent en scène le « je » qui les raconte ; et une postface signée H. Michaux. C'est un livre qui, affirme Michaux, n'a pas été fait par l'auteur : « Lecteur, tu tiens donc ici, comme il arrive souvent, un livre que n'a pas fait l'auteur. » Et ce non-je, non-auteur, propose au lecteur de faire un livre à son tour.

Dans ce volume, chaque texte se scinde en courts paragraphes, ou phrases, articulés avec tout l'appareil syntaxique de la logique ou juxtaposés avec le plus grand naturel, comme allant de soi. Et tous ces fragments engagent un « je » double, inséré dans le texte, mais qui, à propos du texte, s'adresse à ce « vous », lecteur présumé, qui coexisterait donc avec le « je » simultanément dans l'univers du texte et dans le monde « réel ». C'est à ce « vous » que le « je » en appelle comme témoin du bien-fondé de ses réactions.

Les situations où ce « je » engage le lecteur n'offrent aucune prise à la mise en question : « J'ai élevé chez moi un petit cheval. Il galope dans ma chambre. C'est ma distraction. » « Dans les couloirs de l'hôtel je le rencontrai qui se promenait avec un petit animal mange-serrure. » « Sur le trajet d'une interminable vie de cahots et de coups, je rencontrai une grande paix. » Le « tout petit cheval », « l'animal mange-serrure », cette « grande paix » particularisée par l'article indéfini qui la concrétise, nous introduisent dans le monde de Michaux, imaginaire, et peuplé. Ces « rencontres » surgissent et s'imposent avec autorité dès qu'il prend la plume ou le pinceau, mais sous des formes toujours nouvelles. L'animal mange-serrure ne sortira pas plus du court texte qui le propose que les illustrations successives du Larousse ne sortent de leur situation dans l'ensemble du dictionnaire. Michaux n'a pas le « préjugé de l'unité ». Il est le poète de l'expression toujours recommencée, qui s'affirme *contre* d'autres. *Contre !* poème du recueil *La Nuit remue,* est à la fois un manifeste poétique et une sorte de mimodrame qui transpose en texte écrit le violent surgissement intérieur presque physique qui aboutit à l'inscription dans l'espace extérieur (page ou toile) d'une forme nouvelle. Dans l'essai *Emergences-Résurgences* de la collection « Les Sentiers de la création », Michaux en décrit les mécanismes par rapport à son activité de peintre.

Le poème *Contre !* se développe en strophes de vers libres, emporté dans l'élan du sarcasme, de l'imprécation et de la violence. L'agression se manifeste dès le premier vers : « Je vous construirai une ville avec des loques, moi... » La révolte porte sur les « Parthénons », « arts arabes » et « Mings », c'est-à-dire sur les symboles d'un ordre humain dit supérieur. Contre ce monde de la pierre, de l'ordre et de la géométrie, le révolté construit une ville de loques, des forteresses de fumée, de remous et de secousses ; une sorte d'objet-ville verbal créé sur les ruines de la civilisation. C'est de la violence que le « je » du poème attend le salut ; violence à laquelle s'accorde le vocabulaire truculent : « Braire aux nez gelés des Parthénons » ; les gaver de « chiens crevés ». Mais le poème tourne court et se termine en une dernière révolte contre le corps mesquin de ce je « carcasse... gêneuse, pisseuse, pot cassé ». Ce vocabulaire « contre » les grandioses perspectives, évoquées par l'image vaguement luciférienne du révolté, prépare le violent retour sur soi qui démasquera le piteux rebelle. Un « sur-moi » est présent, dont la férocité dénonce l'excès rhétoricien du premier mouvement. L'humour exorcisant agit comme une sorte d'engin autodestructeur du *contenu verbal* du poème, mais complète le mouvement dont le poème est la traduction, la montée de l'énergie destructrice et créatrice, et sa retombée. L'effet total est obtenu par une accumulation de violences dans le vocabulaire, les images, le rythme et la syntaxe. Le « moi » en colère face au « vous » qui l'exaspère fait appel à un « nous » qu'il engage dans son entreprise. Lancé *in medias res* par un cri viscéral de fureur, le poème se peuple, devient une sorte d'assaut prométhéen ou luciférien. L'image archétypale du rebelle, fondateur de ville, polarise ces connotations mythiques. Etre contre, construire, construire contre, contrer sont les vocables générateurs du poème.

Ce « moi-architecte », magicien, n'est pourtant qu'un des personnages qui habitent Michaux, et celui-ci semble le désavouer dans la « postface » où il affirme que ces « morceaux [...] furent faits [...] au jour le jour [...] jamais pour construire, simplement pour préserver [...] ». Mais « construire » pour Michaux signifie calculer, qui est tout le contraire d'inventer : « Même les mots inventés, même les animaux inventés dans ce livre sont inventés " nerveusement " et non constructivement selon ce que je pense, du langage et des animaux. »

Michaux se rattache de toute évidence à la tradition poétique française qui, depuis Baudelaire, a poussé jusqu'à sa limite l'exploration des perceptions les plus obscures, les plus étrangères à la conscience dite normale et les a prises comme matière du poème. C'est la vie physique, organique, multiple et indépendante de tout contrôle, dont il épie et mime verbalement les modalités et acheminements, ainsi que les changements de perception qu'elle entraîne. D'où l'intérêt lucide et presque obsessionnel avec lequel il a suivi les modifications qu'introduisaient les drogues dans sa propre perception du monde et de lui-même devenu l'objet de leur action. Mais il a rompu net avec les formes lyriques associées à cette tradition et avec l'association de la poésie et du chant. Il écarte d'abord le « je » pour l'objectiver et lui enlever son rôle privilégié dans le texte, le dispersant à travers une multitude d'êtres de toute espèce qui naissent et disparaissent avec chaque texte. D'autre part, il est une unité qui apparaît comme inhérente à l'œuvre, une intertextualité à l'*intérieur* de laquelle le passage se fait sans coupure d'un texte à l'autre, chaque texte s'annonçant lui-même ouvertement comme fiction. Semblable à lui-même est le geste jamais épuisé qui métamorphose l'expérience en fiction.

Michaux a donné différentes explications de son activité de poète et de peintre, parfois incompatibles. Elle tiendrait de l'exorcisme et de la thérapeutique, lui permettant par son caractère physique de se débarrasser des souffrances physiques, des émotions ou des présences qui l'envahissent. Et aussi d'imposer à ce moi toujours mouvant et passager l'évidence de sa continuité. Aucun souci d'esthétique, ni, en principe, de communication ; aucune prétention non plus d'être doué de facultés privilégiées : « Une opération à la portée de tout le monde. » En fait, grâce à la présence endémique de ce « vous » dans le corps du texte, c'est à un égal que le poète s'adresse et auquel, par l'entremise de cette fabulation sans cesse reprise, il se livre. Michaux connaît les ruses du langage, mais a confiance en celui-ci, sauf à cette limite où la langue se fait système et théorie, anti-vie. Par son langage concret et le contrôle qu'il exerce sur le défbulement grammatical cohérent d'un langage qui relate logiquement l'a-logique, il réduit à l'absurde les constructions verbales qui prétendent « coller » à une quelconque réalité. Et c'est de ce processus de construction « absurde » que naît paradoxalement le plaisir essentiel du lecteur, lorsque les meilleurs de ces textes l'engagent dans leur fantasmagorie.

Ponge, lui, est un constructeur. Il a une méthode, un art poétique individuel et pratique. Sur sa méthode, sa « méta-technique » et son but il s'est souvent expliqué, depuis les *Dix Courts sur la méthode* avec leur jeu de mots (poèmes courts, discours), jusqu'aux *Entretiens de Francis Ponge avec Philippe Sollers* (1971) et à *La Fabrique du Pré.* Ce texte, paru dans la collection : « Les Sentiers de la création », présente un certain nombre d'états du poème *Le Pré* auquel Ponge travailla pendant quatre ans. Celui-ci n'est pas comme Michaux un poète du surgissement, mais, ainsi que le prouve ce texte, il est un poète de la fabrication, un artisan. A partir d'une émotion d'où naît le langage, l'aventure pongienne s'engage lentement. Lorsque parut *Le Parti pris des choses* (1942) qui en marque la première étape, Ponge avait travaillé aux textes inclus dans le recueil depuis une quinzaine d'années. Poète d'obédience d'abord mallarméenne, il rompait complètement avec cette inspiration. « J'ai reconnu — dit-il — l'impossibilité de m'exprimer. » C'est alors que, tournant le dos aux thèmes métaphysiques, Ponge se décida à « prendre le parti des choses » et que, saisi de vertige devant ce gouffre qu'est l'homme, il écrivit : « Je porte mes yeux sur l'objet le plus proche, sur ce caillou à mes pieds, je le regarde et s'il finit par s'ouvrir dévoilant un autre gouffre, celui-ci est beaucoup moins dangereux que le gouffre de l'homme, et par les moyens de l'expression peut se refermer. » Il s'agissait désormais pour Ponge, qui a « la rage de l'expression », de relever « le défi des choses au langage ».

Les *choses* dont s'occupe Ponge sont toutes de notre monde, regardées chacune séparément pour elle-même, de l'allumette au soleil, du savon au pré ou à la serviette éponge. Elles sont là, familières, n'ayant aucun rôle magique ; elles ne sont pas porteuses de message. Il s'agit de les faire accéder au langage « non pour troubler mais pour rassurer ». Les premiers textes de Ponge se présentent sous forme d' « essais » en prose assez courts, mais qui se sont progressivement allongés, usant des ressources de l'espacement typographique, se groupant en strophes de vers inégaux. Son but n'a jamais varié. Par le langage et grâce à sa méthode, voici ce qu'il veut provoquer : « La naissance au monde humain des choses les plus simples, leur prise de possession par l'esprit de l'homme. L'acquisition des qualités correspondantes. Un monde nouveau où les hommes à la fois et les choses connaîtront des rapports harmonieux. »

Il faut d'abord se soumettre à une sorte d'ascèse :

oublier tout ce que l'on sait sur les objets, toutes les idées qu'*a priori* l'on projette sur eux, afin de pouvoir porter sur eux un regard attentif. Il faudra ensuite, pour les faire naître à la conscience, mettre à l'épreuve le langage, mais non point en procédant à une description dans le sens ordinaire du mot. Ponge procède à l'assemblage de ce qu'il appelle un « objeu », c'est-à-dire un texte aussi singulier et spécifique que l'objet lui-même. A partir d'une association initiale, il fait entrer l'objet en tant que *nom*, c'est-à-dire en tant que *vocable*, dans le jeu du langage : « La pluie, dans la cour où je la regarde tomber, descend à des allures très diverses. » « L'âne se tient ainsi à un bout de la ligne et refuse d'abord d'avancer. »

Chaque chose dans le système de Ponge fait son entrée particulière dans le monde du langage ; elle est déterminée par une impression initiale qui a éveillé en lui le *désir* de la mettre en paroles. Cette naissance verbale contrôle la forme unique que prendra ce que Ponge nomme, à propos du savoir, « la volubilité » de l'objet, c'est-à-dire les rouages linguistiques qu'il met en mouvement dans l'épaisseur mystérieuse du langage. Le poète explore méthodiquement ces réseaux de résonances : étymologie, clichés, associations littéraires, homophonies et homonymes qu'il raccorde par approximations successives jusqu'à ce que le vocable initial éclate en une sorte de pulsation finale, l'objeu-texte, qui parachève sa fonction de célébration de l'objet. Ainsi, la pluie-chose sera célébrée par un objeu qui a pris la forme d'une unité verbale circonscrite, rythmique et parfaitement réglée ; tandis que l'objeu-âne, « arc-bouté » au départ « sous son accent circonflexe », procédera par à-coups vers sa fin en « souffre-douleur ».

Ponge travaille longuement, mais avec bonheur, à construire ces structures de mots sans autre fin, dit-il parfois, que de « donner à jouir ». La fonction de la poésie, selon lui, est donc de « parler et, peut-être, de paraboler ». Et son rôle de poète est de réaliser une sorte de fusion (qu'il compare à l'orgasme) entre ces deux mondes qu'il désigne comme nos seules patries : le monde muet des choses et l'inépuisable langue française dont il célèbre la qualité, ce qu'il appelle « la francité » de cette langue qu'il aime. Pour Ponge, la conscience humaine naît de cette interaction entre les choses et les mots que sa cosmogonie verbale riche en humour et en amour nous rappelle. Ponge le rhétoricien se réclame de Malherbe, et Ponge, le poète, d'Horace ; mais en trouvant le salut dans une pratique du langage soigneusement contrôlée qui, des choses, rebondit sur lui, c'est sans aucun doute un homme d'aujourd'hui.

Ni Michaux ni Ponge n'aspirent à changer le monde. L'un et l'autre, partant en deux directions contraires, ont recherché des formes d'expression poétique peu personnelles, anonymes même, et libérées de tout souci de signification. Symbolisme, correspondances, langage et grandes perspectives métaphysiques ont disparu. Cependant, ce sont des formes contrôlées et indubitablement littéraires qu'ils créent. Chez l'un comme chez l'autre l'humour est la forme que prend la relation de l'écrivain avec le langage. Cette réaction est naturelle chez l'artiste lorsqu'il prend conscience des limites des médias dont il hérite et qu'il détruit par la parodie, ou qu'il intègre dans d'autres structures. Chez l'un comme chez l'autre, c'est une dimension spatiale et non temporelle que le texte ouvre par le langage, suggérant peut-être cette mutation de la conscience contemporaine qu'analyse Butor. Pour Michaux comme pour Ponge, écrire est présenté comme une activité physique, une sorte d'alchimie grâce à laquelle le texte « dévore sa substance » (Genette).

Ces deux œuvres sont inclassables selon les catégories génériques traditionnelles. Elles nécessitent et justifient le concept critique de « texte », qui nous

CHAPITRE IV

LE THÉÂTRE

EN mai 1975, *L'Express* décrivait ainsi le Festival mondial du théâtre à Nancy : « Quinze cents comédiens, quarante compagnies, trente pays représentés ; vingt-deux lieux scéniques, cent cinquante mille spectateurs ; un élément " grouillant ", " explosif ", " dérangeant ", " tonique ". » Il est bon d'évoquer par contraste l'année 1920 et, après l'interruption due à la guerre, la réouverture par Jacques Copeau de la salle intime, petite et austère du Vieux-Colombier. Copeau reprenait l'effort de rénovation théâtrale amorcé en Europe dès la fin du XIXe siècle et dont on peut considérer le Festival de Nancy comme un des lointains aboutissements. Cet effort avait dès l'origine débordé les cadres nationaux : Stanislavsky, Nemirovitch-Dantchenko à Moscou ; Reinhardt à Berlin ; Fuchs et Erler à Munich ; l'Anglais Gordon Craig ; le Suisse Adolphe Appia, et, en France, Antoine et Lugné-Poe, y avaient tous participé. Mais ils n'avaient guère affecté les habitudes et le répertoire du théâtre parisien et mondain, ce théâtre du boulevard « rouge et or » dont parle Cocteau. Il faudra le changement du climat culturel parisien des années vingt et la persistance de quelques « hommes de théâtre » comme Copeau pour réaliser un nouveau départ[1].

En 1920 il n'est de théâtre vivant, en France, qu'à Paris, et c'est à Paris que s'installent avec leurs troupes les animateurs qui, à la suite de Copeau, travaillent dans le même sens que lui. Cinquante ans plus tard, le théâtre vit, non seulement à Nancy, mais à Lyon, Saint-Etienne, Toulouse, un peu partout dans les villes de province où il se montre parfois plus hardi qu'à Paris. Les festivals d'été (à Orange, à Avignon, au Marais à Paris) donnent aussi à l'activité théâtrale un rythme et un mode d'existence qui étaient inconnus en 1920. L'espace scénique même — la salle, avec le plateau où se déroule le jeu des acteurs — est devenu plastique et le théâtre vit dans de vastes espaces en plein air comme la cour du palais des Papes à Avignon, ou temporairement dans les salles abandonnées des Halles à Paris et aussi dans les cafés (cafés-théâtres) ou les petits théâtres intimes ou « hors les murs ».

A travers cette métamorphose, le théâtre français a connu une des périodes les plus riches de son histoire. Au cours d'un demi-siècle il s'est décentralisé et jusqu'à un certain point internationalisé. Son public n'est plus celui d'autrefois, parisien, mondain et bourgeois. Composé de gens de théâtre, d'amateurs et d'étudiants dont certains sont spécialisés dans la recherche théâtrale, il est lui aussi international et, en général, infiniment mieux informé et plus éclectique que l'ancien public. Dans l'ensemble ce n'est pas le *texte* d'une pièce qui l'attire mais la qualité de sa production. Le théâtre aujourd'hui ne se conçoit pas comme lié à une activité littéraire ; il se conçoit comme *média* et se situe en dehors de

1. G. Brée remercie les Editions McMillan, de New York, qui ont bien voulu l'autoriser à utiliser pour la rédaction de ce chapitre, certains éléments de son ouvrage *Twentieth Century French Drama* publié en collaboration avec Alexandre Kroff.

l'espace littéraire. Le directeur-metteur en scène est devenu le personnage clé du théâtre contemporain. Paradoxalement, c'est l'effet inverse de celui qu'avait recherché Copeau, qui se proposait de valoriser un texte de haute qualité. En revanche, malgré les modes et les goûts changeants, aucune forme dramatique ancienne ou nouvelle n'est exclue de la scène *a priori* : ce qui compte en premier lieu, c'est l'interprétation et la conception du théâtre que cette production incarne. Pour la première fois depuis l'époque médiévale, la mise en scène d'une pièce a plus d'importance que le texte lui-même et il n'est donc plus possible d'étudier ce théâtre uniquement du point de vue littéraire.

Plusieurs facteurs ont joué dans une transformation qui s'est opérée en deux temps, dont le premier coïncide avec l'entre-deux-guerres, en se prolongeant jusqu'aux environs de 1950. Elle est le fait d'animateurs qui créent une nouvelle atmosphère autour de l'activité théâtrale, suscitent de nouveaux talents de dramaturges et créent un nouveau public. Une nouvelle étape commence sous l'effet de deux éléments indépendants mais qui, tous deux, sont dus à la profonde secousse de la défaite. D'une part, l'Etat s'inquiète de la « désertification » culturelle que connaissent la province et les couches ouvrières du pays. Par l'entremise de la direction des arts et des lettres, il augmente les subventions traditionnellement accordées au théâtre depuis Richelieu et adopte une politique de dissémination et de décentralisation des activités culturelles dont le théâtre bénéficie largement. D'autre part, un petit groupe de dramaturges, sans doute en accord avec la sensibilité du moment, répudie les techniques dramatiques et les thèmes de ses prédécesseurs et crée de nouvelles formes d'expression dramatique, un « nouveau théâtre » qui exige des techniques renouvelées de mise en scène.

La révolution des animateurs et les initiatives officielles

Homme de lettres, critique et dramaturge, Jacques Copeau abordait la scène avec des principes fermes et réfléchis. En réaction contre les riches décors mis à la mode avant 1914 par les Ballets russes et contre les décors naturalistes, il voulait revenir à l'austérité du « tréteau nu ». Il se proposait de réhabiliter non seulement le théâtre, mais aussi le métier de comédien. Pour entraîner sa troupe, il crée l'Ecole du Vieux-Colombier. Il ne s'agissait plus pour l'acteur de se faire vedette. Il devait se consacrer à une vocation, apprendre un dur métier. C'était une discipline, une éthique et une dignité que lui enseignait Copeau ; et ce fut grâce à lui que l'image que l'on se faisait des comédiens — « monstres sacrés » et dévoyés — fut remplacée par une image tout autre. Désormais, le prestige accordé au comédien s'accompagnait de respect.

Copeau pensait au spectacle comme à un rite de participation. Il fit reconstruire la scène du Vieux-Colombier, remplaçant la « boîte d'optique » adoptée au XVIIe siècle par une scène architecturale qui rapprochait le plateau de la salle et pouvait se prêter à de multiples transformations. Il supprima les décors peints, utilisant, comme l'avait préconisé Appia, les jeux d'éclairages que l'électricité rendait possibles. En ce qui concerne le répertoire, Copeau désirait avant tout mettre fin au divorce de la scène et de la littérature. Il reprit les grandes œuvres du passé — les Elisabéthains, Heywood et Shakespeare ; les classiques, Molière surtout — qui étaient le domaine traditionnel d'une Comédie-Française un peu somnolente et sclérosée par ses conventions — et il s'efforça d'attirer des auteurs nouveaux. Il voulut aussi réaliser un rêve né avec le siècle, celui d'un théâtre populaire de plein air qui échapperait à l'influence, qu'il jugeait néfaste, de Paris. Il n'est guère d'initiatives nouvelles qu'il n'ait prévues ou inspirées. Si, en 1924, les difficultés financières obligèrent Copeau à se retirer de Paris, ses idées continuèrent à inspirer une solide équipe d'animateurs — Louis Jouvet, Charles Dullin, Jean Dasté, Michel de Saint-Denis — qui à leur tour formèrent une troisième génération de grands metteurs en scène, dont André Barsacq, Jean Vilar, Jean-Louis Barrault, Marcel Herrand ; puis une quatrième, Roger Blin, Roger Planchon, Jean-Marie Serreau, Georges Vitaly, parmi d'autres.

A partir de 1920, à côté des théâtres du boulevard et de la Comédie-Française, de nouvelles compagnies naissent dont quatre dominent peu à peu la scène d'entre-les-deux-guerres : celles de Dullin (1921) et de Jouvet (1922) ; celle de Georges Pitoëff, un Russe qui, venant de Genève, s'installe à Paris (1922) ; celle de Baty qui en 1921 fonde le groupe de La Chimère. Chacune avait sa conception du spectacle. Les quatre directeurs formèrent un *Cartel* et se soutinrent mutuellement face à l'esprit et aux mœurs du théâtre commercial. En 1926 Copeau pouvait écrire avec quelque raison : « Le point de vue de l'homme de théâtre, metteur en scène ou animateur dramatique, [...] est pour le moment en avance sur le point de vue de l'écrivain. Au point où le metteur en scène est aujourd'hui parvenu, il attend l'écrivain[1]. »

Une première révolution scénique avait eu lieu. Peu à peu on ne parlera plus de « théâtre de boulevard » ni même de théâtre « d'avant-garde », mais de « théâtres privés » et de « théâtres d'essai ». Jean Giraudoux soulignera ce changement : « Un public nouveau était prêt : le public toujours croissant des musiciens, disposé à se réconcilier avec le théâtre, si les lois du théâtre se subordonnaient à la loi la plus élémentaire de la musique : la distinction ;

1. Voir *Revue générale*, t. 115, 1926.

le public croissant des lettrés, ne demandant qu'à accompagner et à soutenir au théâtre ses romanciers préférés [...]; le public croissant aussi des femmes [...]. Un corps nouveau d'acteurs s'était créé. Tout ce vocabulaire attaché autrefois en France au mot acteur : raté, bohème, vedette, brio, misère et luxe, nullité et génie, était remplacé par un vocabulaire plus normal : culture, conviction, ensemble [...][1]. »

Plusieurs écrivains-dramaturges ne tardèrent pas à répondre à cette attente. Désormais, bien que le prestige du comédien — surtout peut-être des actrices — reste grand, celui du metteur en scène s'associe souvent à égalité avec celui du dramaturge : Jouvet-Giraudoux, Barrault-Claudel, Barsacq-Anouilh, Blin-Beckett, Victor Garcia-Arrabal. Au lieu d'écrire des pièces comme autrefois pour une vedette, le dramaturge écrit souvent pour un animateur qui, lui, finit comme Roger Planchon par créer son propre répertoire ou, tel Barrault adaptant Rabelais ou Nietzsche, organise son propre spectacle ; ou l'improvise, comme la troupe d'Ariane Mnouchkine.

A partir de 1945, le gouvernement français, soucieux de réintégrer l'art dramatique dans la vie nationale, favorise par son action certaines transformations de l'activité théâtrale que souhaitaient les animateurs ; non, d'ailleurs, sans soulever d'âpres controverses. Cette action prend deux formes : la décentralisation, c'est-à-dire l'implantation de troupes permanentes et de centres dramatiques en province : le Grenier de Toulouse, la Compagnie de l'Est à Strasbourg, la Compagnie de l'Ouest à Rennes ; et dans les quartiers périphériques ou la banlieue de Paris : à Ménilmontant, la troupe de Guy Rétoré ; le Théâtre de la Commune à Aubervilliers ; le Théâtre Gérard-Philipe à Saint-Denis ; le T.O.P.

1. *Œuvres littéraires diverses*, p. 596 ; conférence faite en 1931.

(Théâtre de l'Ouest Parisien) à Boulogne-Billancourt, sans parler de nombreuses autres troupes dont la plus célèbre est celle du Théâtre du Soleil d'Ariane Mnouchkine. A ce programme d'implantation, les Maisons de la Culture depuis 1961 (Le Havre, Bourges) participent activement. Et au cœur de Paris même le Théâtre national populaire, qui végétait depuis son inauguration en 1920, reprenait vie à partir de 1951 sous la direction de Jean Vilar. Ces théâtres sont subventionnés par l'Etat et les municipalités afin de faciliter l'accès aux représentations d'un public venant de toutes les couches sociales et économiques. Conçu pendant l'Occupation et né à la Libération ce « théâtre populaire » ne l'est pas au sens où il émanerait du peuple ; c'est une forme d'action culturelle, un moyen désintéressé de démocratiser la scène.

Les centres dramatiques sont des scènes professionnelles et doivent justifier leur existence par la qualité de leurs programmes et leur capacité d'attirer un public ; à côté d'eux des troupes permanentes ont été fondées, dans l'ensemble grâce à des initiatives locales ; elles prennent souvent la forme de « tréteaux » itinérants. Les « Jeunes Compagnies » foisonnent un peu partout et participent activement aux festivals d'été. Malgré des crises — dont celle de mai 68 — cet effort avait amorcé une seconde transformation de la vie théâtrale. Il attire l'attention sur *le public* et sur le rôle que doit jouer le théâtre par rapport à lui. Si, dans l'ensemble, le théâtre populaire ne touche pas facilement les ouvriers, il n'en accomplit pas moins sa mission : il atteint un nouveau public de jeunes, de petits bourgeois et de commerçants. Les animateurs, en général idéalistes et souvent marxisants, veulent à la fois initier leur public à la grande tradition du théâtre et remplir un rôle social, révolutionnaire. Le théâtre populaire remet en cause les conceptions du théâtre qui avaient, plus ou moins consciemment, orienté les animateurs et dramaturges entre 1920 et les années cinquante.

Conceptions du théâtre

Pendant cette période, quatre conceptions se sont affrontées que l'on peut, en simplifiant, associer à trois noms — Copeau, Artaud, Brecht —, et à un événement : mai 1968.

De 1920 au tournant du demi-siècle, le théâtre d'avant-garde accepte dans l'ensemble l'idée d'un théâtre de communion et de catharsis qui renoue avec la tradition aristotélicienne, repensée à travers Nietzsche et Mallarmé. De ce point de vue, le théâtre tient du cérémonial, du rite collectif grâce auquel le public oublie les mesquines préoccupations ou les drames individuels de la vie, pour participer, par l'entremise des personnages auxquels il s'identifie, à ce que Mallarmé appelait « l'essentiel drame » de la condition humaine. Le public intériorise les sentiments et les attitudes joués. Cette participation qui unit les spectateurs dans une même émotion est purifiée et contrôlée par la qualité esthétique du spectacle qui en est la source. Il s'agit donc de faire vivre un théâtre centré sur le personnage et ses conflits. La scène suscite un univers autonome qui transfigure les conflits et éclaire la sensibilité du moment. Le spectateur, pensait Giraudoux qui est le représentant par excellence de cette esthétique, attend du dramaturge qu'il lui « révèle sa vérité à lui, qu'il lui confie pour lui permettre d'organiser sa pensée et sa sensibilité, ce secret dont l'écrivain est le seul dépositaire : le style ». Réalisant la fusion de la vie avec l'art, le théâtre, selon cette perspective, sera un théâtre du langage, un théâtre antinaturaliste, à dimension métaphysique, indirectement didactique : il réconcilie le spectateur avec sa vie et, en universalisant ses dilemmes, les ennoblit. Dans une société laïcisée et en pleine mutation, le théâtre apparaît alors comme une force de cohésion, un lien avec le passé et un mode d'initiation aux structures du monde réel. En bref, le théâtre est l'instrument de culture par excellence. C'est de cette conception que s'inspireront en 1945 les initiateurs du théâtre populaire et que naîtra le brillant théâtre littéraire qui fleurira pendant une trentaine d'années.

Le théâtre de la cruauté : c'est aussi une catharsis que, selon Artaud, doit effectuer le théâtre mais d'une autre sorte. Artaud propose une conception dramatique personnelle et instransigeante du théâtre comme *action*. Héritier de Jarry, acteur chez Dullin, puis chez Pitoëff (il fonde en 1927 un éphémère Théâtre Alfred Jarry) et lié un instant avec les surréalistes, Artaud s'était aussi passionné pour la pantomime qu'Etienne Decroux remettait à l'honneur. Le théâtre balinais qu'il put voir à Paris lors de l'Exposition coloniale de 1931 lui permit de mûrir les idées qu'il développe en une série d'essais écrits entre 1931 et 1933 et recueillis en un volume qui, publié en 1938, devait avoir un énorme retentissement vingt ans après : *Le Théâtre et son double.* Artaud rompt avec toutes les conceptions du Cartel et n'estime pas les dramaturges qu'il a suscités. Selon lui, le théâtre occidental s'est « pétrifié » et, pour se renouveler, doit revenir à ses sources — non pas la source grecque, mais le théâtre cérémoniel de l'Orient. Pour Artaud, l'Occidental refuse d'entrer en contact avec les forces obscures et violentes de la vie. Il les refoule, s'aveugle et s'exile d'une part de lui-même. Le théâtre oriental, au contraire, les déchaîne chez le spectateur « en une sorte de révolte virtuelle », afin de les exorciser.

Cette conception est importante par les principes de dramaturgie qu'Artaud en tire. Au théâtre la parole est accessoire : « Le dialogue, chose écrite et parlée, n'appartient pas à la scène, il appartient au livre. » Le langage propre à la scène est un langage de gestes, de mouvements, d'attitudes, d'objets ; le personnage est « signe ». La parole doit se faire rythme, incantation, cri. L'action doit atteindre directement la sensibilité des spectateurs, afin de déchaîner jusqu'au paroxysme des états primitifs refoulés : l'érotisme, la peur, etc. « Je propose un théâtre où des images physiques violentes broient et hypnotisent la sensibilité du spectateur pris dans le tourbillon de forces supérieures. » Dans ce théâtre, qu'il nomme « théâtre de la cruauté », le texte cède le pas au « langage physique et concret ». Il fallait « renoncer » à sa superstition et à la dictature de l'écrivain. Dans un tout autre esprit, c'était reprendre la formule de la représentation dramatique « piège à vie », spectacle ne pouvant vivre qu'en tant qu'émanation de la scène elle-même, qui avait inspiré l'Apollinaire des *Mamelles de Tirésias* et les premiers essais de Cocteau, tous deux à la recherche d'un langage scénique neuf, aux antipodes, en somme, de ce que voulait réaliser Copeau.

Le Théâtre et son double influence un courant dramatique majeur, encore vigoureux. Il s'accorde avec le théâtre de rupture qui s'impose entre 1951 et 1955 sous les labels les plus divers : a-théâtre, anti-théâtre, théâtre de l'absurde, théâtre expérimental, métathéâtre, théâtre de dérision, etc. Artaud remettait, lui aussi, en cause le rôle de l'expression verbale, donc du texte au théâtre, et son succès reléguera nettement dans le passé la dramaturgie qu'il refusait.

Bertolt Brecht et le théâtre engagé : le théâtre et les théories dramatiques de Bertolt Brecht ne pénétrèrent vraiment en France qu'assez tard, lorsque sa troupe, le *Berliner Ensemble,* participa en 1954, 1955 et 1957 au Festival international de Paris. A la fois dramaturge, metteur en scène et directeur de troupe, Brecht a lui-même créé un théâtre qui incarne ses conceptions. La mission du théâtre consiste pour lui, marxiste, à faire comprendre au public la nature du contexte social qui est le sien, et sa propre responsabilité, de sorte que, une fois les portes du théâtre franchies, il soit porté à la réflexion, puis à l'action. La pièce brechtienne raconte une histoire fictive qui se déroule en une série d'épisodes, située dans un cadre historique mais que les thèmes rattachent au contexte socio-politique du moment : la guerre par exemple, dans *Mère Courage.* Brecht rejette toute notion d'identification et de catharsis. Le spectacle doit, au contraire, introduire entre la scène et le spectateur une « distanciation » incitant à la réflexion critique. Démystificateur, souvent satirique, le texte reprend sa position centrale mais remplit une autre fonction. Il schématise et mime sur scène ce qui est susceptible d'inciter le public à juger, non la pièce, mais la réalité dont elle est une figuration ; et, comme Artaud, Brecht rejette la confusion de l'acteur avec le personnage.

Une quatrième tendance apparaît après 1968, qui veut assimiler le théâtre à une action, un événement : le « happening », qui remplace le texte du dramaturge soit par un assemblage et un montage de documents ou de textes centrés sur un événement comme la guerre d'Algérie ; soit par le *travail collectif* d'une troupe, qui crée son propre « script », engageant le public à y participer. Ce qui importe ici, c'est la production et l'effet de spontanéité qu'elle crée.

Ces quatre conceptions reposent sur autant de visions différentes du rapport entre le dramaturge, l'animateur et sa troupe, entre le texte, l'expression scénique et le public. Aucune ne met en question la *nécessité* du théâtre, son rôle indispensable dans la vie de la communauté.

C'est autour du *théâtre populaire* qu'un débat s'est engagé qui affecte toutes ces prises de position. Dans l'ensemble, ses animateurs sont à la fois imprégnés des traditions esthétiques de la scène et marxisants, c'est-à-dire convaincus que leur rôle consiste à « changer le monde ». Un théâtre militant engagé dans les problèmes de l'heure leur semblait donc s'imposer, en rupture avec les tendances esthétiques contemporaines. Un théâtre populaire devait-il, comme le pensait Romain Rolland, être écrit pour le peuple ? Ou, comme le croient les partisans du *Living*, émaner du peuple ? D'autre part, pour former un nouveau public à l'appréciation de l'art dramatique, peut-on faire table rase de la tradition théâtrale ? Et dans quelle mesure celle-ci fait-elle partie d'une culture « bourgeoise » désuète ? Lorsqu'il va au théâtre, le public souhaite-t-il vraiment voir ses soucis politiques portés sur scène ? Que doit être un répertoire approprié au public ? Quelles sont les conditions qui favorisent l'activité théâtrale ? Aucun schéma simple (théâtre traditionnel, théâtre d'avant-garde, théâtre bourgeois, théâtre de contestation, théâtre littéraire, théâtre-événement) ne rend compte de l'immense diversité des œuvres dramatiques qui sont apparues au cours des cinquante dernières années. Il est cependant indubitable qu'aujourd'hui la situation dont se plaignait Copeau en 1920 réapparaît : l'absence d'auteurs nouveaux. La vie du théâtre serait-elle finalement liée avant tout à la vie littéraire ?

Les grandes lignes d'une évolution

Le théâtre marque les lignes de clivage culturel de notre temps plus précisément qu'aucun autre art ou genre littéraire. Trois moments s'y dessinent nettement :

— *De 1920 à 1938*, les pièces les plus diverses de forme, de langage et d'esprit sont produites en grand nombre et font de Paris la capitale européenne du théâtre. C'est autour de 1925 que se dessinent nettement les lignes de force d'un théâtre qui laisse derrière lui l'esprit et les formes du théâtre d'avant-guerre.

— *Pendant l'Occupation*, une nouvelle génération

de dramaturges apparaît pour lesquels la scène est un moyen de jeter quelque lumière sur les grands débats collectifs et les désarrois de la pensée créés par les circonstances historiques.

— *Les années 1952-1955* sont aussi nettement déterminantes pour le théâtre que l'avaient été les années vingt. Un nouveau groupe de dramaturges perce, qui rejette en bloc toutes les tendances et les préoccupations des deux générations qui avaient précédé. Dix ans plus tard, ayant conquis un public international, ce « nouveau théâtre » s'épuise. Il n'a pas connu de postérité vraie.

— *Un mouvement s'esquisse* alors dans la direction d'un théâtre politique, mais ne s'impose pas. Tandis que le public devient plus compréhensif, les dramaturges semblent s'effacer, incertains de leur voie. On distingue à peine une demi-douzaine de noms, qui ne sont guère connus en dehors de la scène française.

La poussée moderniste

Au sortir de la Première Guerre mondiale, un esprit « désengagé » règne en réaction contre le conformisme de l'esprit de « l'arrière ». Le goût change aussi et affecte profondément les habitudes du théâtre de boulevard, dont les auteurs attitrés — Alfred Capus, Robert de Flers et Gaston de Caillavet, Henry Bataille — sont rapidement éclipsés. Si la qualité des pièces jouées diffère, un même goût se manifeste dans le public des théâtres de boulevard et celui des « animateurs » : d'une part, le goût de la *comédie*, sous toutes ses formes ; d'autre part, celui du drame intime, imbu de mélancolie devant le démenti que la réalité apporte aux rêves. Le thème le plus commun est celui de la désillusion. Le roi du boulevard, qui le restera jusqu'à sa mort, est Sacha Guitry, virtuose de la comédie légère, brodant mille spirituelles variations sur le thème du séducteur (homme du monde et parisien) séduit. A partir de 1922 cependant, date où Dullin monte *La Volupté de l'honneur*, Pirandello domine un moment la scène française, synthétisant les thèmes épars du théâtre de l'heure et influençant profondément les dramaturges. Le théâtre de Pirandello explorait le monde intime et complexe du moi, les fluctuations de la personnalité et l'étrange jeu des conflits de l'illusion et de la réalité. Pirandello attaquait la notion même de personnalité qui avait été depuis longtemps le soutien du personnage de théâtre et utilisait un thème familier aux novateurs : comme Cocteau, il affirmait qu'il existe une vérité propre à la scène ; que l'artiste crée une réalité autrement « réelle » que celle qu'ébauche la vie ; que toute vérité est subjective et relative ; qu'aucune « situation » humaine n'est statique et définissable ; que la personnalité est chose indécise et changeante. Il sapait les conventions les plus chères au drame bourgeois, lequel, malgré certains succès — Henry Bernstein, Edouard Bourdet —, devenait désuet.

La farce se poétise et se diversifie. Classique avec *M. Le Trouhadec saisi par la débauche* et *Knock ou le Triomphe de la médecine* de Jules Romains, elle connaît un énorme succès. Mais d'autres formes de farce sont plus révélatrices et ébauchent des transformations scéniques qui annoncent la révolution des années cinquante.

En 1921, *Les Mariés de la Tour Eiffel*, de Jean Cocteau, en 1928, *Victor ou les Enfants au pouvoir* de Roger Vitrac — pièce qui ne sera appréciée que lors de sa reprise, en 1962 — font un usage dramatique d'éléments visuels. A propos d'un déjeuner de noces bourgeoises dans un restaurant de la tour Eiffel, Cocteau crée ce qu'il appelle une « poésie de théâtre ». Il donnait une forme concrète aux images endormies dans les clichés de la langue la plus banale. Sa scène de marionnettes se peuple de phonographes doués de parole, d'appareils photographiques d'où sortent, au lieu du « petit oiseau », une autruche, puis un lion, etc. Vitrac, lui, crée, une situation incongrue en faisant évoluer sur scène un enfant-géant, ce Victor qui, à neuf ans, dépasse immensément en compréhension les adultes falots qui l'entourent. D'un autre point de vue, Fernand Crommelynck apporte à une farce comme son *Cocu magnifique* les ressources d'un langage lui aussi magnifique, et dont l'incongruité introduit dans la farce un élément ambigu qui annonce certains développements ultérieurs, comme le font aussi, par ailleurs, les pièces *surréalisantes* de Breton, Aragon, Tzara et Roussel.

Moins audacieux, les autres dramaturges français se bornent au même moment à quelques petites innovations de forme. Ils abandonnent souvent la division d'une pièce en actes, préférant un enchaînement par tableaux. Ils rejettent la rhétorique sans faille qui explique logiquement l'action. Ils créent des pièces où, tout en suggestion, le dialogue se détache sur un fond de silence (Jean-Jacques Bernard) ou apparaît comme une sorte de silence cachant les véritables sentiments (Denys Amiel). Ils suppriment les jalons logiques qui articulent le déroulement de l'action. Célèbre entre les deux guerres et trop oublié aujourd'hui, Henri-René Lenormand transporte les conflits psychologiques du domaine de la conscience à celui de l'inconscient. S'inspirant de Tchékov, Charles Vildrac — dont *Le Paquebot Tenacity* connaît le succès en 1920 — met en scène les drames intimes de petites gens, tandis que Jean Sarment fait revivre une comédie sentimentale à la Musset.

En 1928, *Siegfried*, la première pièce de Giraudoux, montée par Jouvet, enthousiasma Paris que, pendant vingt ans et par-delà sa mort avec *La Folle de Chaillot* et *Pour Lucrèce*, pièces posthumes, Giraudoux continuera à éblouir. Romancier apprécié d'une élite, celui-ci avait réfléchi sur ce que Claudel, encore peu connu, apportait au théâtre : la création d'un univers scénique autonome qui transfigure et éclaire la vie de tous les jours. Si variée qu'en soit la forme, les quatorze pièces de Giraudoux relèvent d'une même esthétique qui a exercé une influence visible sur la dramaturgie d'écrivains aussi différents que Jacques Audiberti, Jules Supervielle, Jean Anouilh et Jean-Paul Sartre. Et ce sera en grande partie contre Giraudoux que réagiront les dramaturges du demi-siècle. Toutes ses pièces renouvellent ou créent des mythes ; et tout spectacle giralducien prend l'allure non d'un rite sacré, mais d'une fête. Giraudoux exploite toutes les ressources du langage pour transporter son public dans un monde *imaginaire*, « un microcosme » où se reflètent les attitudes diverses et les conflits de l'actualité qu'incarnent les personnages. Riche en allusions et en analogies souvent pleines de fantaisie, ses drames créent une atmosphère plutôt qu'ils ne développent une action spécifique et limitée. La représentation dramatique des conflits esquissés par les situations légendaires qu'il prend comme canevas devient un jeu parfois sibyllin, qui éclaire les dilemmes, les faiblesses et la sensibilité de l'époque. Après *Siegfried*, brillante et paradoxale pièce bâtie sur le thème du contraste entre la sensibilité française et la sensibilité allemande, ses pièces — plus particulièrement *La Guerre de Troie n'aura pas lieu*, et *Electre* — affrontent les grands thèmes de la violence collective : guerre entre nations, guerre civile. Le théâtre de Giraudoux ne respecte aucune des règles conventionnelles du genre (par exemple le développement d'une action vraisemblable ou la motivation psychologique des personnages). Il exige du spectateur qu'il se laisse emporter par le spectacle. Pour lui le dramaturge est un « illusionniste » dont le rôle est d' « enchanter ». Il doit arracher à leurs horizons quotidiens les spectateurs raisonnables que sont les Français. Pendant deux heures, faisant appel à tous leurs sens, à leur imagination et à leur sensibilité, il leur donne accès au domaine mythique où se révèlent les forces qui ont prise sur le destin humain. Si différente que soit leur dramaturgie, Giraudoux et Artaud sont d'accord sur l'inhumanité de ces forces qu'affrontent ou déclenchent les personnages, Hector et Ulysse — Electre et Egisthe —, Siegfried ou Amphitryon. Le thème profond de Giraudoux est celui du conflit, impossible à résoudre, entre les grandes aspirations des hommes et la réalité qu'ils doivent vivre. Son théâtre domine l'entre-deux-guerres.

A partir des *Mariés de la Tour Eiffel* et jusqu'à sa dernière pièce, *Bacchus* (1951), Cocteau donne à la scène onze pièces et quatre adaptations. Fidèle à son point de vue initial sur la « poésie » de la scène, il a dès ses débuts séparé la « parade », c'est-à-dire la forme extérieure de la pièce, de sa signification. Toutes les formes de la « parade » — drame romantique, drame bourgeois, comédie de mœurs, tragédie — peuvent vivre côte à côte. En attaquant l'opinion qu'un art « moderne » existe pour chaque époque et qu'il convient seul à ce moment-là, Cocteau travaillait, tout comme les grands metteurs en scène, à former un goût libre et ouvert. *Orphée* (1926) et *La Machine infernale* (1934) reprennent des mythes connus et les réinterprètent en termes freudiens et contemporains. Le personnage central est à la recherche de son identité, et les complexités de ses divers niveaux de conscience sont représentées sur la scène au moyen de personnages ou d'objets-symboles.

L'inquiétude des années trente : métamorphose du drame bourgeois

Armand Salacrou et Jean Anouilh sont voués à la scène et fournissent, l'un à Dullin, l'autre à Barsacq, des pièces accessibles au public, parce qu'elles reprennent en les transformant certains éléments du théâtre bourgeois. Pour eux deux, une pièce est un tout vivant qui « engage » le dramaturge et qui exprime son univers intime. Plus directement que Giraudoux et Cocteau, ils reflètent l'inquiétude des années trente. C'est à partir de 1930 que Salacrou s'est fait un nom avec des pièces comme *Une Femme libre* (1934) et *La Terre est ronde* (1938). Ses pièces se rattachent au drame bourgeois, le décor et les personnages appartenant en général à un milieu aisé, les intrigues se nouant autour de l'adultère ou de questions d'argent. Mais Salacrou a été formé à l'école du surréalisme. Pour lui, cette réalité quotidienne débouche sur l'inconnu. Avant même que le mot n'eût fait fortune, il a le sens de l' « absurde », du vide métaphysique derrière le quotidien. Ses recherches techniques pour communiquer ce point de vue en font un précurseur. Le temps, selon lui, révèle toutes les évasions. C'est pourquoi il rompt l'enchaînement linéaire de l'action et utilise le retour en arrière *(flash-back)*, le dédoublement du personnage, c'est-à-dire la confrontation et le dialogue d'un personnage avec un autre lui-même, pris à un autre moment du temps ; il est allé jusqu'à faire progresser la vie de ses personnages à rebours, de la mort vers la naissance *(Sens interdit)*.

C'est cependant Jean Anouilh qui, à partir de la représentation du *Voyageur sans bagage* (1937), a dominé la scène avec plus d'une trentaine de pièces. Et c'est aussi à son propos que se manifeste le paradoxe du théâtre dit d'avant-garde. Depuis le début du siècle, les animateurs et critiques cherchaient une forme théâtrale capable d'atteindre un large public. Mais le succès et la valeur dramatique semblent aux yeux des critiques ne pas pouvoir s'accorder. Au moment où, sous le masque du Molière moraliste des livres de classe, on retrouvait le Molière homme de théâtre, la critique vis-à-vis de l'homme de théâtre qu'est Anouilh se faisait moralisatrice. Or, dans sa variété qui va du simple divertissement — *Le Bal des voleurs* — à la grande fresque historique — *Becket, ou l'honneur de Dieu* —, le théâtre d'Anouilh vit de la vie intense et allègre de la création dramatique elle-même. Riche de mille personnages et d'une multiplicité de situations, son thème est le jeu, le jeu sous toutes les formes, et la confrontation avec la réalité. Pièces noires, pièces roses, pièces grinçantes, pièces costumées — selon le classement d'Anouilh lui-même — traitent toutes du conflit entre la réalité et les élans du rêve ou de la sensibilité. Rôles possibles, rôles impossibles, rôles comiques, pathétiques, tragiques, composés ou inventés, ses personnages vivent et meurent de ce conflit. La critique a distingué dans cet univers les « purs » — jeunes généralement — et les « avilis », adultes marqués par les compromissions, pour en tirer une thématique de la négation : les purs refusent de jouer le jeu de la vie. Ceci paraît simpliste en face de la complexité d'un monde où tous les rôles se proposent, mais où chacun, une fois adopté, élimine les autres. Dire oui, c'est donc aussi dire non. De toute façon, le théâtre d'Anouilh est le lieu des conflits, des essais, des décisions de personnages *imaginaires*, d'où sa fantaisie.

Autour de ces dramaturges foisonnent des œuvres où domine la poésie ; un *théâtre de poètes* tente sa chance sur la scène. Pour Jules Supervielle la scène est une extension de sa poésie, un monde de légendes où le rêve s'allie à la fantaisie, à l'humour et à la méditation (*La Belle au bois, La Première Famille, Le Voleur d'enfants, Shéhérazade*). Entre 1919 et 1939, Michel de Ghelderode crée parallèlement un théâtre violent et bouffon, centré sur l'érotisme et la mort, qui s'inspire des toiles de Brueghel, de Bosch, de James Ensor, et dont trois pièces, *Fastes d'Enfer* (1924), *Hop Signor !* (1931) et *Escurial* (1927), représentées bien plus tard à Paris (1947, 1948, 1949), préludent à l'avènement du « nouveau théâtre » des années cinquante.

Les années de crise : la scène intellectualisée

A l'inverse du sort qui avait été le sien pendant la Première Guerre mondiale, le théâtre se maintient malgré les difficultés matérielles et la censure pendant l'Occupation. Les années quarante voient disparaître Giraudoux (1944), mais surtout les grands animateurs : Pitoëff, Lugné-Poe, Copeau et Dullin ; et en 1951-52, Jouvet et Baty. Henry de Montherlant, Jean-Paul Sartre et Albert Camus font leur début à la scène, tandis que Jean-Louis Barrault et Jean Vilar succèdent aux metteurs en scène du Cartel.

Pour différente que soit leur dramaturgie, Montherlant, Sartre et Camus replacent le *personnage* au centre du drame, préférant personnages et situations historiques ou contemporains aux seuls produits de leur imagination. C'est donc vers un nouveau réalisme psychologique qu'ils orientent le théâtre, mais à travers des structures dramatiques qui s'éloignent le plus souvent des conventions du drame bourgeois dont Sartre se rapprochera ultérieurement. C'est vers un renouvellement de la tragédie que s'orientent Montherlant et Camus. Pour Montherlant, il s'agit de retrouver les lignes sévères et le langage économe du théâtre classique, de faire vivre sur scène les conflits et le destin de personnages complexes, orgueilleux et violents qui refusent de s'accommoder aux valeurs de leur entourage. De son début, avec *La Reine morte* (1942) à sa dernière pièce, *La Guerre civile* (jouée en 1965), une douzaine d'œuvres en marge des tendances contemporaines constituent une production de grande tenue littéraire. Explorer les possibilités et les limites de l'homme, c'est ce à quoi s'applique Camus, dont le théâtre porte sur l'irréductible hiatus entre la pensée et l'action. Camus resserre le drame autour de tragiques antinomies où se débat l'homme absurde en quête d'unité, et cherche à donner au théâtre un langage sobre, imprégné de lyrisme.

Le brillant théâtre de Sartre se coule dans les formes les plus immédiatement accessibles. Celui-ci utilise la scène moins pour *explorer* les conflits de ses contemporains que pour créer un « théâtre efficient » qui agisse sur son public. Les situations, les conflits, l'action et le langage sont utilisés pour répondre à la conception sartrienne du rôle social d'une littérature engagée. Le théâtre doit être en prise directe sur l'actualité et en même temps s'organiser selon le schéma de la pensée sartrienne qui est en son essence dramatique. Sartre a nettement expliqué ce qu'il vise : un théâtre de « situations-limites », c'est-à-dire qui accule les personnages à se révéler dans des circonstances où ils n'ont que deux choix, dont l'un implique la mort. Le théâtre de Sartre est la mise en œuvre dramatique d'un système psycho-philosophique. Mais, parce que Sartre vise le monde concret de l'actualité, cette œuvre s'ancre dans un nouveau réalisme que dément l'abondante rhétorique dont usent ses personnages. Dans ses meilleures pièces, dont *Huis clos,* thèse et théâtre s'équilibrent et fusionnent dans le langage. Dans les plus faibles, la démonstration détruit le drame. Mais avec *Les Mouches* (1943) et jusqu'aux *Séquestrés d'Altona* (1959), sept pièces sartriennes font vivre un « théâtre d'idées » qui n'est pas sans rappeler Bernard Shaw et Ibsen.

Engagés dans les conflits publics de l'époque, ces dramaturges cherchent, comme Giraudoux, à porter à la scène de grands débats, mais ils les dépouillent des prestiges de la fantaisie giralducienne. Au milieu du siècle, et comme l'annonçaient déjà les pièces de Gabriel Marcel, ce philosophe existentialiste chrétien, le théâtre se faisait, à l'instar de l'époque, sombre et intellectuellement exigeant.

Sur les scènes d'avant-garde, avec Jacques Audiberti, Georges Schéhadé et Georges Neveux, un théâtre irréaliste, vivant, fantaisiste et quelque peu en marge prolongeait les spectacles de l'entre-deux-guerres. Et, un instant, avec les *Epiphanies* et *Nucléa* de Pichette, la rhétorique violente de la révolte a éclaté sur la scène, sans inspirer pourtant le théâtre révolutionnaire que certains attendaient. Mais poètes et dramaturges de la condition humaine, tous, à la suite de Giraudoux et de Claudel que Barrault enfin fait vivre sur la scène, *fondent le drame sur le langage*, celui-là même qu'avait attaqué Artaud et que récuse le théâtre des années cinquante.

« *L'anti-théâtre* » : *une dramaturgie nouvelle*

C'est en 1953 que le débat que soulève *En attendant Godot*, la pièce d'un Irlandais alors inconnu, Samuel Beckett, révèle dans les petits théâtres une nouvelle forme de drame fondée sur une utilisation renouvelée de la scène. La structure du spectacle, le rôle du langage et la nature de l'action sont mis en cause par les pièces de Beckett, de Ionesco et d'Adamov ; à côté d'eux, Jean Genet et Jean Tardieu essayaient d'autres voies.

Ce théâtre, dit aussi « de l'absurde », a été abondamment analysé. Nous n'en rappellerons que brièvement les traits caractéristiques : réduction du spectacle, du décor ; dépersonnalisation des personnages sans définition sociale, souvent même sans noms, clowns, marionnettes, automates qui relèvent du guignol, du cirque ou de la pantomime ; réduction du dialogue, dont chacun use différemment. Les nouveaux dramaturges ont en commun certains traits caractéristiques : ils dissocient les paroles des gestes, les mots de leur sens, le dialogue de la situation. La parodie, la satire, l'ironie affleurent. L'action est subie par les personnages et disparaît de la scène. La pièce repose sur la circulation verbale dans une situation sans modification ou sur la désintégration des personnages au centre d'une situation mobile. Le décor, les objets, comme dans le théâtre expressionniste allemand, traduisent le plus souvent des états psychologiques mal refoulés. Aucun *sens*, aucune *interprétation* du jeu ne sont donnés. Ensuite, chacun de ces auteurs devait suivre une voie différente, Beckett vers une réduction toujours plus grande des éléments du drame, Ionesco vers l'élargissement de ses thèmes et du cadre de sa dramaturgie, Adamov vers un théâtre politisé inspiré de Brecht.

« Si nous faisons un théâtre, déclarait Artaud déjà en 1926, ce n'est pas pour jouer des pièces, mais pour arriver à ce que tout ce qu'il y a d'obscur dans l'esprit, d'enfoui, d'irrévélé, se manifeste en une sorte de projection matérielle, réelle. » Chacun des dramaturges envisagera cette projection à sa façon.

Pour Beckett la mise en scène est la traduction en termes scéniques d'une situation métaphysique dont les personnages font intégralement partie. Tout ce qui appartenait à l'illusionnisme réaliste de la scène est supprimé : personnages « en situation » avec leurs coordonnées sociales et psychologiques et les conflits qui en découlent. Dans *En attendant Godot*, la route, avec un seul arbre, est la « projection matérielle » du dilemme indépassable des deux personnages sur scène — Vladimir et Estragon — mi-clowns, mi-vagabonds. Elle fait partie de la configuration paradoxale et rigoureuse qui est mise en jeu. Aucun des éléments en présence, ni leur relation ne peuvent changer. Même lorsque le double passage du tandem Pozzo-Lucky est introduit avec une permutation du rapport entre les deux principaux personnages, il s'agit simplement de deux phases d'un motif qui se répétera. Fait aussi partie de cette configuration l'attente d'autre chose, d'un aboutissement, d'une solution. C'est cette tension que traduisent les actions, l'évolution sur la scène et les réactions de Didi et Gogo. Elles ne la transforment pas. L'énigme de la présence hors cadre de ces figurants, à la fois vulnérables et indestructibles, confronte le public que déconcerteront d'abord les effets comiques, tout à fait traditionnels dont use Beckett. De plus en plus réduites, les mises en scène ultérieures de Beckett poursuivront le même but : définir visuellement une situation métaphysique indépassable, qui nie le fait humain, et faire jouer, face à cette négation, les infatigables ripostes humaines. Dérisoires en elles-mêmes, elles acquièrent par leur gratuité même une sorte de grandeur. Le théâtre de Beckett pose ainsi inlassablement la question de la condition humaine mais en dehors de toute rhétorique. Ce qui attache le public à ce théâtre, c'est un sentiment de complicité teinté d'ironie.

Comme Ionesco l'admet lui-même, son théâtre relève davantage d'*Ubu roi*, du théâtre dadaïste et du théâtre expressionniste allemand. Pour lui, « l'irrévélé est ce qui se cache dans l'inconscient ». Ses œuvres jaillissent d'abord d'une sorte de colère contre le conformisme social ; et ce n'est qu'assez tard, avec *Tueur sans gages*, *Le Roi se meurt* et *La Soif et la Faim* qu'il y introduit une dimension métaphysique. Dès sa première pièce, une « anti-pièce », une farce inspirée de la méthode Assimil, il s'attaque férocement au quotidien bourgeois. Mais sa cible est avant tout le langage qu'il disloque avec une violence vengeresse hautement comique et une fertilité d'invention cocasse. Ionesco ne se passe pas du fil de l'intrigue mais celui-ci reste ténu. Ses personnages sont souvent « situés », mais ce ne sont que de simples marionnettes, ou comme le Bérenger de *Tueur*, des « personae », c'est-à-dire des projections du dramaturge lui-même. Deux thèmes se partagent cet abondant théâtre : la haine de tout ce qui est conformiste, mécanique, accepté comme « naturel ». C'est le thème comique par excellence que traduit l'extraordinaire prolifération des choses sur scène : meubles qui remplissent tout l'espace scénique ; champignons qui poussent dans un salon ; prolifération de nez ou d'œufs ; dédoublement de personnages. Le tout est aggravé par un langage déréglé, infiniment drôle, inattendu et halluciné. L'autre thème, qui s'impose peu à peu et en vient à dominer par moments, est constitué par ce que Ionesco appelle son « étonnement d'être » et alimente paradoxalement sa grande colère contre une société insensible à ce mystère. Chez lui, la mise en scène est surtout la projection d'un inconscient refoulé, souvent mesquin, mais parfois grandiose, comme dans *Le Piéton de l'air.* Le théâtre de Ionesco, dont les premières pièces sont des sortes de sketches en un acte qui l'ont rendu célèbre, est en fait d'une grande diversité.

Que son œuvre soit liée à une profonde névrose, Adamov l'a prouvé dans une émouvante et cruelle confession, *L'Aveu* (1946 ; non réimprimé). Il semble s'être rapproché du « théâtre de la cruauté » qu'envisageait Artaud. La terreur et l'angoisse, intérieures et extérieures, dominent des situations de cauchemar, qu'un langage scénique accentue. Sur la scène, les sentiments s'objectifient : des horloges sans aiguilles ; un personnage qui perd un bras, puis l'autre, puis une jambe, c'est le « mutilé » pris dans l'engrenage d'une action par ailleurs invisible ; des rêves angoissants qui se muent en réalités. *La Grande et la Petite Manœuvre* est une sorte de représentation emblématique de la double violence faite aux êtres humains.

Sur le plan politique, un régime tyrannique suscite une révolution d'où naît une nouvelle tyrannie. Cette « petite manœuvre » se double de la « grande manœuvre » de destruction des êtres humains par la souffrance et la mort. Ce théâtre mime la cruauté gratuite de la condition humaine, sans issue et sans signification. Le *Ping-Pong* d'Adamov marque un développement dû à l'inscription de cette dramaturgie du désespoir dans une perspective marxiste. Il y a une intrigue ; le décor est précisé : un café avec un billard électrique. Deux jeunes garçons, Victor et

Jean, sont fascinés par le jeu et surtout par les perfectionnements qu'ils pensent pouvoir apporter à la machine. Ils y passeront leur vie. Le dernier acte introduit un autre symbole. Vieux maintenant, toujours pauvres, Victor et Arthur jouent au ping-pong, jeu qu'ils perfectionnent ; sans raquettes d'abord, puis sans filet, puis sans balle. Que la pièce comporte un commentaire social, aucun doute. Mais Adamov évite tout didactisme : le rapport des deux personnages avec l'objet (le billard, le ping-pong) établit une métaphore, mais la signification sociale n'est point énoncée. Aux spectateurs d'en tirer la leçon. Puis, à partir de *Paolo Paoli*, Adamov s'engage sur la voie d'un théâtre politique qui prend la forme de la satire sociale.

Dans quatre pièces magistrales, *Les Bonnes*, *Le Balcon*, *Les Nègres*, *Les Paravents*, Jean Genet crée ce qu'on a appelé le « théâtre de possession ». Le monde des hors-la-loi s'oppose au monde des puissances établies ; c'est à travers la mascarade que s'établissent des relations qui tiennent de l'envoûtement. Dans ce monde dramatique, le langage règne, cérémonieux et dangereux. Les personnages sont comme les officiants d'une sorte de messe noire dont Genet veut délibérément recréer l'atmosphère de cérémonial mystique et subversif. Aux antipodes, Jean Tardieu, dans de courtes pièces, pousse ses recherches vers un théâtre abstrait, fondé sur un rapprochement avec la musique (*La Sonate ; Conversation-Sinfonietta ;* et, en forme de concerto, *L'A B C de notre vie*), dans un effort pour trouver de nouvelles structures formelles qui remplaceraient les structures discréditées du passé. Ses recherches se rapprochent de celles de l'art abstrait — arts plastiques ou musique — et portent sur le jeu de *thèmes formels*, non sur le *contenu* de la pièce. Ce sont, comme l'indique Tardieu lui-même, des *Poèmes à jouer*.

Les années soixante : une situation indécise

Aux environs de 1960, le langage scénique et les thèmes des novateurs ont été assimilés. Paris accueille les successeurs de Beckett et de Ionesco, tous étrangers — Pinter, Albee, Dürrenmatt, Peter Weiss, Gombrovicz — qui, en mettant en œuvre les procédés de leurs aînés, ont tendance à redonner au théâtre une dimension sociale ou psychologique. Le public français se montre éclectique ; à côté de Brecht, il accueille le vaudeville : Feydeau fait recette. De nombreux directeurs, que suscite l'expansion du théâtre en province — Gérôme, Planchon, Blin, Serreau, Vitaly, Reybaz, Mauclair, Polieri — prennent la relève des anciens. Anouilh et Ionesco dominent la scène. Déjà annoncé par le *Nekrassov* de Sartre et *La Tête des autres*, de Marcel Aymé, un mouvement vers le théâtre politique s'esquisse dans les dernières pièces d'Adamov, celles d'Armand Gatti et la représentation posthume de deux farces de Boris Vian *(Les Bâtisseurs d'empire* et *Le Goûter des généraux).* François Billetdoux, Roland Dubillard, René de Obaldia continuent la tradition du théâtre « poétique » — nostalgique ou comique. Trois romanciers, Robert Pinget, Marguerite Duras, Nathalie Sarraute, tentent de donner au drame psychologique des formes nouvelles. Un seul dramaturge d'origine espagnole, Fernando Arrabal, qui rappelle Jean Genet, semble vouloir créer son propre théâtre de la cruauté — fortement érotique et révolté — dans ce qu'il appelle le « théâtre panique ».

Brèves, proches en somme de la commedia dell' arte par le caractère des personnages mis en scène, les premières pièces d'Arrabal jouaient sur une sorte d'incongruité absurde entre les thèmes et la situation. Zapo, le soldat de *Pique-nique en campagne,* reçoit la visite de ses parents qui viennent partager un repas avec lui ; il fait un prisonnier, Zapo, qui constitue son exacte réplique dans l'armée ennemie et ils pique-niquent ensemble jusqu'à ce qu'une bombe les fasse sauter de concert. Dans *Le Cimetière des voitures*, qui se rapproche du guignol, l'imagination baroque d'Arrabal s'affirme. Le cimetière des voitures est habité. L'action s'engage autour du musicien Emanu, sorte de Christ de ces épaves, qui sera la victime de deux policiers, et comme Jésus sacrifié. Avec *Ils ont mis des menottes aux fleurs* et *La Tour de Babel*, la scène d'Arrabal s'est élargie et chargée d'une révolte contre la veulerie humaine. La violence, la cruauté et l'érotisme éclatent dans des scènes d'un réalisme hallucinant. Arrabal rejoint ici toute une tradition espagnole où le lyrisme, l'obscénité, la cruauté du spectacle et du langage évoquent le désordre et l'irrationalité de la condition humaine.

A la Cartoucherie de Vincennes, le théâtre d'Ariane Mnouchkine, spectacle de grande action scénique, pour lequel le texte est une sorte de *libretto*, a jusqu'à présent connu une carrière brillante. Une libre interprétation de la vie de Molière et la mise en scène de *Méphisto*, une pièce de Klaus Mann sur la montée du nazisme, semblent, au seuil des années 80, en confirmer le succès.

CHAPITRE V

L'ESSAYISME DU XXe SIÈCLE

LE mot « essayisme », dont on note l'apparition à la fin de l'époque romantique et dont le succès est resté très limité, désigne une disposition et une intention littéraires ; il pourrait même aller jusqu'à suggérer un point de vue esthétique et un type particulier d'œuvre. La désaffection que connaît ce mot — mais non la chose ! — s'explique sans doute par la répugnance naturelle des essayistes à systématiser leur conduite et à ranger leur mode d'expression sous la bannière d'un nouveau genre concurrençant ses prédécesseurs. L'essai doit rester l'innommable langage au cœur d'une exigence de modernité qui remonte au XVIe siècle, c'est-à-dire au moment où, face aux langages savants, les langues modernes commencent à prendre conscience de leur originalité et de leur pouvoir. Ce combat qui met aux prises scolastique et modernité dure toujours : depuis quatre siècles, l'essai reste le signe d'une révolte, d'une libération linguistique et intellectuelle.

Avec Montaigne pour dieu tutélaire, et à travers une extrême variété de formes défiant toute classification qui ne serait pas empirique, l'essai a exposé les structures profondes et les compétences — en fait, les problèmes et parfois les angoisses — de notre modernité ; à commencer par l'agnosticisme, vécu au premier chef par les philosophes dont les épistémologies successives, de Descartes ou de Locke au positivisme, en passant par le relativisme du XVIIIe siècle, fixent les pouvoirs et les limites du connaissable ; mais vécu aussi par tous les écrivains, moralistes, romanciers et dramaturges qui confrontent leurs inventions sémantiques avec l'insondable de la nature humaine, si bien que la littérature se transforme peu à peu en culture du mystère et en défi à l'ineffable. L'essai signifie alors épreuve, expérience, sondage. Il met en question l'idée de vérité-adéquation ou de vérité-miroir, pour souligner, dans l'acte d'écrire, la décision créatrice, le pouvoir ontologique, et parfois thaumaturgique, du signe verbal : connaître, ce n'est plus imiter ou refléter la réalité, c'est la transformer, la transposer et — à l'occasion — la faire. L'essai s'affirme comme tentation et surtout tentative, sans cesse réitérée, de bâtir des architectures intellectuelles et morales qui rejettent la forme du système, la cohérence logique — syllogistique ou dialectique — d'un lexique organisé à partir de quelques mots clés et unificateurs, tels que « dieu », « être », « absolu », « esprit », « matière ». Loin de n'être qu'une philosophie de la connaissance, l'agnosticisme se révèle *conscience même du langage* éprouvant, « essayant » les limites de sa puissance sémantique : par-delà la relativité du savoir, l'essai vit la relativité du sens et des significations ; il invente le langage qui discipline la connaissance, et il aspire à devenir, selon la formule de Camus, « cet ordre... où l'on sait sans savoir » (*Essais*, p. 1708).

Appartenant à l'ordre agnostique du discours, l'essai en découvre l'inéluctable *subjectivité*. Là encore, l'instauration sémantique de Montaigne conduit la critique des genres vers un principe que, quatre siècles plus tard, Benveniste codifie : la subjectivité est « l'émergence dans l'être d'une propriété fondamentale du langage » (*Problèmes de linguistique générale*, p. 260). Le cogito cartésien tentera de rassembler le sens, dispersé par les *Essais*, en le mettant à l'abri d'une seule formule qui lance à l'usager des mots deux avertissements : d'abord toute affirmation ou négation concernant la réalité requiert la garantie et la responsabilité d'un sujet qui dit : *Je* ; ensuite cette consécration subjective implique un mouvement de réflexivité des signes sur eux-mêmes : écrire, c'est mettre en relation *je* et *l'autre* comme référents inversés. Les jeux de miroir de la réflexivité entraîneront la littérature vers ces exercices complexes qui ont été décrits par les historiens des littératures et surtout par ceux qui se sont intéressés à l'évolution des genres. Proust dégage clairement la problématique de la subjectivité-réflexivité quand il observe que « les grands écrivains du XIXe siècle ont manqué leurs livres, mais, se regardant travailler comme s'ils étaient à la fois l'ouvrier et le juge, ont tiré de cette autocontemplation une beauté nouvelle extérieure et supérieure à l'œuvre, lui imposant rétroactivement une unité, une grandeur qu'elle n'a pas » (*A la recherche du temps perdu*. « Bibl. de la Pléiade », III, p. 160). « Les plus grandes beautés de Michelet, ajoutera-t-il, il ne faut pas tant les chercher dans son œuvre même que dans les attitudes qu'il prend en face de son œuvre... »

La conscience aiguë de la réflexivité conduit la recherche philosophique après Descartes vers les diverses formes européennes d'un idéalisme qui tourne autour de l'Inconnaissable pour l'absorber ou le limiter. Accusés de se mettre au service de la classe montante, la bourgeoisie, ces idéalismes suscitent par réaction les réalismes révolutionnaires dont le marxisme est devenu le modèle reconnu. En même temps, apparaît une nouvelle attitude à l'égard du langage, un nouveau *nominalisme* qui certes prolonge la tradition nominaliste médiévale, mais renouvelle son attitude à l'égard du signe. Les conceptions du signe comme adéquation à l'être, et du langage comme instrument de la pensée, sont débordées. Les cultures modernes découvrent que le langage conditionne ce qu'on appelle « pensée », — voire qu'il s'identifie à elle —, et que le signe est d'abord l'être qui donne leur sens à tous les êtres. L'écriture n'est plus image, elle est création. La rhétorique, héritée des Grecs et des Latins, tombe d'abord en désuétude puis elle redevient, après 1950, un objet central de réflexion ; les anciens concepts de métaphore, métonymie, synecdoque, catachrèse, etc., sont révisés à la lumière de la linguistique générale. Montaigne déjà avait compris que l'essai était une critique du langage. Aujourd'hui, on se demande si cette critique n'est pas la fonction cardinale, non seulement de la philosophie, mais de toute littérature.

Parmi les problèmes que la modernité se pose, le plus important est celui de *genre* comme cadre littéraire qui obéit à un certain code. Le fixisme de la rhétorique classique s'effondre. Ses concepts se relativisent, et les emprunts d'un genre à l'autre deviennent constants. L'idée de cadres littéraires préalables à l'écriture s'efface au profit de l'idée de l'*œuvre* à accomplir à travers une disponibilité de formes. Les exemples de Gide et de Camus sont les plus typiques. Le premier fait de son œuvre un immense essai éclaté qui tend à s'absorber dans un *Journal* jouant à la fois le rôle de témoignage, d'exercices préparatoires et de confidence ultime. Le second, tout en conservant apparemment les distinctions du roman, du théâtre et de l'essai, les met en relation les uns avec les autres, et en fait autant de points de vue différents sur un seul et même problème. En utilisant le langage comme un pouvoir de création, et non plus de connaissance, la modernité nous invite à réviser les rapports qu'entretiennent littérature et société. A l'âge classique, cette dernière attribuait à celle-là des fonctions esthétiques et pédagogiques. Plaire et instruire au nom du Vrai, voilà quel était le principe de l'écriture ! Cependant, la critique de l'idée de vérité montrait que le langage peut et même doit *contester la réalité.* Ce devoir de contestation et de révolte devient celui de l'écriture ; et l'essai est alors le moyen d'expression révolutionnaire le plus radical qui soit, même quand l'esprit de révolte s'empare ensuite des genres établis. La première révolte est la décision de l'intelligence révoltée, et elle lance ses refus et ses révisions contre les grands mots abstraits de l'univers moral dont elle dénonce la nature mystificatrice, insidieuse et permanente. A des degrés divers, parfois contradictoires, tous les grands écrivains français du XXe siècle ont fait l'expérience de la contestation qui, par-delà les attaques d'ordre social, politique et moral, vise le risque secret de corruption qui mine la vie des signes. Et là encore, des essais comme les manifestes d'André Breton, *L'Expérience intérieure* de Georges Bataille, *L'Homme révolté* d'Albert Camus, sont à l'avant-garde de ce soulèvement des langages contre les cultures qui les ont pourtant formés.

Autre crise : celle du *porte-parole.* Du « Que sais-je ? » l'écrivain passe au « Qui suis-je ? », puis au « Qui parle ? » Le problème des vicaires de l'écriture ne semblait guère préoccuper l'écrivain avant la fin du XIXe siècle. Il multipliait à plaisir ses porte-parole, sans se soucier de leur légitimité et sans craindre leur bâtardise. Appuyé sur une psychologie statique des facultés, il créait sans scrupules des personnages, des héros ; et il faisait de son propre moi un chef d'orchestre avoué ou caché. Le doute a pourtant pénétré dans cet univers d'humanités imaginaires rassemblées autour d'un Je souverain. Une sorte de doute hyperbolique que Descartes n'avait pas prévu, un doute sur le Je qui s'imagine conscient et maître de tous ces alibis. C'est le drame des pronoms de première et deuxième personnes, renforcé par celui des indicateurs temporels et spatiaux tels que ici, maintenant... [1], que Beckett annonce et dénonce au début de *L'Innommable :* « Où maintenant ? Quand maintenant ? Qui maintenant ? Sans me le demander. Dire je. »

Enfin, dernière conséquence que nous n'avons toujours pas explorée et qui concerne l'ensemble des effets et une des plus grandes ambitions de la littérature : *faire du langage une vision,* et tout spécialement, une vision de l'homme et de sa culture. Dans *L'Homme précaire et la littérature,* Malraux a pu dire qu'Oswald Spengler était le plus grand essayiste du XXe siècle, — sans doute parce qu'il a été le dernier des grands visionnaires que sont les théoriciens des cultures. Cette fois, la question n'est plus : « Qui parle quand je dis je, tu ou il ? », mais « Que vois-je quand je décris l'homme, le monde et leurs espaces historiques ? » *L'Empire des signes* de Barthes pourrait s'intituler « La Cécité des signes ». Dans l'excès de son triomphe verbal, l'essai subit la double épreuve d'un référent évanescent et d'un signifié incertain de sa logique. Le signe devient un conquérant épuisé par ses conquêtes. Il est partout présent. Il est devenu l'unique forme dans laquelle se coule le langage philosophique. Après avoir rêvé d'être scientifiques et s'être avant tout exprimées dans le traité ou l'article, la critique et l'histoire littéraires se font essai ; elles reconnaissent qu'elles appartiennent à la littérature et non à la science. L'essai devient une sorte de « mise en abyme », secrète ou avouée, des grands genres qu'il transforme, même quand ils gardent leurs étiquettes consacrées. Et il conserve son domaine propre, celui que Montaigne lui a assigné. Nous proposons d'appeler cette forme de l'essai « l'essai-pratique » : au-

1. La linguistique contemporaine étudie ces formes grammaticales ainsi que les indicateurs démonstratifs sous l'appellation de « déictiques ». Cependant on emploie aussi le terme « embrayeur » traduit du « shifter » de Jakobson.

delà de la connaissance, il organise le langage sur lui-même et en vue de ses applications culturelles. A ce point limite, ne pourrait-on pas dire que l'essai exprime directement une philosophie du langage, et même qu'il est la seule philosophie pratique du langage de notre temps ? C'est pourquoi ce phénomène culturel que nous décrivons mérite le nom d'*essayisme.*

Nous serons amenés ici à mentionner des auteurs et à étudier des œuvres déjà cités. Cependant cette répétition n'est qu'apparente. L'histoire des idées, qui a pour domaine principal d'observation la littérature philosophique et le langage critique, doit s'achever par une réflexion sur la forme même de ces idées : les *théories* philosophiques ou critiques supposent une *pratique* des idées, avec des directions d'expression qui lui sont propres. Nous ne parlons pas de l'essai comme d'un genre qui s'ajouterait aux genres consacrés ; il est une *exigence en deçà* et *par-delà* les genres. De là son omniprésence et son caractère protéiforme. La classification que nous proposons n'est ni fixiste ni évolutive ; sans les épuiser, elle indique les voies que peuvent prendre nos langues modernes quand elles essaient de combiner en un seul langage leurs vocabulaires abstrait et concret : la production littéraire de notre temps invite à discerner cinq types d'essai : (1) l'*essai-synthèse intellectuelle,* (2) l'*essai-polémique,* (3) l'*essai-poétique,* (4) l'*essai-vision,* (5) l'*essai-moralité.* On constatera immédiatement qu'aucun de ces types n'est pur et que chacun d'eux possède des traits de tous les autres quoique à divers degrés. Ainsi, *Nadja,* que nous pourrions d'abord définir comme une poétique, est aussi moralité, modèle de vision surréaliste, polémique assurément, effort de synthèse gnostique. Et que dire de *La Métamorphose des dieux* ou de *L'Expérience intérieure ?*

1. *L'essai-synthèse :* il s'essaie à résoudre un impossible problème : comment un langage peut-il

être synthèse en refoulant toute ambition systématique ? Même, et c'est là son plaisir secret, s'il est unification intellectuelle, par son refus du système. C'est Descartes contre la scolastique, les innombrables mémoires, notes et lettres de Leibniz, dirigés contre Aristote, Kierkegaard contre Hegel, parfois Hegel contre lui-même, ou la philosophie française du XXe siècle. Ce besoin de *synthèse sans système* a attiré aussi le langage scientifique qui, depuis le XVIIIe siècle, cherche à se donner une littérature. Cette littérature scientifique est faite des innombrables vulgarisations de tout niveau qui ont accompagné l'essor de la science à notre époque. Dans un foisonnement d'encyclopédies, la collection Flammarion « Bibliothèque scientifique » ou cette autre collection « Que sais-je ? » (P. U. F.), en constituent deux bons exemples. L'écriture alors ne consiste pas seulement à voiler la spécificité des calculs et la technicité des expériences ; elle établit un pont entre les langages artificiels des spécialisations scientifiques et le vocabulaire abstrait des langues naturelles, et permet parfois à un talent d'écrivain de se faire reconnaître. Parmi ses plus heureuses réussites, citons Jean Rostand — avec des œuvres telles que *La Vie et ses problèmes* (1939), *Biologie et Médecine* (1939), *L'Avenir de la biologie* (1946) — et Jacques Monod dont *Le Hasard et la Nécessité, essai sur la philosophie naturelle de la biologie moderne* (1970) est une méditation sur la génétique contemporaine. Le besoin de synthèse envahit aussi les sciences humaines, et en ce domaine la quasi-totalité de la production scientifique aime à adopter la forme et le style de l'essai. A titre d'exemple souvenons-nous des œuvres d'André Siegfried, où l'érudition, la finesse du jugement et l'élégance d'écriture s'allient : telles sont *Les Etats-Unis d'aujourd'hui* (1927), *La Crise de l'Europe* (1935), *La Géographie poétique des cinq continents* (1953) ; les écrits de Raymond Aron, qui vont de l'éditorial hebdomadaire à l'étude savante : *D'une sainte famille à l'autre* (1969), *Les Désillusions du progrès, essai sur la dialectique de la modernité* (1969), *Histoire et Dialectique de la violence* (1973), *Guerres en chaîne* (1951), etc. Célèbre en son temps, l'essai de Denis de Rougemont, *L'Amour et l'Occident*, répond aussi à un besoin de synthèse à partir de l'interprétation du mythe de Tristan et de la conscience occidentale de l'amour : la synthèse prend alors une force polémique et salvatrice.

2. *L'essai-polémique :* la subjectivité — et même son intersubjectivité, car il sollicite sans cesse des modèles d'écriture et de lecture — confère à tout essai un ton polémique. Il se fait théâtre d'opérations intellectuelles et lutte d'idées. Ses argumentations offrent tour à tour efforts de persuasion et dénégations passionnées. Souvent la polémique confère à l'ensemble d'une œuvre son unité sous la forme d'une certaine fureur, explosive ou rentrée. Elle déborde l'essai pour pénétrer le roman, comme on le voit aisément dans les œuvres de Georges Bernanos, de Drieu La Rochelle, de Louis-Ferdinand Céline, voire de Gide et de François Mauriac.

En se limitant à l'essai polémique proprement dit, on découvre une abondante production qui trouve toujours de nombreux lecteurs. Julien Benda est le modèle du philosophe polémiste : il attaque sans cesse des attitudes culturelles ou des philosophies comme le bergsonisme et le marxisme dans des œuvres courtes, fragmentées, dont les plus célèbres sont *La Trahison des clercs* (1927), *Discours à la nation européenne* (1933), *La France byzantine* (1945). Le romancier Bernanos est aussi un pamphlétaire violent qui tend à réhabiliter un conservatisme révolutionnaire dans *La Grande Peur des bien-pensants* (1931), tout en condamnant le fascisme montant dans *Les Grands Cimetières sous la lune* (1938) et les impérialismes qui menacent avec sa *Lettre aux Anglais* (1942), *La Liberté, pour quoi faire ?* (1953), *Français, si vous saviez !* (1961). Le procès des idéologies qui naissent en sol français a aussi été instruit par Emmanuel Berl qui annonce la *Mort de la pensée bourgeoise* (1929) et la *Mort de la morale bourgeoise* (1930). Henri Massis publie en 1927 une *Défense de l'Occident,* à laquelle répond le jeune Malraux. Appartiennent à la même famille politique — il y a en effet un type d'essai qui est propre à la droite française — les livres posthumes de Robert Brasillach (*Lettre à un soldat de la classe soixante,* 1948 ; *Les Quatre Jeudis,* 1950), les essais de Drieu La Rochelle (*Le Jeune Européen,* 1927 ; *Genève ou Moscou,* 1928 ; *L'Europe contre les patries,* 1931), les délires antisémites et pacifistes de Céline (*Bagatelles pour un massacre,* 1938 ; *L'Ecole des cadavres,* 1939 ; *Les Beaux Draps,* 1941). La polémique atténue quelque peu ses violences quand elle s'aventure dans l'univers moral. Admirateur de Stendhal et de Mérimée, Jean Dutourd justifie une nostalgie de bon sens dans des analyses morales telles que *Dupes* (1959), *Le Complexe de César* (1946), *Les Taxis de la Marne* (1957), *Le Fond et la Forme* (2 vol., 1958-1960). On peut encore rattacher à cet essayisme conservateur l'œuvre de Pierre Daninos, dont les livres les plus connus, *Les Carnets du Major Thompson, Le Secret du Major Thompson, Vacances pour Paris,* sont autant d'analyses de mœurs alertes et mordantes.

Il y a aussi un essayisme de gauche qui explore toutes les possibilités de la pensée révolutionnaire, prise entre la tentation anarchiste — permanente dans la culture française — et l'appel à une destruction du passé, puis d'une reconstruction de la société idéale. Un tel essai est toujours peu ou prou polémique, dans la mesure où il attaque une pensée de droite et rêve de changer l'ordre bourgeois. Jean Guéhenno parle au nom du peuple et défend un généreux humanisme dans *Caliban parle* (1928), *Conversion à l'humanisme* (1931), *Jeunesse de la France* (1936). Emmanuel Mounier voulait réconcilier religion et politique sur les bases d'une morale personnaliste dans *La Révolution personnaliste et communautaire* (1935), *L'Affrontement chrétien* (1944) et ses articles dans la revue *Esprit.* Maurice Merleau-Ponty, qui s'est éprouvé dans presque toutes les formes que l'essai peut prendre (*Humanisme et terreur,* 1937 ; *Signes,* 1960), polémique contre Sartre avec *Les Aventures de la dialectique* (1955). La plupart des articles politiques de Sartre ont une visée polémique, en particulier tous les textes rassemblés dans *Situations V, VI* et *VII* et avant lui, Paul Nizan avait écrit un pamphlet qui devait hanter la plupart des intellectuels de sa génération, *Les Chiens de garde* (1932). Les écrivains de l'ancien empire colonial français se sont servis de la langue de leurs colonisateurs pour faire le procès de l'impérialisme et définir de nouvelles identités culturelles. L'une de leurs œuvres les plus marquantes a sans conteste été publiée en 1961, par Frantz Fanon : *Les Damnés de la terre.* Plus récemment, ceux qui se sont nommés « nouveaux philosophes » semblent avoir fait du style polémique l'essence du langage, et ce, quelle que soit la direction prise par leurs attaques : contre la théologie ou le marxisme, contre toutes les formes de totalitarismes culturels, politiques et moraux. L'essai s'avère prédestiné à cette forme de pensée dans des œuvres dont certaines ont fait beaucoup de bruit, *La Cuisinière et le Mangeur d'hommes* (1975) d'André Glucksmann, *La Barbarie à visage humain* (1977) de Bernard-Henri Lévy, *Job et l'excès du mal* (1978) de Philippe Nemo.

3. *L'essai-poétique :* quand l'essai accentue la *praxis linguistique* qui détermine sa nécessité formelle, il en fait la théorie et l'histoire dans des poétiques plus ou moins déguisées, et il oscille alors entre un langage normatif et codificateur, et des descriptions psycho-sociologiques ; entre l'explication objectivante et la réflexion intériorisante. Il fait et défait les langages établis, met en jugement la littérature, mêle l'éthique et l'esthétique en formu-

lant des directions, des règles d'écriture et de lecture. Bref, l'essai tente d'être simultanément *praxis* et conscience de *praxis ;* et cette simultanéité fait de la pratique du langage, une poétique, de l'art du produire, l'art du faire.

Notre époque qui s'épuise dans des exercices de conscience s'est cherchée dans des *manifestes,* des professions de foi, des déclarations de principes esthétiques, des justifications d'écriture, des programmes de lecture. La poétique, comme conscience du faire littéraire, *se manifeste ;* elle *se* veut clarté combattante, évidence conquérante. Il n'est guère d'écrivain qui n'ait voulu, à un moment de sa carrière, s'exprimer par le manifeste, et même qui n'ait tendu à donner à chacune de ses œuvres l'allure d'un *manifeste-événement.* De là, cette atmosphère de prosélytisme et de conversion, même chez ceux qui, condamnant l'esprit de propagande et d'engagement, s'attachent à détruire l'équilibre de leurs lecteurs en perturbant, tel Beckett, les chances de l'expression.

Reconnaissons aux surréalistes le privilège d'avoir conçu le lien qui unit les vertus polémique, manifestante et poétique de toute littérature. Le surréalisme, comme pratique, a été l'essai constant de contrôle et d'abandon du langage par lui-même. Il abat les frontières entre le poème et son code, entre l'expérience et son protocole. Ainsi l'œuvre, comme *praxis* incarnée, est toujours sa propre « manifestation » ; et elle est à la fois collective et individuelle. Tel est le sens de la place prise par le *Manifeste du surréalisme* en 1924, le *Second Manifeste du surréalisme* en 1930 et les *Prolégomènes à un troisième manifeste du surréalisme ou non* (1942).

Mais presque tous les textes en prose d'André Breton sont des manifestes, tel l'admirable *Introduction au Discours sur le peu de réalité* (1927) ou *Le Surréalisme et la Peinture* (1928) ; tel encore l'*Ode à Charles Fourier* (1947) où poème et credo se fondent en un alliage verbal unique. Les autres auteurs surréalistes ont eux aussi écrit leurs propres manifestes : Louis Aragon, avec *Le Paysan de Paris* (1926), *Traité du style* (1928) ; Salvador Dali avec ses articles sur la méthode paranoïa-critique dans *Le Surréalisme au service de la révolution,* Paul Eluard avec *Poésie et vérité* et ses conférences sur l'acte poétique, Robert Desnos dans les proses critico-poétiques de *Rose Sélavy* (*Littérature,* 1922), etc. — A son tour, l'existentialisme demande à l'essai les moyens de manifester ses actes de foi, ses codes rhétoriques et sa « situation » littéraire. Telle est la présentation liminaire du premier numéro des *Temps modernes* et surtout les grandes études que Sartre rassemble sous le titre « Qu'est-ce que la littérature ? » Avec une écriture plus contenue, Albert Camus insérera lui aussi dans ses grands essais des chapitres ou des sections qui sont autant de fragments de manifestes littéraires, tels, dans *Le Mythe de Sisyphe,* « La Création absurde » et dans *L'Homme révolté,* les sections « Roman et Révolte », « Révolte et Style », sans compter, en 1955, la célèbre conférence d'Athènes qui tient du manifeste, de la profession de foi et de la réflexion métaphysique. Plus tard, quand la littérature française cherche à proclamer sa propre modernité et même son après-modernité, dans le sillage du surréalisme et le dépassement de l'existentialisme, elle fait appel à l'essai pour affirmer et justifier ses options poétiques. Le « nouveau romancier » s'explique, s'analyse et se défend à l'aide d'une nouvelle poétique de la fiction. C'est en 1956 *L'Ere du soupçon* où Nathalie Sarraute, commentant Proust, Virginia Woolf et Dostoïevski, annonce la mort du héros romanesque tel que le XIXe siècle l'a compris, c'est *Pour un nouveau roman* où Alain Robbe-Grillet s'attaque en 1963 au problème rhétorique de la métaphore, dénonçant le tragique analogique qui a inspiré les écritures romantique et symboliste. Plus tard encore, l'essai-poétique devient l'instrument privilégié d'une littérature pour laquelle la distinction entre les genres atteint son maximum d'érosion et qui se transforme en une « mise en abyme » généralisée. La poétique comme théorie de la littérature devient son propre modèle, elle lutte sans merci contre la grammaire et la sémantique, contre leurs codifications logique et rhétorique : la critique absorbe la *poiesis,* le « faire littéraire » ; elle se construit en brisant les règles de la communication. Les exemples sont nombreux qui pourraient illustrer cette épreuve que le langage s'impose à lui-même. Citons, parmi les œuvres les plus typiques de l'essai-poétique parvenu au maximum de sa tension, le *S/Z* (1970) de Roland Barthes, la plupart des ouvrages ou articles de Jacques Derrida. Parmi les poètes-critiques figure surtout Edmond Jabès pour des livres qui luttent contre le mirage de l'œuvre et transforment le poème en poétique généralisée, tels *Le Livre des questions* (1963), *Le Livre de Yukel* (1964), *Le Retour au livre* (1965).

Comme besoin et comme critique de manifestation, l'essai produit des œuvres qui se constituent en miracles verbaux d'équilibre instable, le château de mots étant toujours sur le point de s'effondrer : le langage ne parvient pas à se détacher de sa source, de la vie qui l'a porté. Ce n'est plus simplement la hantise du miroir qui obsède l'écrivain jouant à devenir son propre lecteur. La mise en abyme cache une *mise en gestation ;* le sujet qui écrit se découvre comme porteur d'un autre sujet, non pas métaphoriquement, mais de façon bien réelle. L'auteur comprend que la vie des mots dans ses livres est liée à la sienne propre, à ses jouissances et ses souffrances. La poétique-manifeste devient alors une *poétique-autobiographie,* avec un double renversement : poétique comme transparence d'une autobiographie, autobiographie comme aspiration à une poétique. Ce n'est pas par accident si toute la littérature française du XXe siècle tend vers des œuvres qui, autobiographiques en apparence ou en déguisement, sont vraiment des auto-poétiques. L'intérêt récent de la critique universitaire pour le fait autobiographique (par exemple, les études de Philippe Lejeune. *Le Pacte autobiographique,* 1975) constitue également un indice sérieux d'un phénomène littéraire qui montre que notre époque, par sa façon de vivre le drame du langage, exploite le double héritage des *Essais* de Montaigne et des *Confessions* de J.-J. Rousseau. Quand Valéry, à propos de *La Jeune Parque* observe : « Qui saura me lire lira une autobiographie », il annonce la fusion des genres et des thèmes, et surtout il situe toute littérature dans la relation entre l'événement et l'œuvre, la vie et l'idée, la subjectivité de l'existence et l'objectivité de la projection verbale. Non pas que l'écrivain cherche à revivre les événements de son enfance et de sa jeunesse : l'autobiographie-récit n'est qu'un prétexte, une occasion et une trame narrative préliminaire. Non pas encore qu'elle s'oriente vers le roman d'apprentissage comme autobiographie déguisée : la formation de l'auteur elle-même s'achève dans une poétique qui prend possession du présent de l'écriture, telle cette « recherche du temps perdu » qui s'achève vraiment, non pas dans une décision d'écrire, mais dans la poétique de cette décision. Ainsi le phénomène littéraire dont nous essayons de prendre conscience se caractérise par l'exigence de réunir le *vivre* et le *dire* grâce à un langage de confession directe ou indirecte, grâce encore à une subtile alliance entre le vocabulaire concret qui montre et fait revivre, et ce que Valéry appelle « l'intervention si curieuse des mots abstraits[1] ». En août 1894, de Montpellier où il compose *La Soirée avec M. Teste,* Valéry, se référant à cette autobiographie cartésienne qui est la première grande réponse aux *Essais* et qui offre alors à la langue française une

1. *Œuvres,* « Bibliothèque de la Pléiade », t. I, p. 1184.

nouvelle chance, écrit à Gide : « J'ai relu le *Discours de la méthode* tantôt, c'est bien le roman moderne, comme il pourrait être fait. A remarquer que la philosophie postérieure a rejeté la part autobiographique. Cependant, c'est le point à reprendre et il faudra donc écrire la vie d'une théorie comme on a écrit celle d'une passion (couchage). Mais c'est un peu moins commode — car, puritain que je suis, je demande que la théorie soit mieux que du truquage comme dans *Louis Lambert.* » Le je qui écrit ce texte est, par l'intermédiaire de l'ami de Gide, l'écrivain du XXe siècle en quête d'une conscience et d'une forme d'écriture qui seront partout présentes. Deux courants dont les eaux sont souvent mêlées ont ainsi porté des œuvres d'apparence énigmatique, inclassables, peut-être les plus typiques de toute notre production littéraire : l'essai comme *poétique-autobiographie-humour,* et comme *poétique-autobiographie-ironie.* Parfois, dans un effort de détachement linguistique qui est le propre de l'humour, l'écrivain parvient à neutraliser le sujet écrivant pour exalter la subjectivité du langage. Ou, au contraire, il refuse cette coupure et cette disparition du sujet, le cultivant pour le soumettre à sa propre réfutation ironique.

L'autobiographie sublimée par l'humour et subvertie en poétique est typique de l'œuvre surréaliste, au point qu'on pourrait parler de l'*autobiographie surréaliste* comme d'un type particulier possédant ses propres lois et ses coutumes. *Nadja* que Breton publie en 1928 paraît en être le modèle le plus intriguant, s'inscrivant à mi-chemin entre le réel et l'imaginaire, entre le protocole d'une expérience médicale et l'imagination d'une aventure : merveilleux alliage de mots où le récit d'une aventure personnelle (les rencontres successives de Breton et de Nadja) se mue en un imaginaire qui convertit le réel en possible-impossible, et où un fragment d'autobiographie fictionnalisée se projette dans l'univers idéal du dialogue entre le poète et la poésie sans jamais devenir allégorique, car les problèmes connexes de Nadja-la-prostituée et de Nadja-l'hystérique ne sont jamais oubliés. Ainsi l'autobiographie est la seule littérature légitime, toute soumission aux genres de la tradition restant autobiographie déguisée ; et le véhicule linguistique qui s'impose est « l'humour objectif », tel que Breton le comprend dans l'*Anthologie de l'humour noir* (1940) en faisant référence à Hegel et à Freud.

Tout texte surréaliste est ainsi poétique et autobiographie à la fois, même quand l'écriture se veut roman, comme dans les premières œuvres de Julien Gracq, *Un beau ténébreux* (1945), *Au château d'Argol* (1938). Cependant le problème critique de l'autobiographie a été magistralement exploré par Michel Leiris dans *L'Age d'homme* (1939) et surtout dans les volumes de *La Règle du jeu*, *Biffures* (1948), *Fourbis* (1955), *Fibrilles* (1966), *Frêle Bruit* (1976). Poète et anthropologue, confrontant sans cesse entre elles les deux grandes méthodologies du surréalisme et des sciences de l'homme, Leiris découvre que son œuvre ne peut être qu' « un certain travail de décortication de moi-même » : « C'est pour cela, reconnaît-il dans son entretien avec Madeleine Chapsal, que j'ai été amené à toute cette littérature autobiographique. » Mais celle-ci cesse d'être une confession ; elle est « un fil pour nous guider, dans la Babel de notre esprit » (Préface à *Glossaire j'y serre mes gloses*, 1940).

Si l'humour donne à la poétique-autobiographie sa personnalité surréaliste, l'ironie gouverne tous les autres essais-poétiques, depuis cette dernière décennie du XIXe siècle où la littérature essaie de se dépêtrer du langage analogique du symbolisme ou de rompre avec les rigueurs naïves du réalisme. Le modèle de l'autobiographie-ironie n'est-il pas *La Soirée avec M. Teste* (1896) ? Valéry a voulu « inventer un bonhomme qui pense », « un monstre d'intelligence et de conscience de soi-même ». Il a ainsi voulu créer son propre démon, une sorte de Père Ubu renversé, être de désir lui aussi, mais dont la « gidouille » énorme est réduite au profit d'un crâne qui s'empare de toutes les comédies de l'intellect. L'acte ironique commence par la réduction du sujet à sa propre conscience et ainsi par l'affirmation, héritée de Schopenhauer, de la dualité de la Vie et de l'Idée. L'ironie se complaît en genèses monstrueuses : la Jeune Parque est la fille de M. Teste. Le poète-sujet essaie de se perdre en des œuvres de grande perfection qui se détruisent elles-mêmes. Avec Valéry, la poésie comme la prose abstraite se font essais, produits d'un accouplement ironique. Et cette même problématique ironique domine l'œuvre d'André Gide, pour qui « chaque livre porte en lui sa propre réfutation » (André Gide, *Romans,* Bibliothèque de la Pléiade, p. 1479). Maître de la « construction en abyme », au moment même où il écrit *Les Faux-Monnayeurs* et le *Journal des Faux-Monnayeurs,* il confesse son enfance dans *Si le grain ne meurt* (1926) — une enfance qui est le prétexte d'une œuvre rétrospectivement future, le prélude ironique de la vie à l'acte d'écrire, et une invitation à l'incarnation poétique. Jeux de miroirs se répondant à l'infini, l'autobiographie est une autolinguistique. Totalité en dispersion, l'œuvre devient sa propre ironie : la vie serait-elle plus forte que l'Idée ? Sartre relèvera le défi dans l'extrémisme d'une intelligence toujours en garde contre elle-même et par l'intermédiaire de l'enfance, *Les Mots* mettent la littérature en abyme et en procès. A l'inverse de la génération des Valéry et des Gide, Sartre ne se demande toutefois plus si l'Idée peut absorber la Vie ; il constate, dans un mouvement de nostalgie ironique, que la vie se trahit, se renie dans sa propre culture. L'autobiographie dévoile une poétique insidieuse qui conduit l'enfant prédestiné de la lecture vers l'écriture, du génie à la critique et à la résignation. En même temps, la subjectivité de l'autobiographie est transformée en objectivité : par l'intermédiaire des mots, les secrets de la vie intérieure s'objectivent, *situent* le sujet et le désenchantent. Vertige de métaphores organisées autour du modèle de l'église, *Les Mots* maintient une ironie permanente dans une débauche analogique : l'écrivain se vautre dans un luxe rhétorique, mais sans illusion. L'autobiographie-poétique atteint encore un sommet en 1975 avec *Roland Barthes par Roland Barthes,* où l'auteur-narrateur-commentateur parle souvent de lui à la troisième personne, parfois à la première et même à la deuxième, créant ainsi la double distance du personnage indépendant de son auteur et de la personne qui, disant « je », cesse d'être le je qui parle. Citons ce texte où le jeu pronominal, fort subtil, fait de l'imaginaire — concept hérité de Lacan — la destruction du subjectif et la source unique de l'objectif et de l'univers pour l'écrivain : « *Vous êtes le seul* à ne pouvoir jamais *vous* voir qu'en image, *vous* ne voyez jamais que *vos* yeux... (il *m*'intéresserait seulement de voir *mes* yeux quand ils *te* regardent) : même et surtout pour *votre* corps, vous êtes condamnés à l'imaginaire » (p. 40 ; souligné par nous).

4. L'essai peut-il être une *école de vision ?* Il était inévitable qu'en se débattant à l'intérieur des genres, la littérature du XXe siècle revive à sa façon la confrontation de la poésie et de la peinture, selon l'analogie traditionnelle *ut pictura poesis,* et qu'elle veuille faire de l'essai un exercice de vision. De même, elle devait aspirer à une *vision du monde.* Elle s'appuie alors sur l'anthropologie religieuse, ou se réfère à une *vision culturelle,* et la source principale de sa documentation est l'histoire de l'art. Il convient encore de noter que le mot « vision » dans l'expression « essai-vision » n'a pas la valeur métaphorique d'un « comme si » de la littérature. Il désigne une propriété fondamentale du langage, son pouvoir référentiel : le mot, la phrase, le texte ne se bornent

pas à renvoyer à l'autre du signe, à ce que celui-ci représente sous une forme dite arbitraire. Par telle ou telle référence particulière, le langage vise un monde et la signification aspire à devenir son contraire, à être perception, et ultimement vision.

Cette « présentation », qui tend à l'universel mais refuse la systématisation philosophique, donne au langage une dimension nouvelle, presque toujours cosmique et souvent eschatologique. Elle est une sorte de prophétie qui transcende le présent et l'avenir. Elle côtoie sans cesse l'expérience religieuse tout en la laïcisant. L'agnosticisme sous-jacent à l'essai s'accomplit dans des visions spatio-temporelles où le lieu et l'histoire trouvent leurs sens respectifs. De telles visions du monde ne pouvaient se déployer qu'à l'intérieur de la relation Occident-Orient ; et les recherches sur les religions primitives (selon les travaux de Durkheim, Lévi-Bruhl, Marcel Mauss, G. Dumézil, Mircea Eliade) n'acquièrent toute leur valeur que dans le cadre à l'intérieur duquel la pensée occidentale commence à faire son examen de conscience intellectuel et moral. En 1926, le jeune Malraux écrit une *Tentation de l'Occident* où l'Orient s'incarne dans le passé et l'avenir chinois. Plus tard, dans un style plus « moral » et sans le faste de la fresque historique, Jean Grenier « essaiera » le rationalisme cartésien à la lumière du taoïsme, et fera de la Méditerranée, trait d'union naturel et culturel entre l'Orient et l'Occident, le lieu de la sagesse dans des essais où s'exprime une vision ironique et détachée. Du plus célèbre d'entre eux, *Les Iles* (1933), Albert Camus dira : « L'ébranlement que j'en reçus, l'influence qu'il exerça sur moi, et sur beaucoup de mes amis, je ne peux mieux les comparer qu'au choc provoqué sur toute une génération par *Les Nourritures terrestres.* »

L'Inde est un autre pôle d'attraction. Orientaliste et mystique, René Guénon cherche, par-delà les orthodoxies, le lieu où le christianisme, l'islamisme et la pensée hindoue doivent se rencontrer. Citons en particulier *La Crise du monde moderne* (1927) et *Le Règne de la quantité* (1945). Le bouddhisme a aussi attiré le poète Lanza del Vasto dont *Le Pèlerinage aux sources* (1943) est une méditation sur la non-violence et l'enseignement de Gandhi, la prière alliée au travail manuel, l'adoration au sein de la communauté humaine rénovée.

Au carrefour de l'anthropologie et de la cosmologie, de la poésie et de la philosophie, l'œuvre de Roger Caillois peut être regardée comme le modèle d'une littérature où les méthodes d'observation et d'analyse les plus rigoureuses s'exercent en confrontations et en comparaisons multiples qui couvrent l'immense champ de l'expérience humaine, depuis la minéralogie jusqu'à la sociologie, en passant par le fantastique végétal et animal. Chaque « lopin », comme dirait Montaigne, conserve son autonomie et est exploré dans sa particularité irréductible, qu'il s'agisse du quartz ou de l'agate, de la mante religieuse ou du baobab, du mimétisme comme jeu et fête, du sexe et de la guerre, de Mendeleiev ou de Saint-John Perse. Des études apparemment dispersées, telles que *Le Mythe et l'homme* (1938), *L'Homme et le sacré* (1939), *Les Impostures de la poésie* (1943), *Babel* (1948), *Anthologie du fantastique* (1958), *Bellone ou la pente de la guerre* (1963), *Au cœur du fantastique* (1965), *Pierres* (1966), se dégage un sentiment profond d'unité cosmique et le sens d'un « mystère plus lent, plus vaste et plus grave que le destin d'une espèce passagère » (Dédicace de *Pierres*). L'imagination est l'exercice le plus objectif auquel l'homme puisse se livrer ; avec son matériel infini d'images-énigmes, elle invente les codes poétiques et scientifiques qui permettent de déchiffrer une écriture dessinant ses formes sans nombre « dans le grand album des âges ». « La signature a disparu, chaque profil, gage d'un miracle différent, demeure un autographe immortel » (dans *Roger Caillois*, par

Alain Bosquet, p. 141). L'écriture de l'essai constitue alors un retour incessant vers cette « architecture dépouillée » que Mendeleiev a dégagée en « un réseau de relations chiffrables » (ibid., p. 173). Une vision kaléidoscopique qui se projette sur les cases de l'échiquier intellectuel et poétique révèle, dans une lumière froide, sévère et éblouissante, qu'il y a un ordre du monde : « Les dieux mêmes ne doivent pas violer les décrets de la légalité cosmique » (*L'Homme et le Sacré,* coll. Idées, p. 26). Science et poésie se rencontrent, se fondent dans le même mouvement continu et paroxystique des essais de Roger Caillois qui apprend à voir l'omniprésence intelligible du fantastique.

Parfois l'essai-vision se laisse aller à la tentation eschatologique. Si Caillois remet sévèrement l'homme à sa place dans l'énigme du monde, l'œuvre d'un autre anthropologue, Claude Lévi-Strauss, se déroule aussi en successions d'essais et en déchiffrements « mythologiques » rigoureux ; elle tend à déborder l'imagination d'un ordre du monde ; s'autorisant de la notion thermodynamique d'entropie, elle se voue au désenchantement et au catastrophisme. *Tristes Tropiques* (1955) est un journal, une confession, une propédeutique, une sorte d'*Emile,* dont le héros est désespéré d'être sorti du paradis naturel, désabusé, certain que le monde marche irrésistiblement vers son propre désordre, et que le seul salut non illusoire sur lequel l'homme puisse compter réside dans la contemplation esthétique. Telle est la conclusion de cet essai qui paraît la même année que *Le Phénomène humain* de Pierre Teilhard de Chardin : loin d'être en marche vers un point oméga cosmique, biologique et spirituel, l'homme de Lévi-Strauss trouve quelque réconfort dans la vision de l'artiste, « dans les brefs intervalles où notre espèce supporte d'interrompre son labeur de ruche », pour « saisir l'essence de ce qu'elle fut et continue d'être, en deçà de la pensée et au-delà de la société » (p. 449).

C'est vers la même époque aussi qu'André Malraux, après avoir abandonné les mirages de la création romanesque, écrit ses grandes études sur l'art : quatre essais rassemblés en 1951 sous le titre *Les Voix du silence,* et trois tomes de *La Métamorphose des dieux* publiés en 1957, 1974 et 1976. Cette œuvre magistrale qui a parfois suscité les critiques acerbes d'historiens ou de critiques d'art, appartient à un domaine d'exploration où l'homme veut comprendre le sens de la création artistique, sa place dans la formation et l'évolution des cultures.

L'écriture sur l'art a toujours été très proche de la littérature, et certaines de ses productions méritent d'être reconnues comme aspects significatifs de l'exigence littéraire d'une langue essayant de traduire son art en langage. A titre d'exemples, évoquons *La Vie des formes* de Henri Focillon, en 1939, précédé de *l'Esprit des Formes* d'Elie Faure en 1933 ; et plus tard, sous la direction de René Huyghe, le recueil de *L'Art et l'homme* (1957) ; sans compter les écrivains eux-mêmes qui aiment parler peinture, sculpture ou architecture, tels Breton, Eluard, Aragon, Ponge, Sartre, et beaucoup d'autres. Curieuse tentation que celle du romancier ou du poète qui a besoin de transcrire les signes artistiques en signes littéraires. Est-elle exercice d'humilité ou son contraire ? Est-ce rivalité entre le domaine du voir et celui du signifier ? Quoi qu'il en soit, le besoin est profond et il répond sans doute à la nostalgie de l'autre côté de l'art. André Malraux est l'exemple le plus passionnant de cette tentation de l'écriture face à l'art. L'auteur du *Musée imaginaire* la voit à la fois comme un défi et une exigence. Si l'écriture sur l'art veut dérouler ses fastes devant le monde des œuvres, elle est plus encore l'expression d'un besoin que Malraux a vivement ressenti : l'art a besoin d'être dit, saisi et situé dans une culture. Mais quelle est la nature de ce dire ? Malraux l'a dit et répété : « Je ne prétends pas rivaliser avec les philosophes de l'art, et encore moins, avec ses historiens. » Par cette déclaration, le langage doit se mettre hors du discours scientifique ou philosophique de notre temps. Malraux admet implicitement que l'essai est par lui-même une écriture hors des langages scientifique ou philosophique du Vrai ; il ne constate pas une situation vécue et ne prétend pas non plus l'expliquer ; il magnifie la création artistique par le langage. Le philosophe et le savant croient expliquer le donné et son devenir ; en fait, ils expliquent et dégagent les lois de la métamorphose et de la mort, de cette mort contre laquelle se dresse l'art comme geste libre. De là, ce dialogue unique entre l'artiste et l'écrivain : le premier suscite un imaginaire de musée, et chaque œuvre dresse son éternité unique en défi à la mort certaine de l'artiste et des cultures qu'il compose ; le second transforme l'imaginaire en langage, c'est-à-dire en imaginaire de sens par rapport à l'imaginaire des symboles. Et telle est la fonction des essais de Malraux sur l'art. Indirectement, ils nous font comprendre l'évolution des arts, le passage du sacré au divin, du divin au surnaturel, puis à l'irréel et enfin à l'intemporel, qui est le sens de notre époque. Ainsi, l'écriture ne prétend pas imiter la peinture, car c'est de peinture surtout qu'il s'agit, les autres arts se subordonnant à elle, du moins pour l'ère que nous vivons depuis la Renaissance et qui finira sans doute avec nous ou nos proches successeurs. L'essai-vision trouve donc avec Malraux sa mission la plus authentique : *il fait voir le voir,* non pas la nature, mais ce qui voit la nature, l'art lui-même. Le silence des formes picturales est transcrit dans le bruit des paroles et, au-delà, dans ce nouveau silence du sens qui est celui de l'écriture. Le poète est peut-être le rival du peintre, mais l'essayiste en est la lumière qui éclaire les œuvres de nos imaginaires de culture. Dans l'essai qu'il lit à New York le 15 mai 1963, Malraux rappelle le terme qui est commun à l'art et à la littérature : « Dans le plus trouble déferlement de rêve qu'ait connu l'humanité, nous savons confusément que nous devons aussi trouver notre chevalerie. » Alors il met en question l'avenir d'une chevalerie pour notre nouveau Moyen Age : « Mais quelles valeurs peuvent orienter ce rêve, qui semble ignorer toutes les valeurs ? »

5. *L'essai-moralité :* avec la question précédente l'essayiste atteint les limites de son exigence visionnaire et interroge le langage, non plus dans sa visée, mais dans sa source créatrice ; non plus l'œuvre comme vision et rayonnement mais l'homme comme action ; non plus le pouvoir artistique des mots, mais leur capacité de donner ce que les Grecs appelaient un *ethos,* c'est-à-dire une demeure, des mœurs, une conduite et une personnalité morale. Selon une tradition qui remonte à Montaigne, l'essai est le langage situé à mi-chemin entre le langage psycho-sociologique qui décrit et explique les mœurs, et le langage moral qui décide des valeurs et des codes de l'action. On a parfois dénoncé l'ambiguïté d'un discours moral qui décrit et décrète à la fois. En fait, il n'est ni l'un ni l'autre ; il constitue le sens des actions humaines et est à la base des psychologies et des éthiques. Ce faisant, il répond à une exigence profonde du langage et remplit une des grandes fonctions de la littérature par l'intermédiaire de l'essai, qui prend alors une forme spécifique que nous pourrions nommer « essai-moralité » : la moralité du Moyen Age, avec ses figures allégoriques, n'est-elle pas l'ancêtre de l'essai moderne, à une époque où les mots abstraits sont devenus leur propre allégorisation ? Notre siècle n'a-t-il pas écrit les allégories de l'être et du néant, de l'absurde et de la création, de l'histoire et de la révolte ?

La « moralité », en notre temps, a suivi trois directions qui accentuent chacune l'une des grandes vocations du langage performatif. Celui-ci peut d'abord se conférer une vocation réformatrice et se faire correction des hommes, des cultures et surtout de lui-même comme être littéraire. Appelons cette forme de l'essai « moralité-polémique ». L'acte linguistique peut ensuite chercher à s'outrepasser : il aspire à des états extatiques où il s'accomplit. L'essai devient alors une mystique théorique et pratique, et nous parlerons de « moralité-mystique ». Enfin il peut satisfaire le besoin d'action en rivalisant avec le théâtre, en transportant le désir scénique dans l'univers des abstractions : l'essai devient dramatisation conceptuelle, « comédie de l'intellect », et nous réunirons ces tentatives sous le terme de « moralité-dramatique. »

Né en Roumanie, E.-M. Cioran adopte le français après la Seconde Guerre mondiale, et il en fait la langue privilégiée de l'essai depuis *Précis de décomposition* (1949), suivi, pour ne citer que quelques-uns des titres d'une œuvre discrète et profonde, par *Syllogismes de l'amertume* (1952), *La Tentation d'exister* (1956), *Histoire et Utopie* (1960), *Le Mauvais Démiurge* (1969), *De l'inconvénient d'être né* (1975). Avec Cioran, le langage de l'essai utilise tous les registres possibles, et il pourrait aisément représenter l'une ou l'autre des catégories que nous avons isolées : il dramatise les entités verbales ou les grandes figures du passé, ou encore les nations de notre époque : « Nous avons tous des Lucifers de statistique » ; saint Paul est « le plus inspiré de tous les gueulards » ; Luther est le « Rabelais de l'angoisse » ; Pascal s'enivre de néant tandis que l'Amérique est emportée par « un néant impétueux » et que les Allemands sont des « arrivistes de la fatalité », etc. Cioran se sert des mots comme d'une introduction à la mystique dont il fait, à travers le taoïsme, un apprentissage de la fatalité : il rêve d'une « sieste en Dieu ». Il est encore prophète et visionnaire. Quand il cite Tioutchev s'exclamant au siècle dernier « Tu disparaîtras dans l'espace, ô ma Russie », il pense à son pays d'origine, à lui-même et à l'homme, victime d'une civilisation qui préfère le sang à la sérénité. Mais, plus encore, par la force de son style qui se reprend sans cesse à l'intérieur de maximes provocantes et d'aphorismes qui sont comme des éclairs d'orage, Cioran montre que l'essai a pour vocation d'être une polémique hypostasiée, c'est-à-dire une expérience morale combattante où se fondent l'amour et la haine, la lucidité et le vertige du sens foudroyé. C'est ainsi que le roman est condamné parce qu'il se borne à « pasticher l'enfer », à proposer à l'Occident une « tragédie déclassée », et parce qu'il est le signe le plus sûr de la décadence de l'Occident et de la fin d'une civilisation. Quand l'essayiste se demande « Comment, avec le roman usurpateur de réalité, s'intéresser à ce qui n'existe pas », il fait le procès de tous les imaginaires de langage ; et il désigne l'essai comme la seule ascèse salvatrice, la seule arme avec laquelle les langues modernes conservent encore une chance de trouver, par-delà la peur cosmique et la haine de soi, le calme des significations apaisées. La polémique cache alors une nostalgie de mystique : Cioran admire Job harassant Dieu, et il l'appelle « ce Prométhée biblique ».

Ces exercices d'intensité verbale nous conduisent vers des violences qui se pratiquent à l'intérieur du champ métaphysique et explorent les possibilités d'une mystique sans Dieu. Nous avons déjà vu comment Georges Bataille, à la suite de Nietzsche, applique les pouvoirs critiques de l'essai à la dissolution du discours, et comment il cherche à délimiter des expériences-limites où le sens s'abîme dans la nuit mystique. *L'Expérience intérieure,* publiée en 1942, est certainement son chef-d'œuvre. Il convient d'y voir plus qu'un programme pour futures extases. En lui-même et par la pratique de l'essai, ce livre aspire à être *l'acte verbal absolu* où s'allient les pouvoirs de la poésie et de la méditation, et où s'opère la grande réconciliation de l'abstrait et du concret, non plus l'unité théologique du système mais la fin de la dispersion linguistique : à travers la fragmentation du discours, le langage manifeste ses limites et les limites de l'existence. Seul, il révèle, en sa limite, le moment souverain où il n'a plus cours.

L'essai a donc pour fonction d'être à la fois à l'intérieur du langage et hors langage. De là son refus d'être un genre parmi les autres ; il intervient pour mesurer les frontières de la poésie et du roman. On comprend alors le phénomène littéraire singulier qu'est l'œuvre de Georges Bataille. Prise dans son ensemble, elle désarçonne plus d'un lecteur. Avec *L'Anus solaire* (1931), *Histoire de l'œil* (1928), *Madame Edwarda* (1937), l'imaginaire romanesque avoue son secret désir d'un érotisme qui prend le risque d'une pornographie monotone. Ces textes interviennent surtout au début de l'œuvre (mais Bataille n'abandonnera jamais ce contrôle critique et ce défi à l'imaginaire) comme autant de transgressions menaçantes de cet autre langage où Bataille semble être plus à l'aise, celui où le poème se dilate en recherches abstraites et où, inversement, l'abstrait fournit les matériaux pour construire/détruire une intériorité spirituelle. *L'Expérience intérieure* sera suivie de nombreuses études qui étendent l'expérience morale jusqu'au domaine sociologique telles que *Sur Nietzsche* (1945), *Méthode de méditation* (1947), *La Part maudite, théorie d'économie générale* (1949), *L'Erotisme* (1957) ; on sait qu'en 1936, avec Michel Leiris et Roger Caillois, Bataille fonde le *Collège de Sociologie.*

Très proche de Bataille, Maurice Blanchot, dont nous avons déjà montré l'importance dans l'évolution de la théorie de la littérature, s'est lui aussi essayé au langage se situant aux limites du roman, de la poésie et de la critique.

Se dégageant de toute référence directe à un auteur ou à une œuvre, et dans un style qui évoque Nietzsche et Bataille, il publie en 1980 une méditation sur la littérature comme être et langage, intitulée *L'Ecriture du désastre.* Cas extrême de situation en abyme, refus d'une déconstruction qui n'est jamais qu'une construction inversée, ce livre poursuit patiemment le désastre de l'écriture en ramenant les mots à la présence étymologique. — Entendons « désastre », comme la dissolution du vieux rêve de perfection dans l'être-astre —. Alors Blanchot désengage de leurs gangues logique et dialectique les grands concepts métaphysiques de la littérature, l'être et le néant, la causalité et la finalité, l'espace et le temps, la vie et la mort, l'action et la passion, pour en arriver à un radicalisme d'écriture : « Ecris pour ne pas seulement détruire, pour ne pas seulement conserver, pour ne pas transmettre, écris sous l'attrait de l'impossible réel, cette part de désastre où sombre, sauve et intacte, toute réalité » (*L'Ecriture du désastre*, p. 65).

L'essai, ainsi conçu et éprouvé, tend à la fusion de la poésie et de la poétique ; et c'est en ce sens qu'il mérite le nom de mystique. Il est encore une tentation qui s'est emparée de l'essai et représente une autre manière de mettre en question l'écriture des genres : l'essai annexe pour ses propres besoins agnostiques et sceptiques le pouvoir théâtral du langage. Il se fait « dramatique » et compose un théâtre d'idées. Théâtralisant le discours littéraire, cette tendance se fait partout sentir : Malraux, hanté par une vision qui lui échappe sans cesse, surimpose au devenir de la métamorphose universelle une dramatique des cultures qui lancent à la mort un défi éternel et fragile ; Barthes dissocie les événements de sa vie pour les styliser en scènes et fragmentations biographiques : et n'avons-nous pas vu le « bonhomme » Teste rival du Père Ubu, tandis que le catastrophisme de Lévi-Strauss se souvient du *Crépuscule des dieux*? Toutefois, le théâtre n'intervient dans ces réalisations que comme intention seconde. Il est au contraire premier dans les essais de Jean-Paul

Sartre et d'Albert Camus, qui dominent la pensée française — si ce n'est mondiale –, depuis 1952.

Nous avons déjà montré la place que ces deux penseurs ont tenue dans la réflexion française sur la liberté et la création. Mais ce serait une erreur d'enfermer leur apport philosophique dans des thèmes, si nouveaux et si riches soient-ils. Sans rechercher par principe le paradoxe, nous dirons même que ces thèmes qui ont été adoptés avec des fortunes diverses par toute une génération ne constituent pas la contribution la plus originale de ces deux rivaux qui ont changé la forme de l'écriture philosophique. Certes, des philosophes avaient écrit avant eux des essais ; mais ceux-ci, que nous les devions par exemple à Bergson ou à Hamelin, constituaient des promesses de système, des échantillons d'architecture conceptuelle. Avec *Le Mythe de Sisyphe,* et plus tard, avec *L'Homme révolté,* avec *L'Etre et le Néant,* puis, avec *Critique de la raison dialectique,* l'écriture philosophique n'est plus soumise à la loi du système, ni même à celle de l'énoncé de vérité. L'essai n'a plus à *dire* la vie et la mort, ni même à les vivre à travers les concepts ; il les porte sur la scène imaginaire de l'intelligence. L'absurde et la révolte, l'existence et l'essence deviennent les héros d'un théâtre où ils découvrent leur identité. *Le Mythe de Sisyphe* se situe au-delà des apparences d'argumentation selon la théorie classique de la persuasion ; il crée, il montre, il expose, il fait vivre trois héros qui avaient été étouffés par la philosophie traditionnelle : « un » raisonnement absurde, l'homme absurde, le créateur absurde, irréductibles les uns aux autres et ayant chacun leur destinée. Finalement, ce n'est pas pour donner une incarnation mythique et une unité à l'idée d'absurde que Camus fait appel à un héros mythologique, mais pour ajouter une « moralité » à la triple dramatisation qui précède le chapitre final. Avec *L'Homme révolté,* cette mise en scène mythologique, peut-être trop facile, disparaît. Camus refuse de donner son tour à Prométhée. Il écrit un véritable théâtre à épisodes, fait des avatars souvent monstrueux, criminels et toujours aberrants des créateurs et des conquérants de l'absurde et de la révolte. Cette fois, les héros sont tirés de l'histoire et ont entre autres pour nom Sade, Lautréamont, Nietzsche, Marx, les anarchistes russes de 1905. Et tout cela s'achève dans la splendeur d'un Sud rayonnant, ce que Camus — se rappelant sans doute qu'il avait déjà écrit que rien n'est plus tragique que la vie d'un homme heureux et une nature écrasée sous le soleil — nomme la *pensée de midi.* Les concepts philosophiques trouvent ainsi leur dramatique : même porteuses de vérité, les idées sont soumises à la *pratique de la mise en scène,* forme ultime de la mise en abyme ; l'abîme de la scène est le lieu final de l'écriture.

Comment de telles perspectives peuvent-elles s'appliquer au Sartre de *L'Etre et le Néant ?* Cette œuvre est apparemment une description psychologique de la conscience, comme plus tard la *Critique de la raison dialectique* sera une dialectique socio-historique de l'homme concret. De nouveau, il nous faut aller ici au-delà des apparences. Sartre *monte* le théâtre de la conscience ; il anime des marionnettes conceptuelles autour de deux héros principaux, le noble et le vilain — le pour-soi et l'en-soi. Ceux-ci n'obéissent pas à des lois psychologiques ou sociologiques. Ils les rendent possibles et délimitent le théâtre des actions et des passions humaines. C'est pourquoi, comme pour celle de Camus, la dramatique sartrienne qui se dilate en essais monstrueux et pourtant inachevés est en même temps une moralité : elle *ne dit pas ce qu'il faut faire,* elle *montre ce qui se fait* quand la Liberté et la Fatalité dialoguent à travers les mots. L'écriture de la vérité philosophique s'est muée en une écriture de drame qui se sent retournée aux origines du langage ; et cette fois, ce n'est plus la poésie qui sert de médiatrice, mais le théâtre et son mirage scénique.

A cette même conception de l'essai se rattachent des œuvres de Simone de Beauvoir comme *Le Deuxième Sexe* (1949), *Pour une morale de l'ambiguïté* (1947), *La Vieillesse* (1970). Elles aussi possèdent des caractères qui les apparentent au langage du théâtre. Elles constituent des synthèses provisoires, des polémiques et des visions culturelles qui dramatisent des situations révoltantes ; appuyées sur une documentation historique et sociologique très riche, elles militent en faveur de réformes sociales, et surtout rendent obsédantes des situations culturelles insupportables. A la suite de Simone de Beauvoir, d'autres femmes-écrivains se sont aussi engagées dans la voie de la moralité-dramatique. Le Mouvement de libération des femmes (M.L.F.) a favorisé l'essor d'essais très diversifiés. Orientés le plus souvent par le désir de prendre pleinement conscience de la condition féminine, ils touchent à de nombreux domaines : la psychanalyse, la linguistique, la critique littéraire, l'écologie, etc. Les essayistes femmes s'adressent à des publics variés et, pour spécialisés que soient parfois leurs thèmes, elles cherchent à conquérir une large audience de lecteurs/lectrices.

Parmi les psychanalystes qui s'attaquent au point de vue tout masculin de Freud et de Lacan, citons Luce Irigaray : *Speculum de l'autre femme* (1974), *Ce sexe qui n'en est pas un* (1977) ; Xavière Gauthier : *Surréalisme et Sexualité* (1971), *Dire nos sexualités : contre la sexologie* (1977) et Catherine Clément : *Les Fils de Freud sont fatigués* (1978).

Nombreuses sont les essayistes qui cherchent à définir la condition féminine : Benoîte Groult : *Ainsi soit-elle* (1975) ; *Le Féminisme au masculin* (1977) qui met en valeur l'apport masculin à la cause des femmes. Plus lyrique, Annie Leclerc parle des joies de la maternité et du mariage dans *Parole de femme* (1974) et *Epousailles* (1974). L'éventail des modes stylistiques va de l'essai strictement analytique de Julia Kristeva (entre autres *Des Chinoises*, 1974, et *Polylogue*, 1977) au lyrisme d'Hélène Cixous où se mêlent l'humour, la polémique et une sorte d'improvisation dynamique. Parfois l'essai prend la forme d'un dialogue : *La Jeune Née*, 1975, qui oppose Catherine Clément et Hélène Cixous, ou d'une discussion à trois voix : *La Venue à l'écriture*, 1977, avec Annie Leclerc, la Canadienne, Madeleine Gagnon et Hélène Cixous. Cette forme traduit la volonté féministe de ne point céder à la tentation d'imposer une « voix autoritaire », attitude masculine que le féminisme combat. D'autre part, Françoise d'Eaubonne défend avec éloquence la double cause qu'elle estime inséparable, du féminisme et de l'écologie dans une vingtaine d'essais très diversifiés dont *Le Féminisme ou la mort* (1974). L'essai féminin rejoint ainsi les préoccupations les plus fréquentes du monde contemporain.

Au terme de ce survol de l'essai, une dernière question doit être soulevée : où en est aujourd'hui la prose abstraite française, celle qui pendant près de cinq siècles a été l'une des exigences les plus fortes et l'une des grandes fiertés de la littérature française ?

D'abord, elle a continué à jouer le rôle de miroir intellectuel qu'elle tient de façon classique dans les lettres, s'inscrivant à mi-chemin entre les genres littéraires et la philosophie. Ensuite, son pouvoir interrogateur et sa tendance agnostique, voire sceptique, se sont accentués jusqu'à un point de tension limite où les grands concepts sur lesquels s'appuient instinctivement les formes littéraires — concepts d'être et de phénomène, de personne, de sujet et d'objet, d'espace et de temps... — sont mis en question, et remplacés par ceux de néant, d'absurde, d'ambiguïté, d'ambivalence, de paradoxe, etc. Les genres littéraires eux-mêmes ont été insidieusement envahis par l'esprit révolutionnaire de l'essai ; le roman n'est plus qu'incidemment la narration d'une histoire imaginaire : le théâtre devient un sociodrame pour idées abstraites et idéologies en péril ; la poésie se mêle à sa poétique, et le poète se confond avec la justification de son poème. A la fois théorie et pratique, mariage de la contemplation et de l'action, subjectivité dominée, confession transposée, l'essai caractérise au XXe siècle cette modernité que Baudelaire annonçait il y a plus de cent ans. Cultivant la nostalgie d'un passé qui les rassure, certains critiques regretteront les effets de ce pouvoir dissolvant, la désorganisation des genres, un anarchisme esthétique et moral qui rend impossible de proposer aux belles-lettres les modèles du Parthénon ou de la cathédrale de Chartres : au-delà du classicisme et du romantisme, telle est l'exigence d'une modernité qui cultive l'incertitude du présent tout en refusant le confort de la tradition et la sécurité du lendemain. Enfin, la marque la plus originale de l'écriture d'essai à notre époque — et de ce fait l'esprit même de la modernité — réside dans un scepticisme d'un nouveau genre, qui ne met plus en doute la capacité humaine d'atteindre le Vrai, mais le langage lui-même, en tant que production et réception de sens, moyen d'expression, instrument de communication. C'est une lutte de l'écriture contre les principes logiques et les procédés rhétoriques — non pas déclaration d'intention, méditation mélancolique au bord de l'ineffable, mais double négation du dicible et de l'indicible. Incarnée dans l'essai, la modernité condamne l'idéalisme philosophique qui, de Descartes à Kant et jusqu'à Hegel, conférait à la conscience le pouvoir de construire le réel ; mais elle condamne aussi tous les réalismes, qu'ils soient scolastique ou révolutionnaire, esthétique ou moral. L'essai se fait volontairement prisonnier du langage et ne croit plus aux valeurs traditionnelles de l'évasion : le Vrai, le Beau, le Bien. Il sait que le langage, comme être, ne peut renvoyer qu'à des êtres de langage et que, comme action, il ne peut agir que sur lui-même. Dans son désordre entêté et savant, dans sa corruption des genres et des esthétiques, il est en quête de valeurs qui ne peuvent plus être les transcendantaux médiévaux, mais les valeurs de ce nouvel être universel qu'est le langage. L'essai a rendu toutes nos formes d'écriture conscientes de nouveaux et terribles devoirs : les littératures ont cessé de se cantonner aux marges de la vie sous les espèces de l'essai ; le langage, comme être de culture, n'est plus la marge qui recueillait des annotations plaisantes ou sombres sur l'existence. Cette marge est devenue notre demeure.

TROISIÈME PARTIE

FIGURES D'UNE LITTÉRATURE EN MOUVEMENT

UN esprit turbulent et inquiet, hâbleur aussi et provocateur, habite cette époque. Les recherches théoriques, les expérimentations formelles les plus hardies y prolifèrent, qui n'ont souvent en commun que le goût de l'aventure. A un niveau plus profond, on peut néanmoins discerner dans le champ littéraire certaines constantes : une conscience de plus en plus nette du contexte planétaire, voire cosmique, où se situe l'homme d'aujourd'hui ; une nouvelle optique métaphysique et psychologique encore mal définie ; un malaise devant l'entreprise littéraire devenue problématique. Plus qu'à aucune autre époque, nous semble-t-il, les écrivains discutent avec âpreté et en même temps mettent en coupe réglée toutes les ressources du langage. S'installant souvent dans le paradoxe, ils ont simultanément refusé le langage commun, accusé d'être un instrument de contrainte sociale, et cherché à atteindre la subjectivité en poussant l'arbitraire de l'écriture jusqu'à l'incommunicabilité, pour atteindre le collectif ou le non-codé au-delà des limites d'un moi suspect.

S'il est vrai que la désintégration des normes stylistiques communément acceptées et l'apparition de styles individuels fortement diversifiés caractérisent les époques qui se veulent modernes, la nôtre est une époque moderne, dans un sens plus profond que celui qu'ont retenu les futuristes d'avant 1920. Aucune poétique ne rattache nécessairement ces œuvres les unes aux autres. D'où la difficulté de notre propos présent. Nous évoquerons ci-dessous quelques œuvres littéraires qui, de décennie en décennie, nous paraissent éclairer le climat du moment, tout en contribuant pour une large part à le créer. Mais ce climat se définit par la diversité. Pour ne pas trop simplifier, nous rapprocherons chaque fois deux figures comparables et pourtant antithétiques, voulant rappeler ainsi les mille nuances intermédiaires dont se colore l'arc-en-ciel littéraire qui ne présente jamais une simple opposition de noir et de blanc. Il va sans dire que si nous estimons la valeur littéraire de leur œuvre, nous ne proposons pas d'en effectuer un classement hiérarchique qui les placerait par rapport à leurs contemporains au sommet d'une échelle de valeur. Les écrivains que nous avons choisis nous ont paru avoir, plus que d'autres, une vertu *représentative*, leur œuvre ayant coïncidé à un moment donné avec le climat affectif et intellectuel dont elle paraît être alors l'expression quasi emblématique.

Ainsi, pour les années vingt, nous avons choisi Jean Cocteau et son implacable antagoniste, André Breton ; pour les années trente, André Malraux et Louis-Ferdinand Céline. Les accords et désaccords de Simone de Beauvoir et d'Albert Camus nous ont paru éclairer en profondeur les vicissitudes de l'équipe qui entre 1942 et 1945 prend rang, à côté de Sartre dont nous avons déjà évoqué le rôle déterminant. Aucune figure littéraire représentative ne se dessine aussi nettement à partir des années cinquante. L'évolution de deux écrivains, Claude Simon et Marguerite Duras, les étapes qu'ils parcourent, nous ont paru le mieux éclairer l'esprit de ces années. A l'exception de Claude Simon, presque exclusivement romancier, aucun de ces écrivains ne s'est consacré à un seul genre. Tous se situent donc par rapport au champ littéraire dans son ensemble, à une époque où aucun genre ne semble occuper un rang prééminent. Et vers l'œuvre de Beckett semblent converger les tendances profondes de ce temps.

Il ne s'agit pas d'un classement par génération : Simon et Beckett sont de la génération de Camus et de Marguerite Duras ; Céline est le contemporain de Breton. Il s'agit du moment où leur œuvre émerge et atteint un public, moment que, dans son propre développement, elle déborde largement. Entre les premiers poèmes de Cocteau et sa dernière pièce, *Bacchus,* un demi-siècle s'est écoulé.

Le mode même de rencontre d'un public varie, et fait partie de la configuration littéraire du moment : c'est par sa présence, plutôt que par ses écrits, que Breton s'impose d'abord ; encore peu connus (en dehors des *Manifestes*), ses grands textes. *Fata Morgana, Arcane 17* et *Ode à Charles Fourier,* datent des années quarante. Dans le cas de Cocteau, l'homme et l'écrivain se consomment, pourrait-on dire, instantanément. La renommée de Céline monte seulement en flèche à partir de 1965. Le petit cercle d'initiés qui suit Claude Simon ou Marguerite Duras est tout aussi significatif d'un climat littéraire que la vaste audience qu'ont gagnée Malraux, Sartre, Simone de Beauvoir et Camus. Quant à Beckett, l'accueil fait à son œuvre s'est lentement élargi depuis trente ans.

CHAPITRE I

LES ANNÉES VINGT : JEAN COCTEAU, ANDRÉ BRETON

En 1920, Jean Cocteau et André Breton militent parmi les dadaïstes qui font scandale au palais des Fêtes. Une quarantaine d'années plus tard, Cocteau était académicien, et Breton, qui depuis une dizaine d'années avait presque cessé d'écrire, était reconnu comme le maître incontesté de plusieurs générations de poètes, l'homme qui avait donné l'impulsion à un mouvement d'une étonnante fécondité. L'un et l'autre avaient su occuper le devant de la scène parisienne dans les années vingt et, toujours contestés, n'avaient cessé de manifester un irréductible non-conformisme, désinvolte chez Cocteau, d'inspiration morale chez Breton. Tous deux avaient su surmonter les violentes passions politiques des années quarante : Cocteau, resté en France, était suspect à la petite clique des écrivains collaborateurs parisiens et, par l'anarchisme de son comportement, de plus aux résistants. Breton, par définition irréductible ennemi des contraintes, antinazi intransigeant, dut passer au Mexique, puis aux Etats-Unis. Ni l'un ni l'autre ne participèrent directement à la Résistance et ils restèrent en marge des vindictes politiques. Cocteau, sans l'avoir cherché, fait scandale avec sa dernière pièce, *Bacchus* (1952), que Mauriac jugeait subversive pour le peu de respect qu'elle accordait à l'Eglise chrétienne. Mais, au tournant du demi-siècle, l'un et l'autre se trouvent en retrait par rapport au mouvement littéraire. Le prestige de Breton contraste avec l'indifférence assez affectueuse qui entoure Cocteau. Il n'en est pas moins vrai qu'après le rôle éclatant qu'ils avaient joué dans les années vingt, la politisation culturelle leur a été défavorable.

La jonction entre les deux hommes, aux environs de 1920, fut brève. Ils partageaient pourtant certaines aspirations caractéristiques de l'époque, le désir surtout d'aiguiller la littérature vers des voies nouvelles et un sens aigu de l'interdépendance des arts en gestion, du visuel surtout (peinture et cinéma) et du littéraire. Et ils devaient subir également la fascination qu'exerça sur l'imagination de leur génération la découverte de l'inconscient, avec sa charge d'ambiguïté et de solipsisme. Lorsque vers la fin de la décennie Breton pose dans *Nadja* la question : « Qui suis-je ? » il fait en somme écho à l'interrogation à laquelle répond la pièce de Cocteau, *Orphée.* Mais le cadre de l'interrogation, la démarche de la pensée ne sont pas les mêmes et les incompatibilités, les inconséquences mêmes qui les distinguent contiennent en suspens les divers éléments dont la dissociation allait créer certains clivages que nous avons notés dans l'orientation subséquente des lettres.

En 1920, Cocteau n'en était pas à ses débuts. Il venait de dépasser la trentaine. Trois ans plus tôt, au moment de *Parade,* Apollinaire avait signalé le rôle novateur de ce ballet : il y voyait « une sorte de surréalisme [...], le point de départ d'une série de manifestations de cet Esprit Nouveau [...] qui ne manquera pas de séduire l'élite et se promet de modifier de fond en comble les arts et les mœurs dans l'allégresse universelle ». L'allégresse dans l'invention plutôt que l'esprit de contestation caractérise le jeune Cocteau, que l'art provoque et non le milieu social.

Imitateur précoce des poètes néo-symbolistes, il rompt avec l'inspiration de ses trois premiers recueils pour se mettre à l'école de maîtres extérieurs à la littérature, Diaghilev, Satie et Picasso entre autres. Auprès d'eux il semble avoir pris conscience du caractère artisanal de l'œuvre d'art et de la plasticité des médias. Il restera l'homme d'une *pratique* de l'art pour qui la création a pour fin une *production*, un objet donc destiné à un public. Que cette production soit par surcroît destinée à scandaliser semblait aller de soi pour le jeune homme qui avait assisté aux réactions du public lors de la présentation du *Sacre du Printemps*. Le scandale n'était cependant pas pour lui un but en soi, mais le signe d'un dépassement des tabous esthétiques.

Cocteau ne pouvait être qu'en porte à faux dans le groupe Dada. Pour lui, l'art tiendra toujours du spectacle et requiert un public. Pas n'importe quel public, mais cette « élite » dont parle Apollinaire et qui, pour Cocteau, se limite essentiellement aux cercles où s'entrecroisent la vie mondaine parisienne et celle des « donneurs de spectacles », pourrait-on dire, clowns et boxeurs aussi bien qu'artistes : mécènes aristocratiques et hôtesses argentées ; monstres sacrés de la scène ; figures littéraires, peintres et compositeurs ; Coco Chanel, Edith Piaf à côté de Jacques Maritain. Il ne s'agit pas tant de snobisme, comme l'a voulu une certaine légende, que d'une conception de la vie. Pour Cocteau, la vie est une perpétuelle invention, une création de formes nouvelles dont l'art est l'aboutissement. Toujours en mouvement, montant un spectacle, décorant un mur, créant un film, couvant et lançant quelque talent nouvellement découvert — les « Six », Radiguet, Al Brown, Jean Marais, Jean Genet —, Cocteau transforme sa vie en un perpétuel atelier.

Il n'est donc pas surprenant que les vicissitudes de sa vie et ses obsessions transformées quasi instantanément en thèmes littéraires ou plastiques offrent un véritable film des expériences caractéristiques et des modes de sensibilité de l'époque : les premiers vols en avion *(Le Cap de Bonne-Espérance)* ; les « grandes vacances » louches de la guerre *(Thomas l'imposteur)* ; la crise de l'adolescence *(Le Grand Ecart)* ; l'homosexualité *(Le Livre blanc)* ; ainsi que les autres pulsions sexuelles comme l'inceste, que dévoilait Freud, avec leurs faces jumelles : l'érotisme et la mort *(Les Enfants terribles, Les Parents terribles, La Machine infernale)* ; l'impossible conversion *(Lettre à Maritain)*. « Pendant un demi-siècle, écrit Michel Décaudin, Cocteau a été au cœur du mouvement artistique et littéraire par son style de vie comme par les aspects multiples de son œuvre. Sa curiosité universelle, l'ubiquité de sa présence ont fait de lui, qu'il s'agisse des mœurs, de la littérature, du théâtre, du cinéma, également de la musique et de la peinture, un des révélateurs les plus sensibles de son temps[1]. »

De « *tout* son temps » ? Ce serait beaucoup dire. Cocteau ne participe qu'en apparence au grand mouvement de révolte qui caractérise l'époque. Il ne met en question ni l'ordre social ni la littérature. Il ne se proposera jamais de « changer le monde ».

Trois constantes distinguent l'œuvre en apparence hétéroclite de Cocteau. En premier lieu, sa qualité fortement visuelle qui la rapproche des arts plastiques, de la peinture et de la danse surtout, et qui explique pourquoi c'est dans le film que Cocteau se révélera le plus librement. Cette qualité l'oriente vers l'art-spectacle (qui s'adresse à un public de spectateurs). Il s'agit de provoquer, de surprendre ou de scandaliser. En second lieu, Cocteau partage avec les artistes qu'il fréquente une conception artisanale de l'œuvre : il se plaît à la libre invention ou à la libre utilisation de formes littéraires ou autres dont il use avec désinvolture. Ce polymorphisme lui vaudra une

1. « Jean Cocteau », *La Revue des lettres modernes*, 1972, p. 3.

réputation imméritée d'esthète dont l'éblouissante habileté technique cache le vide. Néanmoins, la virtuosité guette Cocteau, la tentation de fabriquer en série des objets littéraires : un drame romantique après un drame bourgeois ; une féerie après une tragédie classique freudienne. N'était que cette œuvre trouve son centre dans une douloureuse réalité — la « difficulté d'être » du poète, l'énigme d'un moi menacé de dispersion et que la pratique de l'art seule parvient à rassembler.

L'œuvre de Cocteau est, en effet, centrée sur le mythe, hérité du romantisme, du poète maudit, victime d'un destin qui le voue à la souffrance et à l'exil, prix de l'activité mystérieuse dont il est l'agent plutôt que l'initiateur. Mais chez Cocteau, que l'usage de la drogue et le freudisme ambiant ont en effet familiarisé avec la notion du subsconscient, ce mythe sera traduit en termes de phantasmes obsédants qui envahissent le moi du poète et détiennent le « chiffre » de son être. Le thème de la recherche du moi, de l'unité, que l'on retrouve dans tout un courant littéraire qu'illustrent Proust et Gide, est repris par Cocteau mais dans un cadre nouveau. Le « double » des romantiques allemands, alors à la mode, hante son univers, ainsi que l'obsession du triple piège de la fatalité, de la mort et de la beauté où se prend le poète.

Intérieur ou extérieur, qu'il le subisse ou le crée, le spectacle est l'élément où évolue de préférence Cocteau. Au discours de l'analyse psychologique, il préférera le langage figuré et énigmatique de ses phantasmes oniriques transformés en mythes personnels. C'est à partir de ces mythes personnels qu'il a frôlé certains des thèmes privilégiés de l'époque, comme en passant. Dans ses notes autobiographiques — surtout dans *Journal d'un inconnu* —, Cocteau en a expliqué l'origine, apparente dès le *Discours du grand sommeil*, poème de guerre, et un premier conte, *Le Potomak*.

Dans son monde intérieur, les émotions se transforment en décors et en objets fétiches — statues, jeux de cartes, boule de neige, miroirs, cheval — souvent issus de souvenirs d'enfance. Ce sont ces fragments d'un univers imaginaire personnel que Cocteau transforme en mythe et qui alimentent une légende dont il cherche à se libérer par l'écriture : « Caché, je suis caché sous un manteau de fables : plus tenaces que la poix », dit-il, ou encore : « Je suis un mensonge qui dit la vérité. » Une structure visuelle et d'essence dramatique jusque dans les poèmes lyriques ; une juxtaposition de tableaux ; l'élaboration de formes indéfiniment différenciées ou l'utilisation jamais répétée de formes familières ; un langage analogique et imagé qui traduit en termes concrets un drame subjectif : ces traits donnent aux œuvres diverses de Cocteau leur unité sous-jacente.

Imitateur d'abord des poètes néo-symbolistes, il se rapprochera ensuite de l'impressionnisme moderniste auquel ses premiers écrits et singulièrement son premier roman, *Le Grand Ecart,* se rattachaient. De cet impressionnisme relève sa « poésie critique » rappelant l'écriture de Paul Morand, parfois de Max Jacob ou de Giraudoux, par la rapidité du trait, le goût de l'ellipse, du paradoxe, de l'allusion, du mot d'esprit ; par la désinvolture aussi : « Les miroirs feraient bien de réfléchir un peu plus avant de renvoyer les images. » « La Grèce était aveugle de face. L'Egypte regardait en face de profil. » « Le truc, c'est l'art. » « Rimbaud, Mallarmé sont devenus Adam et Eve. La pomme est Cézanne. » L'écriture de Cocteau oscille entre deux registres extrêmes, tous deux énigmatiques — le langage onirique et le trait d'esprit — comme les décors de ses pièces oscillent entre l'abstrait et le rêve : décors de cauchemar ou jardins enchantés de féerie. Comme Morand ou Jacob, il gardera une méfiance moqueuse vis-à-vis du langage poli des hommes de lettres, dont il s'écarte pour se mettre à l'école de maîtres non littéraires : Diaghilev, Satie, Picasso, Chirico. *Parade, Le Bœuf sur le toit* se passent de mots. Avec ces ballets, Cocteau fait son apprentissage d'homme de théâtre et découvre son optique personnelle.

Entre 1920 et 1932, Cocteau s'établit dans tous les genres à la fois : il produit six volumes de vers, quatre romans, deux pièces de théâtre et trois adaptations, « modernisant » *Roméo et Juliette, Antigone* et *Œdipe-Roi ;* sept ouvrages de « poésie critique » qui mêlent la réflexion critique, la chronique faite au jour le jour *(Portraits-Souvenirs)* et l'autobiographie ; sans oublier le premier de ses neuf films, *Le Sang d'un poète.* Dans cet ensemble, des réussites certaines : *Plain-Chant* et *Opéra* (poèmes) ; *Thomas l'imposteur* et *Les Enfants terribles* (romans) ; *Les Mariés de la Tour Eiffel* et *Orphée* (pièces) ; *Le Rappel à l'ordre* et *Opium* (réflexions critiques et autobiographie). De l'un à l'autre de ces écrits dans le cadre d'un même genre, la diversité formelle est frappante. Néanmoins, Cocteau les classera tous sous une même rubrique générale, « poésie », soulignant ainsi cette cohérence plus profonde, liée à une « démarche » *(Démarche d'un poète),* reconnaissable dès 1932.

A partir de 1933 et jusqu'en 1952, l'année de la production de sa dernière pièce, *Bacchus,* Cocteau se consacre surtout au théâtre et au cinéma. Deux recueils de poèmes, *Le Chiffre sept* et *Clair-Obscur* et deux écrits autobiographiques, *La Difficulté d'être* et *Journal d'un inconnu,* marquent ensuite un repli sur soi qu'annonce la reprise dans le film du thème d'Orphée. C'est par le théâtre, puis par le film que Cocteau a atteint un public parfois récalcitrant. C'est donc au théâtre que nous nous référerons pour tenter de suivre rapidement le parcours de l'œuvre.

« Gros appareil de transmission pour les planches », selon Cocteau, la pièce de théâtre rend visible ce que voile le langage plus secret du poème, ou du « rêve éveillé », d'où émergent les films et les romans, *Les Enfants terribles* notamment. Le théâtre lui offre en plus les conditions les plus propices d'une synthèse où les impulsions qui le poussent vers l'art pourraient trouver un équilibre. La renaissance du théâtre étant, par ailleurs, un des faits culturels de l'entre-deux-guerres — peut-être de toute notre époque —, Cocteau, plus que dans ses autres entreprises, fait ici corps avec son temps. Dans *Parade*, le jeune Cocteau, en virtuose épris des modes du moment, avait exprimé, en termes visuels, une esthétique rudimentaire du spectacle qu'il approfondira ensuite et à laquelle il restera fidèle : devant une tente foraine fermée, trois danseurs hétéroclites paraissaient, tandis que deux managers-phonographes en carton-pâte indiquaient en vain que le spectacle était à l'intérieur. Les éléments du ballet sont fonctionnels : le sens du spectacle doit naître de leur agencement invisible. Rien n'empêche qu'on les remplace au besoin par d'autres, bourgeois, légendaires ou féeriques selon le code adopté. Ainsi le « modernisme » résiderait moins dans les figures visibles que dans l'ordre qui régit leur apparente anarchie ; un « post-modernisme » constructeur, encore vague, pointe déjà. Le ballet est un spectacle contrôlé.

Une fécondité d'invention purement ludique mais contrôlée caractérise *Les Mariés de la Tour Eiffel :* tous les arts entrent en jeu, toutes les tendances à la mode. Dans ce spectacle de marionnettes le thème folklorique du déjeuner de noces, modernisé grâce à la tour Eiffel, correspond aux modernisations de mélodies populaires des « Six », qui accompagnent la pièce. Le dynamisme fantaisiste et imprévisible de la situation naît comme spontanément des images latentes dans les clichés les plus usés du langage. Elles prennent corps et s'animent sous les yeux du spectateur. La pièce est une machine linguistique qui n'est point sans analogie avec les machines autodestructrices de Picabia. Elle parodie et démantèle avec drôlerie et bonne humeur les mythes petits-bourgeois. Si elle se rapproche par ses jeux de mots et sa logique absurde des productions dadaïstes et des exercices surréalistes, elle s'en éloigne par l'esprit : Cocteau crée délibérément un spectacle organisé et stylisé. Le décor, la musique, les commentaires, le jeu des acteurs-marionnettes, les incongruités et tours de passe-passe sont agencés pour créer une impression unique de cocasserie absurde. Cocteau a puisé à pleines mains aux jeux de mots et d'idées qu'il admirait dans *Alice au pays des merveilles.*

Ce même passage du littéraire au visuel, dans un autre registre, préside aux « contractions » qu'opère Cocteau sur des textes sacrés — *Roméo et Juliette, Antigone* et *Œdipe-Roi.* Il précède ainsi Artaud, lequel, une dizaine d'années plus tard, devait attaquer la sacralisation qui figeait les textes classiques dans des conventions scéniques et linguistiques désuètes. Abordant *Antigone*, qu'il révère, Cocteau charge les costumes et la mise en scène de créer une atmosphère d'attente et d'angoisse et réduit le dialogue au minimum nécessaire pour dégager les mécanismes de l'action. Cette réduction du langage par rapport aux autres éléments scéniques le situe à un des pôles esthétiques de l'époque et prélude à certains développements ultérieurs : les « combinatoires » et autres jeux intertextuels qui apparaîtront ensuite.

C'est à partir de l'esprit nouveau et moderniste, et non de Dada, que se fera l'évolution de Cocteau. Entre 1921 et 1923 il comprendra sous l'influence de Radiguet que l'ère des jeux est passée, au moment précis où Breton s'éloigne de Dada. Mais la recherche de Cocteau reste formelle. Il ne se contente plus d'être l'agent de combinaisons verbales et visuelles, nouvelles et surprenantes, « magicien » ou « ébéniste », selon le cas. Il cherche à rendre visible ce spectacle intérieur dont parlait *Parade.* Les dadaïstes et les surréalistes en herbe ne se tromperont guère sur le fossé qui les sépare : ils ne ménageront pas Cocteau. Deux textes marquent ce moment décisif qui coïncide avec la fin du grand défoulement général qui suivit la guerre : *Poésie* (1924) et la pièce *Orphée* (1926). *Poésie,* recueil de poèmes écrits entre 1916 et 1923, permet de suivre l'évolution de Cocteau sur les deux plans de la forme et des thèmes. Dédié à l'aviateur Garros, *Le Cap de Bonne-Espérance* (1919) use avec hardiesse de dislocations typographiques, syntaxiques et même phonétiques, grâce auxquelles Cocteau crée sur la page un mouvement analogue à celui de l'avion. *Plain-Chant* (1923) reprend les formes fixes classiques, souvent proches de la prosodie de Malherbe. Cocteau ne perdra jamais le goût de la magie, mais, à partir de *Clair-Obscur* et d'*Orphée,* il cherche des moyens d'expression dont « la nouveauté ne saute pas aux yeux ».

De recueil en recueil, certains thèmes subjectifs apparaissent qui, peu à peu, forment un langage chiffré qui lui devient propre : l'avion inspire l'analogie entre le vol et la démarche du poète, qui obéissent l'un et l'autre à des lois invisibles. Grâce à elles, l'aviateur et le poète se meuvent en un élément extra-terrestre, d'où la vie humaine apparaît selon de nouvelles perspectives ; l'accélération au départ, le bruit de l'hélice invisible qui, ralentissant, devient visible à l'atterrissage, seront parmi les éléments constitutifs de la mythologie de Cocteau.

Dans le second poème du recueil, le *Discours du grand sommeil,* la hantise de la mort, liée aux images de la guerre, donne une sorte d'image inversée du mouvement de l'avion : celle de la descente en scaphandre dans la nuit intérieure. Du rapprochement de ces deux images naît alors la figure de l'ange, cet habitant des confins du monde humain ligué avec l'inconnu et qui devient visible, comme l'hélice, lorsqu'il touche terre. La dure beauté de l'ange est un piège. Elle livre le poète aux forces surnaturelles qui environnent le monde humain. Il devient ainsi le poète victime, et le messager incertain de l'inconnu qui l'habite.

La pièce *Orphée* donne au mythe une première expression que trois films reprendront. Mais le mythe désormais habite l'œuvre de Cocteau et lui donne sa cohérence. Dès lors, quelle que soit l'histoire qui fournit à Cocteau son scénario, quel que soit le code dramatique qu'il choisit et qui fait corps avec le scénario *(Renaud et Armide)* et parfois même le précède *(L'Aigle à deux têtes)*, la pièce appartiendra à un même monde mythique et onirique, où plane la menace de ce désordre dont vivent et meurent aussi des « enfants créateurs » fictifs, les enfants terribles.

Orphée est l'œuvre clé de Cocteau et expose une conception de l'art qui est une sorte de lieu de rencontre d'attitudes traditionnelles : pour naître en tant que poète, l'homme doit passer métaphoriquement de l'autre côté du miroir qui sépare le monde quotidien du monde obscur ; il doit affronter la mort, se perdre dans le désordre dont le sauvent l'œuvre et ses exigences. Cette conception remonte pour une part aux romantiques et même au-delà, par l'intermédiaire de Rimbaud relu à la lumière de Freud. En revanche, le poème — dramatique ou autre — conçu comme une machine verbale rappelle Valéry ; et la notion de l'art comme ascèse et purification par le langage (*Orphée, La Machine infernale*) relève de Mallarmé. Pour Cocteau cependant, l'art reste avant tout l'expression d'une expérience subjective, incompréhensible et ambiguë, de la condition humaine. L'univers humain, selon Cocteau, avec ses catégories de temps, d'espace, d'ordre causal, est un petit domaine local environné par un vaste monde obscur où règnent les forces invisibles qui disposent du sort de l'individu. Cocteau en réalisera le modèle scénique dans le décor nocturne de la rencontre d'Œdipe avec le Sphinx (*La Machine infernale*).

De vastes espaces obscurs s'étendent autour de l'étroite scène éclairée où Œdipe rencontre le Sphinx et Anubis, espaces où retentissent les voix de plus en plus lointaines des dieux. La machine infernale est insaisissable et implacable, qui détermine le sort d'Œdipe. Cocteau rejoint ici le Kafka du *Procès* et la vision « absurde » du monde. Aucune structure sociale, cependant, aucune conjoncture historique n'est mise en jeu : Œdipe, c'est l'homme éternel mythique : par là Cocteau se rattache à la tradition classique. Tout être, tout objet peut être l'agent de ces forces inhumaines dont un « changement de vitesse » dans la perception permet de déceler la présence. Le poète selon Cocteau est l'être particulièrement sensibilisé à cette présence inhumaine qui se manifeste à la manière d'une décharge électrique : à la fois choc, peut-être mortel, et illumination, terreur sacrée et beauté. De ce contact avec le mystère se dégage « ce fluide-poésie » que l'artiste a pour fonction de « domestiquer » au moyen du « véhicule » qu'il façonne : « Nommons donc, pour simplifier les choses, ce fluide : poésie ; et : art, l'exercice plus ou moins heureux par quoi on le domestique. » L'écrivain est donc responsable avant tout des *techniques* qu'il élabore pour capter et communiquer une expérience troublante. Le poète élu et maudit fait alors place à l'artisan. Il échappe au désordre mortel en substituant le monde contrôlé des formes et de l'ordre artistique, à celui, obscur, des dieux. Ce qui situe Cocteau sur un nouveau versant du siècle, c'est la netteté avec laquelle il pose la question du rapport ambigu entre le « véhicule » et ce que le véhicule doit capter : le mystère. L'œuvre d'art s'organiserait autour d'un centre absent. La ligne de démarcation est nette qui sépare ici Cocteau de Proust ou de Gide.

Tout dans cet ensemble devait fortement irriter Breton pour qui l'artifice littéraire conscient et l'œuvre-spectacle étaient des caricatures méprisables de l'activité poétique. Selon Breton, le poète devait se débarrasser des entraves de sa subjectivité afin d'atteindre, au-delà du moi, le « point sublime » où disparaîtraient les antinomies : la vie/la mort ; le moi/le monde ; le moi/l'autre ; le passé/l'avenir. Breton récuse la littérature où Cocteau trouve son salut. Il dénonce la société où Cocteau vit en « prince frivole » — un prince qui se veut aussi victime — ainsi que le comportement de celui-ci qui se contente d'en enfreindre les interdits : usage de la drogue, pratique de l'homosexualité.

Cocteau, en effet, se situe entre deux générations, celle des derniers grands classiques, Gide, Proust, Claudel, Valéry, et celle des surréalistes dont il est l'aîné, non pas tellement par l'âge — il a sept ans de plus qu'André Breton — mais par sa précocité de jeune Parisien auquel sa classe sociale, ses talents et son homosexualité ont très tôt permis de faire son entrée dans le monde brillant de « la belle époque » en pleine gestation qui restera son milieu de prédilection. Mais l'inquiétude née de la guerre, du désordre même de la vie — de sa vie — orientera Cocteau vers la prise de conscience désespérée dont Vaché est le symbole. Il connaîtra la hantise de « l'inutilité de toutes choses » et de la mort qui caractérise les années vingt. Tout comme Gide, il rejoint alors la tradition qui voit dans l'expression littéraire le salut et le langage véritable, mais *purifié par l'art*, d'un moi profond problématique.

Dès 1921, Breton avait senti, comme Cocteau, que l'ère de la « décompression » touchait à sa fin. Lorsqu'il propose, en 1922, de réunir un « congrès national pour la détermination des directives de l'esprit moderne », qui n'a pas lieu, ou qu'il affirme que « l'homme tient en réserve dans sa propre pensée une réalité inconnue, dont dépend sans doute l'organisation future du monde », Breton reprend une autre face du mythe humain. Et, si à ses yeux « la littérature est un des plus tristes chemins » qui mènent à tout, la poésie, elle, « doit mener quelque part ». En dernière analyse, elle doit conduire à l'Eden retrouvé, non seulement le poète, mais toute l'humanité. C'est cet élan prométhéen qui engagera Breton dans une problématique à laquelle le succès de la révolution russe en 1917 et l'idéologie du parti communiste donnaient une forme nouvelle : la problématique du rapport entre l'activité du poète et celle du militant révolutionnaire. Pour Breton l'engagement du poète est un absolu qui ne souffre aucune compromission ; il en est de même, dans le domaine politique, pour le militant. Dans les années vingt, Breton est le révélateur par excellence d'une forme d'inquiétude et d'exigence dont la virulence et la nature sont étrangères à Cocteau.

Pour antichrétien que soit Breton, il n'en est pas moins visionnaire. Il hérite de la tradition mystique d'un logos, d'un texte sacré — originairement la Bible —, texte désormais perdu ou occulté. C'est ce texte disparu qu'il tentera de retrouver et déchiffrera dans *Arcane 17* à partir d'un lieu géographique et d'un phénomène naturel, le *Rocher Percé,* à la pointe de la Gaspésie canadienne. C'est le monde, non son moi ni surtout la littérature, que Breton interroge.

Au cours des années vingt, Breton est d'abord l'auteur de manifestes, le chef d'un groupe militant. Il use avec une belle assurance des deux armes traditionnelles du discours satirique : la louange et la vitupération ; l'affirmation massive et l'outrage. Le déploiement d'une rhétorique fondée sur l'ampleur des périodes rythmiques contraste chez lui avec le style elliptique de Cocteau. S'il est entré en contestation avec l'époque, son « moi » est solidement d'accord avec lui-même comme le montre le ton hautain de la « Confession dédaigneuse » : « Absolument incapable de prendre mon parti du sort qui m'est fait, atteint dans ma conscience la plus haute par le déni de justice que n'excuse aucunement, à mes yeux, le péché originel, je me garde d'adapter mon existence aux conditions dérisoires, ici-bas, de toute existence. » La « phrase déferlante » de Breton fait contraste avec celle, brève et allusive, de Cocteau, et son ton péremptoire, avec le goût parisien du mot d'esprit. C'est que, dès 1920, Breton a repris à son compte le grand mythe romantique du poète chargé d'une mission et qu'il se rattache à la tradition des visionnaires illuminés, des grands « voyants ».

La déclaration faite ci-dessus use ironiquement de la terminologie biblique (péché originel, ici-bas) et se fait l'écho d'une tradition judéo-chrétienne que Breton rejette, mais à laquelle toute sa pensée se rattache. Ce qu'il cherche, c'est un langage originel que l'homme moderne, voué au rationalisme, a perdu avec tout son vaste clavier. L'irruption de l'image fulgurante dans le langage libéré est selon lui le signe d'une présence permanente qui, elle, n'est pas nécessairement discontinue et spasmodique, mais seulement occultée.

A l'époque du manifeste, cet « arrière-pays » se rapproche de la féerie. Le langage « nouveau » de Breton dévoile d'abord un merveilleux qui a peu de rapport avec le but proposé et semble venir en droite ligne de Chrétien de Troyes et du roman médiéval ; ses mythes — celui de la femme-fée, médiatrice entre l'homme et le réel ; celui des « signes » (objets révélateurs, rencontres qui tracent la figure du désir et révèlent à l'homme son destin) — restent affaire privée.

Lorsque Breton affirme que l'homme tient en réserve dans sa propre pensée une réalité inconnue dont dépend sans doute l'organisation future de l'humanité, la déclaration donne à l'entreprise ses assises humanistes, mais elle apparaît singulièrement gratuite. Dès le départ, Breton en détient les mots clés : la poésie, l'amour, la liberté, c'est-à-dire le bonheur total. Le but entrevu précède les moyens : aucun moyen n'est désigné *a priori* pour « la conduite de l'entreprise surréaliste... » (*Manifeste*) ; mais la force motrice de l'entreprise est signifiée d'avance : « le désir sans contrainte ». Ces affirmations feront de Breton le catalyseur des tendances éparses que Dada avait un instant mobilisées, auxquelles elles proposent une action commune, un but : « Affranchir à tout prix la poésie des contrôles qui la parasitent », et offrent « l'espoir du grand lointain informulé » (Char), qui fut aussi celui des grands utopistes du XIXe siècle. Elles répondent au besoin de sortir de la confusion. Nous avons indiqué ailleurs la nature des activités du groupe surréaliste et le rôle d'initiateur, de découvreur de talents qui fut celui de Breton, tant en peinture qu'en poésie. C'est la *démarche* de Breton lui-même qui nous intéresse ici et la ligne de démarcation qui le sépare de Cocteau.

Cocteau dès 1923 opérait une réconciliation entre deux esthétiques, le « modernisme » d'avant-garde et la tradition ; la littérature restait pour lui l'expression d'une subjectivité affrontant le néant. Quant à lui, Breton propose de mettre fin à cette aliénation du moi, de dépasser le nihilisme stérilisant d'un Jacques Vaché. Au contact de Dada, il est amené à considérer cette entreprise comme une aventure collective. Dès *Poisson soluble* il apparaît nettement que ce dont rêve Breton, ce à quoi il aspire, c'est une condition où, dans la fusion de l'esprit et du monde, l'individu se résorbe dans le tout.

Chez lui, la contestation est une révolte contre tout ce qui s'oppose à cette fusion : les contraintes sociales aussi bien que les catégories binaires et traditionnelles de la logique qui morcèlent le champ de la conscience. Dès *Poisson soluble* apparaît aussi le personnage de l'alchimiste, l'un des doubles du poète. Breton sera toujours plus le fils d'Eliphas Lévi que de la psychiatrie, dont au début il se réclame pour donner à son mythe de rédemption des assises documentées et scientifiques. Si Cocteau opère la synthèse de deux des postulations contradictoires de l'époque, résumées dans la dichotomie poète-artisan, Breton tente la synthèse de deux de ses exigences contradictoires : faire coïncider l'objectivité absolue avec l'absolue subjectivité ; opérer l'accord du monde et de la conscience au-delà du positivisme et de l'idéalisme, dichotomie que veulent aussi dépasser les philosophes existentialistes.

De « La Confession dédaigneuse » à *Arcane 17*, néanmoins, c'est l'aventure des grands adeptes ésotériques qui sollicite Breton et dont il reprend la tradition. Son rêve plonge dans un passé symbolisé par cette étoile à cinq branches dont il fait un de ses emblèmes et qui, dès l'ancienne Egypte, avait été le signe de ralliement de ceux qui cherchent à remonter vers l'origine. Breton demande au langage affranchi de tout contrôle culturel contemporain de corroborer sa vision, de dessiner la configuration édénique sous le cryptogramme de la vie immédiate. « Nous tentons peut-être, écrit-il dans *La Confession*, de restituer le fond à la forme. » Dans ce contexte, l'émancipation des hommes va de pair avec la révolte contre le temps ; la poursuite de la « vraie vie » avec le refus de la famille, de la patrie et du travail, c'est-à-dire de la réalité sociale ; et la recherche du « merveilleux quotidien » s'accompagne du refus des « moments nuls », c'est-à-dire de l'habituel.

L'aspiration profonde de Breton est de se débarrasser des évidences contraignantes de la vie quotidienne. C'est contre cet « encroûtement » dans l'habituel qu'il instaure la révolte permanente contre la « vie donnée ». Il appartient à une longue lignée, et le sait. Ce refus l'attirera vers la révolution et il vivra en sa personne la contradiction profonde qui oppose, l'une aux autres, l'exigence de la lutte contre toute contrainte et les impératifs d'un parti politique qui subordonne toute activité de l'esprit à la dialectique matérialiste du progrès. Pour sincère qu'il soit et inconditionnel, le socialisme de Breton ne se distingue pas de l'utopie libertaire.

D'étape en étape, de la guerre de 1914-1918 à la guerre du Rif, de la révolution russe à la montée des fascismes, à la guerre d'Espagne, au conflit de 1939, c'est cette réalité sociale que rencontre Breton à chaque tournant ; d'où l'allure heurtée d'une vie où les ruptures succèdent aux rajustements, soulignant l'importance du moment historique. Aragon et Eluard, par leur adhésion au communisme, reviennent à une tradition humanitaire modifiée. « Le temps est venu, écrit Eluard, où tous les poètes ont le droit et le devoir de soutenir qu'ils sont profondément enfoncés dans la vie des autres hommes, dans la vie commune » (*L'Evidence poétique*). Le poète doit parler pour l'homme de la rue. La poésie pour eux prendra alors une valeur fonctionnelle et fraternelle que la Résistance favorisera. Elle puisera aux sources de la prosodie traditionnelle et familière. Mais ni Eluard ni Aragon n'avaient épousé la pensée profonde de Breton ; pas plus que les mille praticiens de l'écriture automatique, de cette « science littéraire des effets » que Breton dénonçait dans *Point du jour* (1934).

Breton n'abandonnera pas son but originel qui demeure le même à son retour d'Amérique : « Transformer le monde, changer la vie, refaire de toutes pièces l'entendement humain en dehors de toute organisation politique. » Une part au moins de ce programme, « refaire l'entendement humain », coïncide avec celui des existentialistes et des structuralistes, Sartre et Lévi-Strauss. Et ce sera le marxisme qui prendra en charge le rêve utopiste de transformer le monde. Dès les années trente, cet aspect du surréalisme est daté. Son autre face, l'appel aux traditions occultes, continuera à éclairer l'œuvre d'écrivains comme Julien Gracq, Henri Bosco, Michel Butor et Abellio et de poètes parmi lesquels Yves Bonnefoy. Breton fera ainsi jaillir un des courants les plus profonds et les plus secrètement présents du demi-siècle. C'est par sa résistance inflexible et troublée à l'organisation politique, à toute *organisation extérieure*, qu'il incarne les hésitations et scrupules d'une pensée en son essence totalitaire. Pour lui, la recherche surréaliste exige l'intégrité du chercheur individuel : « Chaque artiste doit reprendre *seul* la poursuite de la Toison d'or. »

L'œuvre de Breton est surtout connue par les manifestes, et l'homme est apparu comme le porte-parole d'un groupe. Mais en se développant cette œuvre présente à la fois un vaste élargissement et une indubitable continuité. Le plus souvent l'écriture jaillit lorsqu'une circonstance particulière — une rencontre — met le poète en état d'alerte : ce peut être la rencontre d'une jeune femme, Nadja ; d'un livre, les œuvres de Fourier ; d'un paysage, le Rocher Percé en Gaspésie. Cette rencontre se greffe sur un état affectif latent et déclenche comme un basculement de la pensée. Celle-ci suit spontanément alors cette nouvelle pente, mettant en mouvement, d'écho en écho, d'analogie en analogie, cette activité que Breton nomme imagination, d'où naît la poésie. Dans *Nadja* l'espace ouvert reste relativement restreint et le mystère à décrypter est plutôt transparent. Mais, à partir de 1940, l'espace de résonance s'élargit. Des lieux géographiques, des phénomènes naturels nouveaux ouvrent à Breton des horizons renouvelés, un monde à sa taille : le mirage sicilien nommé « Fata Morgana », l'aurore boréale illuminant New York, l'immense Rocher Percé habité d'oiseaux en Gaspésie, le Grand Canyon et les *pueblos* indiens du Nouveau-Mexique. Par l'entremise de ces rencontres, toutes les recherches antérieures de Breton aboutiront au cycle de poèmes qui, entre 1942 et 1947, se rattache à un genre traditionnel : le grand poème philosophique épique en prose ou en vers, *Fata Morgana, Arcane 17, Ode à Charles Fourier.* Ces poèmes, dans la lignée des méditations de Chateaubriand, ouvriront par exemple la voie aux tentatives de Michel Butor pour capter par le langage le « génie » des lieux et déchiffrer le sens de la réalité humaine qui s'y trouve inscrite.

En pleine maîtrise d'un langage dense et symbolique, Breton, partant de sa situation d'exilé, s'interroge alors sur sa propre destinée et sur celle des autres hommes emportés dans le tourbillon des vastes discordes du moment. La méditation suit le cours du réseau d'images que met en branle le spectacle d'une manifestation grandiose et particularisée des forces de la nature. Elle se développe organiquement selon un mouvement dynamique dont le déroulement lie la méditation du poète sur sa situation affective aux configurations de sa vie passée et aux graves circonstances historiques qui ont infléchi le cours de sa vie et de celle de l'humanité. L' « Arcane 17 » est la carte du tarot qui apparaît à Breton comme le chiffre de son destin. Elle figure une destinée heureuse liée aux forces bénéfiques du cosmos. Il y voit le signe que, sous l'égide de ces trois forces — liberté, amour, poésie —, l'humanité pourrait accéder au bonheur. Le « cri de Mélusine » dans *Arcane 17* est l'expression d'une victoire spirituelle.

Désormais, c'est de la femme, plus que de l'imagination, que Breton attend le salut de l'humanité. La femme-fée, la femme-enfant, être proche de l'Eden originel et capable d'ouvrir à l'homme les voies de la poésie, s'est humanisée. Mais c'est toujours la même question que pose Breton : Quel avenir se préparent les hommes ? et il refuse d'accepter l'idée de leur incapacité à se créer une vie à la mesure de leur désir. Il suffirait de laisser apparaître cet homme mythique qui vit de la poésie. L'hermétisme apparent de ses trois derniers poèmes se dissipe à la lumière du contexte biographique et des écrits ésotériques auxquels Breton se refère. Ils offrent une profonde cohérence. Breton avait fondé l'authenticité du langage du poète sur un psychisme collectif qui « prend la parole à travers le poète et concerne l'humanité tout entière ». C'est de l'épopée que se rapprochent ces derniers écrits. L'équilibre s'établit alors entre l'ampleur de la vision proposée et l'urgence de l'injonction surréaliste. Mais c'est toujours de l'individu que Breton attend le salut, de la liberté de chaque individu de vivre à la hauteur de ses désirs : « A ce prix est la poésie », démarche tout individuelle.

Dès 1928, Breton avait formulé dans *Le Surréalisme et la peinture*, le but du mouvement : remplacer en art les images qui se rattachent à la nature par celles qui émanent d'un modèle intérieur. L'œuvre d'art n'a pas pour Breton une fin esthétique, et il ne s'intéresse nullement aux valeurs plastiques de la peinture qu'il prône : l'intéresse ce qu'elle révèle de la psyché humaine. Avec *Arcane 17* son œuvre aboutit à l'unification des deux grands mythes surréalistes qui, sous une forme picturale, se répercutent de toile en toile dans l'entre-deux-guerres : le thème de la fusion des principes mâle et femelle et celui de l'unité primordiale de la création, dont l'Androgyne est le symbole, parcourt les pages de *Minotaure* (voir en particulier l'article d'Albert Béguin, « L'Androgyne », n° 11, 1938). Cette figure ancienne et universelle est liée aux thèmes de la perfection, de l'unité et de la résurrection. Breton y adjoint le mythe de la valeur rédemptrice du principe féminin. C'est dans *Arcane 17* qu'il formule sa conception finale du rôle du poète-artiste : réconcilier les deux principes en s'appropriant tout « ce qui distingue la femme de l'homme » pour devenir l'être complet. Cette résolution, accomplie sur le plan personnel, met fin, semble-t-il, à la révolte initiale de Breton qui a trouvé l'accord profond avec le Tout qu'il désirait. *Arcane 17* s'intègre en fin de compte à une longue tradition littéraire remontant à un lointain passé.

Un même élargissement des cadres de la conscience et une même orientation vers l'épique caractérisent l'œuvre d'André Malraux et de Louis-Ferdinand Céline, mais non la préoccupation du « moi » qui sous-tend l'œuvre de Breton comme celle de Cocteau.

CHAPITRE II

LES ANNÉES TRENTE : MALRAUX, CÉLINE

LORSQUE paraissent *Voyage au bout de la nuit* et *La Condition humaine*, il est clair que le romanesque a changé de style. Le surréalisme proposait de ranimer la vie imaginaire par la plongée dans l'inconscient ; Céline et Malraux créent l'imaginaire à partir de la réalité politique et sociale du moment. Parisiens tous deux, issus d'un milieu commerçant ou de la petite bourgeoisie, nés dans des familles à l'abri du besoin mais installées dans de mornes quartiers de Paris, ces deux hommes, pour une large part autodidactes, étaient en proie à une révolte violente contre leur milieu. Si, tardivement, Céline choisit une profession, la médecine, Malraux, dès l'âge de vingt ans, se refuse à tout travail autre que le commerce semi-clandestin de livres érotiques et l'édition, qu'il pratique épisodiquement toute sa vie. Tous deux seront profondément affectés par les événements historiques contemporains, et chez l'un comme chez l'autre l'autobiographie, l'histoire et la fiction se mêlent inextricablement.

L'histoire sert de point d'ancrage à leurs narrations romanesques qui s'organisent par rapport à des événements vécus, contemporains, mais qui sont animées par un pouvoir fabulateur d'une grande intensité lyrique. Il est donc normal que le roman soit le véhicule que choisissent Malraux et Céline ; mais aussi qu'ils en disloquent les codes narratifs pour les accommoder à un registre lyrico-épique. Les registres choisis par chacun d'entre eux sont radicalement opposés. C'est par un discours « vengeur », qui bafoue et démasque les représentations habituelles, que Céline commémore, en une épopée burlesque, la stupidité de l'espèce humaine : c'est cette stupidité qu'il met en scène et dont il souligne la dérisoire vanité. Un humour féroce, paroxyste et parodique, anime le flot d'un langage qui maintient l'écrivain en un état permanent d'insurrection.

Par contraste, Malraux dresse une scène fictive où se joue le drame de l'Histoire, avec pour arrière-plan le grand vide cosmique. Sur cette scène, les hommes qui font l'histoire s'affrontent et s'interrogent, remplaçant par leurs dialogues le silence des dieux. Dans les romans de Malraux, l'Histoire est la scène où se profilent des héros. La voix de l'auteur, qui s'applique à créer un mythe de rédemption plus éloquent que le silence cosmique, prend un ton d'apocalypse. Céline et Malraux sont les témoins angoissés de ce qui est, selon eux, la mort d'une culture : la grande culture occidentale ; mais leurs points de vue sont diamétralement opposés. Pour Malraux, la valeur de la civilisation occidentale est fondée sur la lucidité et la volonté, sur le refus de la fatalité biologique, de la mort absurde. Pour Céline, ce souci de transcendance est une source de délire, une folie qui pousse les hommes à saccager les corps, à détruire les liens avec la nature, à s'éloigner des sources de la vie. Les héros de Malraux sont les fous délirants du monde célinien.

Bien que dans les deux cas, une grande partie de l'œuvre se situe dans l'après-guerre, et parfois même, comme c'est le cas pour Malraux, change de forme (passant du roman à l'essai métaphysique consacré à l'art, puis à une longue méditation réitérée sur le passé), l'œuvre ne change pas de direction. Pour le lecteur moyen, le lecteur contemporain du moins, l'image de Céline et de Malraux sera celle que lui renvoient les années trente, avec leur forte polarisation politique. Ce n'est que vers 1960 que cette image s'éloignera. L'éclipse subie par Céline après 1945 tournera alors à son profit. Tandis que, s'enfonçant de plus en plus dans la légende d'une époque à sa fin, Malraux s'éloignera.

« Ce qui nous distinguait de nos maîtres à vingt ans, c'était la présence de l'histoire [...] », disait Malraux septuagénaire à son biographe Jean Lacouture, point de vue qu'il exprime plusieurs fois à la même époque. Sous la forme de la guerre, l'histoire empoigne Céline alors qu'il a très précisément vingt ans : il est dès 1914 un des premiers blessés (ils seront trois millions) ; il en gardera une haine implacable de la guerre. Plus jeune de sept ans, c'est vers le même âge, à vingt-deux ans, que Malraux, lors d'un voyage en Indochine entrepris en vue de gagner de l'argent, affronte l'histoire : il est témoin de la révolte qui soulevait contre les colonisateurs européens les peuples colonisés d'Extrême-Orient. Un voyage en Afrique suscite chez Céline une prise de conscience analogue. Mais à partir des années trente, le même engrenage historique entraîne les deux écrivains selon deux courbes diamétralement opposées.

Bien accueilli par les intellectuels de gauche lors de la publication de *Voyage au bout de la nuit,* compris comme une attaque en règle du système capitaliste, Céline entre dans l'arène politique au retour d'un voyage en Russie : *Mea culpa* clame sa haine du communisme et de tous ceux qui selon lui participent au « complot » stalinien d'incitation à la guerre, et plus particulièrement le capitalisme juif. Deux pamphlets virulents, *Bagatelles pour un massacre* et L'*Ecole des cadavres,* abusant d'une rhétorique de l'accusation injurieuse, gratuite et hyperbolique, jettent Céline dans le rôle de l'*antagoniste* par excellence des valeurs traditionnelles d'une société libérale. L'outrance de pareilles dénonciations à l'époque de l'impitoyable persécution des juifs le classera parmi les personnalités à liquider à la Libération, quoiqu'il ne se soit guère compromis avec l'occupant. Un exil de sept ans, dont dix-sept mois d'une dure incarcération, et l'interdiction de ses livres : huit ans de silence. Vient alors une série d'ouvrages sans précédent qui, seulement à la veille de sa mort, briseront la barrière d'hostilité dont la plus grande partie de la France entoure son nom. En moins de dix ans, quatre ouvrages qui échappent à tout classement — *Féerie pour une autre fois I* et *II*, *D'un château l'autre* et *Nord*, ainsi que le récit inachevé *Rigodon* éclatent sur la scène littéraire comme autant de bombes à retardement. Ils présentent le récit d'une « Götterdammerung » burlesque : la chute du Reich vue à travers les aventures d'un groupe rocambolesque de fugitifs, Céline, sa femme Lily, le chat Bébert et l'acteur La Vigue (Le Vigan). Céline rejoint ici le Cendrars de *Moravagine*, mais dans le cadre de la « réalité », non d'une fiction. Autant que les ouvrages de la nouvelle « vague » des moins de trente ans, ces récits-chroniques mettent fin à l'ère littéraire qu'avait annoncée en 1928 *Les Conquérants* du jeune Malraux.

Au moment où Céline fuyait vers l'Allemagne, André Malraux combattait en Alsace à la tête d'une brigade. Il participait à la dernière des aventures qui devaient faire de lui aux yeux de ses contemporains à la fois la conscience héroïque et le protagoniste exemplaire d'une Histoire dont il écrivait simultanément la légende. Avant ses voyages d'Indochine, le jeune Malraux ne se souciait guère de l'Histoire et ne se souciera jamais de politique que de très haut. Mais, à l'inverse de Céline, tous ses engagements retentissent à partir de *La Condition humaine* dans des milieux intellectuels qui dépassent largement les frontières françaises. En 1920 Malraux reconnaît pour maîtres les personnalités de l'heure, Max Jacob et Reverdy, et c'est dans le style du moment qu'il publie *Lunes de papier,* œuvre fantaisiste, « farfelue », disait-il. Mais ses « vrais maîtres » étaient en fait l'équipe de la *N.R.F.,* Gide, Valéry, et singulièrement Claudel. Il est très tôt associé à ces arbitres des renommées littéraires et, lecteur vorace, il a vite acquis une vaste culture, surtout dans les arts plastiques, et il est possédé du démon de l'aventure.

L'art et l'aventure parfois étrangement romanesque — recherche de statues khmères dans la jungle indochinoise, recherche du palais de la reine de Saba en avion dans le désert — sont les deux passions du jeune Malraux, et le besoin de se mesurer avec son temps. C'est cette confrontation avec son époque qu'il appelle Histoire, amalgame d'événements spectaculaires auxquels il est mêlé, en imagination ou pour de bon, et que ses écrits représentent pour illustrer une métaphysique passionnée qu'il nomme lucidité. Avec *Les Conquérants,* un nouveau décor remplace le Paris des chambres fermées ou ouvertes, des objets fétiches et des signes magiques. Les haut-parleurs, les sirènes, les révoltes, les complots et surtout le décor d'un Orient violent et héroïque transportent les lecteurs hors de leurs frontières habituelles. L'exotisme, qui s'épuise, trouve un autre terrain romanesque : celui, exaltant, de la lutte pour la liberté idéale que ne hante aucune ambiguïté. Malraux retrouve les schèmes élémentaires de la *Chanson de Roland;* l'histoire s'éclaire d'un seul côté : celui des insurgés qui déclenchent la grève à Canton et à Hong-Kong en 1925.

Le récit commence par une émission de radio. « La grève générale est décrétée à Canton », et continue comme un reportage journalistique écrit tout entier au présent et à la première personne par un jeune Français, témoin des événements. Dans ce premier roman, le type du récit malrucien apparaît déjà, prenant comme référent un événement historique violent, présenté en une suite d'épisodes à la manière d'un film. En des dialogues rapides, percutants, des personnages engagés dans l'action discutent à la fois du développement de celle-ci, d'heure en heure, de sa stratégie, de sa signification historique et cherchent à en élucider le sens. Pendant quelques brefs moments ils jouent leur vie à pile ou face par rapport à l'histoire en action et ils définissent, en de dramatiques raccourcis, leurs réponses à la grande question ultime : quelle valeur un homme, dans le monde contemporain désacralisé, peut-il donner à ses actes afin d'échapper au néant ?

Il est facile de comprendre à quel point *Les Conquérants* se distançait du roman des années vingt si on le compare à trois œuvres qui lui sont contemporaines : *Le Temps retrouvé,* qui couronne le long déroulement d'*A la Recherche du temps perdu, Les Enfants terribles* et *Nadja* qui, toutes trois, y compris *Nadja,* ont pour point d'ancrage un monde familier, parisien même.

Les Conquérants répondait comme le surréalisme à un besoin de rompre avec le passé, mais sur un tout autre plan. Malraux y créait une confusion fortement romanesque entre le réel et l'imaginaire, entre le destin du monde et celui de l'individu. Facilement confondu avec l'auteur même, le « je » des *Conquérants* introduisait les lecteurs, par identification avec lui, dans une histoire qui se situait dans un monde quasi légendaire. C'est un modèle exaltant de héros romanesque que Malraux créait ainsi, descendant en droite ligne des héros cornéliens désormais animés d'autres inquiétudes. Lui-même ne s'y est pas trompé. Dans la « Postface » des *Conquérants,* écrite pour la « Bibliothèque de la Pléiade » vingt ans plus tard, il devait faire le point : « Mais ce livre n'appartient que bien superficiellement à l'Histoire. S'il a surnagé, ce n'est pas pour avoir peint tels épisodes de la révolution chinoise, c'est pour avoir montré un type de héros en qui s'unissaient l'aptitude à l'action, la culture et la lucidité. Ces valeurs étaient indirectement liées à celles de l'Europe d'alors. » L'inquiétude de Malraux devant l'état de la culture rejoignait celle de Drieu La Rochelle, prolongeait celles de Barrès et de Maurras.

Prenant comme point de départ son expérience de jeune journaliste obscur qui, à Saïgon, avait, pendant un an, édité un journal anticolonialiste militant, *Indochine,* Malraux l'avait transposée dans le cadre plus vaste de l'histoire racontée, relayée par des intermédiaires et réimaginée par lui. Ce cadre convenait à sa propre avidité d'échapper au médiocre, de jouer un rôle, passion qui l'avait lancé à l'origine sur les pistes de la forêt indochinoise. Le thème des *Conquérants* est celui, archétypal, de la rencontre du néophyte et du héros. Le personnage central des *Conquérants* incarne ce héros. Et le second roman de Malraux, *La Voie royale,* qui transpose sur le registre fictif et héroïque l'histoire peu estimable, mais vécue, du vol des statues du temple de Banteaï Srey, n'est pas autrement structuré. Le même dessin reparaît à travers les méandres des *Antimémoires :* dans les rencontres avec Nehru, de Gaulle, Mao. On pourrait, à la limite, penser que c'est un besoin semblable qui attirait, à la même époque, des milliers de jeunes Allemands à Nuremberg ou de jeunes Italiens dans les brigades fascistes. Le besoin d'héroïsme, qui, chez les romantiques, dressait l'individu contre la société, s'inverse, se veut collectif, et s'empare des idéologies ; qu'elles soient fascistes ou communistes importe peu.

L'importance croissante de Malraux entre 1926, date de *La Tentation de l'Occident,* et 1933, où *La Condition humaine* obtient le prix Goncourt, ne peut se mesurer au poids de l'œuvre pourtant relativement abondante : deux essais, un bref conte « farfelu », trois romans. Mais — le conte farfelu mis à part — le discours malrucien fondamental est le même et passe de l'un à l'autre de ces ouvrages, *La Tentation de l'Occident* se situant, par sa forme épistolaire à mi-chemin entre l'essai et la fiction. Une seule voix éloquente se fait entendre et une seule passion s'impose. Les personnages incarnent les points de vue métaphysiques qui se disputent la pensée visionnaire et extrêmement mobile de Malraux. La fonction de l'événement historique est de leur servir de point d'appui, de remplir le vide où la pensée affronte le néant. L'action, d'abord individuelle, puis collective, est la forme que prend la révolte de Malraux contre l'évidence du néant. Et la résonance de l'œuvre tient à la force de persuasion du discours qui, dans la confrontation disproportionnée et toute pascalienne de l'homme et du néant, veut en renverser les termes au profit des hommes. L'inquiétude avec laquelle Malraux scrute le visage du jeune Européen dès *La Tentation* explique l'urgence de son appel aux valeurs héroïques. D'où les tensions de l'écriture, ses ellipses et le recours presque exclusif au sensationnel, doté, par l'intensité du style, d'une noble *aura* tragique. Comme dans la tragédie classique, le tragique est l'étoffe de la vie des personnages. Tout se joue immédiatement et dans l'absolu.

La Condition humaine a pour sujet l'entrée de Chiang Kai-shek à Shanghai en 1927 et la liquidation des groupes communistes qui l'avaient facilitée. Si le modèle narratif malrucien reste en gros le même, c'est néanmoins le roman où la conjoncture historique et les personnages fictifs du roman, leurs actions, leurs inquiétudes et leur sort s'intègrent le mieux pour créer un récit puissant. Celui-ci se resserre autour des deux pôles d'un axe qui relie l'insurrection initiale des groupes clandestins communistes contre les gouvernementaux soutenus par les puissances coloniales, à leur défaite et à leur destruction. Les deux moments d'action intense, coupée de dialogues où les personnages se définissent et se révèlent, sont séparés par un épisode, un voyage où deux des militants prennent conscience du sort qui leur est réservé. Une sorte d'épilogue au roman suggère le début d'un nouveau cycle qui jette sur l'échec apparent une lumière nouvelle. L'action est cyclique, a-temporelle et s'organise autour de l'épisode central. Malraux cherche à arracher l'histoire au déroulement linéaire pour lui donner la valeur d'un mythe.

Un sens plus mûr de la réalité historique, éclairé par le marxisme visionnaire du Malraux de l'époque, donne aux personnages principaux, les chefs communistes de l'insurrection, une consistance plus visible et lie leurs destins sanglants aussi bien à l'ancien mythe prométhéen qu'au mythe chrétien : si leur mort reproduit le schème du sacrifice rituel du héros rédempteur, la téléologie marxiste les sauve de la gratuité et offre en compensation la réalisation, ici-bas, de l'idéal de la fraternité.

Avec ce roman, l'œuvre et la légende de Malraux se rejoignent ; une légende qu'il avait lui-même accréditée. La mythomanie du jeune Malraux est un fait désormais bien établi : il n'avait participé à aucun des événements qu'il évoquait, à l'encontre de son double imaginaire. Désormais, l'homme et le double se rapprocheront et ne feront qu'un. Malraux sera l'homme de sa légende et de ses fictions : l'antithèse même de Céline. Il sera le militant antifasciste, le commandant d'une escadrille républicaine en Espagne, le résistant, le colonel de la brigade Alsace-Lorraine. Son œuvre romanesque se double alors de nombreux textes occasionnels, allocutions ou articles de propagande dont l'éloquence ne diffère guère de celle de ses ouvrages de fiction, *Le Temps du mépris*, et *L'Espoir*, les derniers qu'il publiera à l'exception de la première partie d'un roman incomplet, *Les Noyers de l'Altenburg*.

L'Espoir est une chronique romancée des premiers mois de la guerre d'Espagne. Par l'abondance et la diversité de ses personnages, son développement dans le temps et une orchestration plus ample et plus diversifiée de ses thèmes, *L'Espoir*, quoique moins populaire que ne le fut *La Condition humaine*, sera peut-être le plus « durable » de ses cinq romans. L'expérience a enrichi l'imagination de Malraux et humanisé ses personnages. Le titre même du roman — *L'Espoir* — semble dénoter un déplacement du thème de l'angoisse et de l'absurde. « Transformer en conscience une expérience aussi large que possible », le mot d'ordre de Malraux pourrait être celui de Breton. Mais ce qui différencie de Breton le Malraux des années trente, c'est qu'il situe cette expérience sur le plan de l'Histoire — avec un H majuscule — et qu'il ne distingue pas cette « conscience » de son propre mythe. Là où Breton, cherchant à appréhender l'inconnu par une plongée dans sa propre conscience, retrouve les configurations fondamentales d'un mythe universel, Malraux donne à un mythe personnel le visage de l'universel.

A « l'Histoire en tant que destin » Malraux oppose donc une contre-histoire, l'histoire des héros dont l'action illustre cette conquête de l'homme sur son destin, c'est-à-dire de ceux qui, au prix de leur vie, font passer les conflits du plan de la nature au plan de la culture. « Toute vie créée par les dieux est promise au néant ; celles qui ont triomphé de lui, formes, idées et dieux ont été créées par les hommes » : les dieux pour Malraux, ce sont les forces que l'homme ne contrôle pas, hasard ou nécessité, aussi bien en lui qu'en dehors de lui. C'est sur cette opposition homme-dieux, l'homme prenant le contrôle d'un domaine réservé jusqu'alors aux dieux, qu'il fonde la hiérarchie éthique de ses personnages. Lorsque l'histoire vécue aura remplacé l'histoire imaginée, Malraux abandonnera le roman pour prolonger son mythe dans la méditation sur l'art comme anti-Histoire, c'est-à-dire anti-destin.

Les *Antimémoires* (1967) annoncent un dernier ensemble d'ouvrages groupés sous le titre : *Miroir des Limbes,* dont le dernier, *L'Homme précaire et la littérature,* est posthume. Malraux, qui récuse l'autobiographie de confessions à la Rousseau, y poursuit, à travers l'évocation de certaines expériences personnelles, sa quête du sens de l'existence humaine. Que ce soit dans des conversations fulgurantes avec les grandes personnalités historiques — de Gaulle, Nehru, Mao —, à propos d'événements de sa propre vie, quand il affrontait la mort, ou de l'héroïsme des hommes de la Résistance, il ne cesse pas d'interroger le destin de « l'homme précaire » qui pourtant laisse une trace durable de son passage sur la terre. L'analogie de la musique et de la vie lui semble aller contre le nihilisme que semble affirmer la mort. Et c'est par une composition polyphonique et thématique qu'il transforme l'autobiographie.

L'œuvre de Malraux est une mise en accusation des dieux, l'affirmation de la grandeur des hommes, l'exaltation des valeurs spirituelles d'une culture dont il prévoit la disparition. Dans sa vie et dans ses romans, il incarne le néo-romantisme d'une époque et donne voix à l'inquiétude qui l'assaille devant une histoire catastrophique, et qui échappe à la volonté humaine. Le recours à l'action et à la lucidité relève d'une thérapeutique désespérée, d'un combat d'arrière-garde. La synthèse d'une écriture et d'une vie dressées *contre l'inévitable,* contre l'idée même de l'inévitable fera de Malraux le héros de la vision absurde. Dès *La Tentation de l'Occident,* l'urgence du message à transmettre l'arrachera à l'ésotérisme qui le guettait et lui dictera, à l'encontre du surréalisme, le choix d'une écriture qui situe ses romans dans le grand courant du réalisme traditionnel et leur assure une audience dans l'immédiat.

Si pour Malraux le destin de l'individu n'est qu'une « faible vague à la surface de l'Histoire », il est pour Céline, médecin des pauvres jusqu'au bout, un souci dévorant, et son œuvre est une variation géniale et de plus en plus violente sur un thème unique : l'acharnement que mettent les hommes d'aujourd'hui à se détruire. D'où, dès le *Voyage,* le réalisme visionnaire d'une écriture qui épouse sciemment les rythmes et les modalités d'une grande colère rabelaisienne, mêlée souvent au rire homérique qui secoue Céline devant l'immense saccage humain. Les *thèmes* de Malraux animeront le roman existentiel et retentiront parfois chez certains poètes de la génération née en 1925, comme Yves Bonnefoy ou Claude Vigée ; mais ce sera l'*écriture* de Céline qui affectera aussi profondément que celle de Joyce toute une lignée littéraire en France, comme aux Etats-Unis.

« Dans l'Histoire des temps la vie n'est qu'une ivresse, la Vérité c'est la Mort. » Cet aphorisme apparaît dans le premier écrit de Céline, sa thèse, une biographie du médecin Semmelweis. Céline d'emblée se met en face de la condition que refuse d'accepter Malraux. Comme l'art pour Malraux, cependant, l'écriture est pour Céline une sorte d'antimort, une « ivresse » qui a sa source dans l'émotion qui étreint l'écrivain devant le spectacle de la vie. Céline porte sur la littérature de son temps un jugement sévère qui rappelle celui de Julien Benda *(La France byzantine).* Il impute au romantisme la « féminisation » de la culture française et reproche à la littérature le subjectivisme complaisant que dénonçait aussi Malraux dans *La Tentation de l'Occident.* Les écrivains « de gauche » attirent surtout son mépris : « Tous absolument bourgeois, de cœur et d'intention, frénétiques intimes de l'idéal des bourgeois. » Sartre, plus longuement, ne dira pas autre chose dans *Qu'est-ce que la littérature ?* Et c'est ce moule que, par leur style de vie, Céline et Malraux briseront. Le *Voyage* contient une parodie soutenue et virulente de diverses esthétiques littéraires. Ainsi la jeune Musyne, dans la pratique de son art, possède le don de « mettre ses trouvailles dans un certain lointain dramatique », car « les premiers plans d'un tableau sont toujours répugnants et l'art exige qu'on situe l'intérêt de l'œuvre dans les lointains, dans l'insaisissable là où se réfugie le mensonge, ce rêve pris sur le fait ». Le récit célinien est tout en premier plan et s'attaque avec férocité à ces refuges d'arrière-plan où se dissimulent ce qu'il nomme le mensonge et que d'autres peut-être nommeraient mythes, — tout ce qui veut faire oublier le credo célinien que la « Vérité » de la condition humaine, « c'est la Mort ».

La métaphore vie/ivresse est développée par Céline selon toute une gamme qui va de la « frénésie » au « transport », termes dont il use sur un double registre, en médecin. Le « frénétique » est, si l'on en croit le dictionnaire, « un fou saisi d'un délire violent provoqué par une affection cérébrale aiguë ». Les frénétiques, fous homicides à la limite, peuplent les romans de Céline et déclenchent toutes les catastrophes. Ce sont avant tout les individus voués aux idées abstraites dont les aberrations se répercutent dans le corps social avec la virulence d'une épidémie. Le champ référentiel de ses vastes romans-panoramas sera cette civilisation frénétique. A l'autre pôle se situe l'ivresse de la création, humble activité qui est celle de l'écrivain et dont le modèle est pour Céline la danse. L'écriture est doublement un « transport », un état d'enthousiasme, un emportement ; mais aussi, dans le sens littéral, le déplacement des êtres et des choses au moyen d'un véhicule — le langage. Mais « au commencement », dit Céline, « était l'émotion », non le logos. D'où la recherche d'une syntaxe dynamique et d' « un certain ton mélodieux, mélodique » qui miment le flux et le reflux de cette émotion. Le moyen de transport est constitué par ce « métro émotif » qu'est le récit. Pour celui qui lit comme pour celui qui écrit, le récit est un voyage.

D'emblée avec le *Voyage* Céline trouve — sinon encore entièrement son style — son ton et une structure narrative encore traditionnelle mais qui ouvre la voie à des essais plus hardis. Il reprend la forme du récit picaresque, mais y introduit une ambiguïté foncière. Dans le prologue, une voix narrative déclenche le récit dont le narrateur, plus jeune, est le protagoniste. Dès le prologue et pendant toute la durée du récit, cette voix initiale naïve qui s'adresse au lecteur crée l'illusion d'un dialogue qui accompagne la narration. Au lieu du récit clos sur lui-même, Céline présente donc un récit ouvert et établit une complicité double . du lecteur avec le narrateur, du narrateur avec le protagoniste. La narration alors se présente comme un champ référentiel autonome, que le narrateur propose à l'attention du lecteur : « Rien qu'une histoire fictive », dit le narrateur du *Voyage*, — une histoire qui se situe « de l'autre côté de la vie ». L'œuvre littéraire s'annonce comme ce bloc d'écriture autonome dont parle Derrida. Mais, parce qu'il modèle les étapes de l'histoire sur celles de sa vie, Céline jette une lumière ambiguë sur ce statut de fiction, sur le narrateur comme sur le protagoniste. Dans les deux premiers romans le protagoniste, Ferdinand Bardamu, reste à l'avant-scène et assume le rôle classique du picaro qui d'épisode en épisode fait surgir le champ référentiel.

Les conventions du roman traditionnel définissaient ce champ comme celui de la réalité. Et c'était sur cette réalité que le romancier dirigeait l'attention du lecteur. Mais le prologue célinien mine ces conventions. Seul est présent un discours : celui du narrateur à la manière de Proust. Plus tard, dans les chroniques, Céline se passera d'un protagoniste distinct ; le « je » assumant tous les rôles : celui du moi engagé dans les événements ; celui du moi pris au « délire » de l'écriture, emporté sur les rails émotifs ; celui du « je », personnage issu du langage délirant. Le picaro Ferdinand fait place au clown, médecin-victime, persécuté, martyr, Louis-Ferdinand Destouches. Moins cohérent, coupé de divagations, le récit n'en est pas moins soutenu par la verdeur et l'inattendu d'un langage savamment disloqué, injurieux, hallucinant, hilare, vengeur, par quoi Céline se délivre de la réalité qu'il transporte « de l'autre côté de la vie ». La danse est devenue une sarabande.

Ce sont cependant les deux premiers romans de Céline, plus proches du mode romanesque réaliste, qui se sont imposés aux lecteurs des années trente et ont fondé sa réputation. Le *Voyage* et *Mort à crédit* se présentent comme le récit en deux temps de la vie d'un petit-bourgeois parisien, Ferdinand Bardamu. D'un volume à l'autre la chronologie est renversée, les événements de *Voyage* se situant à la suite de ceux de *Mort à crédit.* Le *Voyage...* est conçu comme un diptyque. La première partie est une exploration de la condition humaine, présentée en trois grands panneaux : la guerre, où vient s'effondrer la civilisation européenne ; le conflit avec la nature, dans la jungle africaine ; et l'antinature moderne, la civilisation mécanisée urbaine des Etats-Unis. La seconde partie décrit au jour le jour et dans le détail la décomposition du petit peuple pris dans le filet de l'industrialisation et de la grande ville qu'elle crée.

Céline lance son personnage, un jeune étudiant en médecine gouailleur, dans l'aventure de la guerre à la suite d'une sorte de pari. Ferdinand sort de cette première épreuve pourvu d'une belle peur haineuse des « frénétiques » humains et prêt à toutes les fuites. Céline l'embarque alors pour l'Afrique au service de la compagnie Pordurière : dans son poste perdu au milieu de la jungle, il va être en proie à une autre frénésie, celle de la nature déchaînée qui le cerne, s'attaquant à son être physique avec autant d'acharnement que les canons de l'ennemi. Il est au cœur, cette fois, du délire homicide d'une forêt tropicale. Ferdinand met le feu à sa baraque et, remontant le cours des temps, vendu comme esclave, il traverse l'Atlantique sur une galère ancienne, l'*Infanta Combitta,* pour débarquer à Ellis Island. Là commence son voyage américain qui finit à Detroit. Hébergé par une belle et sage prostituée, Molly, il trouve avec elle un abri momentané contre la peur et la haine. Mais il lui faut, comme Ulysse, revenir à son Ithaque, Paris.

Dans la seconde partie du diptyque, Bardamu, médecin miteux des pauvres du Rancy, fait l'inventaire des misères physiques et du marasme moral où s'enlise sa clientèle, prisonnière de la décrépitude urbaine. La ville est comme saisie, elle aussi, de la volonté de tuer les hommes en les asphyxiant. Elle s'étend comme un cancer, s'attaquant au tissu vivant des campagnes, détruisant les âmes avec les corps. De fuite en fuite Ferdinand finira, là encore, par trouver un refuge contre cette décrépitude ; il sera médecin dans un asile d'aliénés ; et il trouvera aussi le bonheur avec une belle infirmière, Sophie. Comme Candide, donc, il laisse le monde pour cultiver son jardin.

A chaque étape, Céline a mis Bardamu face à face avec Léon Robinson, naufragé solitaire plus enfoncé encore dans le dégoût et le refus, et qui vit, jusqu'à la mort, les mêmes aventures que lui. Robinson est le déserteur type : il déserte au sens propre ; puis, de son comptoir d'Afrique, il s'éclipse en pillard. Descendu au bas de l'échelle humaine, il apparaît à Detroit parmi les « travailleurs de la nuit », les balayeurs nocturnes des détritus qu'accumulent les activités diurnes ; c'est ensuite un meurtrier maladroit qui rate sa victime et se mutile lui-même. Finalement il refuse par dégoût le seul bonheur qui lui soit accessible — l'union avec la jeune, sentimentale et pratique Madelon qui, exaspérée par son indifférence, le tue d'un coup de revolver. Robinson est l'étranger par excellence, initialement né du déracinement violent que fut pour lui sa participation à la guerre. Sans attaches, mi-forban, mi-exilé, il est le laissé-pour-compte de la société d'après-guerre. C'est son sort que le rusé Ferdinand côtoie et fuit, grâce aux refuges que lui ménage un érotisme qui ne fait jamais défaut : Lola, Musyne, Molly, Tania, Sophie l'enchantent à tour de rôle ; comme aussi les cohortes de belles New-Yorkaises et les grandes images oniriques projetées sur les écrans des cinémas populaires.

L'écriture et l'onirisme érotique sont intimement liés pour Céline et tendent leurs fragiles rets entre ces deux pôles contraires : l'ivresse et la vérité ; la vie et la mort. Céline inscrit ainsi dans la texture concrète du récit le thème que méditent Blanchot et Bataille, celui qui fournira à Robbe-Grillet le fondement de son esthétique. Dans ses grandes lignes, *Voyage* est donc une véritable plaque tournante où les thèmes et formes du passé virent vers la direction nouvelle que prendra le récit fictif. A un certain niveau, c'est une vaste allégorie de la condition humaine, et surtout, étant donnée cette condition, du comportement absurde des êtres humains. Tout le long du roman, comme dans une allégorie médiévale, les lieux, les épisodes et les objets sont emblématiques ; certains motifs en soulignent le sens : l'abattoir, le tir de foire, le vieux bateau des coloniaux qui fait eau de toutes parts, le temple du dieu Dollar, le caveau aux momies... L'allégorie, cependant, s'efface sous les riches surcharges du récit et de la foule de personnages avec leurs idiosyncrasies, leurs gestes et leur langage propres, foule dialoguante, gesticulante où s'enfonce Ferdinand.

La masse humaine qui, pour Malraux, prend la forme d'une rumeur dans la nuit de Shanghai, de voix qui s'élèvent, voilées d'ombre, d'un camp de prisonniers *(Les Noyers de l'Altenburg)* ou du spectacle de paysans espagnols hiératiques *(L'Espoir)* est la substance même dont est fait le roman célinien : les soldats et leurs officiers, la foule exploitée et pitoyable des colonisés et leurs colonisateurs minables, les riches et les pauvres sont tous pris sous le même regard égalisateur du médecin, êtres physiques, vulnérables, de chair et d'os, tous en voie de décomposition physiologique. C'est de l'écart entre ce thème de danse macabre et celui, également classique, du spectacle de la folie humaine que naissent le rire délirant de Céline et les fantasmagories parodiques grâce auxquelles il illustre les différents délires des fous en liberté qu'observe Ferdinand. De cette version double émane l'ambiguïté du roman.

A ce niveau, le *Voyage* est un roman d'initiation, une sorte d' « éducation » *(Bildung)* du jeune Européen de l'après-guerre. Ferdinand assume tour à tour au cours du récit tous les rôles dévolus au picaro classique : étudiant en rupture de ban ; soldat tantôt peureux, tantôt vantard ; bouc émissaire ; parasite ; médecin raté.

Mort à crédit abandonne le dessein allégorique que Céline ne reprendra pas. Le *Voyage* a établi les paramètres de l'univers romanesque qui est le sien et constitue son premier essai pour déployer un langage nouveau. *Mort à crédit* est le récit féroce et burlesque des enfances de Ferdinand. Céline y parfait l'outil stylistique qui sera le sien : l'insertion, dans son texte, d'une ponctuation particulière : les trois points de suspension. Dans *Voyage,* les trois points n'apparaissent que dans les dialogues, mimant les coupures, hésitations ou ellipses de la parole. Ils deviennent dans *Mort à crédit* inhérents à l'écriture célinienne, mimant les brusques flambées d'émotion devant le spectacle féroce et fantastique d'une réalité aberrante. Les mots à peine lancés disparaissent, d'autres, se précipitant, les bousculent ; le rail émotif célinien est créé. Mais l'écart n'en reste pas moins grand entre le personnage du jeune Ferdinand et la puissance verbale dont témoigne le narrateur. Dans ses *Chroniques,* Céline pourra se passer de personnages-relais comme Ferdinand et, ainsi, assurera l'homogénéité de son récit.

Dans le *Voyage,* Céline obligeait le lecteur à distinguer entre l'histoire de Ferdinand et la présentation de l'histoire, tâche qu'il attribuait au narrateur. En revanche, dans les ouvrages-chroniques de l'après-guerre, tous les éléments romanesques —

personnages, histoire, thèmes, lieux, tout le champ référentiel en somme — sont absorbés dans le seul réseau du langage proliférant. Le récit-monologue se substitue au roman picaresque et au roman autobiographique des années trente. Mais les mécanismes qui accélèrent le métro émotif du langage sont les mêmes : l'effort de l'individu — Céline désormais — pour échapper, au moyen des mots, à l'énorme délire homicide d'un monde en folie. De l'inégalité des forces en présence surgit la tension dynamique du récit.

Le monde hiératique qu'évoque la langue châtiée de Malraux et le monde grouillant et débraillé qui naît de la parole célinienne, scatologique, lyrique, satirique à tour de rôle, forment une sorte de contrepoint littéraire. Mais ils ont une source commune : le sentiment de l'imminence d'une catastrophe qui entraînerait l'Occident, la France singulièrement, vers un naufrage total. D'où l'hypertrophie d'une rhétorique de persuasion dans un cas, de dénonciation dans l'autre. Le message est urgent. Et chez l'un comme chez l'autre cette urgence crée une interférence des optiques objectives-subjectives tout le long de l'axe du récit. La représentation de la réalité devient la représentation de la résistance du réel à toute signification. L'ambiguïté s'installe au cœur du roman. Ces deux romanciers, et Céline plus encore que Malraux, préparent ainsi, au cours des années trente, la double aventure du roman d'après-guerre. D'une part, ils annoncent la doctrine de l'engagement et, d'autre part, la tentative critique qui se donnera pour but de réexaminer de fond en comble la nature du roman. Mais si le roman, comme le veut Philippe Sollers, « est la manière dont la société se parle », dans la confrontation Malraux-Céline, la société se parle en schizoïde.

CHAPITRE III

LES ANNÉES QUARANTE : SIMONE DE BEAUVOIR, ALBERT CAMUS

DIX ans après *La Condition humaine* et *Voyage au bout de la nuit, L'Etranger* et *L'Invitée*, publiés à un an seulement de distance, semblent déphasés par rapport à la réalité politique de l'heure : la guerre et l'occupation du pays par les Nazis après la défaite. Situés hors de l'actualité, ces romans limitent la narration à l'échelle de vies individuelles et évitent les vastes perspectives qui mettent directement en cause l'humanité. A l'intense présence subjective et émotionnelle de Malraux et de Céline, ils préfèrent l'impersonnalité d'une narration en apparence circonscrite et objective.

Si ces deux ouvrages se situent en dehors de l'actualité, c'est en partie parce qu'ils se sont développés avant la débâcle qui met fin à un état d'esprit auquel, dans ses *Mémoires*, Simone de Beauvoir fait souvent allusion : l'optimisme qui affleure malgré le dédain opposé aux « mystifications » d'une politique bourgeoise. Plus engagé dans l'actualité, militant communiste pendant près de deux ans, Camus partageait alors cet optimisme qui reposait sur une sorte de foi dans l'avenir collectif liée pour lui aux postulats marxistes, bien qu'il séparât très tôt le domaine de l'art de celui de l'action politique.

Mais même lorsque, par la suite, l'actualité sociohistorique fournira le champ référentiel de leurs écrits, Beauvoir et Camus maintiendront une distance entre la représentation fictive — dans le récit ou le drame — et cette actualité. Par des choix techniques de forme et d'écriture ils reprendront d'abord le thème gidien des « postures » qui situent les individus par rapport à cette actualité et en éclairent la complexité.

Contrastant en cela avec Malraux et Céline, tous deux ont été formés par les études universitaires, et l'habitude d'un certain détachement se fait sentir dans leur manière d'aborder l'acte d'écrire. Leurs préoccupations relèvent du climat intellectuel dit existentialiste et se recoupent. Athées tous deux, ils ressentent également le besoin de se libérer à la fois du nihilisme et de la dérision de Céline et du romantisme visionnaire de Malraux.

L'identité profonde de la pensée de Simone de Beauvoir et de celle de Sartre est connue et ne sera démentie que lorsque, aux environs de 1970, Beauvoir prendra conscience des conséquences, pour elle, des thèses féministes que développait vingt ans plus tôt *Le Deuxième Sexe.* Si le même besoin de donner à sa pensée et à sa vie une solide charpente intellectuelle anime Camus, l'orientation de sa pensée l'éloigne dès les années trente de l'existentialisme sartrien. A l'inverse de Sartre, il partage cependant avec Beauvoir un trait fondamental : le goût du bonheur, assez caractéristique du milieu estudiantin que comblaient l'explosion artistique et intellectuelle de l'entre-deux-guerres et les modes de vie plus libres qu'elle inaugurait. Pour l'homme du peuple qu'était Camus, pour la femme qu'était Simone de Beauvoir, l'accès à la vie littéraire était une réalisation heureuse.

L'histoire qui fait irruption dans leur vie ne leur apparaîtra pas comme le théâtre grandiose de Malraux où d'héroïques figures jouent leur destin et celui de l'humanité ; elle est d'abord la source d'une profonde frustration. Tous deux reconnaissent les coupures que l'histoire a opérées dans leur vie au cours des trois périodes que nous avons distinguées. Il y a pour eux un « avant » 1939 et un « après 1944-1945 » que Beauvoir souligne par les titres — *La Force de l'âge* et *La Force des choses* — des deux volumes centraux de ses *Mémoires*. La décennie des années quarante où ils font tous deux leur apparition dans le champ littéraire est déterminante aussi dans la formation de leur personnalité d'écrivains. En une dizaine d'années, de 1942, date de *L'Etranger*, à 1951, date de *L'Homme révolté*, Camus a livré la majeure partie de ses écrits et amorcé une étape nouvelle à laquelle sa mort mettra fin. Des vingt-deux titres que comprend en 1972 l'œuvre de S. de Beauvoir, neuf seulement, de *L'Invitée* au *Deuxième Sexe*, paraissent avant 1950. Mais *Les Mandarins*, qui en 1954 reçoivent le prix Goncourt, et à partir de 1958 les *Mémoires* sont centrés sur cette période doublement présente et ainsi vue selon deux perspectives. Selon Beauvoir, c'est le choc des événements de 1939-1940 et la révolte qu'elle en a ressentie qui ont transformé une vocation virtuelle d'écrivain en une pratique de l'écriture. Camus et Beauvoir apportent un double témoignage sur ces années de crise, par rapport auxquelles eux-mêmes se situent.

Cela dit, leurs œuvres ne peuvent se réduire à des schèmes idéologiques et sont en fait radicalement différentes par leur orientation, leurs perspectives et leur style. Pour l'essentiel, Beauvoir verra son œuvre de plus en plus nettement sous l'angle du témoignage culturel, tandis que Camus situe la sienne par rapport à une tradition littéraire et à une esthétique.

L'écrivain engagé : les contraintes d'une idéologie

A partir de la création des *Temps modernes*, Simone de Beauvoir prend rang parmi les intellectuels parisiens de gauche ; en 1970 elle est plus que cela : la femme écrivain de sa génération la plus célèbre du monde, une des figures de proue du mouvement féministe. C'est donc la correspondance apparue entre sa carrière et un mouvement social de première importance qui lui assure un statut unique parmi ses contemporains. Et son succès a sa source dans sa volonté acharnée de rester fidèle à sa conception fondamentale du rôle de l'écrivain : recréer une expérience vécue pour la communiquer aux lecteurs afin de les aider à vivre.

Pour elle il s'agit d'abord de prendre conscience de la signification générale de cette expérience, ce qui suppose un acte intellectuel ; et ensuite d'en dégager le sens grâce à une écriture sans équivoque, ce qui est un projet didactique. L'outil de Beauvoir sera donc la prose qu'elle conçoit comme un système transparent se référant sans équivoque à la réalité. Elle accepte les formes littéraires traditionnelles et une écriture réaliste, et aucune différence foncière ne différencie les diverses formes dont elle use. Ses deux traités, sur le statut des femmes et sur la vieillesse, sont seulement plus systématiquement documentés.

L'activité littéraire de Simone de Beauvoir se répartit sur quatre plans : la fiction (quatre romans, un recueil de nouvelles, une pièce de théâtre) ; des essais philosophiques, critiques ou polémiques ; quatre volumes de *Mémoires* et deux massifs traités à allure documentaire. Mais on pourrait considérer que l'ensemble ne constitue qu'une seule autobiographie intellectuelle. Beauvoir elle-même nous y autorise en définissant dans ses *Mémoires* l'impulsion originaire qui anime chaque volume. Toute son œuvre peut se situer par rapport à l'autobiographie, qu'elle a entreprise vers la cinquantaine et qui s'achève une quinzaine d'années plus tard au seuil de la vieillesse. Les *Mémoires* font partie d'un même projet : révéler les prises de conscience successives par lesquelles elle a découvert pas à pas les mythes socio-culturels qui recouvrent la réalité sociale et qui, selon elle, tentent de dicter à l'individu un comportement favorable à l'ordre bourgeois. Elle leur oppose la vérité d'une vie *vécue* — existentielle —, et, par là même, dénonciatrice.

Simone de Beauvoir écrit *Le Deuxième Sexe* lorsqu'elle éprouve dans sa propre vie les contraintes du mythe de l'infériorité féminine ; et *La Vieillesse* lorsqu'elle en sent les premiers symptômes. L'aspect massif et académique du traité ainsi que l'immense documentation accumulée répondent au triple souci de l'écrivain : confronter le mythe social et la réalité de l'expérience vécue ; en dévoiler la fausseté ; inspirer l'action. C'est le schéma de toute l'œuvre à partir de *L'Invitée.* Il témoigne d'une complète fidélité à la définition sartrienne de l'*écrivain engagé.*

Mais les *Mémoires* posent également le problème des perspectives ambiguës qu'ouvre cet engagement même. La première œuvre de Beauvoir, *L'Invitée*, est construite par rapport à deux champs référentiels : l'expérience de la jalousie, d'une part, et, d'autre part, le schéma existentiel des rapports du moi et de l'autre, que Sartre définissait à la même époque dans *L'Etre et le Néant.* Ce schéma abstrait et théorique repose sur l'axiome selon lequel le rapport du moi à l'autre est conflictuel, réplique du rapport maître-esclave, dominant-dominé, décrit par Hegel. Dans *L'Invitée* ce schéma structure le drame du trio, renouvelant la thématique classique de la jalousie, mais il reste sous-jacent. Les événements du roman acquièrent par là même une sorte de nécessité énigmatique. Beauvoir s'installait dans son domaine propre — celui des rapports du moi avec autrui — l'un des plus fertiles, si ce n'est le seul domaine de toute fiction. La violence de l'expérience vécue, que la pensée ordonne, crée un récit fictif cohérent et puissant.

A partir de *L'Invitée* le schéma intellectuel explicatif semble précéder l'expérience vécue. Le tissu textuel s'appauvrit, et le thème existentiel, quel qu'il soit, vient buter contre un contexte idéologique qui l'appauvrit et ennuie l'auteur elle-même. Lorsque Beauvoir adopte le schéma marxiste et son vocabulaire, la démonstration se fait plus péremptoire : toute situation individuelle ou collective, même la vieillesse, apparaît comme le fait des tendances inhumaines et des intentions criminelles de la société bourgeoise. Les *Mémoires* eux-mêmes posent alors la question de leur valeur de témoignage. Comme dans l'autobiographie de Sartre, *Les Mots*, l'évocation de sa jeunesse par Simone de Beauvoir donne lieu à une dénonciation satirique de la culture bourgeoise, menée d'un point de vue idéologique. Les *Mémoires* se situent parmi les ouvrages d'autocritique grâce auxquels elle dégage son propre itinéraire intellectuel et le rend exemplaire. Cet itinéraire débouche non sur la littérature mais sur la morale, puis finalement sur un engagement politique négatif.

Il y a pourtant dans l'œuvre de Simone de Beauvoir une autre thématique, qu'ont dégagée les critiques : une thématique du bonheur, considéré comme un accord des autres et du moi, de l'explosion libre de la sensibilité symbolisée par la fête, la fête étant par excellence la fête collective de la Libération en 1944. Une révolte mal contenue contre la mort est le revers de ce thème. La critique a souligné les contraintes intellectuelles et morales que le besoin d'adhérer à une idéologie justificatrice a imposées à Beauvoir. Ses aphorismes et ses démonstrations didactiques recouvrent mal une impatience désespérée devant la « force des choses », force qui s'oppose au maintien de cette vie harmonieuse qui était celle de l'auteur avant 1939, et qui constituait pour elle un bonheur où s'annonçaient toutes les victoires. L'œuvre, cependant, profère un message ambigu : l'existence vécue ne coïncide que rarement avec les espoirs et les systèmes humains. Le sentiment du néant des efforts humains n'est jamais exorcisé malgré la volonté expresse de le nier.

L'austère mais utopique programme existentiel qui met la vie de l'individu et sa pensée à l'épreuve des réalités socio-politiques, s'il a doué Beauvoir d'une vie et d'une pensée dont les vecteurs sont strictement parallèles à ceux de Sartre, semble avoir introduit dans son œuvre un conflit peut-être inconscient qui l'arrache à la sécheresse didactique. Dans toutes les œuvres fictives de Beauvoir, ce sont les femmes qui posent les grandes questions métaphysiques face à l'univers masculin préoccupé d'idéologie et d'action. Un malaise féminin rompt le monde des « belles images » et théories masculines : Françoise, l'héroïne de *L'Invitée*, vit l'impossibilité du trio pourtant théoriquement accepté ; Anne, des *Mandarins*, jette un regard lucide sur la chute, après 1945, des beaux rêves politiques des intellectuels de gauche. L'amour et le bonheur impossibles, le passage du temps et l'approche de la vieillesse et de la mort sont les thèmes qui nourrissent une angoisse viscérale, autrement éloquente que les sentiments qu'inspirent ceux de liberté, de choix et de responsabilité. Ce qui donne à Simone de Beauvoir sa physionomie unique et représentative à la fois, ce n'est pas tant le passage de l'idéalisme « bourgeois » à l'existentialisme, puis au marxisme, mais son refus de cultiver cette sensibilité latente et sa volonté de fixer par l'écriture le flot des événements qui ont traversé et bouleversé son microcosme afin de donner à cet acte un sens culturel nouveau.

L'art et les contraintes de l'histoire

Contrairement à la carrière de Simone de Beauvoir, celle de Camus est partie en flèche entre 1942 et 1944. *L'Etranger* et *Le Mythe de Sisyphe* reçurent un accueil enthousiaste et furent suivis de deux pièces de théâtre : *Le Malentendu,* qui déconcerta le public parisien, et *Caligula,* dont l'acteur Gérard Philipe a assuré le succès. Entre 1947 et 1951 un second groupe d'écrits, *La Peste,* deux pièces, *L'Etat de siège* et *Les Justes,* et un second essai, *L'Homme révolté,* affirma une renommée qui cependant suscitait désormais quelques réticences. La polémique idéologique éclata au grand jour, déclenchée par *Les Temps modernes* contre *L'Homme révolté.* Un troisième groupe d'œuvres s'annonçait en 1956-1957 avec *La Chute* et les six nouvelles de *L'Exil et le Royaume.*

D'autre part, Camus, journaliste professionnel, avait publié de nombreux éditoriaux et articles liés à l'actualité politique ; à partir de 1950 il réunit les plus importants dans les trois volumes d'*Actuelles.* La publication, après sa mort, de ses *Carnets* de travail, puis entre 1962 et 1965 d'une édition soigneusement établie et commentée de ses œuvres dans la « Bibliothèque de la Pléiade », que devaient compléter, dans les *Cahiers Albert Camus,* certains inédits (dont un roman de jeunesse inachevé, *La Mort heureuse*), permettait, une dizaine d'années après sa disparition, d'apprécier la continuité d'une œuvre plus variée et substantielle qu'il n'avait d'abord semblé, et dont la haute tenue littéraire accentuait l'unité.

Aucune autre œuvre *littéraire* de l'époque n'a suscité, dans l'immédiat, une telle masse de commentaires critiques, venus de tous les horizons ; ils accompagnent et prolongent les écrits de Camus et ne cessent de s'accroître. Par son article sur *L'Etranger,* Sartre, au départ, aiguillait la critique vers une interprétation abstraite du récit. *L'Etranger*, selon lui, illustrait la pensée exposée dans *Le Mythe de Sisyphe*, essai sur « l'absurde ». Et c'est sur la pensée de Camus, jugée à l'aune soit du marxisme, orthodoxe ou sartrien, soit de la logique classique, que portera d'abord la critique dans son ensemble, non sans fausser la portée de l'œuvre. Peu à peu elle se dégagea de cette première approche, et les études critiques, surtout des récits camusiens, se multiplièrent, soulignant la polyvalence de l'œuvre fictive.

Camus, cependant, avait lui-même signalé la parenté de ses écrits, groupés en blocs successifs, en les rassemblant, dans ses carnets, sous une série de titres : le cycle de l'Absurde ; le cycle de la Révolte, que devaient compléter le cycle de la Mesure auquel il travaillait lors de sa mort et un dernier cycle — de l'Amour — qu'il projetait. Il les distinguait aussi en les plaçant sous l'égide d'une figure mythique emblématique : Sisyphe, Prométhée, Némésis. Il indiquait de la sorte que ses écrits s'ordonnaient selon une perspective diachronique et traçaient un itinéraire, chaque étape proposant en outre une thématique distincte.

Chaque cycle, d'autre part, devait comprendre, comme les deux premiers, un narratif, des pièces de théâtre et un essai. Sur cette disposition par genres, Camus s'est expliqué : « J'écris sur des plans différents pour éviter [...] le mélange des genres. J'ai composé ainsi des pièces dans le langage de l'action, des essais à forme rationnelle, des romans sur l'obscurité du cœur » (« Dernière Interview », *Essais*, Pléiade, p. 1926). Ce sont trois éclairages différents qu'il proposait, l'un ne pouvant remplacer l'autre, bien qu'une même thématique les réunît. Cette disposition exige une perspective synchronique.

En fait, l'essai « rationnel » paraît suivre et non précéder les autres formes d'écriture et se développe selon une dialectique particulière. Ainsi, comme son avant-propos l'indique, *Le Mythe de Sisyphe* examine une sorte de « mal du siècle », un nihilisme latent dont Camus fait le diagnostic et qu'il se propose d'exorciser en le faisant passer du plan de la semi-réflexion à celui de la pleine conscience. Au constat circonstancié et raisonné succède le mythe. L'image de Sisyphe, poussant son lourd rocher, condamné par les dieux à remonter toujours la même pente d'où, lorsqu'il est près d'atteindre le sommet, le rocher sans cesse dévalera, met un point final à l'analyse qui constitue le corps de l'essai où sont posés les paradoxes classiques de la condition humaine que Camus désigne par un seul terme : « Absurde ». Dans le monde moderne, désacralisé, « l'absurde », c'est, selon le jeune Camus, cette impasse où vient buter la pensée éprise d'absolu et de totalité. Il voit là l'origine du nihilisme qui dévalorise la vie. Grâce au mythe, Camus déplace le problème. Il se propose et propose au lecteur de cesser d'affronter les paradoxes insolubles de la *condition* humaine et de se tourner vers ce qui peut être saisi dans l'immédiat : le *bonheur* humain. Il faut « *imaginer* », c'est-à-dire inventer, un Sisyphe moderne, heureux.

Ce même dépassement du thème se fait, plus difficilement, dans *L'Homme révolté.* Camus y examine l'emprise sur l'imagination du monde occidental du thème prométhéen de la libération de l'homme. Cette libération exigeait la révolte contre les contraintes qu'imposent « les dieux », c'est-à-dire l'ordre naturel et l'ordre social. Camus traçait le cheminement de cette révolte d'abord libératrice vers les idéologies totalitaires tant nihilistes que socialistes qui ont ponctué l'histoire moderne et abouti, selon lui, aux tyrannies politiques inhumaines, fascistes ou staliniennes, négatrices de la liberté et de la justice qu'elles avaient revendiquées. Justifiant les moyens par la fin, elles ne reconnaissaient plus de limite à leurs entreprises. L'essai débouche, lui aussi, sur un bref récit ironique qui résume l'histoire du Prométhée moderne. Sous le masque du héros mythique. Camus découvre un autre masque, celui d'un César mystificateur, menteur éperdu, engagé dans une entreprise égoïste d'autodivinisation stérile. Le thème de la révolte engendre alors un contre-thème, celui, positif, de la révolte créatrice, dont l'activité de l'artiste est un exemple.

Les deux essais épousent, sur le plan de la pensée, le rythme fondamental de l'œuvre de Camus et mettent en évidence le dynamisme qui lui est propre ; l'exploration d'un thème, arrivée à la limite, s'ouvre sur un nouveau départ. Le jeu des masques démasqués est inhérent à la démarche camusienne et répond à une disposition nietzschéenne. L'artiste selon Zarathoustra se crée de nombreux masques où s'incarnent les mille impulsions d'une sensibilité.

D'un certain point de vue, les personnages de Camus — du petit employé Meursault de *L'Etranger* à l'ingénieur d'Arrast de *La Pierre qui pousse* — sont intimement liés à la vie profonde de l'artiste « dionysien » qu'est Camus. Les plus puissants d'entre eux se créent eux-mêmes, ainsi que leur histoire, uniquement au moyen de la parole, c'est-à-dire du texte. L'ouverture énigmatique du récit fait par l'Etranger est célèbre : « Aujourd'hui maman est morte, ou peut-être hier... » Celui qui parle impose d'emblée sa présence et son autonomie au lecteur. Camus variera la forme que prennent ces autocréations simulées et choisira avec soin le type de discours qui leur convient. Ce sera, après le récit de Meursault, le récit de *La Peste* fait à la troisième personne et en un langage soigneusement contrôlé. Un témoin décrit une épidémie de peste à Oran. Ce témoin se révèle à la fin être un des médecins d'Oran, l'organisateur du combat contre le fléau, le Dr Rieux. Vient ensuite le monologue-dialogue du protagoniste de *La Chute :* le « juge-pénitent », Jean-Baptiste Clamence, s'adresse dans un bar d'Amsterdam à un interlocuteur de hasard, dont il se fait l'alter ego. Ce monologue est suivi, dans la nouvelle intitulée *Le Renégat,* de la longue lamentation intérieure du prêtre renégat muet, plainte qui se perd dans le désert environnant.

Pour les nouvelles de *L'Exil et le Royaume (Le Renégat* excepté), Camus use du récit à la troisième personne, mais cherche le même effet d'autonomie du récit. De la structure de chaque histoire, même des plus réalistes — en apparence —, l'histoire d'une grève ratée par exemple *(Les Muets)* ou le dilemme d'un instituteur des hauts plateaux algériens *(L'Hôte),* se dégage, avec plus ou moins d'insistance, une dimension qui ne serait pas seulement celle d'une réalité, presque toujours algérienne, où sont situés géographiquement les personnages. Les titres mêmes sont des signaux, ainsi que les paysages où évoluent les protagonistes, rivés à un climat et à une géographie : Clamence est prisonnier des brumes et des canaux concentriques d'Amsterdam, l'instituteur de *L'Hôte* est captif du *no man's land* des hauts plateaux d'Algérie à mi-chemin entre le monde des colons et celui des nomades arabes. L'on pourrait multiplier ces exemples.

La richesse des résonances thématiques de ces textes et leur unité tonale semblent proposer au lecteur une signification qui les dépasse, mais qui n'est pas explicitée. Même lorsque, comme c'est le cas pour *La Peste,* Camus annonce la valeur allégorique du texte, le comportement des personnages, la structure du récit laissent des zones d'obscurité qui ne peuvent complètement s'interpréter ni dans le cadre de l'Occupation, à laquelle Camus nous renvoie, ni dans celui, métaphysique, de la condition humaine qui se dessine à l'arrière-plan. Le fléau, qui est une forme réelle du mal et qui en représente toutes les autres formes, garde sa spécificité et son opacité. *L'Etranger, La Chute* et *Le Renégat* plus particulièrement n'ont cédé devant aucune exégèse.

Le récit camusien se situant dans le domaine du

mythe, comme tout mythe il se charge d'ambiguïtés et aboutit non à une clôture, mais à une question. Meursault, l'homme condamné à mort, qui a assumé la condition la plus universelle, ne sera pas, dans les limites du récit, exécuté. Clamence recommencera sa confession-accusation demain peut-être ; et nul ne peut démêler dans le lamento du Renégat la part de la réalité et celle de l'illusion. Camus a renouvelé le récit de type gidien, lui-même d'origine nietzschéenne, en lui insufflant une densité poétique et une orientation thématique plus riches et fortement concentrées.

Il sera moins heureux à la scène, malgré la passion qu'il vouait au théâtre et la longue pratique qu'il en avait. Ses adaptations d'œuvres disparates, tantôt appartenant déjà au théâtre, tantôt comme les deux plus célèbres — *Les Possédés* et *Requiem pour une nonne* — tirées de romans, auront davantage de succès. Son demi-échec ne s'explique donc pas par un manque de métier. De ses quatre pièces jouées entre 1944 et 1949-1950, l'une, *Caligula*, connut le succès ; *L'Etat de siège*, sorte de « mimodrame » lyrique combinant le chant, la pantomime, des mouvements de foule et un foisonnement de jeux scéniques, fut un échec ; *Le Malentendu* et *Les Justes* eurent un succès d'estime, manquant de chaleur.

Camus abordait le théâtre avec l'ambition de faire revivre à la scène la pièce tragique. Lors du *Malentendu*, il semble avoir pressenti la direction nouvelle où s'engagerait le théâtre. L'action se joue sur une scène réduite à une sorte de lieu abstrait, une salle d'auberge. Elle se joue entre trois acteurs principaux, la mère, la fille et le fils à l'identité cachée, dont le retour, après une longue absence, déclenche automatiquement un pesant rituel de meurtre. Toute l'action se déroule sous le regard d'un vieux serviteur sourd et muet qui ne prononce qu'un mot : « Non », en réponse à l'appel désespéré de la seule survivante, l'étrangère, la femme du fils sacrifié dont l'identité trop tard découverte a entraîné la mort des deux meurtrières. Les gestes hiératiques, un dialogue sibyllin fait d'allusions et de signaux « mal entendus » suggèrent la nature du conflit tragique que la pièce devait incarner : la lutte entre une sensibilité refoulée et le projet délibéré qu'inspire aux deux femmes une revendication impérieuse et consciente. Elles tuent les voyageurs afin de voler l'argent qui leur permettra d'atteindre un jour le pays ensoleillé de leur rêve. Grâce à l'économie des moyens mis en œuvre *Le Malentendu* offre une sorte de modèle de la dramaturgie camusienne. L'ironie tragique de la pièce n'est point dans le dénouement, le double suicide de la mère et de la fille, mais dans la prise de conscience qui le précède : le moment où, trop tard, la mère et la fille reconnaissent, dans l'étranger assassiné, le fils et le frère.

Les trois pièces de Camus, très différentes l'une de l'autre en apparence, ont une même structure fondamentale : par réaction contre une situation intolérable, le ou les protagonistes — l'empereur Caligula, les aubergistes du *Malentendu,* les terroristes russes des *Justes* — se lancent dans l'action pour changer le statu quo ; une fois le processus déclenché, ils sont happés, et, perdant le contrôle du mécanisme initial, découvrent leur échec, dans un moment de lucidité désespérée, face à la mort. C'est donc de l'incommensurabilité entre la logique humaine qui sous-tend une action volontaire et les conséquences de ce comportement que jaillit dans le théâtre de Camus un tragique « moderne ». Le protagoniste tragique n'enfreint pas la loi des dieux, absents ; il cède à la tentation « existentielle », pourrait-on dire, d'assumer les responsabilités d'une liberté sans frein dans la poursuite de desseins justifiés. Il incarne ainsi l'hybris de l'homme moderne selon Camus. Toutes les pièces de celui-ci posent la question des limites inhérentes aux paradoxes qui définissent « l'absurde ». Comme les récits, elles contiennent une pensée critique dont découle la logique de l'action dramatique. Cette logique, semble-t-il, échappe souvent au spectateur, mais donne à ces trois pièces une valeur emblématique. Mieux que les essais et que les récits, elles éclairent la pensée de l'auteur sur les démentis tragiques que la réalité de la condition humaine inflige aux espoirs des hommes, si généreux soient-ils (comme dans le cas du poète-terroriste des *Justes,* Kaliayev).

Le théâtre de Camus est un théâtre littéraire qui se veut expérimental à l'intérieur d'une tradition remontant aux tragiques grecs. Il modifie les rapports existant habituellement entre les personnages, l'intrigue et le dénouement, de manière à donner à l'action un sens qui corresponde à sa perception des dilemmes semi-inconscients et des impasses auxquels se heurte la pensée moderne.

Dans son article sur *L'Etranger,* Sartre avait noté l'atmosphère, insolite pour un Parisien, d'un monde littéraire qui charge d'une sensualité exotique le décor méditerranéen et algérois. En fait, l'œuvre de Camus et sa sensibilité ont leur source dans la double réalité des quartiers pauvres d'Alger et de son somptueux paysage. Les deux premiers écrits publiés de Camus — *L'Envers et l'Endroit* et *Noces à Tipasa* — posent d'emblée cette double réalité comme les deux pôles de l'univers camusien. C'est à Alger qu'une dizaine d'années avant la publication de *L'Etranger,* a commencé sa triple carrière d'homme de théâtre, de romancier et d'essayiste. Il faisait partie d'une équipe d'Algérois — dont Claude de Fréminville, et Gabriel Audisio, et, plus tard, Jules Roy et l'Oranais Emmanuel Roblès — décidés à donner à « la nouvelle culture algérienne » droit de cité. Le climat de l'œuvre camusienne, sensuel et intellectuel, émane de ces années.

Plus violemment que pour Simone de Beauvoir, la participation active de Camus à la Résistance et à « l'histoire » dont il fut acteur et témoin ont infléchi son œuvre en l'assombrissant. Cette histoire a dicté l'orientation du *Cycle de la révolte.* Camus, qui souffre d'une rechute de tuberculose en 1946, travaillera avec difficulté dans l'atmosphère politisée qui suit la Libération. Ce ne sera qu'après une lutte de dix ans contre l'expérience décrite dans *La Peste* que paraîtront les nouvelles de *L'Exil et le Royaume.* Dès ses débuts, Camus avait choisi, en tant qu'artiste, de « travailler dans les chaînes », selon l'expression d'un de ses maîtres d'alors, Nietzsche, c'est-à-dire d'accepter les contraintes d'une forme stricte. Ses modèles sont les classiques. Il s'écarte à la fois de l'esthétique surréaliste et du courant existentialiste qui subordonne le souci de la forme à la recherche d'un public aussi étendu que possible. S'il annonce, par moments, avec *L'Etranger, La Chute, Le Renégat* et *Le Malentendu,* certaines des directions que prendront le théâtre et le roman, l'orientation de sa propre recherche est entièrement différente. Et c'est peut-être la rigueur avec laquelle il a poursuivi son entreprise pour cerner, sans en rien sacrifier, la réalité qu'il vivait avec toute sa passion et sa sensualité de jeune Algérois épris de beauté intense, qui explique la qualité de l'œuvre et l'accueil sans précédent que lui fit un public auquel, en tant qu'écrivain, il ne faisait pas plus de concessions qu'il ne s'en autorisait.

Fidèle à l'esthétique existentialiste, Simone de Beauvoir créait un roman qui s'inscrit dans la tradition réaliste, mais qui refuse d'instaurer dans la fiction une conscience centrale qui serait chargée d'organiser et d'interpréter le récit. Elle présente les événements à travers plusieurs consciences, les conversations et les réactions de chaque personnage servant à définir leur « projet » existentiel. Elle écarte l'analyse ; elle la remplace par les schèmes de la psychanalyse existentielle, qui gouvernent et expliquent les démarches des personnages et leurs relations. *L'Etranger, La Chute* et *Le Renégat* illustrent plus nettement un rapport nouveau entre l'auteur, le lecteur et le texte. La pensée de Camus met en question tout système explicatif, toute idéologie. Avec *L'Etranger*, le lecteur se trouve devant un texte qui semble d'abord émaner d'un personnage situé et défini selon les conventions courantes ; cependant, on ne peut jamais situer ce narrateur par rapport aux événements qu'il raconte. Tôt ou tard une question se pose : qui parle ? et à qui ? Camus a dégagé *le temps* du récit de tout ancrage dans le temps des événements. Le statut du personnage devient problématique. Le récit n'aboutit à aucune clôture : il y a pourvoi. L'ambiguïté du personnage et de son discours est encore accentuée dans *La Chute* et *Le Renégat*. Le personnage et l'histoire émanent d'un monologue qui n'a d'autre garant que lui-même et dont les articulations se font par des associations linguistiques et thématiques à l'intérieur du texte même : la logique du texte n'est plus celle de la réalité. Le texte ne s'offre pas comme la représentation d'une réalité observée ou celle de la réalité reflétée par une conscience subjective mais comme le déploiement d'un langage ambigu, un « jeu » du langage, une fiction qui cache et révèle à la fois une subjectivité fictive et problématique. L'on ne peut plus distinguer l'histoire de sa représentation. C'est au lecteur que revient la tâche de situer ce discours de manière à identifier, c'est-à-dire à créer, le narrateur lui-même et le sens de son propos. Camus maintient cependant la consistance et la continuité du discours, ce qui rend vraisemblable le postulat selon lequel celui-ci émane d'un « locuteur » unique. Par ces techniques, le récit camusien s'apparente au nouveau roman. Mais la matière qu'il choisit maintient le primat d'un sens qui concerne obliquement la réalité où vit le lecteur.

CHAPITRE IV

1950-1970 : MARGUERITE DURAS, CLAUDE SIMON

C'EST *Le Square* qui a signalé en 1955 au public la présence d'une romancière, Marguerite Duras, qui avait débuté en 1943 et en était à son septième roman. C'est en 1957 qu'avec *Le Vent*, son quatrième roman, Claude Simon connut un premier succès et que, de surcroît, il rejoignait l'équipe de novateurs qui, aux Editions de Minuit, se proposaient de rompre avec le passé et lançaient un mouvement littéraire dont un colloque en 1971 sur le « nouveau roman » semble marquer le déclin en même temps que l'apogée.

La grave crise que traversent les écrivains qui avaient été accueillis à partir de 1940 coïncide avec la fin de la grande période de l'existentialisme et les premières manifestations d'une double réaction. L'une est politique et idéologique ; le roman de Marcel Aymé, *Uranus* (1948), en donne le signal. L'autre est littéraire, et elle-même double. Certains jeunes écrivains se tournent vers le passé, celui des années vingt traversé d'une certaine nonchalance à la Radiguet ; ainsi Sagan avec *Bonjour tristesse*. D'autres, les écrivains des Editions de Minuit, renouent eux aussi avec la tradition, celle que représentent Gide, Proust et Valéry, pour qui le travail littéraire doit s'accompagner d'une élaboration théorique. Les

« chefs de file » du groupe à ses débuts, Alain Robbe-Grillet, Nathalie Sarraute et Michel Butor, ont été amplement étudiés à la fois comme praticiens et théoriciens du « nouveau » roman. La célébrité de Beckett peut être jaugée à l'abondance des travaux qu'il a inspirés. Il en est de même pour Ionesco. Un peu en retrait, Robert Pinget poursuit une œuvre abondante et brillante, bien que moins commentée. Si notre choix s'est arrêté sur Marguerite Duras et Claude Simon, c'est parce que, outre sa qualité, leur œuvre a subi, de décennie en décennie, une mutation qui épouse en quelque sorte, selon deux modes opposés, le mouvement littéraire de l'époque.

Peu théoriciens, l'un et l'autre parlent à l'occasion de leurs ouvrages dans des interviews ; Simon a participé à certains colloques sur le nouveau roman, et dans son *Orion aveugle* (1970), il a décrit et démontré comment à ce moment-là son texte se déployait et s'organisait au cours de l'écriture même ; mais il n'énonce aucune théorie générale du roman. Quant à Marguerite Duras, elle est restée à l'écart des colloques et des travaux de groupe et manifeste au contraire son aversion du brouhaha théorique qui accompagne les débats centrés sur le roman. Ce qu'il faut au romancier, selon elle, c'est « un sens de l'homme et non pas un concept » ; et les théories qui se multiplient lui paraissent être une simple aberration du cerveau masculin. « L'homme, dit-elle, doit cesser d'être un imbécile théorique » *(Les Parleuses)*. Pourtant, plus que toute autre, son œuvre a accompli la *dé-structuration* du récit que réclament certains de ces théoriciens. Celle de Claude Simon, par contraste, procède, d'étape en étape, à une méthode de « production » de textes articulés qui s'organisent à partir de données initiales selon des principes de composition sur lesquels il s'est longuement expliqué.

« Il y a, dit Marguerite Duras, toute une période où j'ai écrit des livres, jusqu'à *Moderato Cantabile*, que je ne reconnais pas. » Elle renie donc ses premières œuvres et distingue trois périodes dans son développement : les six romans et les nouvelles écrits de 1943 à 1958 par elle répudiés ; les trois romans *Moderato Cantabile, Dix heures et demie du soir en été* et *L'Après-midi de Monsieur Andesmas* écrits de 1958 à 1962 qui inaugurent sa période expérimentale ; et les cinq textes qui suivent : la trilogie, *Le Ravissement de Lol V. Stein,* sorte de texte matrice, *Le Vice-Consul* et *L'Amour* avec leurs épilogues, les films *La Femme du Gange, India Song, Le Camion.* A partir de 1970, les films se multiplient. Après 1980, date de *Vera Baxter,* paraissent une série de textes-poèmes inclassables dont *L'Homme assis dans le couloir* (1980) et *Savannah Bay* (1982).

La distribution des textes de Claude Simon est presque la même. Trois romans encore conformes aux modèles familiers ; puis cinq grands ouvrages qu'inaugure *Le Vent* et que clôt *Le Palace* (1962). Après un silence de cinq ans une nouvelle phase s'annonce avec *Histoire,* qu'affirment ensuite trois « romans » et un texte, *Leçons de choses* (1975) qui, cinq ans après *Orion aveugle,* illustre la manière dont un texte se tisse et peut, en route, être « diverti ».

Les trois phases que M. Duras et Cl. Simon distinguent dans leur évolution, vers 1970, sont diachroniquement analogues. Dans une première période qui se termine vers la fin des années cinquante, l'un et l'autre adapte à son usage les techniques du roman réaliste, à fond autobiographique, renouvelées sous l'influence du roman américain. Une seconde période se dessine, expérimentale, mais où certains éléments du récit traditionnel sont conservés : le fil d'une histoire, des personnages, l'ancrage dans un contexte que le lecteur peut situer. L'écart entre leurs deux écritures ainsi que les liens qui les rattachent à deux lignées différentes du roman du XXe siècle apparaissent ainsi : pour M. Duras, sans aucun doute, quoique indirectement, Virginia

Woolf ; plus explicitement Joyce et Faulkner dans le cas de Claude Simon. Ce sont les ouvrages de cette deuxième période qui ont valu aux deux écrivains l'attention de la critique et un public peu nombreux d'abord, mais qui s'est peu à peu accru. Cette période est suivie par une mutation plus profonde où, aux yeux de l'écrivain même, son texte ne se rattacherait plus que de bien loin au roman. Si la participation aux débats centrés sur le « nouveau roman » assure alors à Cl. Simon une audience limitée, M. Duras souffre, dit-elle, du silence qui se fait autour de ses écrits.

Rétrospectivement, ce trajet, malgré les coupures successives qu'introduit chaque ouvrage, apparaît comme un continuum. *Le Square*, par exemple, annonce la période expérimentale qui commence avec *Moderato Cantabile*, tout comme *Histoire*, du point de vue technique, est en transition entre *Le Palace* et *Triptyque*.

Au niveau des thèmes, la continuité est frappante et d'origine biographique. Un « ailleurs » hante les personnages de M. Duras, lié à une sensibilité formée par cet « ailleurs » que fut sa vie d'enfant élevée au bord du Mékong. Un paysage occulté l'habite, le « fleuve de douleur », de misère et de faim des foules, qui coule du Cambodge à Calcutta. La hantise de cette souffrance, le besoin de s'y fondre, l'obsession de la mort, la haine du colonialisme, thèmes profonds de l'œuvre, s'y rattachent (voir *Les Parleuses*). Le grand thème du désir érotique féminin s'y déploie. C'est sans doute la présence de ce paysage onirique qui portera tout naturellement Marguerite Duras vers le film.

La guerre possède, dans les romans de Cl. Simon, une présence obsédante : la guerre d'Espagne (quatre romans dont, notamment, *Le Palace*) ; la débâcle de 1940 *(La Route des Flandres)* ; la France d'après la Libération *(Gulliver)* ; la Première Guerre mondiale et, plus lointaine, la bataille de Pharsale dans le roman auquel elle donne son titre : au cours d'un voyage en Grèce, le « moi » du récit lit le compte rendu de cette bataille par Jules César. *Le Palace* évoque aussi, avec le souvenir de la guerre civile, la pénétration des Espagnols dans l'Amérique du Sud. Cette présence fragmentaire d'une histoire collective fait partie du « magma confus » autobiographique et personnel d'où Claude Simon tirera ses romans. La présence d'une même région, le sud-ouest de la France ; d'une même famille ; d'un même personnage qui, d'un livre à l'autre, parcourt les mille labyrinthes d'une même mémoire, « narrant », « se narrant » une histoire fragmentée, jamais entièrement « restituée », laisse transparaître un champ référentiel réel qui s'estompe et se dérobe devant le narrateur.

Après *Histoire*, le narrateur fictif, producteur en principe du texte dont il fournit le point de départ et suit le déroulement intérieur, disparaît. Reste celui qui tient la plume et qui, à partir de son désir d'écrire et d'une relation avec un ou plusieurs objets hétéroclites, juxtaposés, inaugure un « texte », un tissage de mots qui se développe à la surface de la page par de complexes jeux d'associations, phoniques, sémantiques et métaphoriques. Ecrire devient une aventure, le spectacle des jeux du langage qui se déploie et s'ordonne en des combinaisons non prévues.

L'entreprise de ces deux écrivains, cependant, bien que le contexte change, nous ramène vers une activité initiale, celle de l'auteur qui tient la plume. Elle pose la question du rapport de l'écrivain avec le langage qui retrouve sa fonction de « transport », de « ravissement », dirait peut-être Duras. A partir de 1955 environ, quand ils entrent dans leur phase expérimentale, ni l'un ni l'autre ne cherche à situer le roman par rapport à un champ référentiel réel, même si, d'abord, ils usent encore des éléments familiers que le lecteur de roman anticipe : personnages, histoire, point de vue.

Jusqu'à *Détruire, dit-elle,* les romans de Duras

offrent une lecture de surface et des situations d'une transparente simplicité. L'on peut aisément en résumer les scénarios : une bonne et un colporteur de bricoles se rencontrent par hasard dans un square, se parlent de 4 h 30 à la tombée de la nuit, se quittent pour se revoir, ou non, plus tard dans la semaine *(Le Square).* Quatre voyageurs français, un couple et leur enfant accompagnés d'une amie, passent une nuit imprévue à l'hôtel dans une petite ville espagnole où l'on poursuit un homme qui vient de tuer une femme. Tandis que le mari et l'amie cèdent à un désir lancinant, la femme abandonnée tente sans succès de porter secours au meurtrier *(Dix heures et demie du soir en été).*

De même les romans de Cl. Simon peuvent se rattacher à ces « romans de la mémoire » (Jean Rousset) dans la lignée du roman proustien, dont relèvent aussi deux des quatre romans de Butor : *L'Emploi du temps* et *La Modification* ainsi que nombre de romans de Pinget dont *L'Inquisitoire.* Un personnage, que le romancier situe dans le temps et dans l'espace, parcourt, d'association en association, un certain passé que sa situation du moment fait revivre, mais en fragments dont l'incohérence semble cacher une énigme. Ainsi dans *La Route des Flandres,* Georges, prisonnier de guerre rapatrié, au cours d'une nuit qu'il passe dans le lit de Corinne, la femme de son cousin et officier supérieur tué sous ses yeux au cours de la débâcle, recrée dans une sorte de monologue intérieur continu la chaîne des événements, émotions et questions qui s'agglomèrent autour de ses relations avec ce cousin. Dans *Le Palace,* un personnage dont la mémoire par moments chevauche celle de ce même Georges, revient à Barcelone quinze ans après y avoir séjourné lorsqu'il était étudiant, et le même processus se déroule. Un lecteur patient peut reconstituer la chronologie exacte, par rapport au temps historique, des événements présentés dans le récit.

Cependant, chez M. Duras rien n'explique l'histoire du personnage — une femme toujours — qu'un cataclysme arrache à son milieu bourgeois pour la faire pénétrer dans le monde imaginaire du roman. Ainsi, le monde harmonieux d'Anne Desbaresdes, femme riche et heureuse, mère d'un petit garçon qu'elle aime, est déchiré lorsque retentit le coup de revolver d'un crime passionnel. Ce coup de feu ouvrira en elle la brèche par où jaillit le désir violent et dévastateur d'un amour sans limites, d'une passion vécue jusqu'à la mort (*Moderato Cantabile*). De même l'existence de Lol V. Stein, jeune bourgeoise comblée, sera dévastée quand, le soir d'un bal, son fiancé, Michaël Harrington, l'abandonnera pour suivre une autre femme, Anne-Marie Stretter. « Qu'est-ce que la perfection, disait le Faust de Valéry, sinon la suppression de tout ce qui nous manque. » C'est contre la suppression de ce manque, entreprise faustienne et mortelle (l'autre face du manque étant la faim, donc le désir de vie) que s'insurge M. Duras, dans la réalité de sa vie comme dans ses textes. L'exigence de l'expérimentation littéraire se situe dans ce contexte. Il faut ouvrir des brèches dans la belle ordonnance du langage et du récit pour laisser le non-dit, le manque, apparaître et envahir le langage articulé. La syntaxe donnée, les formes admises de la culture gomment un discours pour en imposer un autre ; cet ordre faux, M. Duras se propose de le gommer à son tour.

C'est ce discours non formulé qui se fait jour peu à peu dans le comportement de somnambule des personnages de Duras dont l'individualité est concentrée dans l'emploi incantatoire d'un nom : Anne Desbaresdes, Lol. V. Stein, Anne-Marie Stretter ; dans les décors qu'elles habitent, les mots épars qu'elles prononcent.

Le texte de Duras tire parti des propriétés musicales du langage — de l'espacement des mots, de l'emploi de leitmotive —, et crée une continuité rythmique qui se substitue à la continuité syntactique. Il a comme fonction de « ravir » le lecteur à son décor quotidien pour le transporter dans cette réalité sans bornes, sans limites, qu'est le « manque » humain. L'écart des deux mondes apparaît dans les deux inscriptions musicales entre lesquelles oscillent les personnages du *Vice-Consul*, à l'intérieur des enceintes de leur ambassade de Calcutta : l'*India Song*, les blues dont la partition reste fermée sur le piano du vice-consul à Paris ; et le chant monotone d'une mendiante qui ponctue sa longue errance du Cambodge à Calcutta.

C'est par la désarticulation des structures « parfaites » du récit fictif que M. Duras entend arracher le personnage à ses déterminations traditionnelles, aux fictions faustiennes et masculines qui l'expliquent. Ses figures féminines sont, dit-elle, « trouées par le dehors, traversées par la passion ». C'est donc par elles que le « fleuve de douleur » et de vie érode, déborde et emporte les structures occidentales « sécurisantes » tout comme la mélopée de la mendiante mine les formes dominées des sonatines, valses ou autres compositions musicales. L'emprisonnement de la femme et de l'écrivain dans des décors bourgeois, étroits et isolés (villas derrière leurs grilles, hôtels de luxe, villes d'eaux, ambassades) est le « texte » imposé dont Duras poursuit la destruction jusqu'à l'extrême limite. *Amour* n'offre plus la moindre histoire. Sur une plage désolée entre la mer et une ville morte, S. Tahla — serait-ce le S. Tahla du *Ravissement*? —, trois personnages sont silhouettés. L'un va et vient sur la plage, le second est une femme assise, L. V. S. — serait-ce Lol V. Stein ? — tandis que le troisième est un voyageur-observateur revenu en pèlerinage — serait-ce Michaël Harrington qui autrefois avait abandonné Lol V. Stein ? Rien n'est sûr. Tout reste en suspens dans ce décor de fin ou de début de monde, qui néanmoins rappelle les lointaines figures d'autres fictions. C'est vers la constitution de ce *texte minimal* que de livre en livre s'est orientée Marguerite Duras, un peu comme Beckett, pour tenter d'atteindre, semble-t-il, au-delà des limites du « moi », cette conscience humaine indifférenciée qui s'exprime dans la monodie de la « femme du Gange ». Le thème fondamental de Duras est celui de l'aliénation, et du manque, au sein d'une société en ruine, le thème de l'Autre vers lequel le geste d'écrire jette l'écrivain. L'aliénée est presque toujours la conscience féminine qu'il s'agit de délivrer ou qui se délivre.

L'expérimentation prend une autre direction pour Claude Simon, vers ce que le critique anglais Stephen Heath appelle la « re-textualisation ». Peintre, Simon aborda le problème de l'organisation formelle du récit à partir d'une pratique de la peinture. Comment, en tant qu'écrivain, contenir et canaliser la prolifération chaotique des chaînes d'associations qui s'offrent à la mémoire ? Grand lecteur de Proust, de Joyce et de Faulkner, Simon distinguait nettement les trois plans du « roman de la mémoire » : les faits, objets et personnages hétéroclites assemblés dans la mémoire d'un personnage, l'effort du narrateur pour suivre la trace des événements qui les ont ainsi rassemblés, le travail de l'écrivain pour leur imposer un ordre.

La réalité vécue par Claude Simon lui-même étant celle de l'absurde et de la non-signification de la vie humaine, il ne pouvait imposer un ordre téléologique à ce travail de remémoration, une finalité comme celle qui mène *A la Recherche du temps perdu* ou *La Modification* à une résolution finale. Comme le peintre d'un retable baroque qui groupe sur un même plan des figures venues de couches temporelles éloignées, Claude Simon imposera au dynamisme de ces remémorations certaines contraintes *spatiales*, le parcours selon certains vecteurs dont il a donné les représentations graphiques[1]. La situation initiale une

1. « La fiction mot à mot », *Le Nouveau Roman : hier, aujourd'hui*, II, coll. 10/18, p. 73-96.

fois établie lui permettait de suivre « mot à mot » les associations engendrées par les éléments hétéroclites que proposait la mémoire et d'en faire les générateurs dynamiques qui, dans la pensée d'un narrateur, mettent en mouvement les jeux d'associations assurant le dynamisme du récit : les pigeons, les affiches déchirées, le palace absent d'une place à Barcelone, ou la série des cartes postales que le narrateur d'*Histoire* trouve dans le tiroir d'une vieille commode.

La fiction dès lors s'empare du souvenir, le passé se fait « présent » sur le plan de l'écriture, le récit s'organise autour de quelques centres « irradiants » (Ricardou) : un cheval mort dans *La Route des Flandres*, point où devra passer quatre fois la narration en as de trèfle de ce roman. Ce sont des « tentatives » de récit, des « fragments » que l'écriture arrache ainsi à une histoire semi-effacée. L'écriture ne répond plus aux conventions qui postulent qu'un *narrateur* s'adresse à un lecteur qui accepte la convention selon laquelle le discours émane d'un personnage. L'histoire et sa présentation se détachent tant de l'écrivain que du narrateur qui se cherche à tâtons dans ces réseaux de relations en train de lui apparaître. Les longues phrases célèbres de Claude Simon et son emploi du participe présent indiquent le rôle — « présentifiant », dit-il — de l'écriture. Le texte se construit à mesure, selon le trajet de la mémoire et par des associations dont la signification reste hypothétique, mais qui composent un paysage psychique comparable à l'ensemble d'un retable.

Le travail de l'écrivain est conçu alors comme le *transfert* sur le plan du langage et la recombinaison en un ensemble textuel nouveau, du « plâtras » *(Leçons de choses)* de la mémoire. Le narrateur « Georges » dont se crée ainsi la légende à partir de la vie réelle de Claude Simon, disparaîtra avec le dernier mot d'*Histoire* : « Moi ? » Et ce sera vers les jeux combinatoires que lui proposent les mots (associations phoniques, calembours, métaphores, métonymies surtout d'origine visuelle mais parfois surdéterminées : ombelle-ombrelle) et à partir d'un « générique » (un tableau, un calendrier), que Claude Simon expérimente désormais.

Dans l'un et l'autre cas, de façon entièrement différente, Marguerite Duras et Claude Simon ont épousé la courbe d'évolution du roman expérimental : la réduction progressive du personnage, de l'histoire, la recherche d'une nouvelle « formalisation » de la fiction. Ils ont abouti à deux pôles extrêmes. D'une part, au quasi-silence d'*Amour* et au recours au film pour ouvrir des perspectives sur ce fonds de sensibilité qui, selon Duras, préexiste à toute fiction et échappe au langage. D'autre part, à la fabrication de textes autogénérateurs dont la cohérence s'établit justement en ces points où apparaissent, pour le lecteur moyen, d'inexplicables discontinuités. Mais ils ont une chose en commun : le rapport d'échange qu'ils ne cessent d'affirmer entre le moi qui écrit et son texte, entre la réalité vécue et sa « translation » dans le langage qu'il s'agit de transformer. Le moi est diffus dans le texte, non présent sous forme d'un sujet clos sur lui-même, autonome, qui juge un monde extérieur à lui ou le façonne en autarcie. L'écrivain a acquis une modestie nouvelle. Dans le cas de Duras, le rétrécissement de la matière, dans celui de Claude Simon, sa prolifération, déplacent le champ d'activité du lecteur.

On serait tenté de pratiquer, sur ce bref parcours qui va de Cocteau à Claude Simon, une enquête semblable à celle que Claude Simon mène dans ses romans, de *Vent* à *Histoire*, pour suivre de décennie en décennie l'empreinte de notre histoire sur la sensibilité de notre époque reflétée dans sa littérature. Sans nul doute elle est grande ; il apparaît clairement qu'il n'est pas d'écrivain dont l'entreprise littéraire n'ait été en partie déterminée par une conscience aiguë de sa situation historique. Cela même lorsque, comme les « nouveaux-nouveaux écrivains » de 1960, ils se donnent pour tâche d'arracher la littérature à sa fonction référentielle et représentative. Le champ de la conscience a changé ; il se modifie et s'élargit sans cesse. Il est naturel que la relation entre la fiction et ses modes de représentation change. L'idée que se font les écrivains de leur fonction, le vocabulaire même dont ils usent pour en parler, la forme qu'ils donnent à leurs écrits, le mode d'écriture qu'ils choisissent sont en étroite relation avec leur mode d'insertion dans ce monde.

Abandonnant les perspectives diachroniques, difficiles à établir par rapport à une période insuffisamment éloignée, l'on pourrait aborder l'ensemble de ces œuvres comme si elles constituaient une série synchronique, chacune se définissant en fonction des autres. Certains thèmes alors se répondent d'une œuvre à l'autre. Deux dominent : l'histoire, avec ses thèmes annexes de la destinée et du temps ; et une vaste enquête sur la conscience et la nature du moi qu'accompagnent souvent les thèmes annexes de la mort et de la création. Le souci du moi disparaît cependant pour faire place aux spéculations sur la nature de cet être mythique hérité du XIXe siècle, l'homme, et aussi « l'homme nouveau ».

Dans ce contexte, certaines obsessions se dessinent : celle par exemple de la bête. C'est la bête que Malraux guette dans l'homme, l'homme de qui Céline prophétise l'irrémédiable décadence vers l'animalité ; c'est la bête qui apparaît par mille images et métaphores dans les romans de Claude Simon, et qu'évoquent les hordes de mendiants affamés de M. Duras. La bête, la bestialité, la violence, l'érotisme, la mort hantent cette littérature que neutralise, naturalise, dirait-on peut-être, l'ordre du texte écrit. La hante aussi le rêve ou l'espoir de formes nouvelles d'affection, d'amitié, qui lieraient entre eux les êtres humains : Breton, Malraux, Camus, Duras, chacun à sa façon développe ce thème.

L'écriture est, semble-t-il encore, pour l'écrivain, l'au-delà de l'homme, ce par quoi il se transforme. A partir de Breton, les écrivains paraissent se donner pour tâche de *créer* une expérience hypothétique et potentielle pour leur lecteur, non de recréer une expérience reconnue et entérinée. La poésie, disait Breton, est tout acte de contestation ; la prose, peut-être, est tout acte d'investigation. La contestation et l'enquête sont les deux formes les plus répandues que prend le discours littéraire, d'où les relations malaisées qu'il entretient avec son propre passé, avec les canons littéraires par quoi il se constitue et se signale comme littérature. Deux écrivains cependant nous semblent résumer le parcours de ce demi-siècle tout entier.

CHAPITRE V

LA LITTÉRATURE EN QUESTION : JEAN-PAUL SARTRE, SAMUEL BECKETT

TOUTE comparaison est artificielle, sinon superficielle. Cependant la confrontation de deux écrivains qui ont dominé la littérature française pendant une cinquantaine d'années ne peut pas être insignifiante. De plus, elle trouve la justification critique de leur exemplarité dans l'intensité avec laquelle l'un et l'autre ont vécu deux problèmes connexes qui ont entretenu et continuent à entretenir chez tous les auteurs de notre temps l'angoisse de leur modernité. L'idée d'*œuvre* d'abord est mise en question ; il ne s'agit plus de se demander, et en traversant les étapes de la jeunesse, de la maturité et de la vieillesse, comment donner à la fois à une œuvre sa diversité et son unité, sa continuité et ses rebondissements, et alors, se retournant satisfait, de pouvoir la contempler, comme on regarde, avec un sentiment d'immortalité, une chaîne de pics étincelants, ou comme Dieu a regardé sa Création au septième jour. L'œuvre est devenue sa propre interrogation : un roman, un poème, une pièce, un essai, ne sont que des pierres dispersées ; ils reposent sans cesse la même question critique : *une œuvre est-elle possible ?* Et ce problème est solidaire de la conscience de l'instrument qui permet l'œuvre, le langage. Certes, il n'est pas d'écrivain qui depuis toujours ne se soit demandé ce que valent les mots. Toutefois Sartre et Beckett ont fait de l'épreuve des mots la marque même de la possibilité et de l'impossibilité de l'œuvre. Ils se sont aventurés sur les territoires théoriques de la philosophie linguistique. Ils ont cultivé une nouvelle éthique de l'écriture, exaltant les vertus de sincérité et d'authenticité verbales. Plus encore, dans un mouvement inverse, l'un par profusion, l'autre par appauvrissement stylistiques, ils se sont imposé — et Beckett continue à s'imposer — une ascèse épuisante, méfiants de leurs dons, méfiants des dons (au double sens du terme) de la langue, sans cesse en éveil pour déjouer les ruses de l'idéologie quand celle-ci se déguise en rhétorique, impitoyablement conscients et intelligents. Intégralement artistes, surtout quand ils détruisent les conventions esthétiques, ils ont été pour notre époque, l'un le maître d'une forme nouvelle d'*ironie* que, par opposition à l' « ironie romantique », nous pourrions appeler « ironie moderne », et qui, revenant à l'origine du mot, institue un double langage de destruction circulaire ; l'autre le maître de l'*humour*, de cet humour qui découvre les pratiques du calembour et de la poésie à la naissance des rythmes et des sens fondamentaux.

Le caractère protéiforme des textes sartriens fait que leur auteur est omniprésent, et qu'il est, non pas, comme on l'a dit d'André Gide, « le témoin de la défense », mais *l'inéliminable témoin de l'événement*. De ce fait, il n'est pas un chapitre d'une littérature française du XXe siècle qui ne doive tenir compte de la participation sartrienne, sauf pour la poésie, et encore l'influence de Sartre y est-elle indirectement présente ! Nous essaierons ici de faire sentir, à travers le foisonnement des textes, un commun dénominateur que l'on peut définir comme *l'exigence dialectique et esthétique de l'inachèvement de l'œuvre.* Et cet inachèvement confère à l'écriture sartrienne une triple qualité : « œuvre de circonstances », et « œuvre de critique linguistique », elle est toujours « à suivre », feuilleton infini.

Les livres, et à plus forte raison, les articles de Sartre, n'obéissent pas, dans leur passage de l'un à l'autre, à une logique de continuité, de complémentarité ou de contraste. Tous sont plongés dans leurs propres contextes, et leur enchaînement n'est autre que celui de la fatalité de l'événement pour lequel ils jouent le rôle de *réactif*, non pas système en devenir, mais remises en question incessantes, avec une réintégration du passé. La dialectique sartrienne écarte la facilité des synthèses hégéliennes ; elle est un processus d'aller et retour de la pensée, à la fois totalisante et détotalisante, et toujours marquée par l'accrochage aux événements. La circonstance donne au discours un ancrage à partir duquel il tire sur ses amarres. Quelles sont les circonstances qui ont uni l'œuvre sartrienne à son siècle ? Elles sont variées, personnelles, historiques, purement intellectuelles, ou politiques, morales, sociales et, quoique moins fortement, esthétiques. Au début de cette carrière, l'abord est intellectuel et les événements constituent des expériences philosophiques. A la découverte de la méthode phénoménologique de Husserl, répond le premier essai de Sartre *La Transcendance de l'Ego* (1936), puis *La Nausée* (1938) et ses premières nouvelles. Sartre y surmonte le rationalisme et l'empirisme des siècles derniers et y essaie une nouvelle méthode de réflexion et de perception. Attiré par le motif narratif de *La Nausée*, le lecteur oublie trop souvent que ce livre a surtout pour objet d'être une *pédagogie de la perception :* nouvel Emile, avec Husserl comme précepteur caché, Roquentin réapprend à sentir avec tous ses sens et, du coup, son univers social et culturel est ébranlé. — En 1938 paraît la traduction de la *Phénoménologie de l'Esprit* de Hegel, précédée et suivie des premières études importantes sur Hegel et Kierkegaard : nouvel ancrage qui conduira aux essais philosophiques : *Esquisse d'une théorie des émotions* (1939), *L'Imaginaire* (1940) et *L'Etre et le Néant* (1943). Sartre récrit, pour son propre compte, une phénoménologie de la conscience. — Puis c'est la guerre, l'occupation allemande, la Résistance, la Libération : tous ces événements n'en forment qu'un dans l'appréhension sartrienne. Les réactifs seront surtout le roman et le théâtre. Sartre imagine une grande fresque romanesque, *Les Chemins de la liberté*, jamais achevée. La production théâtrale commence vraiment avec *Les Mouches* (1943) et *Huis clos* (1944), images de l'enfer humain, de la révolte, méditations sur la liberté et la prédestination, sur le pouvoir et le crime. Et les pièces, qui vont se succéder jusqu'en 1959 avec *Les Séquestrés d'Altona* où le destin de l'Allemagne de l'après-guerre sert de référence, ont toutes des ancrages circonstanciels, la Résistance et la trahison avec *Morts sans sépulture* (1946), l'Amérique avec *La Putain respectueuse* (1946), le pouvoir et le parti communiste avec *Les Mains sales* (1948), la presse et la fabrication de l'opinion avec *Nekrassov* (1959). En 1951, *Le Diable et le Bon Dieu* peut paraître plus détaché mais renvoie en fait à Staline et à la guerre froide. Revenons en 1945 et à la conscience de l'après-guerre. Les événements se multiplient et acquièrent une dimension universelle. Le réactif sartrien se diversifie. L'auteur de *L'Etre et le Néant* se révèle contre son gré un chef d'école ; il se donne un instrument d'action sous la forme d'une revue : *Les Temps modernes*. Dès son premier numéro, il fait la théorie de la littérature comme produit et miroir de l'événement, l'ancrage circonstanciel est appelé « engagement ». Sartre devient ainsi le premier critique littéraire de notre temps avec *Qu'est-ce que la littérature ?* (1947), et ses études sur *Baudelaire* (1947), *Saint Genet, comédien et martyr* (1952), sur Flaubert avec les trois tomes de *L'Idiot de la famille*

(1971-1972), sans compter de nombreux articles. En même temps, il réagit aux événements qui accablent une France se relevant lentement des années d'occupation, à la guerre froide, à la polarisation Est-Ouest (il attaque le plan Marshall), à l'action du Parti communiste, au stalinisme, à la guerre d'Algérie, au gaullisme. Par une écriture plus directe et souvent polémique, il s'essaie alors dans des articles qui sont ensuite rassemblés dans la série de volumes intitulés de façon révélatrice *Situations.* De toute évidence ce mot signifie que l'écrivain est, qu'il le veuille ou non, en situation et qu'il doit prendre conscience des événements qui le circonscrivent : pour chaque homme une situation est un nœud d'événements à dénouer ou couper. Mais, plus encore, la situation désigne l'écriture elle-même, situation réagissant à des événements, situation qui accomplit, sans jamais l'achever, le sens des situations, sorte de *situation de la situation,* à la fois réflexion et action. Et les deux mille pages « à suivre » consacrées à Flaubert ne signifient pas autre chose : le Flaubert réel et son œuvre se posent en ensembles d'événements devenant exemplaires, déterminant la situation littéraire et attendant d'être mis en situation : la situation de l'écrivain telle que la vit Flaubert devient, par le réactif sartrien, écriture-situation. Tout événement est en attente de son langage, et c'est pourquoi la littérature ne peut vivre que d'événements ; mais elle est à jamais incapable de les capter complètement dans les filets sémantiques et dans la cohérence d'une œuvre faite de mots.

Telle doit être la production littéraire qui, presque toujours et au nom des principes de l'universalité du Vrai et de l'indépendance de l'art, cache la logique événementielle qui l'anime. L'écrivain doit alors être conscient qu'il n'écrira jamais que des « œuvres de circonstance ». Et pourtant, ces mêmes œuvres, telles que Sartre souhaite qu'elles se manifestent, ne sont pas des œuvres de circonstance au sens courant de l'expression. La littérature n'est pas condamnée au journalisme d'information et de faits divers ou au dirigisme d'une imprimerie nationale. L'œuvre marquée par la circonstance doit être une *œuvre de critique linguistique. Elle met en place le langage que l'événement requiert;* elle est théorie et pratique linguistique ; plus qu'une « poétique » qui donnerait conscience des lois et des codes de l'expression, elle est conscience de l'insertion linguistique dans le jeu des relations humaines. Il n'est pas de livre ni d'article de Sartre qui ne réponde à cette exigence. Par exemple, la pédagogie de la perception dans *La Nausée* est en même temps une discipline d'écriture ; elle dénonce les insuffisances de l'écriture réaliste ; en condamnant la logique traditionnelle qui ramène la perception à un catalogue d'objets contrôlés par des concepts, Sartre met en cause la discipline classique du langage. Il fait le procès de la logique aristotélicienne et de la grammaire de Port-Royal. Il montre aussi que la rhétorique périmée de la métaphore et de l'analogie a sa source dans l'intuition des qualités sensibles où les sens propre et figuré des mots se confondent. Pourtant un danger menace, celui d'un dogmatisme inversé, d'un criticisme social qui se substituerait à l'idéalisme bourgeois ou au réalisme socialiste. L'écrivain-pédagogue pourrait aisément devenir critique-dictateur. Et Sartre a toujours été conscient de ce risque d'une stalinisation ou d'un embourgeoisement de l'écriture. Le remède qu'il prône réside dans la situation elle-même. En fournissant à l'événement son langage, l'œuvre doit être *critique linguistique,* si bien que, selon une remarque de *Critique de la raison dialectique,* l'existentialisme sartrien trouve sa raison d'être dans un *nominalisme critique* qui propose une nouvelle philosophie du langage, sous-jacente à la théorie de la littérature exposée en 1947. Sartre s'oppose à toute forme de linguistique scientifique — à celle, historique et comparée, du XIXe siècle comme à la linguistique structuraliste ou formaliste d'aujourd'hui — parce que leurs efforts pour constituer une science du langage s'appuient sur la raison analytique qui se livre à une interprétation objectiviste et atomique du fait linguistique. Comme tout autre événement des cultures humaines, le langage est de nature dialectique, non pas au sens hégélien mais sartrien du mot ; il fait partie de la *praxis* universelle par laquelle l'homme transforme la nature physique et est transformé par elle ; il est ainsi partie intégrante de l'action humaine et de sa passivité par rapport au monde des objets et à celui des relations intersubjectives. Pour ce faire, Sartre distingue l'univers des significations qui coïncide avec celui des cultures prises dans leur totalité, et l'univers du langage qui n'est que l'instrument appliqué à l'infini des significations. Quels qu'ils soient, les événements constituent des significations en devenir que le langage a pour fonction d'exprimer à l'aide des lexiques, des syntaxes et des sémantiques. Il y a donc une double dialectique, celle des significations et celle des mots qui les reflètent. Le rôle de l'écrivain est alors dicté par cette situation complexe : il combat sur deux fronts, devant à la fois dénoncer la tendance naturelle des significations vers l'inertie et la passivité des objets (l'homme devient un objet parmi d'autres, un objet au service d'autres objets), et lutter contre la pauvreté instrumentale des langues qui forment les cultures. Ces vues, présentées dans *Critique de la raison dialectique*, sont latentes dès 1947, quand l'auteur de *Qu'est-ce que la littérature ?* rêve d'une fête littéraire où le miroir critique des mots transforme les sociétés en communautés joyeuses et libres. Mais ce n'est qu'un rêve tourné vers l'avenir, et sans doute un passage à la limite. En attendant, l'écrivain doit lutter contre toutes les perversions des significations à travers les trahisons linguistiques : « La connaissance dialectique de l'homme après Hegel et Marx exige une rationalité nouvelle. Faute de vouloir construire cette rationalité dans l'expérience, sur nous et nos semblables, ni à l'est ni à l'ouest, pas une phrase, pas un mot qui ne soit une erreur grossière » (*Critique de la raison dialectique*, p. 75). Et en note, à la même page, Sartre laisse percer un certain sarcasme : « Nos idées présentes sont fausses parce qu'elles sont mortes avant nous : il y en a qui sentent la charogne et d'autres qui sont de petits squelettes bien propres : cela se vaut. » Et le même avertissement sinistre reparaît à la page 180 : « Les mots vivent de la mort des hommes, ils s'unissent à travers eux ; chaque phrase que je forme, son sens m'échappe, il m'est volé ; chaque jour et chaque parleur altère *pour tous* les significations, les autres viennent les changer jusque dans ma bouche. » Qu'est-ce que l'écrivain doit et peut faire s'il ne veut pas participer à cette infernale comédie ou en devenir le complice ?

En philosophie comme en littérature, l'arme secrète de Sartre, omniprésente dans toutes les lignes qu'il a écrites, est l'*ironie.* Nous avons déjà proposé de l'appeler « ironie moderne », pour la distinguer des ironies socratique et romantique, encore qu'elle les intègre et parte de l'idée originelle selon laquelle il y a ironie quand le langage est autre que la pensée, c'est-à-dire quand existe un dérapage entre un langage apparent et un langage caché. L'ironie moderne dévoile d'abord le langage caché derrière les apparences verbales ; elle est radicalement démystifiante et souvent sarcastique ou sardonique. De plus, elle entre en lutte contre elle-même. Elle est dés-illusionnante et sait que sa tâche n'est jamais terminée, que l'illusion renaît avec la moindre velléité de langage. Elle se tourne contre elle-même pour s'assurer qu'elle n'est dupe de rien, pas même de ses propres défenses. Elle transforme le langage en comédie universelle. Qu'est-ce que *L'Etre et le Néant* sinon la comédie du pour-soi et de l'en-soi ? Suprême ironie : le pour-soi est quand il n'est rien, et l'en-soi n'est rien parce qu'il est. L'ironie est installée à la naissance des phrases, dans le jeu des affirmations et des négations. Ironique, la fin du *Mur* : le rire fou du héros-narrateur éventuel qui s'aperçoit qu'en croyant mentir il a dit la vérité et a trahi son ami ! Ironique aussi, la fin des *Mouches* quand Oreste quitte Argos sur un petit air de flûte et ressemble étrangement à l'auteur qui dit au revoir à son public. Ironiques encore, *Les Mots*, de la première à la dernière ligne où la littérature se donne sa propre parodie, et où sa perfection même est sa condamnation. Ironique enfin le torrent verbal de *L'Idiot de la famille*, sorte de post-scriptum interminable — littéralement — aux *Mots :* l'ironie appliquée à Flaubert se retourne contre son auteur et devient le seul langage de vérité possible. Telle est peut-être l'unique certitude de Sartre : la vérité est ironique dans le maniement des abstractions et dans celui des métaphores. En conséquence, *l'ironie est la vérité de l'événement.*

Elle est encore le secret de *l'inachèvement essentiel* de l'œuvre. Les explications superficielles sont à écarter : quand Sartre veut étendre le registre du roman, il manque de souffle ; son théâtre ne trouve jamais sa conclusion parce que le dramaturge qui a le sens des situations-pièges ne sait comment finir ses pièces ; le philosophe a plus grands yeux que grand ventre : il ne peut absorber l'univers, mais il ne se résigne pas à la littérature de fragments ; par deux fois, il effectue des promesses qu'il ne peut tenir : une morale [1] pour la suite de l'*Etre et le Néant*, et pour la *Critique*, une philosophie de l'histoire qui s'achèverait en théorie de la révolution. Il faut, je crois, comprendre l'inachèvement sartrien comme l'ombre inévitable de sa philosophie du langage et de la littérature. L'inachèvement est la fatalité ironique qui accable tout usager des mots : quoi de plus

1. Voir J.-P. Sartre, *Cahiers pour une morale* (Gallimard 1983) : le livre posthume confirme l'inachèvement essentiel de l'œuvre.

illusoire qu'une pensée qui se croit achevée, toute fière de sa cohérence, ou qu'un genre littéraire, roman, théâtre, qui prétende épuiser le possible. Finalement la poétique sartrienne de l'ironie n'est pas seulement le jeu entre le caché et le révélé ; elle est *la peur et le refus du parfait.*

Il serait tentant, mais spécieux, de vouloir dessiner un diptyque contrasté de Sartre et de Beckett, ou de chercher les analogies qui les rapprochent ; oppositions et parentés se dégageront d'elles-mêmes. Reconnaissons simplement — et ce pourrait être le motif dominant de cette double réflexion critique — que l'un et l'autre ont été, plus que beaucoup d'autres, des *combattants du langage.* Ne se contentant pas de théories et de complaintes faciles, mais avec l'intégrité sans complaisance d'artisans patients sur la tâche, et ne jouant pas aux brillants bricoleurs, ils ont poursuivi, sur des voies parallèles, et non sans interférences subtiles, une expérience radicale qui ne finit pas avec eux. C'est en ce sens qu'ils sont exemplaires de notre modernité, en ce moment où celle-ci, cessant d'être simplement une profession de foi agnostique, se retourne sur elle-même et explore les sources de ses propres valeurs révolutionnaires.

Encore que ses premières œuvres avouées, c'est-à-dire imprimées, aient été sollicitées par les circonstances — un prix de poésie pour *Whoroscope,* une commande d'éditeur pour *Proust,* la défense de James Joyce et de *Finnegans Wake,* les livres de Samuel Beckett sortent indifférents aux rumeurs du siècle ; ils semblent obéir à une exigence intérieure et à des expériences personnelles soigneusement cachées, chacun d'eux se constituant en impasse insurmontable, laissant au suivant un paquet de chiffres à décoder. Apparemment Beckett est un auteur de romans et un dramaturge. Marginalement, et tout au long de sa vie, il a écrit des poèmes et quelques rares textes critiques, tous accidentels. En réalité, l'exigence poétique et critique est fondamentale et permanente, à ce point que, si l'on veut comprendre le devenir de cette tourmente littéraire qu'est la production beckettienne, il faut reconnaître en chaque œuvre un désir poétique qui se satisfait parfois de façon détournée. Beckett restera fidèle au message surréaliste, mais il le vivra dans une critique féroce de la spontanéité créatrice de l'art. Le roman et le théâtre ne sont alors que des pis-aller, des avatars d'une poétique qui s'impose les épreuves les plus sévères. Ses premiers essais de poésie s'accompagnent d'expériences *mytho-poétiques* qui vont se poursuivre pendant plus d'un quart de siècle. Elles commencent par un essai de roman non publié, intitulé *Dream of Fair to Middling Women*, qui aboutira à la publication de *More Pricks than Kicks* (1934), une suite de nouvelles autour d'un personnage, Belacqua, tiré de l'univers dantesque, et point de départ d'une lignée de héros beckettiens, ersatz de l'écrivain, et qui tous apparaissent dans le titre de l'œuvre, ce qui est une franche reconnaissance en paternité. Ce sont, écrits d'abord en anglais, *Murphy* (1936) et *Watt* (1944) : première grande impasse, dont Becket parvient à sortir en se soumettant à l'épreuve la plus difficile que puisse s'imposer un écrivain : abandonner sa langue maternelle, au moins dans le premier mouvement de son écriture. Cette décision, qui aurait pu devenir traumatique, n'arrête pas l'option mytho-poétique qui reste pour toutes ces années le substitut et la couverture de la poésie. Les personnages continuent à donner leur nom à l'œuvre. C'est d'abord *Mercier et Camier*, premier essai de narration française, abandonné, puis publié en 1970 ; ensuite, les deux premières parties de ce que Beckett lui-même appelle la « trilogie » : *Molloy* (1947) et *Malone meurt* (1948). Il est vrai que *Molloy* présente successivement deux héros, Molloy et Moran, mais il est symptomatique que

Beckett n'assume qu'une filiation ; il n'est pas le père de Moran, cet employé au service de Dieu et consorts. Et le titre même du second roman *Malone meurt* indique clairement que Malone n'aura pas de successeur et qu'en conséquence les essais de production mytho-poétiques trouvent leur fin dans *L'Innommable* (1949). La richesse polysémique de ce titre ne doit pas nous faire oublier le sens le plus direct et le plus simple : Beckett avoue qu'il ne peut plus nommer des substituts qui prennent en charge ses écrits. Dans un monologue intérieur de plus de deux cents pages, ramené essentiellement à un immense paragraphe, ce héros « innommable » explique pourquoi il abandonne la filiation romanesque, tout en effectuant une dernière tentative avec un couple aux noms symboliques de Manhood et de Worm (en anglais : manhood = *humanité* et worm = *ver*). Même cet effort de caractérisation élémentaire échoue. Bref, l'écriture romanesque est condamnée, et l'on comprend alors ce qu'a été pendant toutes ces années pour l'auteur des *Enuegs* le « roman » : non pas une narration évoquant un monde, mais la création d'un être unique, l'écrivain, et c'est à cet unique possible que se réduisent les chances de l'activité mythologique du XXe siècle. Proust et Joyce avaient ouvert la voie et guidé le roman vers son impasse, en montrant que toute caractérisation suppose un caractère-narrateur, Beckett a poursuivi l'expérience jusqu'à son épuisement.

Comment continuer à écrire, puisqu'il le faut ? A partir de *Comment c'est* (1960) jusqu'au récent *Compagnie* (1980), Beckett écrit des « textes pour rien », pour généraliser un de ses titres. Ce sont des proses courtes : le plus long, *Le Dépeupleur* (1966) a une cinquantaine de pages ; les plus courts, deux ou trois, et ils sont rassemblés en petits livres intitulés *Imagination morte imaginez* (1965), *Assez* (1966), *Sans* (1969), *Pour finir encore et autres foirades* (1976), etc.

Pour qui chercherait à faire entrer ces écritures dans une catégorie connue, la seule qui convienne est le poème en prose. Refoulée pendant la période précédente qui fut presque tout entière consacrée à une recherche mytho-poétique, la poésie devient l'unique aspiration littéraire légitime. Chaque texte est une composition d'images et de rythmes sur un thème (au sens musical du terme), avec, à l'arrière-plan, les deux faits qui hantent l'existant Samuel Beckett : souffrance des êtres et impuissance du langage. Le dernier en date de ses poèmes, *Compagnie,* prolonge les questions sur lesquelles s'ouvre *L'Innommable :* « Où maintenant ? Quand maintenant ? Qui maintenant ? » Mais celles-ci ont perdu toute apparence réaliste, grâce à une conversion nominaliste, elles se réduisent à une interrogation de critique grammaticale : comment les déictiques sont-ils possibles ? Quelle est la possibilité ou l'impossibilité de dire/écrire « ici », « maintenant », et « je, tu, il, nous, vous, ils » ? la possibilité des noms propres ayant été écartée depuis longtemps. Dans les dernières lignes de *Compagnie,* l'auteur s'adresse à lui-même à l'aide de la seconde personne, moins traîtresse que la première : « Jusqu'à ce qu'enfin tu entendes comme quoi les mots touchent à leur fin. Avec chaque mot inane plus près du dernier. Et avec eux la fable. La fable d'un autre avec toi dans le noir. La fable de toi fabulant d'un autre avec toi dans le noir. Et comme quoi mieux vaut tout compte fait peine perdue et toi tel que toujours. Seul. » Le lecteur saisit alors que, depuis *Echo's Bones* (1935, premier recueil de poèmes), le rythme beckettien est celui de *la musique du sens.* Beckett rejette le formalisme d'une poésie pure ayant divorcé le son du sens. Une fois la grammaire du message désintellectualisée, le rythme n'est pas ramené à un jeu calculé de sonorités artificielles ; il *est,* par son expression même, création de langage : ce qui veut dire création d'un corps sémantique autonome et inépuisable. Il a de profondes parentés avec la musique ; il en a la rigueur contrôlée ; il est porté par des rythmes répétitifs ou, en sens inverse, est fait de répétitions sur un motif donné. La prose-poème de Beckett est, pour chacune de ses manifestations, *variation sur un sens.* Cette variation contenue dans une structure à solutions indéfinies, tel un jeu d'échecs dont chaque partie serait « inédite », possède le double caractère d'être physique et métaphysique, étant à la fois formelle et existentielle. Est-ce à dire que Samuel Beckett est le poète métaphysique pour notre temps ? Pourquoi ne pas le reconnaître, si cela signifie que la poésie assure la naissance prégrammaticale des signes ?

Mais Beckett ne serait-il pas surtout un homme de théâtre ? N'est-ce pas par son œuvre dramatique que sa réputation est devenue mondiale ? Ce poète métaphysique, ce romancier frustré, serait-il surtout un poète dramatique ? Son œuvre théâtrale coïncide avec la période où l'écrivain se soumet à l'épreuve d'un langage étranger. Il écrit une première pièce, *Eleutheria*, en 1947, qui reste aujourd'hui encore inédite. A partir de *En attendant Godot* (écrit en 1948, joué à Paris en 1953), il ne cessera d'écrire pour la scène, pour la radio ou pour la télévision, comme s'il voulait compléter le travail de l'écriture en donnant aux signes la dimension visuelle ou orale qu'ils attendent. Cependant, cette production dramatique semble suivre un mouvement irréversible, analogue à celui qui s'est imposé à l'expérience mythopoétique. La personne comme acteur se schématise de plus en plus après *Fin de partie* (1956). Les êtres de théâtre ne sont plus que leur rôle, tel le Krapp de *La Dernière Bande* (1959). Parfois, ils en sont réduits à n'être qu'une tête et une jarre (*Comédie*, 1964), un buste, puis une tête, qui s'enfonce dans le sable (*Oh les beaux jours*, 1963) ; à la limite ils disparaissent et ne sont plus qu'une bouche (*Not I*, 1973), ou un souffle et un cri (*Breath*, 1971). Et surtout, la composition théâtrale est très stricte. On sait que les indications scéniques de Beckett sont minutieuses et détaillées, et qu'il les complète au moment de la mise en scène. Disons même que ces textes font partie de l'écriture dramatique ; ils fournissent à la lumière et au mouvement leur rythme, préparant une composition d'ombres et de clartés, une symphonie en blanc, noir et gris. Comme Samuel Beckett l'a indiqué dans ses notes pour la mise en scène allemande de *La Dernière Bande*, par-delà un augustinisme qui affleure dans *En attendant Godot*, cette participation de lumière suggère des motifs et des images manichéens, et surtout l'idée d'une confusion cosmique qui aspire à la séparation : le sens est condamné au gris ; il est confusion de corps et d'esprit ; il ne sera jamais la lumière sans ombres, ni l'obscurité profonde du repos : le néant beckettien qui est la Valeur ultime, désigne un rêve de paix que la vie, c'est-à-dire la souffrance, est à jamais impuissante à procurer. Seule la poésie peut en approcher. Et c'est pourquoi le théâtre de Beckett appartient à une poésie dramatique en marge de la tradition occidentale d'un théâtre qui, tragique ou comique, fait appel au mirage scénique pour rejouer le miracle de la création *ex nihilo*. Samuel Beckett ne se laisse pas aller à ce créationisme optimiste ! Son théâtre dit et redit l'éternité cosmique et manichéenne du combat de l'être et du néant, du sens et du non-sens, du blanc et du noir.

Le lecteur comprend alors pourquoi la poésie, dans l'ensemble de cette œuvre, est à la fois rare et omniprésente. *Whoroscope* n'est autre qu'une dramatisation de la vie de Descartes, et dans le recueil *Poems in English*, chaque poème, si court soit-il, constitue la transfiguration d'une situation dramatique ; « trans-rythmée » serait plus juste. La vie est souffrance et pour l'écrivain, cette interminable malédiction devient la souffrance du langage. Seule la poésie apporte aux signes la paix qui suspend leur désir. Mais l'élan poétique lui-même est contaminable, sinon toujours contaminé, par la confusion universelle, ce que Beckett appelle en anglais *the mess.* Le langage poétique est mis en garde contre lui-même. Alors intervient l'humour. Qu'il soit d'origine irlandaise ou surréaliste, peu importe : Il est avant tout, pour parodier un titre d'Eluard, « l'humour la poésie ». Et cela signifie : refus de toute rhétorique expressionniste ; car selon les phrases bien connues de Beckett « there is nothing to express, nothing with which to express, nothing from which to express, no desire to express, together with the obligation to express. » (Il n'y a rien à exprimer, rien avec quoi exprimer, rien de quoi exprimer, aucun désir d'exprimer, et tout cela avec l'obligation d'exprimer.) La poésie sera alors le sens du jeu verbal ; n'est-ce pas le narrateur de *Murphy* qui le déclare : au commencement était le calembour ? La poésie sera aussi correction de sens : non pas simple destruction grammaticale et sémantique, mais critique mytho-poétique et l'humour refrène les élans de l'expression.

Les œuvres parallèles de Sartre et de Beckett convergent vers une même connaissance ou néscience : celle qui éclaire l'ironie des *Mots* et l'humour de *Imagination morte imaginez,* et qui sait que *le XX*[e] *siècle est incapable de créer sa propre mythologie.* L'un et l'autre ont poussé l'activité mytho-poétique jusque dans ses retranchements romanesques et théâtraux en faisant de l'ironie et de l'humour les moteurs de toute littérature. En fin de compte, Samuel Beckett serait-il moins pessimiste — ne disons pas plus optimiste — que Sartre dans la critique du langage ? Le désespoir éclairé d'une prose ironique pourrait-il être adouci par l'humour du poète ?

DICTIONNAIRE DES AUTEURS

Les auteurs tiennent à remercier M. René Rancœur, qui s'est chargé de la mise au point de la bibliographie de chacune des notices, M. Jean-Louis Jacquet qui les a aidés dans la préparation du « Dictionnaire des auteurs », ainsi que M. Arnaud de Mareüil à qui sont dues les notices « Lanza del Vasto » et « La Tour du Pin ».

ABELLIO (RAYMOND) (pseud. de Georges Soulès) [Toulouse, 1907-Nice, 1986]. Polytechnicien, ingénieur des ponts et chaussées, A. commence par la politique. Il est élu en 1937 au comité directeur de la S.F.I.O. Après la guerre, il se retire en Suisse. Son premier livre, *Heureux les pacifiques,* paraît en 1946 et obtient le prix Sainte-Beuve. Il publiera deux autres romans, *Les Yeux d'Ezéchiel sont ouverts* (1950) et *La Fosse de Babel* (1962). Il a écrit plusieurs essais sur la gnose, la science des nombres et la phénoménologie de l'être : *Vers un nouveau prophétisme* (1947), *La Bible, document chiffré* (1950-1951), *Assomption de l'Europe* (1954), *La Structure absolue* (1964). En 1975, il a donné un premier recueil de souvenirs : *Les Militants,* (1927-1939).

Bibl. : Marc Hanrez, *Sous les signes d'A.*, Lausanne, L'Age d'homme, 1975. *R. A.*, Cahiers de l'Herne, 1979.

ADAMOV (ARTHUR) [Kislavotsk dans le Caucase, 1908 — Paris, 1970]. Né en Russie, il fait ses études à Genève et s'installe à Paris en 1924. Il y fréquente les milieux surréalistes. Sous le régime de Vichy, il est interné au camp d'Argelès. En 1946, il publie *L'Aveu,* récit où se trouvent amorcés les thèmes princi-

N.-B. Sauf exception, les références bibliographiques ne concernent que les ouvrages publiés avant l'année 1989. Paris, lieu d'édition n'est pas mentionné.

paux de son œuvre théâtrale. En 1950, sa pièce, *La Grande et la Petite Manœuvre,* est créée au théâtre des Noctambules. En 1953, il publie le tome I de son théâtre *(La Parodie, L'Invasion, La Grande et la Petite Manœuvre, Le Professeur Taranne, Tous contre tous)*; en 1955, le tome II *(Le Sens de la marche, Les Retrouvailles, Ping-Pong)*; en 1966, le tome III annonce un théâtre politique qui va en s'affirmant *(Paolo Paoli, La Politique des restes, Sainte-Europe)*; en 1968, le tome IV *(M. le Modéré, Printemps 71).* En outre A. a écrit plusieurs essais sur le théâtre : *August Strindberg dramaturge* (1955), *Ici et Maintenant* (1964), et un recueil de souvenirs : *L'Homme et l'Enfant* (1968).

Bibl. : René Gaudy, *A. A.*, Stock, 1971. — Geneviève Serreau, *Histoire du « nouveau théâtre »*, Gallimard, 1966. Pierre Mélèse, *A. A.*, Seghers, 1973. — Supplément de *La Nouvelle Critique*, août-septembre 1973. — Emmanuel C. Jacquart, *Le Théâtre de la dérision (Beckett, Ionesco, A.)*, Gallimard, 1974. — John H. Reilly, *A. A.*, New York, Twayne, 1974. — David Bradby, *A.*, Londres, Grant and Cutler, 1975. — S. Assad Chahine, *Regards sur le théâtre d'A. A.*, Nizet, 1981. — *Lectures d'A.*, Actes du colloque international, Würzburg, Tübingen, G. Narr, J.-M. Place, 1983.

ANOUILH (JEAN) [Bordeaux, 1910 — Lausanne, 1987]. Fils d'un père tailleur et d'une mère violoniste, Anouilh a débuté comme secrétaire de Louis Jouvet. En 1928, sa première pièce, *L'Hermine,* fut créée au théâtre de l'Œuvre. Après sa rencontre avec Barsacq et Pitoëff en 1937, il donne *Le Voyageur sans bagage.* Après *Antigone,* jouée au théâtre de l'Atelier en 1944, il écrit plus de quinze pièces. Lui-même a classé son théâtre en *Pièces roses (Le Bal des voleurs, Le Rendez-Vous de Senlis, Léocadia, Eurydice)* parues en 1949, *Pièces noires (L'Hermine, La Sauvage, Le Voyageur sans bagage, Médée)* parues en 1958, *Nouvelles Pièces noires (Jézabel, Antigone, Roméo et Jeannette), Pièces brillantes (L'Invitation au château, Colombe, La Répétition ou l'Amour puni, Cécile ou l'Ecole des pères)* parues en 1951, *Pièces grinçantes (Ardèle ou la Marguerite, La Valse des toréadors, Ornifle ou le Courant d'air, Pauvre Bitos ou le Dîner de têtes)* parues en 1956, *Pièces costumées (L'Alouette, Beckett ou l'Honneur de Dieu. La Foire d'empoigne)* parues en 1960, et les *Nouvelles Pièces grinçantes (L'Hurluberlu ou le Réactionnaire amoureux, La Grotte, L'Orchestre, Le Boulanger, la Boulangère et le Petit Mitron, Les Poissons rouges ou Mon père ce héros)* parues en 1970.

Bibl. : Philippe Jolivet, *Le Théâtre de J. A.*, M. Brient et Cie, 1963. — John E. Harvey, *A. : A Study in Theatrics,* New Haven et Londres, Yale U.P., 1964. — Pol Vandromme, *Un Auteur et ses Personnages,* La Table ronde, 1965. — Robert de Luppé, *J. A.*, Éd. Universitaires, 1967. — Paul Ginestier, *J. A.*, Seghers, 1969. — Jacques Vier, *Le Théâtre de J. A.*, 1976. *Les Critiques de notre temps... et A.*, présentation par Bernard Beugnot, Garnier, 1977. — Lewis W. Falb, *J. A.*, New York, Ungar, 1977. — H. G. McIntyre, *The Theatre of J. A.*, Londres, Harrap, 1981. — C. Smith, *J. A. : Life, Work and Criticism,* Fredericton, Canada, York P., 1985.

ARAGON (LOUIS) (pseud. de Louis Andrieux) [Paris, 1897-1986]. Né à Paris dans « les beaux quartiers », il est mobilisé à vingt ans comme médecin auxiliaire. En 1919, il fonde avec Breton la revue *Littérature* et devient un des chefs de file du mouvement surréaliste. En 1928, il rencontre Elsa Triolet qui deviendra sa femme. Après avoir participé au Congrès des écrivains révolutionnaires à Kharkov (1930), il rompt avec les surréalistes et se lance dans la voie de la littérature engagée. Membre du parti communiste, il dirige *Ce Soir* jusqu'à l'interdiction du journal, fin 1939. Pendant la seconde guerre mondiale, il est de nouveau mobilisé. Il devient le grand poète de la Résistance. A la Libération, il reprend la direction de *Ce Soir* et celle des *Lettres françaises.* Membre du comité central du Parti communiste français en 1950, il mène de front son rôle de militant en même temps qu'il publie l'essentiel de son œuvre.

Ses premiers poèmes, *Feu de joie,* parurent en 1920. Par la suite il a publié *Le Mouvement perpétuel* (1926) qui relève de l'esthétique surréaliste, *Persécuteur persécuté* (1930), *Hourra l'Oural* (1931), qui marquent sa conversion au marxisme, *Le Crève-Cœur* (1941), *Les Yeux d'Elsa* (1942), *Le Musée Grévin* (1943), *La Diane française* (1945), *Le Nouveau Crève-Cœur* (1948), consacrés à la Résistance, *Les Yeux et la Mémoire* (1954), *Elsa* (1959), *Les Poètes* (1960), *Le Fou d'Elsa* (1963), *Les Chambres* (1969), recueils dans lesquels il a recours à une versification plus traditionnelle.

Ces phases successives se retrouvent dans son œuvre romanesque : *Le paysan de Paris* (1926), d'inspiration surréaliste, auquel succède le réalisme social : *Les Cloches de Bâle* (1934), *Les Beaux Quartiers* (1936), *Les Voyageurs de l'impériale* (1942), *Aurélien* (1944) et *Les Communistes* en six volumes (1949-1951). Revenant à des formes classiques, dans sa dernière phase il combinera sa vision de l'Histoire et celle de sa propre histoire : *La Semaine sainte* (1958), *La Mise à mort* (1965), *Blanche ou l'Oubli* (1967).

Il a publié aussi de nombreux essais, dont : *Traité du style* (1928), *La Peinture au défi* (1930), *Servitude et Grandeur des Français* (1945), *L'Homme communiste,* I et II (1946-1953), *Matisse, apologie du luxe* (1946), *Journal d'une poésie nationale* (1954), *Littératures soviétiques* (1955), *Avez-vous lu Victor Hugo ?* (1954), *Les Collages* (1965), *Je n'ai jamais appris à écrire ou les Incipit* (1969).

Bibl. : Crispin-Geoghegan, *L. A. Essai de bibliographie ;* t. I, *1919-1939 ;* t. II, *1960-1977,* Londres, Grant and Cutler, 1979.

— Hubert Juin, *A.*, Gallimard, 1960. — Pierre de Lescure, *A. romancier*, Gallimard, 1960. — Roger Garaudy, *Du surréalisme au monde réel, l'itinéraire d'A.*, Gallimard, 1961. — Jean Sur, *A., le réalisme de l'amour*, Centurion, 1966. — Alain Huraut, *L. A., prisonnier politique*, Balland, 1970. — Bernard Lecherbonnier : *A.*, Bordas, 1971. — *Les Critiques de notre temps... et A.* présentation par Bernard Lecherbonnier, Garnier, 1977.

ARLAND (MARCEL) [Varennes-sur-Amance, Haute-Marne, 1899-1986]. Après avoir poursuivi ses études secondaires au collège de Langres, il monte à Paris où il se mêle au mouvement surréaliste. En 1920, il fonde une revue d'avant-garde, *Aventure.* Peu après il publie son premier recueil, *Terres étrangères* (1923) et il entre à la *N.R.F.* De son œuvre, qui est considérable, on retiendra *Étienne* (1924), *Monique* (1926), *Les Ames en peine, Édith, L'Ordre* qui lui vaudra le prix Goncourt en 1929, des recueils de nouvelles échelonnés de 1932 à nos jours, *Les Vivants* (1934), *Les plus beaux de nos jours* (1937), *La Grâce* (1941), *Il faut de tout pour faire un monde* (1947), *L'Eau et le Feu* (1956), *A perdre haleine* (1960), *Le Grand Pardon* (1965). Ajoutons d'innombrables essais et ouvrages de critique dont : *Anthologie de la poésie française* (1941), *Avec Pascal* (1946), *Chronique de la peinture moderne* (1949), *Marivaux* (1950), *La Prose française* (1951), *Essais et Nouveaux Essais critiques* (1952), *La Grâce d'écrire* (1955). En 1952, il a obtenu le grand prix de littérature de l'Académie française, et, en 1960, le grand prix national des lettres. En 1968, il est élu à l'Académie française.

Bibl. : Jean Duvignaud, *A.*, Gallimard, 1962. — Alain Bosquet, *En compagnie de M. A.*, Gallimard, 1973. — Claude de Burine, *M. A.*, Rodez, Subervie, 1980.

ARRABAL (FERNANDO) [Melilla, Maroc espagnol, 1932]. En 1936, lors de la guerre civile, son père est arrêté et disparaît. Il passe alors son enfance à Madrid avec sa mère et son frère. En 1950, ayant obtenu une bourse, il s'installe en France. Il tombe malade et c'est alors qu'il écrit ses premières pièces. En 1958, J.-M. Serreau monte *Pique-Nique en campagne.* La même année paraît *Théâtre I (Oraison, Les Deux Bourreaux, Fando et Lis, Le Cimetière des voitures)*, en 1961 *Théâtre II (Guernica, Le Labyrinthe, Le Tricycle, Pique-Nique en campagne, La Bicyclette du condamné)*, en 1965 *Théâtre III* et *Théâtre IV (Le Grand Cérémonial, Le Couronnement, Concert dans un œuf, Cérémonie pour un Noir assassiné)*, en 1967, *Théâtre V (L'Architecte et l'Empereur d'Assyrie)*, en 1969, *Théâtre VI (Le Jardin des délices, Bestialité érotique ; Une Tortue nommée Dostoïevski)*, en 1972, *Théâtre VII (Deux Opéras* sur une musique de Luis de Pablo et de Jean-Yves Bosseur*)*. Arrabal a en outre publié un certain nombre de romans, *Baal-Babylone* (1959), *L'Enterre-*

ment de la sardine (1961), *La Pierre de la folie* (1963), *Fête et Rite de la confusion* (1967).

Auteur d'un théâtre fortement érotique, il a lui-même parlé de « théâtre panique ».

Bibl. : Bernard Gille, *F. A.*, Seghers, 1970. — Françoise Raymond-Mundschau, *A.*, Éd. Universitaires, 1972. — Joan P. Berenguer, *Bibliographie d'A. Entretien avec A.*, Grenoble, Presses Universitaires, 1978. — Thomas John Donahue, *The Theatre of F. A.*, New York — Londres, New York U.P., 1980.

ARTAUD (ANTONIN) [Marseille, 1896 — Ivry, 1948] . Très tôt il souffre de troubles nerveux. En 1920, grâce à Lugné-Poë, il fait ses débuts au théâtre et joue ensuite sous la direction de Gémier et de Dullin. Ses premiers poèmes ayant été refusés par la *N.R.F.*, il entame une correspondance avec Jacques Rivière sur le problème de la littérature et de son impossibilité. En 1924, il assure la direction du numéro 3 de *La Révolution surréaliste.* Peu après paraissent *L'Ombilic des limbes* et *Le Pèse-Nerfs.* 1927 : rupture avec les surréalistes. Il participe alors à la création du théâtre Alfred-Jarry. Peu à peu il élabore des textes qui paraîtront en 1938 sous le titre *Le Théâtre et son Double.*1934 : publication d'*Héliogabale ou l'Anarchiste couronné.* Après l'échec des *Censi*, représentés aux Folies-Wagram, il entreprend en 1936 un voyage au Mexique et commence à donner des signes de déséquilibre. Rapatrié d'Irlande, il est interné d'office en 1937, puis transféré à Rodez où il est soigné par le Dr Ferdière. Le 3 mars 1948, il meurt d'un cancer dans une clinique à Ivry. Ce n'est qu'une dizaine d'années plus tard que l'importance de ses théories sur le théâtre commencera à être reconnue pour atteindre, aux environs des années 1970, la renommée internationale.

Bibl. : Otto Hahn, *A. A. et le théâtre de son temps,* Gallimard, 1969. — Isodore Isou, *A. A. torturé par les psychiatres,* Lettrisme, 1970. — Naomi Greene, *A. A. Poet without Words,* New York, Simon and Schuster, 1971. — Gérard Durozoi, *A., l'aliénation et la folie,* Larousse, 1972. — *A.*, colloque du Centre culturel international de Cerisy-la-Salle (juin-juillet 1972), U.G.E., 1973. — Georges Charbonnier, *A. A.*, Seghers, 1973 [6e éd., 1980]. — Danièle André-Carraz, *L'Expérience intérieure d'A. A.*, Librairie St-Germain-des-Prés, 1973. — Henri Gouhier, *A. A. et l'essence du théâtre,* J. Vrin, 1974. — S. Sontag : *A la rencontre d'A.*, C. Bourgeois, 1975. — Alain Virmaux : *A. et le théâtre,* U.G.E., 1977. Julia F. Costich, *A. A.*, Boston, Twayne, 1978. — Alain et Odette Virmaux, *A. : un bilan critique,* P. Belfond, 1979. — Jean-Jacques Lévêque, *A.*, H. Veyrier, 1986.

AUDIBERTI (JACQUES) [Antibes, 1899 — Paris, 1965]. Après un bref passage au greffe de la justice de paix d'Antibes, Audiberti

« monte » à Paris en 1925. Il se lance dans le journalisme et fréquente les milieux surréalistes. En 1929, il publie un premier recueil poétique, *L'Empire et la Trappe*, qui obtient le prix Mallarmé, bientôt suivi de *Race des hommes* (1937). De son œuvre romanesque qui compte une dizaine de titres, on retiendra : *Abraxas* (1938) et, surtout, *Le Maître de Milan* (1950). Mais c'est par la richesse et l'abondance de son œuvre théâtrale qu'Audiberti s'est imposé. Sa première pièce, *Quoat-Quoat*, sera représentée en 1945. En 1948 paraîtra le tome I de son théâtre *(Quoat-Quoat, Les Femmes du bœuf, Le Mal court)* ; en 1952 le tome II *(Pucelle, La Fête noire, Les Naturels du Bordelais)* ; en 1956 le tome III *(La Logeuse, Opéra parlé,* le Ouallou, Altanima) ; en 1959 *L'Effet Glapion* ; en 1961 le tome IV *(Cœur à cuir, Le Soldat Dioclès, La Fourmi dans le corps)* ; en 1962 le tome V *(Pomme, pomme, pomme, Bâton et Ruban, Boutique fermée, La Brigitta)* et enfin en 1969, *La Poupée*.

Bibl. : André Deslandes, *A.*, Gallimard, 1964. — Michel Giroud, *A.*, Seghers, 1973. — Jeanyves Guérin, *Le Théâtre d'A. et le baroque*, Klincksieck, 1976. — *A. le trouble-fête*, colloque du Centre international de Cerisy-la-Salle (1976), J.-M. Place 1979. — Constantin Touloudis, *J. A.*, Boston, Twayne, 1980. — A. Joppolo, *Abumanesimo*, Rome, Bulzoni ; Nizet, 1984. — Gérard Denis Farcy, *Les Théâtres d'A.*, P.U.F., 1988.

AYMÉ (MARCEL) [Joigny, 1902 — Paris, 1967]. Dernier né d'une famille nombreuse, il est élevé par ses grands-parents. Mauvais élève, il passe pour le « dernier des cancres ». Après la guerre, il fait son service militaire dans l'Allemagne occupée. Puis, il exerce divers métiers. Lors d'une maladie en 1925, il commence à écrire. En 1926 il publie son premier roman, *Brûlebois*, pour lequel il obtient le prix Renaudot. En 1930 *La Rue sans nom* lui vaut le Prix populiste. Mais c'est en 1933 qu'il connaît le succès avec *La Jument verte*, roman plein de verve sur la vie politique d'une petite ville de province. Il publie ainsi bon nombre de romans, de contes et de nouvelles, dont *La Vouivre* (1943), *Les Contes du chat perché* (1939) et *Le Passe-Muraille* (1943). A partir de 1948 il s'adonne au théâtre (*Clérambard*, 1950, *La Tête des autres*, 1952).

Bibl. : Hélène A. Scriabine, *Les Faux Dieux*, Mercure de France, 1963. — Pol Vandromme, *M. A.*, Debresse, 1964. — Jean-Louis Dumont, *M. A. et le merveilleux*, Debresse, 1970. — Danielle Ducout, « Essai de bibliographie », *Cahiers dolois*, n° 4, 1980. — *Colloque M. Aymé et son temps*, Paris, 1984, Sté des amis de M. A., 1985. — *Cahiers M. A.* (1982, 6 n^{os}). — Les *Œuvres romanesques* illustrées par Topor ont été publiées en 1977, aux Éditions Flammarion.

BACHELARD (GASTON) [Bar-sur-Aude, 1884 — Paris, 1962]. D'abord petit employé des Postes, il obtient en 1912 sa licence ès sciences mathématiques. Mobilisé en 1914, il passe trente-huit mois au front. A son retour il prépare l'agrégation de philosophie, puis le doctorat avec une thèse intitulée *Essai sur la connaissance approchée* (1928). Son œuvre est une réflexion sur le nouveau rationalisme : *La Valeur inductive de la réalité* (1929), *Le Nouvel Esprit scientifique* (1934), *La Formation de l'esprit scientifique : contribution à une psychanalyse de la connaissance objective.* Refusant le dualisme, Bachelard tente une approche conjointe de l'esprit poétique et de l'esprit scientifique. C'est ainsi qu'il écrit *La Psychanalyse du feu* (1938), *L'Eau et les Rêves* (1942), *L'Air et les Songes* (1943), *La Terre et les Rêveries de la volonté, La Terre et les rêveries du repos* (1948), *Le Rationalisme appliqué* (1949), *L'Activité rationaliste de la physique contemporaine* (1951), *Le Matérialisme rationnel* (1953), *La Poétique de l'espace* (1957), *La Poétique de la rêverie* (1961), *La Flamme d'une chandelle* (1961).

Bibl. : voir Bibliographie générale.

BARRAULT (JEAN-LOUIS) [Le Vésinet, 1910]. Élève de Dullin, il débute sous sa direction en 1931 avec un modeste rôle dans *Volpone.* Très tôt il s'intéresse à la mise en scène. Il subit alors l'influence du mime Étienne Decroux et d'Antonin Artaud. En 1940, il épouse Madeleine Renaud, alors sociétaire de la Comédie-Française : elle participera désormais à toutes ses entreprises théâtrales. La même année, il entre à la Comédie-Française et en 1943 il monte la version théâtrale du *Soulier de satin* de Paul Claudel. Ce fut un grand événement théâtral et parisien. Dès lors, Barrault continue à faire connaître Claudel, avec *Partage de Midi, Christophe Colomb,* etc. Il sera successivement directeur du théâtre Marigny de 1946 à 1956, puis de l'Odéon-Théâtre jusqu'en 1968. Son nom et celui de Madeleine Renaud seront associés aux plus grandes productions des trente dernières années, avec *Le Procès* de Kafka, *Rhinocéros* de Ionesco, *Les Paravents* de Genet, *Woyzeck* d'Alban Berg, *Oh ! les beaux jours* de Samuel Beckett, *Des Journées entières dans les arbres* de Marguerite Duras, *Le Silence,* et *Le Mensonge* de Nathalie Sarraute. Au cinéma, Barrault est surtout connu pour le rôle qu'il tint dans *Les Enfants du paradis* de Marcel Carné en 1944. Directeur des *Cahiers de la compagnie Madeleine Renaud-Jean-Louis Barrault,* il a publié de nombreux articles et plusieurs livres dont *Réflexions* et *Nouvelles Réflexions sur le théâtre* (1949, 1959), *Je suis un homme de théâtre* (1961), *Journal de bord* (1961).

BARTHES (ROLAND) [Cherbourg, 1915 — Paris, 1981]. Fils d'un officier de marine, il passe son enfance à Bayonne. Ses premiers écrits paraissent dans la page littéraire de *Combat.* Lecteur aux universités de Bucarest et d'Alexandrie, il entre ensuite au C.N.R.S. et s'y adonne à des travaux de lexicologie et à des recherches sur les signes et les symboles sociaux. En 1962, il devient directeur d'études à L'École des hautes études. En 1953, la publication du *Degré zéro de l'écriture* avait fait date. Barthes introduit alors la distinction désormais classique entre la « langue », l' « écriture » et le « style ». Il publie en 1957 *Mythologies.* Poursuivant ses recherches sur le langage et devenu le maître à penser de « la nouvelle critique », il publie en 1965 *Éléments de sémiologie,* en 1967 *Système de la mode. Essais critiques* paraissent en 1964, *Critique et Vérité* en 1966, ainsi que *Sur Racine, Les Nouveaux Essais critiques* en 1972. Se penchant plus particulièrement sur la « textualité », il prolonge son œuvre de décryptage avec *S/Z* (1970), *L'Empire des signes* (1970), *Sade, Fourier, Loyola* (1971). Dernier volet : *Le Plaisir du texte* (1973), *R. B. par lui-même* (1975) et un essai moral, *Fragment d'un discours amoureux* (1977). Influence profondément le groupe *Tel Quel.* Depuis 1976 il enseignait la sémiologie littéraire au Collège de France.

Bibl. : voir Bibliographie générale.

BATAILLE (GEORGES) [Billom, 1897 — Orléans, 1962]. Après l'École des Chartes, Bataille fréquente les surréalistes. En 1928-1930, il fonde la revue *Documents* avec Michel Leiris, André Masson et Georges Limbour. Lors de sa rupture avec Breton, il publie *Un Lion châtré.* En 1936-1937, il fonde avec Georges Ambrosino, Pierre Klossowski et André Masson une revue dont le premier numéro porte le titre : *La Conjuration d'Acéphale,* et crée le « Collège de sociologie » avec Leiris, Caillois, Monnerot et Klossowski. Après la guerre, il lance la revue *Critique,* tout en étant biliothécaire. Il a publié des fictions et des poèmes dont *L'Abbé C.* (1950), *L'Impossible* (1962), des écrits théoriques parmi lesquels *La Part maudite* (1949), *La Littérature et le Mal* (1957), *L'Érotisme* (1957), *Les Larmes d'Éros* (1961), et une somme athéologique : *L'Expérience intérieure* (1943), *Le Coupable* (1944), *Sur Nietzsche* (1945). L'érotisme violent de l'œuvre restée obscure jusque vers la fin des années 1960 est l'expression d'une pensée mystique, où la notion de transgression et l'obsession de la mort débouchent sur une recherche de l'absolu.

Bibl. : J.-P. Sartre, « Un nouveau mystique », dans *Situation I,* Gallimard, 1947. — « Hommage à G. », dans *Critique,* n° 195-196, août-sept. 1963. — Denis Hollier, « Le Matérialisme dualiste de G. B. », dans *Tel Quel,* printemps 1966. — N[os] spéciaux de *L'Arc,* Aix-en-Provence, 1967, 1971. — Catalogue de l'exposition consacrée à G. B., Orléans, 1971. — Lucette Finas, *La Crue,* Gallimard, 1972. — Colloque du Centre culturel de Cerisy-la-Salle (1972), U.G.E., 1973. — Jacques Chatain, *G. B.,* Seghers, 1973. — Denis Hollier, *La Prise de la Concorde,* Gallimard, 1974. — Daniel Hawley, *Bibliographie annotée de la critique sur G. B. 1929-1975,* Genève, Slatkine et Champion, 1976. — D. Hawley, *L'Œuvre insolite de G. B. : une hiérophanie moderne*, Genève, Slatkine et Champion, 1978. — Alain Arnaud, Gisèle Excoffon-Lafarge, *B.*, Seuil, 1978. — *G. B.* Actes du colloque international d'Anvers, 1985, Amsterdam, Rodopi, 1987. — Jean-François Fourny, *Introduction à la lecture de G. B.*, P. Lang, 1988.

BATY (GASTON) [Pélussin, 1885-1952]. Directeur de théâtre et metteur en scène, il est un des membres du Cartel des quatre. En 1922, il crée sa première compagnie, « Les Compagnons de la chimère. » En 1930, il s'installe au théâtre Montparnasse : il y monte des pièces de grands auteurs (Racine, Shakespeare, Musset) ; il adapte lui-même *Crime et Châtiment* et *Madame Bovary ;* et il fait connaître les auteurs contemporains : Brecht avec *L'Opéra de quat'sous*, Lenormand avec *Le Simoun*, etc. En 1950, il dirige la Compagnie de Provence. Il publie en 1932, avec la collaboration de R. Chavence, *Vie de l'art théâtral des origines à nos jours*, et *Guignol* (1934). Sa grande idée dramatique est *l'orchestration* du texte, dont le pouvoir verbal doit être illustré par le rythme, les couleurs, les éclairages, le jeu des acteurs et les costumes : grâce à cette intime fusion de tous les moyens d'expression, le théâtre devient « l'art suprême ».

Bibl. : P. Blanchart, *G. B.*, La Nouvelle Critique, 1939. — France Anders, *J. Copeau et le Cartel des quatre*, Nizet, 1959. — Arthur Simon, *G. B., théoricien du théâtre*, Klincksieck, 1972.

BEAUVOIR (SIMONE DE) [Paris, 1908-1986]. Née dans une famille de bourgeoisie aisée, c'est à quatorze ans que Simone de Beauvoir, après une enfance conformiste, perd la foi. Dès lors, elle suit les chemins de la révolte. Avant son agrégation de philosophie, obtenue en 1929, elle rencontre Jean-Paul Sartre. Devenue enseignante, elle n'abandonnera l'Université qu'en 1943, l'année même de la publication de son premier roman, *L'Invitée*. A la Libération, elle fait partie du premier comité de rédaction des *Temps modernes*. C'est alors qu'elle publie divers essais : *Pyrrhus et Cinéas* (1945), *Pour une morale de l'ambiguïté* (1947). S. de B. ébauche une morale de la liberté, laquelle ne va pas sans une morale de l'égalité, d'où *Le Deuxième Sexe* (1949), essai important sur la condition féminine. Devenue marxiste parce que le marxisme « désaliène » l'homme et le délivre de ses chaînes, elle tiendra avec *Les Mandarins* (1954) le journal de bord des intellectuels de gauche. Ce roman lui vaudra le prix Goncourt. Au fil des années, elle publiera les *Mémoires d'une jeune fille rangée* (1958), *La Force de l'âge* (1960), *La Force des choses* (1963), sorte de longue autobiographie où elle raconte sa lutte pour conquérir sa liberté et l'impossibilité d'échapper à la condition humaine. *Une Mort très douce* (1964), *La Vieillesse* (1970), *Tout compte fait* (1972) et *La Cérémonie des adieux* (1983) se rattachent à cette œuvre autobiographique.

Bibl. : voir Bibliographie générale.

BECKETT (SAMUEL) [Foxroth, République d'Irlande, 1906-1989]. Romancier et dramaturge irlandais, Beckett écrit à la fois en anglais et en français. Son œuvre profondément originale a atteint une audience internationale. Ami et traducteur de Joyce, il sera en 1928 lecteur d'anglais à l'École normale supérieure de Paris. En 1930, il publie *Whoroscope* (poème), puis un essai sur Proust. En 1935, il s'installe en France, et publie peu après, à Londres, *Murphy*. C'est en 1945 qu'il donne son premier texte en français à la revue *Fontaine*. Il écrit un roman, *Molloy* (1951), et une pièce, *En attendant Godot*, dont la représentation en 1952 lui vaut la célébrité. Il poursuit son œuvre romanesque : *Malone meurt* (1952), *L'Innommable* (1953), *Comment c'est* (1961), *Watt* (traduit en 1969), *Mercier et Camier* (1970) et fait jouer avec succès ses pièces *Fin de partie, Actes sans paroles, Tous ceux qui tombent* (1957), *Oh ! les beaux jours* (1963). Il a reçu en 1969 le prix Nobel de la littérature.

Bibl. : R. Federman et J. Fletcher, *S. B. : His Works and his Critics,* 1970. — Frederick J. Hoffman, *S. B. : The Language of self,* Carbondale, Ill., Southern Illinois U. P., 1962. — Jean Onimus, *B.,* Desclée de Brouwer, 1967. — Louis Perche, *B.,* Centurion, 1969. — Olga Bernal, *Langage et Fiction dans le roman de B.,* Gallimard, 1969. — Lawrence E. Harvey, *S. B., Poet and Critic,* Princeton, N. J., Princeton U. P., 1970. — « Essai de bibliographie des œuvres de S. B. », par Robin J. Davis, « Essai de bibliographie des études en langues française et anglaise consacrées à S. Beckett (1931-1966) » par J. R. Bryer et M. J. Friedman ; « Complément (1929-1969) », par P. C. Hoy, « avec une esquisse de bibliographie des études en d'autres langues (1953-1969) », dans *Calepins de bibliographie, 3,* Minard, 1971. — Gérard Durozoi, *B.,* Bordas, 1972. — André Marissel, *S. B.,* Éd. Universitaires, 1972. — Ludovic Janvier, *Pour S. B.,* U.G.E., 1973. — Ruby Cohn : *Back to B.,* Princeton, N. J., Princeton U. P., 1973. — *Cahiers de l'Herne,* n° 31, *B.,* 1976 (Livre de Poche, 1985). — Deirdre Bair, *B. : A Biography,* New York, Londres, Harcourt Brace Jovanovich, 1978. — Richard L. Admussen, *The S. B. Manuscripts,* Boston, G. K. Hall, 1979. — R. J. Davis, *S. B. Checklist and Index of his Published Works,* 1967-1976, University of Stirling Library, 1979. — *S. B., Revue d'esthétique* (n° spécial), Privat, 1986. — Linda Ben-Zvi, *S. B.,* Twayne, 1986.

BERNANOS (GEORGES) [Paris, 1888 — Neuilly, 1948]. Élève des jésuites, il entre au petit séminaire de Notre-Dame-des-Champs, puis passe une licence de lettres et de droit. Militant de l'Action française, directeur de l'hebdomadaire royaliste, *L'Avant-Garde de Normandie*, il engage en 1913-1914 une polémique avec Alain, le philosophe du radicalisme. En 1914, bien que réformé, ce nationaliste s'engage. En 1917, il épouse la descendante d'un frère de Jeanne d'Arc. Il rompra avec l'Action française dans les années 1930. C'est tardivement qu'il vient à la littérature. En 1926, il remporte un grand succès avec *Sous le soleil de Satan. La Joie* (1929) lui vaut le prix Femina. Le polémiste prend alors le dessus. Il publie en 1935 *La Grande Peur des bien-pensants* où il vitupère le conformisme des milieux catholiques. Il revient au roman l'année suivante avec *Le Journal d'un curé de campagne.* La guerre d'Espagne lui inspire *Les Grands Cimetières sous la lune* (1938). En 1938, il s'embarque pour l'Amérique du Sud. Cet homme déchiré, resté fidèle au christianisme de son enfance, se veut le défenseur des idéaux de pureté, d'honneur, et d'amour de la patrie. Rappelé par le général de Gaulle, il revient en France en 1945 et publie *Monsieur Ouine* (1946). *Dialogues des Carmélites* paraît en 1949.

Bibl. : Joseph Jurt, « Essai de bibliographie des études en langue française consacrées à G. B., t. I., 1972, t. II, 1974 », dans *Calepins de bibliographie, 4,* Minard. — *Cahiers de l'Herne,* n° 2, *B.,* L'Herne, 1962. — Jessie Lynn Gillespie, *Le Tragique dans l'œuvre de G. B.,* Genève, Droz 1960. — « Études bernanosiennes » dans la *Revue des Lettres modernes,* n° 1, 1960 à n° 16, 1977 — Max Milner, *G. B.,* Desclée de Brouwer, 1967. — Brian T. Fitch, *Dimensions et structures chez B., essai de méthode critique,* Minard, 1969. — John Colin Whitehouse, « Le réalisme dans les romans de B. », dans *Archives des Lettres modernes,* 1969. — *Entretiens du Centre culturel international de Cerisy-la-Salle consacrés à G. B., 1969,* Plon, 1972. — Henri Guillemin, *Regards sur B.,* Gallimard, 1976. — Catalogue de l'exposition G. B., Bibliothèque nationale, 1978. — Philippe Le Touzé, *Le Mystère du réel dans les romans de B.,* Nizet, 1979. — Joseph Jurt, *La Réception de la littérature par la critique journalistique, lectures de B. 1926-1936,* J.-M. Place, 1980. — Michel Estève, *G. B., un triple itinéraire,* Hachette, 1981. — Peter C. Hoy, *G. B. (critique 1976-1981),* Minard, 1987. — *B. : continuités et ruptures. Actes du Colloque international, Nancy,* juin 1987, P.U. de Nancy, 1988.

BILLETDOUX (FRANÇOIS) [Paris, 1927]. Homme de radio et de télévision, Billetdoux est avant tout homme de théâtre. Ancien élève de l'I.D.H.E.C., romancier avec malice (*L'Animal,* 1955, *Royal Garden Blues,* 1957, et *Brouillon d'un bourgeois,* 1961), il a été producteur-réalisateur à la radio française, directeur des programmes artistiques de la R.T.F. à la Martinique, puis directeur des programmes de la Société de radio-diffusion d'outre-mer. C'est en 1959 qu'il remporte son premier vrai succès au théâtre avec *Tchin-tchin,* comédie pour laquelle il reçoit le prix U et le prix Lugné-Poë. Son théâtre paraîtra en volume : Théâtre I — *A la nuit, la nuit, Le Comportement des époux Bredburry, Va donc chez Törpe* (1961) ; Théâtre II — *Pour Finalie, Comment va le monde, Mòssieu ? Il tourne Mòssieu ! Il faut passer par les nuages* (1964). — Sa fille, Raphaële Billetdoux, romancière, a reçu le prix Interallié 1976 pour son roman *Prends garde à la douceur des choses,* Le Seuil, 1976.

BLANCHOT (MAURICE) [Quain, 1907]. Il débute en collaborant au *Journal des Débats,* à *L'Insurgé* et à *Aux écoutes.* Pendant la guerre, il mène une vie retirée et publie la première version de *Thomas l'Obscur* (1941), puis un roman, *Aminadab* (1942). En 1945, il devient membre du jury du prix des Critiques. Il publie des récits : *Le Dernier Mot* (1947), *L'Arrêt de mort* (1948), *Celui qui ne m'accompagnait pas* (1953), *Le Dernier Homme* (1957), *L'Attente, l'Oublie* (1962). Dans son œuvre, Blanchot en revient toujours à la problématique du langage et de l'être. Ce maître à penser a publié aussi de nombreux essais dont : *Lautréamont et Sade* (1949), *L'Espace littéraire* (1955), *Le Livre à venir* (1959). Son œuvre restée longtemps obscure attirera l'attention de la critique à partir des années 1960, Blanchot apparaissant alors comme l'écrivain ayant poussé le plus loin, tant comme critique que comme romancier, la réflexion sur l'acte même d'écriture. En 1980, *L'Écriture du désastre* donna à sa pensée un caractère gnostique.
Bibl. : voir Bibliographie générale.

BLONDIN (ANTOINE) [Paris, 1922]. Lauréat du concours général, il prépare une licence de philosophie, mais en 1943 il est envoyé en Autriche au titre du service du travail obligatoire (S.T.O.). En 1949, il obtient le prix des Deux-Magots pour son roman *L'Europe buissonnière.* Il publie ensuite *Les Enfants du bon Dieu* (1952), *L'Humeur vagabonde* (1955). Il obtiendra le prix Interallié pour *Un singe en hiver* (1959).
Bibl. : *Livres de France,* n° spécial, mai 1963.

BONNEFOY (YVES) [Tours, 1923]. Penseur, critique d'art, traducteur de Shakespeare, poète surtout, Y. B., après des études de mathématiques et de philosophie, fréquente à Paris le groupe des surréalistes. En 1953, il publie sa première œuvre, *Du mouvement et de l'immobilité de Douve,* suivie de *Hier régnant désert* (1958), *Pierre écrite* (1965), *Dans le leurre du seuil* (1975) ; *Poèmes* (1978) rassemble tous les recueils. Y. B. obtint en 1959 le prix de la Nouvelle Vague pour son essai *L'Improbable.* En 1967, il fonde avec Gaëtan Picon, André du Bouchet et Louis-René des Forêts la revue *L'Éphémère,* consacrée à la poésie. *Le Nuage rouge, essais sur la poétique* (1977).
Bibl. : Gaëtan Picon, *L'Usage de la lecture* (t. I), Mercure de France, 1961. — Jean-Pierre Richard, *Onze Études sur la poésie moderne,* Seuil, 1964. — John E. Jackson, *Y. B.,* « Poètes d'aujourd'hui », Seghers, 1976. — *L'Arc,* n° 66, 1976. — « An Homage to French Poet Y. B. », *World Literature today,* Summer, 1979. — *Poétique et poésie d'Y. B.* (Université de

Pau), Didier/Érudition, 1983. — *Y. B.* Colloque de Cerisy, août 1983, *Sud,* 3e trimestre 1985.

BOSCO (HENRI) [Avignon, 1888 — Nice, 1976]. Son œuvre a été profondément marquée par la Provence. Agrégé d'italien, il enseignera jusqu'à l'heure de la retraite en 1945, l'année même où il obtiendra le prix Renaudot pour *Le Mas Théotime.* De son œuvre, on retiendra surtout *L'Ane culotte* (1937), *Malicroix* (1948), qui lui vaudra le prix des Ambassadeurs, et *Sites et Mirages* (1951), un livre d'impressions sur l'Algérie. L'œuvre de Bosco est en retrait et tout imprégnée d'occultisme.
Bibl. : Jean Lambert, *Un Voyageur des deux mondes,* Gallimard, 1952. — Jean Susini, *H. B.*, Alès, Brabo, 1959. — « Hommage à H. B. pour ses quatre-vingts ans », publié par l'*Astrado Prouvençalo,* Toulon, 1972. — *Le Réel et l'imaginaire dans l'œuvre de H. B. Actes du colloque de Nice (mai 1975),* J. Corti, 1976. — *L'Art de H. B. Actes du IIe colloque international H. B.* (Nice, 4-5 mai 1979), J. Corti, 1981. — *H. B. Mystère et spiritualité. Actes du IIIe colloque international...* (Nice, mai 1986), J. Corti, 1987. — *Cahiers de l'Amitié H. B.* (depuis 1973), Nice.

BOSQUET (ALAIN) (pseud. d'Anatole Bisk) [Odessa, Russie, 1919]. « Homme de partout et de nulle part », Bosquet est né en Russie pendant la Révolution. Élevé en Belgique, il combat pour la France libre en 1941-1942. Ensuite, à New York, il devient secrétaire de rédaction du journal *La Voix de la France.* C'est là qu'il fait la connaissance d'André Breton, de Saint-John Perse, de Salvador Dali. En 1945, il publie un premier recueil de poèmes, *La Vie est clandestine.* En 1952, il recevra le prix Apollinaire pour *Langue morte,* en 1957 le prix Sainte-Beuve pour *Premier Testament,* en 1960 le prix Max Jacob pour *Deuxième Testament,* en 1962 le prix Femina-Vacaresco pour son essai *Verbe et Vertige,* en 1966 le prix Interallié pour son roman *La Confession mexicaine,* en 1968 le grand prix de poésie de l'Académie française. *Le Livre du doute et de la grâce* paraît en 1976. En 1977, il donne une première anthologie de ses poèmes : *Poèmes, un (1945-1967).* Il a exercé une influence en tant que traducteur, critique d'art et critique littéraire, et a joué auprès des poètes le rôle d'intermédiaire et de découvreur.
Bibl. : Charles Le Quintrec, *A. B.*, Seghers, 1964. — *A. Bosquet* [bibl.], P. Belfond, 1979. — *Sud,* nos 53-54, sept. 1984.

BOUSQUET (JOË) [Narbonne, 1897 — Carcassonne, 1950]. Pendant la guerre de 1914, il tombe blessé d'une balle qui lui sectionne la moelle épinière. Le poète restera cloué sur son lit de souffrance jusqu'à sa mort. La littérature est son salut. Il signe les manifestes du surréalisme, se lie avec le poète Alibert et l'équipe des *Cahiers du Sud.* En 1930, il publie un essai, *Voie libre* ; en 1931, *Il ne fait pas assez noir* et, en collaboration avec Suarès et Daumal, *La Comédie psychologique*. En 1936, un roman : *La Tisane de sarments*. Pendant la guerre, Aragon, Elsa Triolet, J. Benda séjournent auprès de lui. En 1941, il publie *Traduit du silence, pages de journal*. Il meurt en 1950, emporté par une crise d'urémie.

Bibl. : Suzanne André, Hubert Juin et Gaston Massat, *J. P.*, Seghers, 1972. — « J. B. ou le Recours au langage » dans *Cahiers du Sud*, n°s 362-363. — *J. B.* présenté par Michel Maurette, « Visages de ce temps », Rodez, Subervie, 1963. — Adriano Marchetti, « La *Blessure* di J. B. : punto prospettico della materia invisibile », *Francofonia*, 2, 1982 [avec bibl.]. — *L'Œuvre romanesque complète* a été publiée par R. Nelli, A. Michel, 1979.

BRASILLACH (ROBERT) [Perpignan, 1909 — Montrouge, 1945]. Fils d'officier, il entre à l'École normale supérieure en 1928 et se lie d'amitié avec Roger Vailland, Thierry Maulnier et Maurice Bardèche qui, par la suite, deviendra son beau-frère. En 1932, il entre à *L'Action française* et publie chaque semaine ses « Causeries littéraires ». Il publie ses premiers romans, *Le Voleur d'étincelles* (1932), *L'Enfant de la nuit* (1934), *Le Marchand d'oiseaux* (1936), *Comme le temps passe* (1937). En 1936, il entre à *Je suis partout*, dans l'équipe de Pierre Gaxotte. Deux ans plus tard, il assiste au congrès de Nuremberg. Mobilisé en 1939, il est fait prisonnier, puis libéré en 1941 ; il occupe alors un poste à la direction du cinéma, et accompagne Abel Bonnard à Weimar au Congrès des écrivains allemands. Il se rend avec F. de Brinon en Russie auprès de la Légion des volontaires français contre le bolchevisme. Du 14 août au 14 septembre 1944, il se cache dans Paris, puis se livre à la justice. Son procès s'ouvre en 1945, il sera fusillé le 6 février. Outre son œuvre de romancier, il a composé de nombreux essais, dont *Corneille* (1938), une *Anthologie de la poésie grecque* (posth. 1950), *Histoire du cinéma*, avec Maurice Bardèche (1935) et *Notre Avant-Guerre* (1941).

Bibl. : René Pellegrin, *Un Écrivain nommé B.*, Laval, Centre d'études nationales, 1965. — *Hommages à R. B., Cahiers des Amis de R. Brasillach*, n°s 11-12, Lausanne, 1965. — Gérard Sthème de Jubécourt, *R. B. critique littéraire*, publié par Les Amis de R. Brasillach, Lausanne, 1972. — William R. Tucker : *The Fascist ego. A political biography of R. B.*, Berkeley, University of California Press, 1975. — Anne Brassié, *R. B. ou Encore un instant de bonheur*, Laffont, 1987.

BRETON (ANDRÉ) [Tinchebray, 1896 — Paris, 1966]. Son histoire se confond avec celle du mouvement surréaliste dont il a été le fondateur, le théoricien et le mainteneur. Mobilisé en 1914, il est versé dans les services neuro-psychiatriques, ce qui l'amène à pressentir l'importance de la psychanalyse. En 1919, il fonde avec Aragon et Soupault la revue *Littérature*. En 1924, c'est la publication du *Premier Manifeste du surréalisme*, puis la fondation de la revue *Le Surréalisme au service de la révolution*. Breton publie *Les Vases communicants* (1932), *Position politique du surréalisme* (1935). Il rompt alors avec le parti communiste dont il s'était un moment rapproché. 1937 : *L'Amour fou* ; 1940 : la première édition de *L'Anthologie de l'humour noir*. Pendant la guerre, mal vu par le régime de Vichy, Breton s'embarque pour les États-Unis (mars 1941). A New York il organise avec Marcel Duchamp une exposition, fonde la revue *Triple V* et publie *Prolégomènes à un troisième manifeste du surréalisme ou non*. De retour à Paris, il fait paraître en 1947 l'*Ode à Charles Fourier* et *Arcane 17*. Le groupe surréaliste se reconstitue autour de lui, mais il reste peu de compagnons de la première heure. Le mouvement prend parti avec fougue dans tous les domaines, aussi bien en matière de littérature et d'art que de politique. Mais les grands moments du surréalisme demeurent ses expositions conçues comme une sorte de spectacle total (il s'en tiendra à Paris en 1947, en 1959, et en 1965). *Clair de Terre* (1966) et *Signe ascendant* (1968) contiennent ses poèmes.

Bibl. : voir Bibliographie générale.

BUTOR (MICHEL) [Mons-en-Barœul, 1926]. Élève des Jésuites, il poursuit ses études au lycée Louis-le-Grand. Après avoir fait des études de philosophie à la Sorbonne, il enseigne à Minieh (Égypte), à Manchester et à Salonique. Il est actuellement professeur de littérature française à Genève. C'est en 1954 qu'il publie *Passage de Milan*. Deux ans plus tard paraît *L'Emploi du temps* qui obtient le prix Fénéon. Il est alors reconnu comme un des chefs de file de la génération de 1950 qui se propose de renouveler le roman. En 1957, il reçoit le prix Renaudot pour *La Modification*. *Répertoire I* (1960) obtiendra le grand prix de la Critique littéraire. Il publiera la même année *Degrés*, et en 1961, *Histoire extraordinaire*, consacrée à Baudelaire. Il écrira, en collaboration avec Henri Pousseur, un opéra, *Votre Faust* (1962). Poursuivant son œuvre d'essayiste, il publiera, pour la littérature, *Répertoire I à IV* (1964-1976) et pour la peinture, *Illustrations I à IV*. Il écrira aussi des stéréoscopies, œuvres à plusieurs paliers, exigeant du lecteur une participation active : *Mobile* (1962), *Réseau aérien* (1962), *6 810 000 litres d'eau par seconde* (1965). Il a été considéré avec Robbe-Grillet comme l'un des porte-parole du « nouveau roman ». A la suite des grands expérimentateurs comme Marcel Duchamp et Francis Picabia, Butor a cherché des modes nouveaux de représentation de la réalité, tel le « livre » *U.S.A. 76*, coffret en altuglas bleu, réalisé en collaboration avec le peintre Jacques Monory, et dans lequel il a rassemblé des objets, des sérigraphies et des textes qui doivent stimuler l'activité du « lecteur ». En 1975, Butor entreprend une « introspection » avec *Matière de rêves,* suivi de *Second Sous-Sol* (1976).

Bibl. : Barbara Mason, *M. B. A Checklist,* Londres, Grant and Cutler, 1979. R.-M. Albérès, *M. B.*, Éd. Universitaires, 1964. — Jean Roudaut, *M. B. ou le Livre futur,* Gallimard, 1964. Georges Raillard, *B.* Gallimard, 1968. — Françoise Van Rossum-Guyon, *Critique du roman (essai sur La Modification),* Gallimard, 1970. — Lucien Dällenbach, *Le Livre et ses Miroirs dans l'œuvre romanesque de M. B.*, Lettres modernes, 1972. — *B.*, coll. de Cerisy (24 juin-1er juil. 1973), « 10/18 », U.G.E., 1974. — Jennifer Waelti-Walters, *M. B. : A Study of his View of the world and a Panorama of his Work 1954-1974,* Victoria, B. C., Sono Nis Press, 1977. — M. B. Issue, *World Literature today,* printemps 1982. — *M. B. Regards critiques sur son œuvre, Œuvres et critiques,* 1985, n° 2. — *B. Studies Kentucky Romance Quarterly,* 1985, n° 1. — Skimas et Bernard Teulon-Nouailles, *M. B. Qui êtes-vous ?,* La Manufacture, 1988.

CADOU (RENÉ-GUY) [Sainte-Reine-de-Bretagne, 1920 — Louisfert, 1951]. Il était le fils d'un instituteur amoureux de la nature et des choses simples. C'est la mort de sa mère qui lui inspirera ses premiers poèmes. Il a dix-sept ans en 1937 quand paraît son premier recueil, *Les Brancardiers de l'aube.* Pendant la guerre, il se lie avec les poètes de l'École de Rochefort. Il subit alors l'influence de Max Jacob et publie *Bruits du cœur* et *Lilas du soir* (1942). Après la guerre, devenu instituteur près de Nantes, il écrit un roman, *La Maison d'été,* qui paraîtra après sa mort (1955), de même que les deux recueils de poèmes qui paraîtront sous le titre de *Hélène ou le règne végétal* (tome I, 1952 ; tome II, 1953).

Bibl. : une nouvelle édition de ses œuvres poétiques complètes a été publiée en 1977 (*Poésie, la vie entière*). — *Cahier de l'Herne,* n° 1, 1961. — Catalogue de l'exposition R.-G. C., Maison de la culture de Bourges, 1965. — Michel Manoll, *R.-G. C.*, Seghers, 1969. — Christian Moncelet, *Vie et Passion de R.-G. C.*, Bof, La Roche blanche, 63270 Le Centre, 1975. — *R.-G. C.*, Colloque, Nantes, 1981, Université de Nantes, 1982.

CAILLOIS (ROGER) [Reims, 1913 — Paris, 1978]. Philosophe, sociologue, traducteur, essayiste, il s'est intéressé aux aspects culturels de la politique internationale ; il a dirigé la revue des sciences humaines *Diogène,* patronnée par l'U.N.E.S.C.O. En cette qualité, il a accompli de nombreuses missions à travers le monde, notamment en Amérique latine. Le champ de ses essais recouvre l'ensemble des problèmes de l'anthropologie contemporaine, saisis dans leurs rapports avec la biologie et avec leurs aspects cosmologiques. C'est un essayiste typique dans le sens où l'essai est un approfondissement intellectuel par mise en relations complexes qui refusent de se laisser systématiser, et une vision implicite du monde et de l'homme dans leur richesse créatrice. Parmi les œuvres les plus significatives de cet anti-genre de notre modernité, citons *Le Mythe de l'homme* (1938), *L'Homme et le Sacré* (1939), *Les Impostures de la poésie* (1943), *Babel* (1948), *Bellone ou la Pente de la guerre* (1963), *Au cœur du fantastique* (1965), *Pierres* (1965), *Poétique de Saint-John Perse* (1954), *Pierres réfléchies* (1975). Roger Caillois avait été élu membre de l'Académie française en 1973.

Bibl. : Alain Bosquet, *R. C.*, 1971. — *La Nouvelle Revue française*, sept. 1979. — *Pour un temps/R. C.* [bibl.], Centre G. Pompidou/Pandora, 1981.

CAMUS (ALBERT) [Mondovi, Algérie, 1913 — près de Villeblevin, 1960]. Camus restera toujours très attaché à sa terre natale. Après des études de philosophie qu'il ne pourra mener à leur terme pour des raisons de santé, il fonde en 1937 une compagnie de théâtre amateur, *L'Équipe*, et entre comme rédacteur au journal *Alger républicain*. Il publie *L'Envers et l'Endroit* (1937) et, un an plus tard, *Noces* (1938). En 1942, il fait paraître *L'Étranger* et *Le Mythe de Sisyphe*. Il participe avec Pascal Pia à la Résistance au sein du groupe *Combat*, et à la Libération il prend avec lui la direction du journal *Combat*. En 1947, *La Peste* est salué comme le grand livre de l'après-guerre. En 1951, lorsque paraît *L'Homme révolté*, une querelle l'oppose à Sartre, ce dernier lui reprochant une « attitude idéaliste, moraliste, anticommuniste ». La guerre d'Algérie lui pose un cas de conscience et les positions qu'il est amené à prendre lui aliènent une partie de l'opinion de gauche. En 1956, il publie *La Chute*, suivie de nouvelles, *L'Exil et le Royaume*. Controversé, mais sans doute l'un des plus grands écrivains de l'après-guerre, il reçoit en 1957 le prix Nobel, trois ans avant sa mort accidentelle.

Bibl. : voir Bibliographie générale.

CASSOU (JEAN) [Bilbao, Espagne, 1897-1986]. Poète, essayiste, sociologue, moraliste, polémiste, historien et traducteur accompli, Jean Cassou commence sa carrière en assumant quelque temps le secrétariat du *Mercure de France*. En 1936, il est membre du cabinet de Jean Zay, assume la direction de la revue *Europe*, et se rend en Espagne pour y saluer la victoire du Front populaire. Mis à la retraite d'office en 1940, il participe à la Résistance. A son arrestation, en 1941, on doit *Trente-Trois Sonnets composés au secret*, qui paraîtront en 1944. Auteur d'une œuvre romanesque importante — *Éloge de la folie* (1925), *Les Harmonies viennoises* (1926), *La Clef des songes* (1929), *Les Inconnus dans la cave* (1933), *Légion* (1939) —, Cassou poursuivra après la guerre son œuvre d'essayiste — *Parti pris* (1964) — et de critique d'art — *Situation de l'art moderne* (1950), *Panorama des arts plastiques contemporains* (1960). Longtemps conservateur du Musée d'art moderne, il entre en

1965 à l'École pratique des hautes études, est élu à l'Académie royale de Belgique et reçoit en 1967 le prix Prince Pierre de Monaco. En 1981, il évoque ses engagements sur le plan culturel et politique dans *Une Vie pour la liberté.*
Bibl. : Pierre Georgel, *J. C.*, Seghers, 1967.

CAYROL (JEAN) [Bordeaux, 1911]. Il fonde en 1926 une revue littéraire, *Abeilles et Pensées.* Après son service militaire, il publie ses premiers poèmes. Arrêté en 1942, il est déporté au camp de Mathausen. Poète témoin des souffrances de l'homme, il écrit *Poèmes de la nuit et du brouillard* (1946). En 1947, il publie *Je vivrai l'amour des autres* et *On vous parle* qui obtient le prix Renaudot. Tout en poursuivant son œuvre de poète (*Les mots sont aussi des demeures,* 1952), de romancier (*La Gaffe,* 1957 ; *Les Corps étrangers,* 1959 ; *Midi minuit,* 1966), d'essayiste (*Lazare parmi nous,* 1950) et de directeur littéraire aux éditions du Seuil, il devient membre en 1950 du jury du prix Vigo et de la Fondation Del Duca, et se lance dans le cinéma : il collabore au film de Resnais, *Nuit et Brouillard,* tourne *Muriel* et réalise *Le Coup de grâce.* En 1968, il obtient le prix Prince Pierre de Monaco pour l'ensemble de son œuvre qui ne cesse de se développer (*Histoire d'une prairie,* 1970 ; *Histoire d'un désert,* 1972 ; *Histoire de la forêt,* 1975 ; *Histoire d'une maison,* 1976).
Bibl. : Daniel Oster, *J. C. et son œuvre,* Seuil, 1968.

CÉLINE (LOUIS-FERDINAND) (pseud. de Louis Destouches) [Courbevoie, 1894 — Meudon, 1961]. En novembre 1914, il est grièvement blessé. Il est réformé et voyage en Afrique et aux États-Unis. Après l'armistice, il poursuit ses études de médecine. De 1925 à 1928, il sera médecin attaché à la S.D.N. à Genève. C'est en 1932 qu'il publie *Voyage au bout de la nuit.* Ce premier livre a un énorme retentissement. *Mort à crédit,* paru en 1936, confirme son talent. Mais bientôt, il s'aliène les sympathies de la gauche, surtout après la publication de *Bagatelles pour un massacre* et de *L'École des cadavres* (1937) où s'affirme son antisémitisme. La même année, après son retour d'U.R.S.S., il fait paraître *Mea culpa ;* désormais entre cet anarchiste-né et une certaine gauche révolutionnaire le divorce est consommé. Il publie *Les Beaux Draps* (1941) et *Guignol's Band* (1944). A la fin de la guerre, il s'enfuit, via l'Allemagne, vers le Danemark où il est arrêté et incarcéré pendant dix-sept mois. En 1951, date de son retour en France, il s'établit à Meudon où il exerce la médecine. Poursuivant la transformation de l'écriture romanesque annoncée déjà dans *Voyage au bout de la nuit,* il publie romans, récits, essais divers : *Casse-pipe* (1952), *Féerie pour une autre fois, II* (1954), *Entretiens avec le professeur Y* (1955), *D'un château l'autre* (1957), *Ballet sans musique, sans personne, sans rien* (1959), *Nord* (1960). Après sa mort, paraîtront *Le Pont de Londres* (1964) et *Rigodon* (1969). A partir des

années soixante, l'œuvre de C. sort de l'ombre et s'affirme comme l'une des plus significatives de l'époque.
Bibl. : voir Bibliographie générale.

CÉSAIRE (AIMÉ) [Basse-Pointe, 1913]. Étudiant à Paris, il fait la connaissance de Senghor et fonde avec ce dernier un journal : *L'Étudiant noir*. Après son passage à l'École normale supérieure, il revient à la Martinique en 1940 et enseigne au lycée de Fort-de-France. C'est alors qu'il donne ses premiers textes dans la revue *Tropiques*. Poète, il publie dès après la guerre, *Les Armes miraculeuses* (1946), *Soleil cou coupé* (1948), *Corps perdu* (1950), *Cahier d'un retour au pays natal* (1956), *Ferrements* (1959), *Cadastre* (1961). De son œuvre de dramaturge on retiendra *La Tragédie du roi Christophe* (1963), *Une Saison au Congo* (1967). Césaire, dès 1946, a été élu député de la Martinique. Poète de la révolte des Noirs contre l'emprise de la culture des Blancs, c'est lui qui a lancé le terme de « négritude », orchestré par Senghor.
Bibl. : Thomas A. Hale, *Les Écrits d'A. C.*, bibliographie commentée, Montréal, Presses de l'Université, 1978. — Hubert Juin, *A. C.*, Présence africaine, 1951. — Lylian Kesteloot et Barthélemy Kotchy, *A. C.*, Présence africaine, 1973. — Rodney Harris, *L'Humanisme dans le théâtre d'A. C.*, Sherbrooke (Québec), Naaman, 1973. — Frederick Tvor Case, *A. C. : Bibliographie*, Toronto, Manna Publishing, 1973. — Bernadette Cailler, *Proposition poétique. Une lecture de l'œuvre d'A. C.*, Sherbrooke (Québec), Naaman, 1976. — *Soleil éclaté. Mélanges offerts à A. C.*, éd. J. Leiner, Tübingen, Narr, 1984. — *A. C. ou l'athanor d'un alchimiste. 1er colloque international sur l'œuvre littéraire d'A. C.*, Paris, 1985, Études caribéennes ; A.C.C.T., 1987.

CHAR (RENÉ) [L'Isle-sur-Sorgue, 1907-1988]. En 1928, il publie ses premiers poèmes, *Les Cloches sur le cœur*, puis il « monte » à Paris où, par l'intermédiaire d'Éluard, il rencontre Aragon, Breton, et collabore au nº 12 de *La Révolution surréaliste*. Avec Éluard et Breton il publie *Ralentir travaux* (1930). C'est en 1934 qu'il fait paraître *Le Marteau sans maître*. Ensuite il s'éloigne du surréalisme. Pendant la guerre, dénoncé comme communiste en raison de ses activités au sein du groupe surréaliste, il adhère à l'Armée secrète. En 1944, il se rend à Alger où il est affecté à l'état-major interallié d'Afrique du Nord. Après la guerre, il publie *Feuillets d'Hypnos*, écrits dans la clandestinité. L'essentiel de son œuvre a été édité sous les titres suivants : *La Parole en archipel, Fureur et Mystère* (1962), *Les Matinaux, Commune présence* (1964), *Recherche de la base et du sommet, Retour amont* (1966). Il a reçu en 1966 le prix des Critiques pour l'ensemble de son œuvre. Poète difficile, René Char a su mettre entre soi et les autres la différence qui naît de la rigueur.

Bibl. : *L'Arc*, n° 22 juin 1963. — Catalogue de l'exposition Georges Braque et R. C., Bibliothèque littéraire Jacques Doucet, 1963. — Pierre-André Benoît, *Bibliographie des œuvres de R. C. de 1928 à 1963* ; Le Demi-jour, 1964. — Pierre Guerre, *R. C.*, Seghers, 1972. — Cahier de l'Herne, n° 15, R. C., L'Herne, 1971. — Georges Mounin, *La Communication poétique,* précédé de *Avez-vous lu C. ?*, Gallimard, 1966. — Catalogue de l'exposition R. C., Fondation Maeght, Saint-Paul-de-Vence, Alpes-Maritimes, 1971. — Mary Ann Caws, *The Presence of R. C.*, Princeton, Princeton U.P., 1976. M. A. Caws, *R. C.*, Boston, Twayne, 1977. — Catalogue de l'exposition R. C., *Manuscrits enluminés par des peintres du XXe siècle*, Bibliothèque nationale, 1980. — *R. C. Actes du colloque de Tours* (juin 1983), *Sud,* novembre 1984. — Jean-Claude Mathieu, *La Poésie de R. C. ou le sel de la splendeur,* J. Corti, 1984/5, 2 vol. — Serge Velay, *R. C. Qui êtes-vous ?,* La Manufacture, 1987. — Christine Dupouy, *R. C.*, Belfond, 1987. — *E,* janvier-février 1988.

CHARDONNE (JACQUES) (pseud. de Jacques Boutelleau) [Barbezieux, 1884 — La Frette, Val d'Oise, 1968]. Il rejettera le catholicisme de sa mère comme le protestantisme de son père et mènera la vie d'un grand bourgeois agnostique. Réformé en 1914, il se fixera en Suisse pendant toute la durée de la guerre et c'est là qu'il composera la première partie d'*Epithalame*, roman publié en 1921, et pour lequel il obtient le prix Femina-Vie heureuse. En 1932, après la publication de *Claire,* il obtient le Grand Prix du roman de l'Académie française. De 1934 à 1936, paraîtront les trois volets d'une trilogie intitulée *Les Destinées sentimentales.* Pendant la Seconde Guerre mondiale, il publie *Les Chroniques* (1941) et *Attachements* (1942). Son fils est déporté. A la Libération, lui-même est arrêté pour avoir publié des livres sous l'occupation, mais il est aussitôt relâché. En 1951, il confie aux Éditions Albin Michel le soin de publier ses œuvres complètes.

Bibl. : Marcel Arland, « J. C. et le bonheur », dans *Nouveaux Essais critiques,* Gallimard, 1952. — Ginette Guitard-Auviste, *La Vie de J. C. et son Art,* Grasset, 1953. — Pol Vandromme, *J. C., c'est beaucoup plus que C.,* Lyon, Vitte, 1962. — Catalogue de l'exposition J. C., Bibliothèque nationale, 1984.

CHEDID (ANDRÉE) [Le Caire, 1920]. Née dans une famille d'ascendance libanaise, elle fait ses études à l'Université américaine du Caire. Après un premier recueil de poèmes en anglais, *On the Trails of my Fancy* (1943), elle choisit d'écrire en français. Venue en France en 1946 (elle prendra la nationalité française en 1962), elle y publiera son œuvre de poète : *Textes pour le vivant* (1953), *Double-Pays* (1965), *Contre-Chant* (1968), *Visage premier* (1972). En 1972, elle obtiendra l'Aigle d'or de la poésie au Festival international du livre à Nice. Poète, mais aussi romancière (*Le Sixième Jour,* 1960 ; *L'Étroite Peau,* 1965 ; *La Cité fertile,* 1972 ; *Les Marches de sable, 1981*), elle a écrit pour le théâtre (Le Montreur).

Bibl. : Jacques Isoard, *A. C.*, « Poètes d'aujourd'hui », Seghers, 1977. — Bettina Knapp, *A. C.,* Amsterdam, Rodopi, 1984.

CIORAN (ÉMILE-M.) [Rasinari, Roumanie, 1911]. Fils d'un prêtre orthodoxe, il étudie la philosophie à Bucarest. En 1937, il obtient une bourse et vient se fixer à Paris. C'est en 1947 que ce moraliste commence à écrire en français. Ses deux premiers livres le rendront célèbre : *Précis de décomposition* (1949) et *Syllogismes de l'amertume* (1952), auxquels s'ajouteront *La Tentation d'exister* (1956), *Histoire et Utopie* (1960), *La Chute dans le temps* (1964), *Le Mauvais Démiurge* (1969), *De l'inconvénient d'être né* (1975). Tenant de la « volonté d'impuissance », il s'est voulu le continuateur, et par là même le négateur, de Nietzsche. Réactionnaire et anarchiste à la fois, il se souvient de Joseph de Maistre dont il a présenté avec vigueur et brio des textes choisis (1957).

Bibl. : Henri Amer, « *C., maître ès décadences* », dans *N.R.F.*, 1961.

CIXOUS (HÉLÈNE) [Oran, 1937]. Jeune écrivain, elle a déjà su construire une œuvre dont elle dira : « Je vise un espace que je remplis. » Universitaire brillante, elle a enseigné à Nanterre, participé à la « révolution de Mai », soutenu une thèse de doctorat sur James Joyce, fondé avec Gérard Genette et Tzvetan Todorov *Poétique.* Son premier roman, *Dedans,* a obtenu le prix Médicis en 1969. Elle publiera ensuite *Le Troisième, Les Commencements* (1970), puis *Neutre* (1972), *Tombe* (1973), *Révolution pour plus d'un Faust* (1975) et *Ananké* (1979). Elle a fait au théâtre ses débuts avec *Le Portrait de Dora* (1973).

COCTEAU (JEAN) [Maisons-Laffitte, 1889 — Milly-la-Forêt, 1963]. Pour le début de la biographie, voir le volume de P.-O. Walzer, p. 365.

En 1922, Cocteau publie *Thomas l'Imposteur.* Il poursuit son œuvre de poète : *Plain-Chant* (1923), *Opéra, Œuvres poétiques* (1927). Déprimé et atteint de troubles nerveux, il s'adonne à l'opium et subit en 1925 une cure de désintoxication. Il correspond avec Maritain, fait la rencontre de Christian Bérard, se réconcilie avec Stravinski, et rompt avec les surréalistes. 1926 : représentation de sa pièce, *Orphée*, au théâtre des Arts. 1929 : il écrit *Les Enfants terribles.* En 1932, il tourne son premier film, *Le Sang d'un poète.* Deux ans plus tard, il fait jouer à la Comédie des Champs-Elysées *La Machine infernale.* En 1936, à la suite d'un pari, il fait « un tour du monde en quatre-vingts jours ». Pendant la guerre, il tourne un film, *L'Éternel Retour* (1943). Ensuite, cinéaste, il donne *La Belle et la Bête* (1945), *L'Aigle à deux têtes* (1947), *Orphée* (1949), *Le Testament d'Orphée* (1959). Poète, il publie *Le Chiffre sept* (1952), *Clair-Obscur* (1954) et *Le Requiem* (1962). Deux volumes de son théâtre paraissent en 1948 : *Théâtre I (Antigone : Les Mariés de la tour Eiffel ; Les Chevaliers de la Table ronde ; Les Parents terribles),* et *Théâtre II (Les Monstres sacrés ; La Machine à écrire ; Renaud et Armide ; L'Aigle à deux têtes).* A l'âge de soixante-dix ans, il entreprend les fresques de la mairie de Menton et de la chapelle Saint-Pierre à Villefranche-sur-Mer. Membre de l'Académie royale de Belgique et de l'Académie française depuis 1955.

Bibl. : voir le volume de P.-O. Walzer, p. 365 et 366. Voir aussi Bibliographie générale.

COHEN (ALBERT) [Corfou, Grèce, 1895 — Genève, 1981]. Il descend d'une famille juive de Céphalonie qui a émigré dans le sud de la France. Études secondaires à Marseille, puis faculté de droit de Genève. Il travaille au Bureau international du travail de 1926 à 1930. Il est de 1943 à 1947 conseiller juridique du Comité intergouvernemental pour les réfugiés, et, de 1947 à 1950, directeur du service « Protection juridique et politique des réfugiés » aux Nations unies. Sa valeur littéraire est tôt reconnue par Jacques Rivière, et son œuvre romanesque est publiée par Gallimard. Elle commence en 1930 avec *Solal* (*Solal et les Solal,* t. I), suivi en 1938 par *Mange-clous* (*Solal et les Solal,* t. II) et de *Belle du Seigneur* en 1968, roman pour lequel lui est décerné le grand prix de littérature de l'Académie française. L'année suivante, il donne *Les Valeureux,* et dix ans après, en 1979, *Carnets 1978.* Écrivain discret, en marge de la scène littéraire et de ses agitations, il offre une œuvre subtile, pénétrante, généreuse, soulevée par l'espérance et l'amour.

Bibl. : Gérard Valbert : *A. C. ou le Pouvoir de vie,* Lausanne, L'Age d'homme, 1981. — Jean Blot, *A. C.,* Balland, 1986.

COPEAU (JACQUES) [Paris, 1877 — Beaune, 1949]. Après avoir fait des études juridiques, il abandonne la carrière industrielle à laquelle le destinait sa famille. Il commence par la critique dramatique. En 1909, il participe à la fondation de la *Nouvelle Revue française.* Dès cette époque, ses articles invitent à une réforme totale, à la fois esthétique et morale, du théâtre. Pour éprouver ses idées, il crée en 1913 le théâtre du Vieux-Colombier et, pour cette rénovation théâtrale, il fait appel à l'élite de la littérature parisienne. Jusqu'en mai 1914, il donne *La Nuit des rois* de Shakespeare, *Le Carrosse du Saint-Sacrement* de Mérimée, *Cromedeyre-le-Vieil* de J. Romains, *Saül* d'André Gide. Lui-même écrit une adaptation des *Frères Karamozov* de Dostoïevski. Après la guerre, en 1919, il rouvre le Vieux-

Colombier et joue en particulier *Le Misanthrope* et *Les Fourberies de Scapin* de Molière. Profondément religieux, il traverse une crise morale en 1924, abandonne le Vieux-Colombier. En Bourgogne, avec quelques disciples, il ouvre une école qui obéit à un rêve monastique et veut purifier la fonction humaine de l'acteur. Il forme une troupe itinérante, *Les Copiaux*. En 1936, il fait une rentrée parisienne, donne des conférences, fait quelques mises en scène (entre autres, *Bajazet* de Racine à la Comédie-Française).

Son influence personnelle, soutenue par quelques manifestes et articles, prolongée par des disciples fervents, tel son gendre Michel Saint-Denis, se fait encore sentir aujourd'hui, parallèle et parfois associée à celle d'Artaud. Son grand rêve, donner au théâtre une dignité nouvelle et à l'acteur un nouveau respect devant les autres et lui-même, est un retour à la source religieuse de la création artistique. Il est encore l'espoir d'une rénovation morale et culturelle, transfigurée par la foi qui animait les premières formes de théâtre grec et la dramatique médiévale.

Bibl. : Norman H. Paul, *Bibliographie J. C.*, Publications de l'université de Dijon, les Belles Lettres, 1979. — G. Lerminier, *J. C. le réformateur*, 1953. — France Anders, *J. C. et le Cartel des quatre*, Nizet, 1959. — G. Borgal, *J. C.* L'Arche, 1960.

CREVEL (RENÉ) [Paris, 1900-1935]. A la fin de ses études, il entreprend une thèse sur Diderot puis, avec Arland, Limbour, Morisse et Vitrac, il fonde la revue *Aventure*. C'est à la même époque, qu'il fait la rencontre d'Aragon, de Breton, de Soupault et de Tzara. Il adhère passionnément au surréalisme. Son premier roman, *Détours*, paraît en 1924. Atteint très tôt de tuberculose, il fait des séjours à la montagne. Il entreprend aussi une psychanalyse. Après le *Second Manifeste du surréalisme*, il est du petit nombre des fidèles. Il publie plusieurs romans, *Mon Corps et Moi* (1925), *La Mort difficile* (1926), *Babylone* (1927), *Êtes-vous fous ?* (1929) et un pamphlet virulent : *Le Clavecin de Diderot* (1932). Il publie son dernier roman, *Les Pieds dans le plat*, en 1933. Il est exclu du Parti communiste pour avoir signé le tract surréaliste *La mobilisation contre la guerre n'est pas la paix*. En 1934, il renoue avec le P.C. Le 18 juin 1935, il se donne la mort.

Bibl. : Claude Courtot, *R.C.*, Seghers, 1969. — Carlos Lynes : « R.C. vivant », dans *Entretiens sur les lettres et les arts*, n° 14, 1970, Rodez, subervie. — M. Bell Rochester, *R.C. Le Pays des miroirs absolus*, Saratoga, Anma Libri, 1978. — *E*, novembre-décembre 1985. — Michel Carassou, *R. C.*, Fayard, 1989.

CROMMELYNCK (FERNAND) [Bruxelles, Belgique, 1885-1970]. Fils de comédiens, Crommelynck fit jouer ses premières pièces dès avant 1914. Mais c'est en 1920 que Lugné-Poë monte et joue, au théâtre de l'Œuvre, *Le Cocu magnifique*, farce qui remporte un énorme succès. Puisant aux sources de la métaphore, il a su, en recourant au masque et au mensonge en tant que ressort dramatique, donner au théâtre du XXe siècle une dimension et un langage nouveaux. Son théâtre complet a été publié chez Gallimard. Ont paru en 1967 le tome I *(Le Cocu magnifique, Les Amants puérils, Le Sculpteur de masque)*, en 1968 le tome II *(Tripes d'or, Carine ou la Jeune Fille folle de son âme, Chaud et froid ou l'Idée de Monsieur Dom)*, en 1969 le tome III *(Le Chevalier de la lune ou Sir John Falstaff, Une femme qu'a le cœur trop petit)*.

Bibl. : Suzanne Lilar, *Soixante ans de théâtre belge*, Bruxelles, La Renaissance du livre, 2e édit. 1957. — Gisèle Féal, *Le Théâtre de C. Érotisme et Spiritualité*, Minard, 1976. — Bettina L. Knapp, *F. C.*, Boston, Twayne, 1978. — Catalogue de l'exposition F. C., Bruxelles, Bibliothèque royale Albert Ier, 1980. — Jeanine Moulin, *F. C. ou le Théâtre du paroxysme*, Bruxelles, A.R.L.L.F., 1986.

CURTIS (JEAN-LOUIS) (pseud. de Louis Laffitte) [Orthez, 1917]. En 1946, il obtient le prix Cazes pour *Les Jeunes Hommes* et en 1947 le prix Goncourt pour *Les Forêts de la nuit*. Agrégé d'anglais, il voyagera beaucoup pour le compte de l'Alliance française et enseignera en Amérique. Critique averti, traducteur et adaptateur de grand talent de la littérature anglo-saxonne (Shakespeare, Henry James...), Curtis a continué au fil des ans à écrire une œuvre de romancier-témoin, *Les Justes Causes* (1954), *Une Ame d'élite* (1956), *Un Saint au néon* (1956), *La Quarantaine* (1966), *Un jeune couple* (1967).

Bibl. : *Cahiers des Saisons*, n° 29, Juillard, 1962. — *Livres de France*, n° 6, Hachette, 1964.

DABIT (EUGÈNE) [Paris, 1898 — Moscou, U.R.S.S. 1936]. Homme de gauche, écrivain du peuple, artiste que « la bourgeoisie n'avait pas touché », Eugène Dabit naquit à Montmartre dans une famille d'ouvriers (père cocher-livreur ; mère couturière en confection). Apprenti ferronnier d'art, puis électricien au Nord-Sud, chômeur enfin, il s'engage en 1916 comme artilleur. C'est au front qu'il découvre Charles-Louis Philippe et que naît en lui le désir d'écrire. Il connaît des années très dures, puis, en 1927, il fait la rencontre d'André Gide et de Roger Martin du Gard. Il compose alors la première version d'*Hôtel du Nord* dont la publication lui vaudra en 1929 le prix Populiste. Paraissent ensuite *P'tit Louis* (1930), *Villa Oasis* (1932), *Un mort tout neuf* (1934), *La Zone verte* (1935). Il s'engage dans la voie des intellectuels de gauche mais refuse d'adhérer à un parti. En 1936, il accompagne Gide en U.R.S.S. ; il y meurt après avoir contracté le typhus.

Bibl. : Charles Vildrac, *L'Œuvre peinte d'E. D.*, Catalogue de l'exposition D. à la galerie Bernheim Jeune (1937). — N^os^ spéciaux de la *Nouvelle Revue française* (1er octobre 1936) et *Hommage à E. Dabit* (1939) et des *Cahiers de Paris* (septembre 1938). Pierre-Edmond Robert, *D'un hôtel du Nord l'autre — E. D. (1898-1936),* Univ. Paris VII, 1987.

DAUMAL (RENÉ) [Boulzicourt, 1908 — Paris, 1944]. Venu de Reims, où il a rencontré R. Gilbert-Lecomte et R. Vailland, il poursuit ses études au lycée Henri-IV où il a Alain pour professeur. Peu après, il crée avec ses amis la revue *Le Grand Jeu* (1928). En 1930, il rompt avec Breton et le surrréalisme et fait la rencontre décisive de Salzmann, disciple de Gurdjieff. Pendant une douzaine d'années il s'engage, pèlerin de l'absolu, sur la *voie* des initiés. En 1935, il obtient le prix Jacques Doucet pour son recueil de poèmes, *Le Contre-Ciel.* Il publie un récit, *La Grande Beuverie* (1938). Il fait partie un moment du comité de rédaction de la revue *Fontaine.* Il meurt, pauvre et miné par la tuberculose. En 1952, paraîtra *Le Mont Analogue*, son roman le mieux connu, puis *Chaque fois que l'aube paraît* (1953) et *Poésie noire, Poésie blanche* (1954).
Bibl. : « Il y a dix ans, R. D. », *Cahiers du Sud*, n° 322, Marseille, 1954. — Hermès, *La Voie de R. D. du Grand Jeu au Mont Analogue,* n° 5, Minard, 1967. — Jean Biès, *R. D.*, Seghers, 1973. — *R. D. ou le Retour à soi,* Éditions L'Originel, 1981.

DEGUY (MICHEL) [Paris, 1930]. Poète attentif, « à l'ombre de Virgile devenu voix de Virgile », Deguy, agrégé de philosophie, a publié *Meurtrières* (1959), puis *Fragments de cadastre* (1960), *Poèmes de la presqu'île* (1961), *Biefs* (1963), *Actes* (1966), *Ouï-dire* (1966). Collaborateur de *Critique* et de la *N.R.F.*, il a fondé la *Revue de Poésie,* organe de réflexion sur la poésie et les grands poètes.
Bibl. : Philippe Jaccottet, *L'Entretien des muses,* Gallimard, 1968. — Pascal Quignard, *M. D.*, Seghers, 1975. — Max Loreau, *M. D. La Poursuite de la poésie tout entière,* Gallimard, 1980. — *M. D.* Textes réunis par Daniel Leuwers, *Sud,* n° 78-79, 1988.

DELEUZE (GILLES) [Paris, 1925]. Professeur de philosophie, il est aujourd'hui l'un des maîtres à penser de la jeunesse et de l'avant-garde, surtout depuis la publication de *L'Anti-Œdipe* (1972), écrit en collaboration avec Félix Guattari. Ils se sont attaqués à la psychanalyse considérée comme une institution qui « empêche toute production de désir ». Ils ont pris aussi pour cible le langage signifiant, par lequel se perpétue l'obsession. Deleuze a derrière lui une œuvre importante : *Empirisme et Subjectivité* (1953), *Nietzsche et la philosophie* (1962), *La Philosophie critique de Kant* (1963), *Marcel Proust et les Signes* (1964), *Spinoza et le Problème de l'expression* (1964), *Différence et*

Répétition (1969). Enfin, en collaboration avec F. Guattari, en 1980, une étude nouvelle de la relation entre capitalisme et schizophrénie, intitulée *Mille Plateaux*.

DERRIDA (JACQUES) [Alger, 1930]. Agrégé de philosophie, docteur ès lettres, il enseigne actuellement à l'École normale supérieure. Ses premiers travaux le rattachent à Husserl dont il fait un examen critique dans *La Voix et le Phénomène* (1967). Ses positions personnelles commencent à s'affirmer dans *L'écriture et la différence* (1967) et *De la grammatologie* (1967). C'est alors qu'apparaît le mot clé d'une méthode qui prend sa source dans la pensée de Nietzsche et qui est une critique radicale de toutes les formes d'écriture philosophiques et littéraires : déconstruction. Ses livres et articles sont des illustrations de cette nouvelle pratique ; ils s'attaquent à la solution de problèmes difficiles soulevés par les textes des autres et par celui de l'auteur : de là un travail subtil de commentaire sur commentaire, métatextes, intertextes qui se manifestent en lectures superposées : tout texte, comme écriture, est une lecture, et toute lecture est déformante. La déconstruction des autres ne peut être valable que si elle est encore auto-déconstruction, et Derrida s'y exerce dans *La Dissémination* (1972), *Marges de la philosophie* (1972), *Glas* (1975), *L'Archéologie du frivole* (1976), *La Vérité en peinture* (1978), *La Carte postale* (1980).

La méthode déconstructionniste est très vite apparue comme un prolongement, sinon un dépassement, de la nouvelle critique et de ses applications structuralistes. Aujourd'hui, et surtout aux États-Unis, l'influence de Derrida est plus grande sur la critique littéraire que sur la pensée philosophique.

Ce qui se comprend aisément si on note que Derrida lui-même reconnaît que son propre travail sur le langage est l'écriture-lecture du commentateur.

Bibl. : *L'Arc* nº 54, (1973). — G. H. Hartman, *Saving the Text : Literature, Philosophy*, 1981.

DES FORÊTS (LOUIS-RENÉ) [Paris, 1918]. Après une enfance passée dans le Berry, il vient à Paris pour y étudier le droit. C'est pendant la guerre qu'il publie son premier ouvrage *Les Mendiants* (1943). En 1946, il fait paraître *Le Bavard* et devient conseiller littéraire aux Éditions Laffont. Homme du silence, hanté par la parole, il se retire à la campagne, puis revient à Paris où, chez Gallimard, il participe à la publication de l'*Encyclopédie de la Pléiade*. En 1960, il a obtenu le prix des Critiques pour son recueil de nouvelles, *La Chambre des enfants*.

DESNOS (ROBERT) [Paris, 1900 — Camp de Terezina, Tchécoslovaquie, 1945]. Né du côté de la Bastille, Desnos commença par être commis chez un droguiste avant d'écrire ses premiers poèmes. Dès les débuts du surréalisme, Desnos a su montrer les riches possibilités de l'écriture automatique et du délire verbal, particulièrement dans *Deuil pour deuil* (1924), *Corps et Biens* (1930), *Avec État de veille* (1943) et *Contrée* (1944), Desnos, sans renoncer à l'humour ni à la fantaisie, retrouvera le chemin d'un réel humanisme.

Bibl. : Pierre Berger, *R. D.*, Seghers, 1970. — *D.*, *Europe*, nº spécial (mai-juin 1972). — Paule Laborie, *R. D. Son Œuvre dans l'éclairage d'A. Rimbaud et G. Apollinaire*, essai, Nizet, 1975. — M. A. Caws, *The Surrealist Voice of R. D.*, Amherst, University of Massachusetts Press, 1977. — Marie-Claire Dumas, *D. ou l'Exploration des limites,* Klincksieck, 1980. — Cahier de l'Herne, nº 54 bibl., 1987. — « *Moi qui suis R. D.* »... Onze études réunies par Marie-Claire Dumas, J. Corti, 1987.

DHÔTEL (ANDRÉ) [Attigny, 1900]. Romancier subtil, voué au mystère, au fantastique et à l'exploration du féerique, Dhôtel est fils des confins de la Champagne et des Ardennes. En 1928, il publie un premier recueil de poèmes, *Le Petit Livre clair,* que suit en 1930 son premier roman, *Campements.* De son œuvre de romancier, on retiendra principalement *David,* qui a obtenu le prix Sainte-Beuve en 1948, *L'Homme de la scierie,* paru en 1950, et *Le pays où l'on n'arrive jamais* (prix Femina, 1955). Il a aussi écrit sur Rimbaud, son compatriote : *L'Œuvre logique de Rimbaud* (1933), *Rimbaud et la révolte moderne* (1952).

Bibl. : *Terres de mémoire.* Interviews et bibliographie de Patrick Reumaux, Delarge, 1979. — Jean-Louis Cornuz, *A. D., romancier du Grand Pays,* Neuchâtel, Ides et Calendes, 1981. — Patrick Reumaux, *L'Honorable M. D. Essai,* La Manufacture, 1984. — *Cahiers bleus,* nº 41, 1987.

DIB (MOHAMMED) [Tlemcen, Algérie, 1920]. Écrivain algérien de langue française, il exerce pour commencer le métier d'instituteur, puis, en 1950, il entre au journal *Alger républicain* comme rédacteur-reporter. Il épouse alors une jeune Française, et publie en 1952 *La Grande Maison,* roman qui obtiendra le prix Fénéon. En 1959, il se fixe en France et fait paraître l'année suivante *Un Été africain.* En 1960, *Ombre gardienne,* recueil de poèmes préfacé par Aragon. 1956, publication d'un recueil de nouvelles, *Le Talisman,* et de *Théâtre I* (*La Fiancée du printemps; Wassem; Une paix durable*). Suivent plusieurs romans : *La Danse du roi* (1968) ; *Dieu en barbarie* (1970) ; et un livre de poésie : *Formulaires* (1970).

Bibl. : Jean Déjeux : *M. D., écrivain algérien,* Sherbrooke, Québec, Naaman, 1977.

DRIEU LA ROCHELLE (PIERRE) [Paris, 1893-1945]. Il semble avoir été très tôt hanté par l'idée de la mort. C'est avec ivresse qu'il part pour le front en 1914. Il y est plusieurs fois blessé. Après la guerre, il collabore à la *N.R.F.* et publie *Mesure de la France.* Avec Aragon et les surréalistes, il s'en prend à Anatole France dans un pamphlet : *Un cadavre.* En 1928, il publie un roman, *Blèche,* et un essai, *Genève ou Moscou.* Quatre ans plus tard, il s'embarque pour l'Argentine où il fait une tournée de conférences sur « la crise de la démocratie en Europe ». C'est à partir de 1934, année où il fait paraître *La Comédie de Charleroi,* que Drieu vire au fascisme. Il adhère bientôt au Parti populaire français de Doriot. A la veille de la guerre, il publie des romans sur la bourgeoisie décadente, tels *Rêveuse Bourgeoisie* (1937), *Gilles* (1939). Rêvant d'une Europe à la fois aristocratique et socialiste, il collabore avec les Allemands et fait reparaître la *N.R.F.* Menacé d'arrestation, il se donne la mort, le 15 mars 1945.

Bibl. : Frédéric Grover, *D. La R.*, Gallimard, 1962 [nouv. éd., 1979] — Jean Mabire, *D. parmi nous,* La Table ronde, 1963. — Dominique Desanti, *D. La R. Le séducteur mystifié,* Flammarion, 1978. — Pierre Andrieu, F. Grover, *D. La R.*, Hachette, 1979. — Robert Soucy, *Fascist Intellectual : D. La R.,* Berkeley (Los Angeles), University of California Press, 1979. — Robert Barry Leal, *D. La R.,* Twayne, 1982.

DU BOUCHET (ANDRÉ) [Paris, 1924]. Après un séjour à Harvard, Du Bouchet publie en 1951 son premier recueil de poèmes, *Airs,* suivi de *Sans couvercle* (1953), *Au deuxième étage* (1956), *Le Moteur blanc* (1956), *Dans la chaleur vacante* (1961) qui obtient le prix des Critiques, et *Où le soleil* (1968). En 1976, paraissent deux textes, *La Couleur* et *Hölderlin aujourd'hui,* en 1978, *Sous le linteau en forme de joug,* en 1980, *Rapides.* Poète secret et difficile, Du Bouchet est aussi le traducteur de Joyce.

Bibl. : « Approches d'A. Du B. », dans *Bulletin du Bibliophile,* 1977, fasc. III-IV. — Pierre Chappuis, *A. Du B.*, « Poètes d'aujourd'hui », Seghers, 1979. — *Autour d'A. Du B.* colloque 1983 [bibl.], Presses de l'É.N.S., 1986. — Jacques Depreux, *A. du B. ou la parole traversée,* Champ Vallon, 1988.

DULLIN (CHARLES) [Yenne, 1885 — Paris, 1949]. Acteur et metteur en scène, élève et collaborateur de Jacques Copeau au théâtre du Vieux-Colombier, il est un des membres du Cartel avec Jouvet, Baty et Pitoëff. Pendant une trentaine d'années, il sera l'un des grands animateurs de la scène française ; il exercera une profonde influence sur Jean-Louis Barrault et Jean Vilar. En 1922, il fonde le théâtre de l'Atelier où, jusqu'en 1939, il fera connaître Pirandello, Calderon, le théâtre élisabéthain, Brecht ; il jouera Salacrou, J. Romains, Marcel Achard, Anouilh, Cocteau. De 1941 à 1947, il dirige le théâtre Sarah-Bernhardt devenu théâtre de la Cité : il y monte en 1943 la première pièce de Sartre, *Les Mouches.* Comme son maître Copeau, il a rêvé d'une révolution théâtrale qui donne à la scène et à ses acteurs une dignité nouvelle et une place respectée dans la vie culturelle nationale.

Bibl. : L. Arnaud, *C. D.*, L'Arche, 1952. — France Anders, *J. Copeau et le Cartel des quatre*, Nizet, 1959.

DURAS (MARGUERITE) (pseud. de Marguerite Donnadieu) [Indochine, 1914]. Elle a passé toute son enfance en Asie, puis est venue faire ses études en France. Pendant la guerre, elle s'engage dans la Résistance et publie ses premiers livres, *Les Impudents* (1943), et *La Vie tranquille* (1944). A la Libération, elle s'inscrit au Parti communiste (elle en sera exclue en 1955). Son enfance indochinoise lui inspire, en 1950, *Barrage contre le Pacifique.* Elle publie ensuite *Le Marin de Gilbraltar* (1952), *Les Petits Chevaux de Tarquinia*, et *Des journées entières dans les arbres* (1953). Elle s'engage à fond dans la lutte contre la guerre d'Algérie. Parallèlement à son rôle de militante, Marguerite Duras écrit sa première pièce *Le Square* créée en 1957 au théâtre des Champs-Élysées. En 1959, premier scénario pour le cinéma, *Hiroshima mon amour.* Entre 1975 et 1977 elle signera plusieurs films, *India Song* (1975), *Son nom de Venise dans Calcutta désert* (1976), *Baxter, Véra Baxter* (1976), et *Le Camion* (1977). Roman, théâtre, cinéma, son œuvre ne se plie à aucun genre, sinon à celui de la sous-conversation sur le double thème de l'amour et de la mort, de l'amour dont elle a dit : « Aucun amour au monde ne peut tenir lieu de l'amour. »

Bibl. : voir Bibliographie générale.

ÉLUARD (PAUL) (pseud. de Paul-Eugène Grindel) [Saint-Denis, 1895 — Charenton, 1952]. Surréaliste fervent, il collabore, dès 1920, à la revue *Littérature* fondée par Breton et Aragon, mais il n'en délaisse pas pour autant la poésie traditionnelle, ce que Breton lui reprochera plus tard. Très tôt, il milite aux côtés des communistes et participe à la lutte antifasciste. Pendant la guerre, il s'engage dans la Résistance et devient, à la Libération, une des gloires littéraires nationales. Il a tout autant su par ses poèmes exalter les sentiments les plus simples, que l'amour de la liberté et l'espérance politique. *Premiers poèmes* (1913-1921) paraîtront en 1948 et garderont une empreinte unanimiste. Après, ce sera la période surréaliste (*Dessous d'une vie,* 1926 ; *Capitale de la douleur,* 1926 ; *L'Amour, la Poésie,* 1929 ; *La Rose publique,* 1934 ; *Les Yeux fertiles,* 1936), puis le retour à une poésie plus directe (*Cours naturel,* 1938 ; *Chanson complète,* 1939 ; *Le Livre ouvert,* 1942) et engagée (*Poésie et Vérité,* 1942 ; *Une leçon de morale,* 1949).

Bibl. : Louis Perche, *É.*, Éd. Universitaires, 1964. — Raymond Jean, *P. É. par lui-même,* Le Seuil, 1968. — Atle Kittang, *P. É.*, Lettres modernes, 1969. — Sarane Alexandrian, *Le Rêve et le surréalisme,* Gallimard, 1974. — Marie-Renée Guyard, *Le Vocabulaire politique de P. É.*, Klincksieck, 1974. — Albert

Mingelgrün, *Essai sur l'évolution esthétique de P. É. Peinture et Langage,* Lausanne, L'Age d'homme, 1977. — Jean-Charles Gateau, *É., Picasso et la peinture (1936-1952),* Droz, 1983.

EMMANUEL (PIERRE) (pseud. de Noël Mathieu) [Gan, 1916-1984]. Après avoir passé son enfance en Amérique, il revient en France pour y faire ses études. En 1938, il rencontre Pierre Jean Jouve, contact décisif pour sa vocation de poète, et il compose son premier poème, *Christ au tombeau.* Pendant la guerre, il est reconnu comme l'un des grands poètes de la Résistance (*Cantos,* 1942 ; *Jour de colère,* 1942). Après la guerre, il renoue avec l'inspiration biblique et chrétienne (*Babel,* 1952 ; *La Nouvelle Naissance,* 1963 ; *Ligne de faîte,* 1966 ; *Notre Père,* 1969 ; *Jacob,* 1970). Il a publié aussi, entre autres essais, un *Baudelaire* (1967), *Le monde est intérieur* (1967), *La Vie terrestre* (1976).
Bibl. : Herbert Gillessen, *P. E., « Jacob ». Analyse und Interpretation,* Frankfurt a/M., V. Klostermann, 1979. — Camille Jordens, *P. E., poète cosmogonique ; Introduction générale à l'œuvre,* Katholieke Universiteit Leuven, Campus Kortrijk, 1981, 2 vol.

ESTANG (LUC) [Paris, 1911]. Son premier article fut écrit en 1933 pour le journal *La Croix* dont il deviendra le directeur littéraire. Il fonde peu après une revue, *Le Beau Navire.* Pendant la guerre, il se réfugie en zone libre et participe à la Résistance. Déjà il a publié des recueils de poèmes : *Au-delà de moi-même* (1938), *Transhumances* (1939), *Puissance du matin* (1941), *Mystère apprivoisé* (1943). En 1944, il devient membre du jury du prix Renaudot et il obtient en 1949 le grand prix de la Société des gens de lettres pour *Les Stigmates,* premier volet d'un triptyque qui portera le titre de *Charges d'âmes.* En 1962, il reçoit le grand prix de littérature de l'Académie française pour l'ensemble de son œuvre. En 1968, *L'Apostat,* roman, témoigne de sa rupture avec le christianisme. Il est l'un des directeurs littéraires des Éditions du Seuil.
Bibl. : P. Cogny, « L. E. et les vendeurs du Temple », dans *Sept Romanciers au-delà du roman,* Nizet, 1963.

ÉTIEMBLE (RENÉ) [Mayenne, 1909]. Élève de l'École normale supérieure, agrégé de grammaire (1932), Étiemble abandonna une thèse de philosophie chinoise et commença son travail sur le *Mythe de Rimbaud.* Il a enseigné en Sorbonne la littérature générale et comparée. Il est l'auteur de romans (*L'Enfant de chœur,* 1937 ; *Blason d'un corps,* 1961) ; les trois premiers tomes de *Peaux de couleuvre* (1948). De 1952 à 1967, il donne les cinq tomes d'*Hygiène des Lettres.* De 1956 à 1976, il publie de nombreux travaux sur la philosophie et la politique de la Chine et l'Europe. Cosmopolite délibéré (*Comparaison n'est pas raison,* 1963 ; *Essais de littérature (vraiment) générale,* 1974), il n'en déteste pas moins *Le Babélien,* contre lequel il a publié trois tomes (1960-1962), *Le Jargon des sciences* (1966) et le franglais qui lui valut en 1964 son succès de librairie : *Parlez-vous franglais ?*

Bibl. : Supervielle-É., *Correspondance 1936-1959,* éd. par Jeannine Étiemble, S.E.D.E.S., 1969. — J. Paulhan, *Recueil de lettres adressées à R. É.* « publiées par J. Kohn-Étiemble », Klincksieck, 1975. — J. Chancel, *Radioscopie,* t. IV, Laffont, 1976. — *Le Mythe d'É. Hommages. Études et recherches. Inédits,* (avec bibl.), Didier Érudition, 1979.

FAYE (JEAN-PIERRE) [Paris, 1925]. C'est en 1945 qu'il publia ses premiers poèmes. Agrégé de philosophie, il séjourne aux États-Unis. En 1964, il obtient le prix Renaudot pour son roman *L'Écluse.* Il participe aux travaux du groupe *Tel Quel,* avec lequel il rompra en 1967 pour constituer l'équipe de *Change.* Partant du principe qu'il existe dans l'histoire « un effet de production d'action par le récit », il publiera en 1972 un essai sur les *Langages totalitaires* et, en 1974, *Migrations du récit sur le peuple juif.* Paraissent en 1975, *Inferno, Versions.*

Bibl. : Maurice Partouche, *J.-P. F.*, « Poètes d'aujourd'hui », Seghers, 1980.

FÉRAOUN (MOULOUD) [Tizi-Hibel, Haute-Kabylie, 1913 — El-Biar, 1962]. Né de parents très pauvres, il obtient une bourse et entre au collège de Tizi-Ouzou. C'est en 1950 qu'il publie *Le Fils du pauvre,* roman peut-être autobiographique qui lui vaut le grand prix littéraire de la ville d'Alger. De cette époque datent les échanges épistolaires qu'il eut avec Camus. En 1953, il obtient le Prix populiste pour *La Terre et le Sang.* La guerre éclate en Algérie, et Féraoun commence à tenir un journal. Politiquement modéré et partisan d'un rapprochement franco-algérien, il est victime de la répression. Le 15 mars 1962, il est fusillé par un commando de l'O.A.S.

Bibl. : « Hommage à M. F. », dans *Les Lettres françaises,* n° 919, 22 mars 1962 ; Jean Déjeux, « M. F., romancier de la terre kabyle », *Confluent,* avril 1962. — Marie-Hélène Chèze, *M. F. : la voix et le silence,* Seuil, 1982.

FOLLAIN (JEAN) [Canisy, 1903 — Paris, 1971). Poète pudique, amoureux du passé, Follain a commencé par être avocat au barreau de Paris. A la fin des années 1920, il fréquente les poètes du groupe « Sagesse » et publie ses premières œuvres dans des revues confidentielles comme le *Dernier Carré* ou *Feuilles inutiles.* En 1937, il publie un recueil de souvenirs, *L'Épicerie d'enfance.* 1939 : il reçoit le prix Mallarmé. Après la guerre, il publie de nombreux ouvrages poétiques (*Exister,* 1937 ; *Chef-Lieu,* 1950 ; *Territoires,* 1953 ; *Appareil de la terre,* 1954). En 1970, il a reçu le grand prix de poésie de l'Académie française.

Bibl. : André Dhôtel, *J. F.*, Seghers, 1972. — *Sud,* n° spécial,

1979. — *Lire F.*, dirigé et présenté par Serge Gaubert, Presses Universitaires de Lyon, 1981.

FOUCAULT (MICHEL) [Poitiers, 1926 — Paris, 1984]. Professeur de philosophie à Clermont-Ferrand, à Tunis et à Vincennes, avant d'être nommé au Collège de France en 1970, Foucault aura été avant 1968 une des figures de proue du structuralisme. C'est en 1961 que fut publiée l'*Histoire de la folie à l'âge classique,* que suivent *Les Mots et les Choses* (1966), *L'Archéologie du savoir* (1969), *Surveiller et Punir* (1975). Partant de l'idée que le discours est la manifestation d'un pouvoir, Foucault, tout naturellement, est devenu le généalogiste des « pouvoirs ». Fin 1975, il publie le premier tome : *La Volonté de savoir,* de son *Histoire de la sexualité* (« Bibl. des Histoires », Gallimard).

Bibl. : Journées annuelles de « l'évolution psychiatrique », 6 et 7 décembre 1969, *La Conception idéologique de l'Histoire de la folie de M. F.*, Toulouse, Privat, 1971. — Gilles Deleuze, *Un nouvel alchimiste*, Montpellier, Fata Morgana, 1972. — Annie Guédez, *F.*, Éd. Universitaires, 1972. — *Le Livre des autres : entretiens avec M. F. par R. Bellour,* 1978. — A. Sheridan, *M. F. : the Will to Truth,* Londres-New York, Tavistock, 1980. — Michael P. Clarke, *M. F. : an annotated bibliography,* Garland, 1982.

FOUCHET (MAX-POL) [Saint-Vaast-la-Hougue, 1913 — Avallon, 1980]. Poète, critique d'art et critique littéraire, Max-Pol Fouchet s'est intéressé à tous les mouvements de la pensée contemporaine, plus particulièrement à l'archéologie et à la civilisation des peuples d'Afrique, des deux Amériques et de l'Inde. Pendant la guerre, à Alger il crée et dirige la revue *Fontaine,* un des derniers refuges de la liberté de l'esprit. Il devint dès 1953 critique littéraire à la télévision française. Parmi ses ouvrages signalons son *Anthologie de la poésie française* (Seghers, 1955 ; 5e éd.), *Les Appels* (étude critique et préfaces), 1967 ; *Un jour, je m'en souviens* (*Mémoire parlée,* 1968, Mercure de France). En 1976, il publie son premier roman, *La Rencontre de Santa Cruz* (Grasset).

Bibl. : Jean Queval, *M.-P. F.,* Seghers, 1969. — Catalogue de l'exposition M.-P. F., Vichy, 1976. — M.-P. F., *Fontaines de mes jours, Entretiens avec Albert Mermond,* Stock, 1979. — *M.-P. F.* Textes réunis par Marie-Claire Bancquart, *Sud,* n° 83, juin 1989.

FRÉNAUD (ANDRÉ) [Montceau-les-Mines, 1907]. En 1942, il publie, grâce à Aragon, ses premiers poèmes dans *Poésie 42.* En 1943, paraissent *Les Rois Mages.* La majeure partie de son œuvre poétique se trouve regroupée dans deux recueils : *Il n'y a pas de paradis* (1962) et *La Sainte Face* (1968).

Bibl. : G.-E. Clancier, (*A. F.*), Seghers, 1963. — *Sud,* n° 39-40,

1981. — Jean-Yves Debreuille présente... *Lire F,* P.U. de Lyon, 1985. — Peter Broome, *A.F.,* Amsterdam, Rodopi, 1986.

GASCAR (PIERRE) (pseud. de Pierre Fournier) [Paris, 1916]. Il a eu une enfance paysanne et pauvre. En 1946, à son retour de captivité il publie son premier texte dans *Fontaine.* 1953 : il obtient le prix des Critiques pour son roman *Les Bêtes* et le prix Goncourt pour *Le Temps des morts.* Poursuivant son œuvre de romancier et d'essayiste, il publiera entre autres *La Graine* (1955), *Le Fugitif* (1961), *Les Charmes* (1965), *Chine ouverte* (1955), *Histoire de la captivité du Français en Allemagne* (1967), *Vertiges du présent* (1962) et *La Chine et les Chinois* (1971). Grand Prix de littérature de l'Académie française en 1969. Publie, en 1976, *Dans la forêt humaine,* en 1977, *Charles VI : le Bal des Ardents,* en 1980, *Les Secrets de Maître Bernard.*

GATTI (ARMAND) [Monaco, 1924]. Fils d'immigrants, il a quinze ans lorsque son père, syndicaliste, meurt lors d'une grève sous les coups de matraque de la police. Tout en travaillant pour subvenir à ses besoins, il poursuit ses études. En 1942 il entre dans la Résistance. Arrêté, il est envoyé dans un camp en Allemagne d'où il s'évade pour gagner l'Angleterre. Après la guerre, il fait du journalisme, obtient en 1954 le prix Albert-Londres. Sa première pièce de théâtre, *Le Poisson noir,* lui vaut en 1957 le prix Fénéon. Témoin de son temps, il a écrit une œuvre « engagée » et son théâtre est un théâtre politique : *L'Enfant-Rat* (1960), *La Vie imaginaire de l'éboueur Auguste G.* (1962), *La Deuxième Existence du camp de Tatenberg* (1962), *Chant public devant deux chaises électriques* (1964), *V comme Viet-nam* (1967), *La Passion du général Franco* (1968).
Bibl. : Gérard Gozlan et Jean-Louis Pays, *G. aujourd'hui,* Le Seuil, 1970.

GENET (JEAN) [Paris, 1910-1986]. Enfant de l'Assistance publique, il est confié à des paysans du Morvan. A seize ans, il est envoyé en maison de correction. En 1942, il se trouve à la prison de Fresnes, et c'est là qu'il écrit *Le Condamné à mort.* C'est encore pendant ces années obscures qu'il compose *Notre-Dame-des-Fleurs* et *Miracle de la rose.* En 1947, sa pièce *Les Bonnes* est créée à l'Athénée. En 1951, Sartre lui consacre une préface qui devient un livre important : *Saint Genet, comédien et martyr,* tome I des *Œuvres complètes* de J. Genet ; le tome II (1951) contient *Notre-Dame-des-Fleurs, Miracle de la rose* et *Condamné à mort ;* le tome III (1953) *Pompes funèbres, Querelle de Brest, Le Pêcheur du Suquet ;* et le tome IV *L'étrange mot D'..., Ce qui est resté d'un Rembrandt déchiré en petits carrés, Les Bonnes, Haute Surveillance, Lettres à Roger Blin, Comment jouer Les Bonnes, Comment jouer Le Balcon.* Après avoir décidé d'abandonner la littérature, il est revenu au théâtre pour y donner des œuvres de premier plan, *Le Balcon* en 1956, *Les Nègres*, en 1959, et *Les Paravents* en 1965.

Bibl. : David Grossvogel, *The Blasphemators : the Theater of Brecht, Ionesco, Beckett, G.*, Cambridge, Harvard, U.P. Cornell University Press, 1965. — Richard N. Coe, *The Vision of J. G.*, Londres, Peter Owen, 1968. — Jean-Marie Magnan, *J. G.*, Seghers, 1971 [n[lle] éd., 1983]. — Odette Aslan, *J. G.*, Seghers, 1973. Camille Naish, *A Genetic Approach to Structures in the Work of J. G.*, Ithaca (New York), 1978. — Richard C. Webb, *J. G. and his critics. An annotated bibliography*, Metuchen, N. J. Scarecrow P., 1982. — Bettina Knapp, *J. G.*, Twayne, 1989.

GENETTE (GÉRARD) [Paris, 1930]. Directeur d'études de sémiotique littéraire à l'École des hautes études en sciences sociales à Paris, codirecteur de la revue et de la collection « Poétique » aux éditions du Seuil. Principales publications : *Figures I* (1966), *Figures II* (1969), *Figures III* (1972), *Mimologiques* (1976) et *Palimpseste* (1981).

GENEVOIX (MAURICE) [Decize, 1890 — Alsudia-Cansades, Espagne, 1980]. Né dans une île de la Loire nivernaise, écrivain profondément enraciné dans le terroir, Genevoix entre à l'École normale supérieure en 1912. Mobilisé en 1914, il est grièvement blessé et commence à rédiger ses souvenirs de guerre. C'est en 1916 que paraîtra *Sous Verdun*. Après la guerre, il se consacre complètement à la littérature. Son premier roman, *Jeanne Robelin*, sort en 1920. Avec des bêtes et des hommes, Genevoix écrira plus de trente romans pour chanter la nature et les mystères de la vie rurale : *Raboliot*, qui obtient le prix Goncourt en 1925, *La Dernière Harde* (1938), *La Loire, Agnès et les Garçons* (1962), *Tendre Bestiaire, Bestiaire enchanté* (1969), *Bestiaire sans oubli* (1973), *Un homme et sa vie* (1974), *Un jour* (1975). En 1980, il publie *Trente Mille Jours*. Élu à l'Académie française en 1946, il en fut le secrétaire perpétuel de 1958 à 1973.

GHELDERODE (MICHEL DE) (pseud. d'Adolphe-Adhémar-Louis-Michel Martens) [Ixelles, 1898 — Bruxelles, 1962]. Tout dans son œuvre évoque un monde où les créatures sont écartelées entre Dieu et le Démon, la vie et la mort, la Flandre et l'Espagne. Il a écrit des contes, *Sortilèges* (1962), des chroniques, *La Flandre est un songe* (1953), mais c'est au théâtre que s'est exprimé son univers obsessionnel. Sa première pièce, *La Mort regarde à la fenêtre*, fut jouée à Bruxelles en 1918. C'est seulement après la seconde guerre mondiale que son théâtre sera connu en France. Gallimard publie son théâtre complet : *Théâtre I* à *V*.

Bibl. : Jean Francis, *L'Éternel Aujourd'hui de M. de G.*, Bruxelles, L. Musin, 1968. — Roland Beyen, *M. de G. ou la Hantise du masque. Essai de biographie critique*, Bruxelles, 1971. — R. Beyen, *G.*, Seghers, 1974. — André Vandegans, *Aux origines de « Barabbas ». Actus Tragicus de M. de G.*, Les Belles-Lettres, 1978. — Catalogue de l'exposition, *M. de G. ou la Comédie des apparences*, Paris, Bruxelles, 1980. — *M. de G. et le théâtre contemporain*, Actes du congrès de Gênes (1978), Bruxelles, 1980. — Roland Beyen, *Bibliographie de M. de G.*, Bruxelles, A.R.L.L.F., 1987.

GIONO (JEAN) [Manosque, 1895-1970]. Petit-fils de carbonaro, la guerre l'oblige à interrompre ses études. Il en décrira l'horreur dans *Refus d'obéissance* (1937). Après l'Armistice, il se consacre entièrement aux lettres et s'installe à Manosque dans la maison où il vivra jusqu'à sa mort. Il publie *Colline* (1928), *Regain* (1930), *Le Grand Troupeau* (1931), *Jean le Bleu* (1932), *Le Chant du monde* (1934) et *Que ma joie demeure* (1935). C'est la naissance du gionisme. Les disciplines viennent à lui ; il précise ses idées dans *Les Vraies Richesses* (1936), *Le Poids du ciel* (1938), et *Vivre Libre I, Lettres aux paysans sur la pauvreté et la paix*, puis *Vivre Libre II*, 1938. En 1939, il est mis en prison pour avoir lacéré les affiches de la mobilisation. Le régime de Vichy en revanche lui inspirera de la sympathie, ce qui lui vaudra quelques ennuis à la Libération. Il continuera à écrire des romans : *Mort d'un personnage* (1949), *Les Ames fortes* (1949), *Les Grands Chemins* (1951), mais c'est avec *Le Hussard sur le toit* (1951) qu'il reparaît sur le devant de la scène. Les critiques croient découvrir un nouveau Giono dans l'auteur du *Moulin de Pologne* (1952), de *Voyage en Italie* (1953), d'*Angelo* (1958) et du *Désastre de Pavie* (1963). On voit en lui désormais un chroniqueur inspiré par Stendhal, mais il est toujours le chantre de la joie et d'un humanisme païen. En 1954, il sera élu membre de l'Académie Goncourt.

Bibl. : *Œuvres romanesques complètes*, t. I à V, 1971-1980, *Œuvres cinématographiques*, t. I, 1980 « La Pléiade ». Gallimard. — Pierre-R. Robert, *J. G. et les techniques du roman*, Berkeley et Los Angeles, California U.P., 1961. — Pierre de Boisdeffre, *G.*, Gallimard, 1965. — W. D. Redfern, *The Private World of J. G.*, Oxford, B. Blackwell, 1967. — *J. G.*, *Nouvelle Revue française*, février 1971. — Claudine Chonez, *G.*, Le Seuil, 1973. — Marguerite Girard, *J. G. méditerranéen*, La Pensée universelle, 1974. — *J. G. 1. De Naissance de l'Odyssée au Contadour*. Textes réunis par Alan G. Clayton, Minard, 1974. *J. G. 2. L'Imagination de la mort*, Minard, 1977. — Catalogue de l'exposition J. G., Bruxelles, 1977. — Yves-Alain Favre, *G. et l'art du récit. Le Chant du monde. Un roi sans divertissement*, S.E.D.E.S., 1978. — *Album G.*, « La Pléiade », Gallimard, 1980. — *Actes du colloque international G.* (Aix-en-Provence, 1982), Aix-en-P., Edisud, 1982. — Jean Carrière, *J. G.* (Qui suis-je ?), La Manufacture, 1985.

GIRAUDOUX (JEAN) [Bellac, 1882 — Paris, 1944]. Élève de l'École normale supérieure, il passe une année à Munich puis choisit la carrière diplomatique. En 1918, il publie *Simon le Pathétique*, en 1920, *Suzanne et le Pacifique* et en 1922, *Siegfried et le Limousin*. C'est en 1928 qu'il aborde le théâtre avec *Siegfried*. La rencontre avec Jouvet est déterminante : le grand acteur va monter ou jouer toutes les pièces de Giraudoux, *Amphitryon 38* (1929), *Judith* (1931), *Intermezzo* (1933), *La guerre de Troie n'aura pas lieu* (1935), *Électre* (1937), *Ondine* (1939). Au moment de la guerre, Giraudoux est nommé commissaire à l'Information. En 1940, l'auteur de *Bella* se retire à Cusset. Il mourra quelques mois avant la Libération. Jouvet montera *La Folle de Chaillot* en 1945. *Pour Lucrèce*, autre pièce posthume, sera représentée pour la première fois en 1953.

Bibl. : Le théâtre complet de J. G. a été publié aux Éditions Grasset. — Victor-Henry Debidour, *J. G.*, Éd. Universitaires, 1955. — R.-M. Albérès, *Esthétique et Morale dans l'œuvre de J. G.*, Nizet, 1957. — Arnaldo Pizzorusso, *Tre Studi su G.*, Florence, Sansoni, 1954. — Laurent LeSage, *J. G., his Life and Works*, Pennsylvania State U.P., 1959. — Marie-Jeanne Durry, *L'Univers de G.*, Mercure de France, 1961, réimpr. 1975. — R.-M. Albérès, *La Genèse du Siegfried de J. G.*, Lettres modernes, 1963. — Claude-Edmonde Magny, *Précieux G.*, Le Seuil, 1968. — Charles Mauron, *Le Théâtre de G., étude psychocritique*, Corti, 1971. — Morton M. Celler, *G. et la métaphore*, La Haye, Mouton, 1974. — Jacques Body, *G. et l'Allemagne*, Didier, 1975 ; *Lettres*, Klincksieck, 1974. — Jacques Robichez, *Le Théâtre de G.*, S.E.D.E.S., 1975. — Étienne Brunet, *Le Vocabulaire de J. G.*, Genève, Slatkine, 1978. — John H. Reilly, *J. G.*, Boston, Twayne, 1978. — *Cahiers J. G.* (depuis 1972, 18 nos), Grasset. — Brett Dawson, *Bibliographie de l'œuvre de J. G. (1899-1982)*, Bellac, Association des amis de J. G., 1982. — Catalogue de l'exposition J. G., Bibliothèque nationale, 1982.

GRACQ (JULIEN) (pseud. de Louis Poirier) [St-Florent-le-Vieil, 1910]. Ancien élève de l'École normale supérieure, agrégé d'histoire, professeur dans divers lycées, Gracq s'est surtout adonné à la littérature. Héritier des surréalistes (il a consacré à André Breton un essai, 1948), ce proche parent de Barbey d'Aurevilly a su se tenir à l'écart des chapelles. En 1951, il a refusé le Goncourt que lui avait valu son roman, *Le Rivage des Syrtes*. Parti en guerre contre la commercialisation de la littérature, il a su écrire une œuvre rare, forte. Citons ses autres romans : *Au château d'Argol* (1938), *Un beau ténébreux* (1945), *Un balcon en forêt* (1958), *Lettrines* (1967), *La Presqu'Ile* (1970) ; et des essais critiques : *La Littérature à l'estomac* (1950), *En lisant, en écrivant* (1981).

Bibl. : Jean-Louis Leutrat, *J. G.*, Éd. Universitaires, 1966. Bernhild Boie, *Hauptmotive im Werke J. G.*, Munich, Wilhelm Fink, 1966. A.-Cl. Dobbs, *Dramaturgie et Liturgie dans l'œuvre de J. G.*, Corti, 1972. *Cahier de l'Herne*, n° 20, 1972. — Simone Grussman, *J. G. et le surréalisme*, J. Corti, 1980. — Actes du colloque international d'Angers (21, 22, 23 mai 1981), Presses Universitaires d'Angers ; J. Corti, 1981. — Jean Carrière, *J. G.* (Qui êtes-vous ?), La Manufacture, 1986. — *Actes du colloque international d'Angers*, mai 1981, P. de l'U. d'Angers, 1981.

GREEN (JULIEN) [Paris, 1900]. D'ascendance anglo-saxonne, son père étant originaire de Géorgie et sa mère de Virginie, Green fut élevé dans une atmosphère puritaine. Après la mort de sa mère, il abjura le protestantisme et se convertit au catholicisme en 1916. Cela ne l'empêchera pas de publier en 1924 un *Pamphlet contre les catholiques de France*. En 1926, sortie de son premier roman, *Mont-Cinère*, et l'année suivante d'*Adrienne Mesurat*, qui lui vaut le prix Bookman, premier d'une série de romans à l'atmosphère chargée d'angoisse. Il retourne plusieurs fois aux États-Unis et s'y installe pendant la guerre. En 1950, il publie *Moïra*. L'année suivante, il reçoit le grand prix littéraire de Monaco. Il fait alors ses débuts au théâtre avec *Sud* (pièce créée en 1953), suivie bientôt de *l'Ennemi* (1954) et de *L'Ombre* (1956). Green a aussi publié ses souvenirs de jeunesse et une grande partie de son journal, dans lequel on retrouve les hantises de cet écrivain tourmenté par le problème du mal et du sexe (pour lui le diable et le sexe étant confondus). Il a été élu à l'Académie française en 1972.

Bibl. : Marc Eigeldinger, *J. G. et la tentation d'exister*, Les Portes de France, 1947. — Jean-Laurent Prévost, *J. G. ou l'Ame engagée*, Lyon, E. Vitte, 1960. — Pierre Brodin, *J. G.*, Éd. Universitaires, 1963. — « J. G. », textes réunis par Brian T. Fitch, dans *Revue des Lettres modernes*, 1966. — Robert de Saint-Jean, *J. G. par lui-même*, Le Seuil, 1967. — Jacques Petit, *J. G., l'homme qui venait d'ailleurs*, Desclée de Brouwer, 1969. — P. C. Hoy, « J. G., Essai de bibliographie des études en langue française (1923-1967) », *Calepins de bibliographie*, 3, Minard, 1970. — Jacques Petit, *J. G.*, Desclée de Brouwer, 1972. — John M. Dunaway, *The Metamorphoses of the Self : the Mystic, the Sensualist and the Artist in the Works of J. G.*, Lexington, U. P. of Kentucky, 1978. — J. Green et J. Maritain, *Une grande amitié. Correspondance (1926-1972)*, Plon, 1979. — *Actes du colloque international*, mai 1988, Univ. Lyon II, 1988.

GRENIER (ROGER) [Caen, 1919]. Il a fait ses études à Pau. Mobilisé en 1940, il est rendu à la vie civile en 1942 et termine alors sa licence ès lettres. En 1944, il entre à *Combat* puis à *France-Soir*. Il commence à publier en 1949. Parmi ses romans principaux, citons : *La Voie romaine* (1960), et *Le Palais d'hiver*

(1965). Depuis 1964, il est conseiller littéraire aux Éditions Gallimard.

Bibl. : Maurice Nadeau, *Le Roman français depuis la guerre*, Gallimard, 1963.

GROSJEAN (JEAN) [Paris, 1912]. Après un voyage en Orient il est ordonné prêtre. Fait prisonnier en 1940, il passe deux ans dans les camps. En 1946, il publie *Terre du temps* qui lui vaut le prix de la Pléiade. Il quitte les ordres en 1950. Poète biblique, poète du sacré et d'un au-delà du langage, il fait successivement paraître *Hypostases* (1950), *Le Livre du juste* (1952), *Fils de l'homme* (1954), *Apocalypse* (1962), *Élégies* (1967) qui lui vaudra le prix des Critiques.

Bibl. : Alain Bosquet, « J. G. ou les Saisons de la foi », dans *N.R.F.*, juin 1967.

GUILLEVIC (EUGÈNE) [Carnac, 1907]. Breton, poète marxiste, Guillevic a commencé en publiant, en 1942, *Terraqué*, une œuvre tout entière consacrée aux hommes, aux choses, à la terre. *Exécutoire* (1947) rassemble les poèmes de l'Occupation. *Carnac* (1961) évoque un monde sans dieux ni miracles. *Sphère* (1963) et *Avec* (1966) célèbrent en même temps qu'une vision du monde un approfondissement du poète et sa rencontre avec les autres. *Autres* (1980) rassemble des poèmes de 1969 à 1979.

Bibl. : Jean Tortel, *G.*, Seghers, 1971 [5e éd., 1978]. — Jean Dubacq, *G.*, La Tête de Feuilles, 1972. — Jean-Pierre Pierrot, *G. ou la sérénité gagnée*, Champ Vallon, 1984.

GUILLOUX (LOUIS) [Saint-Brieuc, 1899-1981]. Disciple de Vallès, Guilloux a situé la plupart de ses livres à Saint-Brieuc. Fils d'un militant socialiste, il sera mêlé très tôt aux luttes populaires. En 1927, il publie son premier roman, *La Maison du peuple*. Malgré sa sympathie pour la révolution soviétique, il refuse d'entrer au Parti communiste. Il accepte pourtant d'être le secrétaire du premier Congrès mondial des écrivains antifascistes en 1935, l'année même où paraît *Le Sang noir*. En 1942, le Prix Populiste lui est décerné pour *Le Pain des rêves ;* en 1949, il obtiendra le prix Renaudot pour *Le Jeu de patience*.

Bibl. : Yannick Pelletier, *Thèmes et Symboles dans l'œuvre romanesque de L. G.*, Klincksieck, 1979. — M. J. Matthews Green, *L. G., An Artisan of Language*, York, S.C., French literature Publications, 1980. — J.-L. Jacob, *L. G. romancier du peuple*, Éditions du Norait, 1983. — *L. G. Colloque de Cerisy*, juillet 1984, Quimper, Calligrammes, 1986.

HÉRIAT (PHILIPPE) [Paris, 1898-1972]. Fils de magistrat, il a débuté comme assistant metteur en scène de Marcel Lherbier et de Louis Delluc. Il jouera même comme acteur dans *Le Sexe faible* de Bourdet. En 1931, il obtient le prix Renaudot pour son roman *L'Innocent*, et en 1939 le prix Goncourt est décerné aux *Enfants gâtés*, premier volet des *Boussardel* dont le quatrième tome paraîtra en 1968. Grand prix du roman de l'Académie française en 1947, Hériat est entré à l'Académie Goncourt en 1949. Romancier traditionnel, il a su dans son œuvre témoigner de la société de son temps.

HERVÉ-BAZIN (JEAN) [Angers, 1911]. Petit-neveu de René Bazin, il descend par sa famille d'Urbain Grandier et de Ménage. Après une jeunesse tourmentée, il essaie plusieurs métiers et publie ses premiers poèmes. En 1946, il fonde une petite revue poétique et reçoit l'année suivante le prix Apollinaire pour son recueil *Jour*. En 1948, il donne son premier roman, *Vipère au poing* qui reçoit le prix des Lecteurs ; il y traite de la révolte de l'adolescence, thème qu'il reprendra dans *La Tête contre les murs* (1949). L'auteur de *La Mort du petit cheval* (1950), de *Lève-toi et marche* (1952) obtient en 1957 le prix Prince Pierre de Monaco. En 1958, il entre à l'Académie Goncourt et poursuit sa carrière de romancier : *Au nom du fils* (1960), *Le Matrimoine* (1967), *Les Bienheureux de la désolation* (1970), *Le Cri de la chouette* (1972), *Madame Ex* (1975).
Bibl. : Jean Anglade, *H.-B.*, Gallimard, 1962. — Pierre Moustiers, *H.-B. ou le Romancier en mouvement,* Le Seuil, 1973. — *H.-B. Actes du colloque d'Angers,* décembre 1986, Presses de l'Univ. d'Angers, 1987.

HOUGRON (JEAN) [Mondeville, près de Caen, 1923]. Après une enfance étouffée et provinciale dont il témoignera dans *Histoire de Georges Guersant* (1964), il passe son doctorat en droit et part pour l'Indochine où il restera cinq ans. Il y fera toutes sortes de métiers et sillonnera l'Asie du Sud-Est. En 1953, le grand prix du roman de l'Académie française couronnera *La Nuit indochinoise,* dont les six volumes traitent avec acuité et authenticité du problème colonial.

IKOR (ROGER) [Paris, 1912-1986]. Né d'un père lituanien et d'une mère d'origine polonaise, Ikor, ancien élève de l'École normale supérieure, est agrégé de grammaire. Mobilisé en 1939, il passe la guerre comme prisonnier dans un *oflag* en Poméranie. En 1955, il obtient le prix Goncourt pour *Les Eaux mêlées,* premier volet d'une œuvre cyclique, *Les Fils d'Avron,* chronique d'une famille juive dont le dernier tome a paru en 1966.

IONESCO (EUGÈNE) [Slatina, Roumanie, 1912]. Il se fixe en France en 1938 et y prépare une thèse sur « les thèmes du péché et de la mort dans la littérature française depuis Baudelaire ». Il mène une vie de père de famille et d'employé besogneux jusqu'au jour où, s'il faut l'en croire, désireux d'apprendre l'anglais, il découvre la méthode Assimil. C'est de cette découverte qu'est née *La Cantatrice chauve*, créée en 1950 au théâtre des Noctambules. Il devient alors l'un des maîtres de l'antithéâtre avec Beckett et Adamov. Le tome I de son théâtre paraîtra en 1954 *(La Cantatrice chauve, La Leçon, Jacques ou la Soumission, Les Chaises, Victimes du devoir, Amédée ou Comment s'en débarrasser)* ; le tome II en 1958 *(L'Impromptu de l'Alma, Tueur sans gages, Le Nouveau Locataire, L'avenir est dans les œufs, Le Maître, La Jeune Fille à marier)* ; le tome III en 1963 *(Rhinocéros, Le Piéton de l'air, Délire à deux, Le Tableau, Scène à quatre, Les Salutations, La Colère)* ; le tome IV en 1966 *(Le roi se meurt, La Soif et la Faim, La Lacune, Le Salon de l'automobile, L'Œuf dur, Pour préparer un œuf dur, Le Jeune Homme à marier, Apprendre à marcher)*. En 1970, consécration suprême, il entre à l'Académie française. En plus de son théâtre, il a publié *Journal en miettes* (1967) et un recueil de réflexions sur le théâtre contemporain, *Notes et Contre-Notes* (1963).

Bibl. : Leonard C. Pronko, *Théâtre d'avant-garde*, Denoël, 1963. — Simone Benmussa, *E. I.*, Seghers, 1966. — Jean-Hervé Donnard, *I. dramaturge*, Lettres modernes, 1966. — Claude Abastado, *E. I.*, Bordas, 1971. — Richard N. Coe, *I. : A Study of his Plays*, Londres, Methuen and C°, 1971. — *Les Critiques de notre temps et I.*, et R. Laubreaux, Garnier, 1973. — Emmanuel C. Jacquart, *Le Théâtre de dérision*, Gallimard, 1974. — Paul Vernois, *La Dynamique théâtrale d'E. I.*, Klincksieck, 1976. — Griffith R. Hugues et Ruth Bury, *E. I. A Bibliography*, Cardiff, University of Wales Press, 1974. — Rosette C. Lamont, Melvin J. Friedman, *The Two Faces of I.*, Troy, N.Y., The Whitston, Publishing Co., 1978. — Wolfgang Leiner, *Bibliographie et index thématique des études sur E. I.*, Fribourg/S. Ed. Universitaires, 1980.

JACCOTTET (PHILIPPE) [Moudon, Suisse, 1925]. Poète, essayiste et traducteur, Jaccottet s'installe à Paris en 1946. Il collabore à la *N.R.F.* Il publie ses premiers poèmes en 1954. *L'Effraie et autres poèmes*, bientôt suivis de *La Promenade sous les arbres* (1957). *L'Ignorant* (1958), *Airs* (1967), *Leçons* (1969). Il a écrit des carnets, *La Semaison* (1963), et une chronique de poésie, *L'Entretien des muses* (1968). Il est le traducteur de Robert Musil, d'Ungaretti, de Hölderlin et de Rilke. — Jean-Luc Seylaz, *P. J. Une poésie et ses enjeux*, L'Aire, 1982. — *La Poésie de P. J.*, Études réunies par Marie-Claude Dumas, Champion, 1986. — *Alentour de P. J.*, *Sud*, n°s 80-81, 1989.

Bibl. : Alain Clerval, *P. J.*, « Poètes d'aujourd'hui », Seghers, 1976. — *Sud*, n° 32-33, 2e trimestre 1980.

JOUHANDEAU (MARCEL) [La Clayette, 1888 — Rueil-Malmaison, 1979]. Il passe toute son enfance à Guéret, dans la Creuse. Après une jeunesse studieuse, nourrie de lectures chrétiennes, il monte à Paris où il prépare une licence ès lettres. De 1912 à

1949, il enseigne dans un collège privé. En 1924, il publie *Les Pincengrain* ; ce livre fait scandale à Guéret. Il épouse en 1929 la danseuse « Caryathis » qui elle aussi s'adonne à la littérature sous le nom d'Élise. Inlassable et prolifique, Jouhandeau a écrit au fil des ans une œuvre considérable. Citons : *La Jeunesse de Théophile* (1921), *Monsieur Godeau intime et Monsieur Godeau marié* (1927 et 1933), *Chaminadour I, II, III* (1934, 1936, 1941), à quoi il faut ajouter son autobriographie permanente dont six volumes pour *Le Mémorial* et plus de vingt pour les *Journaliers.* Le *Journal sous l'Occupation* paraît en 1980.

Bibl. : José Cabanis, *J.*, Gallimard, 1959. — Jean Gaulmier, *L'Univers de M. J.*, Nizet, 1959. — Élise Jouhandeau, *Le Lien de ronces,* Grasset, 1964. — Henri Rode, *M. J.*, La Tête de feuilles, 1972. — M. Jouhandeau, *La Vie comme une fête.* Entretiens suivis d'éléments de biographie et bibliographie par Jacques Ruffié, Pauvert, 1977. — *Actualité de J.*, Univ. de Lyon III, 1987. — *Cahiers M. J.*, n° 1, Tallandier, 1988.

JOUVE (PIERRE JEAN) [Arras, 1887 — Paris, 1976]. On a dit de lui qu'il était le poète de l'inconscient créateur. De 1906 à 1908, il dirige une revue d'inspiration symboliste, *Les Bandeaux d'or.* Il publie en 1912 un premier recueil de poèmes, *Présences,* suivi de *Parler* (1913). En 1922, il épouse la psychanalyste Blanche Reverchon. Il écrit une série de romans forts et singuliers dont *Paulina 1880* (1925), *Le Monde désert* (1927), *Hécate* (1928), *Vagadu* (1931), *Histoires sanglantes* (1932), *La Scène capitale* (1935). En tant que poète, il s'affirme avec *Mystérieuses Noces,* suivies de *Nouvelles Noces* (1926), de *Noces* (1928), de *Sueur de sang* (1933) et d'*Hélène* (1946). Après la guerre, il publiera des poèmes de résistance : *La Vierge de Paris* (1946). En 1960, il reçoit le prix Dante, en 1962, le grand prix national des Lettres, et, en 1966, le grand prix de poésie de l'Académie française.

Bibl. : ses œuvres ont paru au Mercure de France (cinq volumes de prose et quatre de poésie), rééd. 1987. — Margaret Callender, *The Poetry of P. J. J.*, Manchester U. P., 1965. — « P. J. J. », dans *Liberté,* vol. 9, n° 1, janvier-février 1967, Montréal. — René Micha, *P. J. J.*, Seghers, 1971. — J. Starobinski, P. Alexandre et M. Eigeldinger, *P. J. J., poète et romancier,* Neuchâtel, La Baconnière, 1972. — *P. J. J., Cahiers de l'Herne,* n° 19, 1972. — Martine Broda, *P. J. J.*, Lausanne, l'Age d'homme, 1981. — *J. romancier,* Minard, 1982. — *J. poète de la rupture,* Minard, 1985. — *J. et ses curiosités esthétiques,* Minard, 1988. — Peter C. Hog, *P. J. J. , Œuvres et critique (1976-1988),* Minard, 1988.

JOUVET (LOUIS) [Crozon, 1887 — Paris, 1951]. Étudiant en pharmacie, il rencontre Jacques Copeau et devient son collaborateur au théâtre du Vieux-Colombier où, sous la direction du maître, il acquiert une formation technique et artistique. En

1922, Il quitte le Vieux-Colombier pour la Comédie des Champs-Élysées, théâtre qu'il dirigea à partir de 1927. En 1934, il passe au théâtre de l'Athénée où il restera jusqu'à sa mort. Il sera l'un des membres du Cartel avec Baty, Dullin et Pitoëff. Brillant acteur, metteur en scène inventif, il fera appel à des peintres comme Georges Braque et surtout Christian Bérard. Directeur de troupe, il sera surtout connu pour sa collaboration avec Jean Giraudoux dont il montera et jouera toutes les pièces depuis *Siegfried* jusqu'à *La Folle de Chaillot* (1945). Il crée aussi des pièces de Jules Romains (dont *Knock*), de Marcel Achard, et il sera un grand interprète de Molière avec *Arnolphe, Dom Juan,* et *Tartuffe.* Il tournera de nombreux films, dont *Topaze, La Kermesse héroïque, Drôle de drame* (« bizarre, j'ai dit bizarre... »), *Carnet de bal.* Il sera aussi professeur au Conservatoire d'art dramatique. Il écrira sur le théâtre et le jeu dramatique, en particulier dans *Réflexions du comédien* (1938), *Le Comédien désincarné* (1954).

Bibl. : B. L. Knapp, *L. J., Man of the Theatre,* 1957. — France Anders, *J. Copeau et le Cartel des quatre,* 1959. — Catalogue de l'exposition L. J., Bibliothèque nationale, 1961. — W. Kerien, *L. J., notre patron,* 1963. — *Correspondance entre J. Giraudoux et L. J.,* présentée par Brett Dawson, *Cahiers J. Giraudoux,* n° 9, 1980. — Jean-Marc Loubier, *L. J. Biographie,* Ramsay, 1986.

KESSEL (JOSEPH) [Clara, Argentine, 1898 — Avernes, Val-d'Oise, 1979]. Né en Argentine, de parents russes, il passe une partie de son enfance à Orenbourg au pied de l'Oural, puis à Nice. En 1914, il entre comme rédacteur au *Journal des Débats* et poursuit ses études de lettres. Il s'engage en 1916 et combat dans l'aviation. Après la guerre, il part pour l'Asie où il fait des reportages. Il écrit ses premiers romans et en 1927 il reçoit le grand prix du roman de l'Académie française. En 1936, il est correspondant de guerre en Espagne. Pendant la seconde guerre mondiale, il passe en Angleterre et écrit, avec son neveu Druon, le *Chant des partisans.* A la Libération, il poursuit son œuvre de romancier et de grand reporter. Citons quelques-uns de ses romans : *L'Équipage* (1923), *Les Cœurs purs* (1927), *Fortune carrée* (1930), *Le Lion* (1958), *Les Cavaliers* (1967). En 1963, il a été élu à l'Académie française.

Bibl. : Graham Daniels, *L'Équipage de J. K.,* Hachette, 1974. Yves Courrière, *J. K. ou Sur la piste du lion,* Plon, 1985.

KLOSSOWSKI (PIERRE) [Paris, 1905]. Issu d'une vieille famille polonaise, frère du peintre Balthus, Klossowski a été très tôt mêlé au milieu des artistes et des hommes de lettres (Bonnard, Rilke, Gide, Jouve). Après son service militaire, il se lie d'amitié avec Paulhan, Groethuysen et Jouve (avec Jouve il traduit les *Poèmes de la folie* de Hölderlin) mais c'est Bataille qui a sur lui une influence décisive. En 1934, lors d'une crise

mystique, il entre chez les dominicains. Revenu à la vie civile, il publie en 1947 *Sade mon prochain,* suivi en 1950 de *La Vocation suspendue,* des *Lots de l'Hospitalité* et du *Baphomet* (1965).
Bibl. : Michel Foucault, « La Prose d'action », dans *N.R.F.*, mars 1964. — Maurice Blanchot, « Le Rire des dieux », dans *N.R.F.* juillet, 1965. — *L'Arc,* n° 43, 1970 [avec bibl.]. — *P. K.*, Présentation et bibliographie par Andreas Piersmann, Centre G. Pompidou, 1985.

KRISTEVA (JULIA) [Sofia, Bulgarie, 1941]. Agrégée de lettres modernes de l'Institut de littérature de Sofia, elle vient en France en 1966, présente une thèse de doctorat de troisième cycle, puis une thèse de doctorat d'État. Professeur titulaire à l'université de Paris VII, au département des sciences du texte, elle est secrétaire générale de l'Association internationale de sémiotique, rédactrice adjointe de la revue *Semiotica* et membre du comité de rédaction de *Tel Quel.* Elle a publié *Séméiotikè* (recherches pour une sémanalyse) en 1969, puis *Révolution du langage poétique* (1974), *La Traversée des signes* (1975), la même année *Les Chinoises,* et en 1977 *Polylogue.* Elle a contribué à l'élaboration de ce qu'on a pu appeler « la théorie du texte » ; elle a tenté aussi de situer le discours féministe dans le domaine du langage.
Bibl. : Manfred Hardt, « J. Kristeva », dans *Französische Literatur-kritik der Gegenwart. In Einzeldarstellungen,* Stuttgart, Kröner, 1975.

LACAN (JACQUES) [Paris, 1901-1981]. Une des figures les plus contestées de la psychologie sexuelle. Génie mal compris pour les uns, illusionniste pour les autres, il s'est pourtant imposé comme l'un des plus étonnants redécouvreurs de Freud.

Ami des surréalistes, il publie en 1932 sa thèse de doctorat, *De la psychose paranoïaque dans ses rapports à la personnalité.* Fondateur en 1953, avec Daniel Lagache, de la Société française de psychanalyse, il dirige la même année son premier séminaire à l'École normale supérieure. Il a su, en partant des écrits de Freud et des recherches de la linguistique contemporaine, poser la problématique du rapport instauré entre celui qui parle, celui à qui il est parlé et ce qui se parle. Ses prises de position théorique l'amèneront à créer l'École freudienne de Paris. Il a publié : *Écrits I* et *II* en 1966, apporté sa contribution à la revue *Scilicet* en 1968 et en 1970. Le *Livre XI : Les Quatre Concepts fondamentaux de la psychanalyse* et le *Livre XX : Encore* ont paru en 1973 et en 1975, inaugurant la publication intégrale de son œuvre parlée ; publication entreprise par les Éditions du Seuil à partir de la sténographie des cours qu'il a donnés à l'École normale supérieure ou à l'École pratique des hautes études.
Bibl. : voir Bibliographie générale.

LANZA DEL VASTO [San-Vito-Dei-Normani, Italie, 1901 — Murcie, Espagne, 1981]. D'origine italienne, flamande et française. Une partie de son œuvre poétique est écrite en italien et inédite. En 1925, conversion au catholicisme, la religion de son enfance. Il devient alors vagabond et aventurier de l'Esprit, rencontre Luc Dietrich, qu'il aidera à devenir le romancier mémoraliste du *Bonheur des tristes*, de *L'Apprentissage de la ville* et le poète de *L'Injuste Grandeur.* Abhorrant tous les totalitarismes, ayant assisté à la prise du pouvoir par Mussolini, puis par Hitler, il s'embarque pour l'Inde en 1936, « afin d'apprendre de Gandhi à devenir meilleur chrétien », afin aussi de chercher des remèdes aux maux de l'Occident. Poète célèbre en zone libre pendant les premières années de la guerre, son récit *Le Pèlerinage aux sources* (1943) lui vaut un fervent public. Il jette les bases d'un mouvement d'action non violente et fonde avec sa femme, la musicienne Chanterelle, la communauté de l'Arche.

Bibl. : Les *Œuvres complètes* ont commencé à paraître chez Denoël, son principal éditeur. — Arnaud de Mareüil, *Lanza del Vasto* « Poètes d'aujourd'hui », Seghers, 1966.

LA TOUR DU PIN (PATRICE DE) [Paris, 1911-1975]. Toute son œuvre est assemblée, sous le titre *Une somme de Poésie,* en trois tomes (Gallimard). Célèbre dès la publication de *La Quête de joie* (1933), Patrice de La Tour du Pin est le poète de la présence, de la vie intérieure et de la quête spirituelle, dans la lignée des poètes chrétiens, de Claudel, de Péguy, de Milosz. Tentative de réconcilier poésie et prière, itinéraire conduisant des brumes sensuelles de l'adolescence (*Enfants de septembre*) à la célébration liturgique de l'amour de Dieu. Patrice de La Tour du Pin avait presque mené à terme une refonte totale de la *Somme ;* cette version définitive a été publiée en 1981-1982.

Bibl. : Anne Biéville-Noyant, *P. de La T. du P.,* N.R.C., 1948. — Eva Kushner, même titre, « Poètes d'aujour'hui », Seghers, 1962. — Maurice Champagne, préface à *La Quête de joie,* suivie de *Petite Somme de poésie,* « Poésie », Gallimard, 1967. — Colloque P. de La T. du P., Sorbonne, 1981, Nizet, 1983. — *Cahiers Bleus* [Troyes], n° 40, 1987. — *Cahiers P. de La T. du Pin* (3 n^os^).

LE CLÉZIO (JEAN-MARIE G.) [Nice, 1940]. Issu d'une famille bretonne émigrée depuis longtemps à l'île Maurice, il passe son enfance et poursuit ses études dans le midi de la France. En 1953, il publie le *Procès-Verbal* qui lui vaut le prix Renaudot. A vingt-trois ans, il connaît la célébrité. Il publiera deux autres romans, *Le Déluge* (1966), *Terra amata* (1967), des recueils de nouvelles, et un essai, *L'Extase matérielle* (1967), suivis de : *Le Livre des fuites* (1969), *La Guerre* (1970), *Les Géants* (1973), *Voyages de l'autre côté* (1975), *Les Prophéties du Chilam Balam*

(1976), ; *L'Inconnu sur la terre* (1978), *Mondo* (1978), *Trois villes saintes* (1980), *Désert* (1980).

Bibl. : Jennifer R. Waelti-Walters, *J.-M. G. le C.*, Boston, Twayne, 1977.

LEDUC (VIOLETTE) [Arras, 1907 — Paris, 1971]. Enfant non reconnue par son père, Violette Leduc sera élevée par sa grand-mère. Elle devient secrétaire de presse chez Plon et débute dans le journalisme. En 1932, elle fait une rencontre décisive, celle de Maurice Sachs. Elle publie en 1946 *L'Asphyxie*. Son talent est reconnu par Camus, Genet et Jouhandeau. Elle fait paraître *L'Affamée* (1948), *Ravages* (1955), *La Vieille Fille et le mort* (1958), *Trésors à prendre* (1960), mais c'est avec *La Bâtarde*, préfacée par Simone de Beauvoir, qu'en 1964 elle connaîtra enfin le succès.

Bibl. : Isabelle de Courtivron, *V. L.*, Twayne, 1986.

LEIRIS (MICHEL) [Paris, 1901]. Ami de Max Jacob et d'André Masson, à vingt-trois ans il adhère au surréalisme. Il s'intéresse à l'exploration des rêves et aux expériences sur le langage, ce qui lui inspire *Aurora*, écrit en 1927-1928 mais publié en 1946 seulement. Devenu ethnologue, il part en mission et publie *L'Afrique fantôme*, relation de voyage et commencement d'autobiographie. Avec *L'Age d'homme*, publié en 1939, Leiris veut « faire un livre qui soit un acte ». Poursuivant cette quête de soi, recherche en même temps d'un art de vivre et d'un art du savoir-vivre, Leiris entreprend *La Règle du jeu*, parue en quatre tomes (*Biffures*, 1948 ; *Fourbis*, 1955 ; *Fibrilles*, 1966 ; *Frêle Bruit*, 1976). En 1969 et 1973, Gallimard publie ses poèmes, *Note sans mémoire* et *Haut-Mal ;* ses articles sont réunis dans *Brisées* (Mercure de France, 1969).

Bibl. : Maurice Nadeau, *M. L. et la quadrature du cercle*, Julliard, 1963. — Pierre Chapuis, *M. L.*, Hachette, 1973. — Michel Yvert, « Bibliographie des écrits de M. L. », dans *Bulletin du Bibliophile*, 1974, fasc. I et III. — Philippe Lejeune, *Le Pacte autobiographique*, Le Seuil, 1975, et *Lire L.*, Klincksieck, 1976. — *Substance*, n°s 11-12, 1976 [avec bibl.], *Sud*, n°s 28-29, 1er trimestre 1979. — *Il Verri* [bibl.], n° 18, 1980. — André Clavel, *M. L.*, H. Veyrier, 1984.

LÉVI-STRAUSS (CLAUDE) [Bruxelles, Belgique, 1908]. Ses travaux ethnologiques ont exercé une influence capitale sur les sciences humaines. En appliquant l'analyse structurale à l'ethnologie, il a tenté de donner une nouvelle méthode d'explication, méthode empruntée à la linguistique générale. Directeur d'études à l'École pratique des hautes études, c'est en 1955 que Lévi-Strauss a publié *Tristes Tropiques*, livre de voyage et livre sur le voyage. Dans *Anthropologie structurale* (1958), il insiste sur les différences qui séparent l'histoire de l'ethnologie, celle-ci

« organisant ses données... par rapport aux conditions inconscientes de la vie sociale ». Se tournant vers la science des mythes, il a publié dans les années soixante une véritable somme : *Mythologiques I, II, III* et *IV (Le Cru et le Cuit, Du miel et des cendres, L'Origine des manières de table, L'Homme nu)*; *La Voie des masques* en 1975.

Bibl. : François H. Lapointe, Claire C. Lapointe, *C. L.-S. ans his Critics. An International Bibliography of Criticism (1950-1976), followed by a Bibliography of the Writings of C. L.-S.*, New York, Garland, 1977. *L'Arc*, n° 26, (1965), Aix-en-Provence. — Yvan Simonis, *C. L.-S. ou la Passion de l'inceste*, Aubier, 1968. — Edmund Leach, *L.-S.*, trad. de l'anglais, Seghers, 1970. — Octavio Paz, *Deux Transparents : Marcel Duchamp et C. L.-S.*, Gallimard, 1970. — John Richard von Sturmer et James Harle Bell, *C. L.-S. the Anthropologist as Everyman*, 1970. — de Josselin De Jong, *L.-S.'s Theory on Kinship and Marriage*, Leyde, E. J. Brill, 1970. — Jean-Baptiste Fages : *Comprendre L.-S.*, Toulouse, Privat, 1972. — Raoul et Laura Malarius, *Structuralisme ou Ethnologie*, Anthropos, 1973. — Joseph Courtès, *L.-S. et les contraintes de la pensée mythique*, Tours, Mame, 1973. — Mireille Marc-Lipiansky, *Le Structuralisme de L.-S.*, Payot, 1973. — Catherine Backès-Clément, *L.-S., ou la Structure et le Malheur, Seghers, 1974.* — José Guilherme Merquier, *L'Esthétique de L.-S.*, P.U.F., 1977.

MAC ORLAN (PIERRE) (pseud. de Pierre Dumarchey) [Péronne, 1882 — Saint-Cyr-sur-Morin, 1970]. Après une jeunesse pauvre, il s'est lancé sur les routes, particulièrement du côté de l'Europe du Nord. Dès 1912, il publie des contes humoristiques. Mais c'est entre les deux guerres qu'il écrit l'essentiel de son œuvre : *Le Chant de l'équipage* (1918), *A bord de l'Étoile Matutine* (1920), *Le Quai des brumes* (1927), *La Bandera* (1913) (ces deux derniers livres ont inspiré des films qui comptent parmi les chefs-d'œuvre du cinéma parlant). Poursuivant son œuvre, il a vécu retiré à Saint-Cyr-sur-Morin, quittant de temps à autre sa retraite pour faire de grands reportages. Élu à l'Académie Goncourt en 1950.

Bibl. : *Œuvres complètes* publiées aux Éditions Rencontre. — Bernard Baritaud, *P. M. O.*, Gallimard, 1971. — Actes du colloque « Présence de P. M. O. », 1882-1970, Univ. Paris-Val-de-Marne, Créteil, 1984.

MALLET-JORIS (FRANÇOISE) (pseud. de Françoise Lilar) [Anvers, 1930]. Fille d'un homme d'État belge et de l'écrivain Suzanne Lilar, elle a publié son premier roman, *Le Rempart des béguines*, en 1951. Le roman, qui a pour sujet un père et une fille se partageant les faveurs d'une même femme, fit scandale. En 1956, elle a obtenu le prix des Libraires pour *Les Mensonges* et, en 1958, le prix Femina pour *L'Empire céleste*. Dans *Les Signes et les Prodiges* (1966) l'auteur pose la question : la rencontre de Dieu et des hommes est-elle possible ? Elle a écrit plusieurs essais dont *Lettre à moi-même* (1963) et *La Maison de papier* (1970). Membre de l'Académie Goncourt depuis novembre 1971, elle a publié ensuite *Le Jeu du souterrain* (1973) et *Allegra* (1976).

Bibl. : Monique Détry, *F. M.-J., Dossier critique et Inédits*, Grasset, 1976. — Lucille Frackman, *F. M.-J.*, Twayne, 1985.

MALRAUX (ANDRÉ) [Paris, 1901-1976]. Il publie ses premiers livres à son premier retour d'Extrême-Orient : *La Tentation de l'Occident* (1926), *Les Conquérants* (1928), *La Voie royale* (1930), et *La Condition humaine* qui lui vaut le prix Goncourt en 1933. Membre du Comité mondial antifasciste. On connaît son action dans la guerre d'Espagne, qui lui inspire *L'Espoir* (1937). Fait prisonnier en 1940, il s'évade ; plus tard il s'engagera dans la Résistance. Il fait paraître en Suisse *Les Noyers de l'Altenburg.* Ministre de l'Information après la guerre, il suit le général De Gaulle lorsque ce dernier s'éloigne du pouvoir. Il écrit de grands essais d'histoire et de philosophie de l'art : *Le Musée imaginaire* (1947), *La Création artistique* (1948), *La Monnaie de l'absolu* (1950), *Saturne, Essai sur Goya* (1949), *Les Voix du silence* (1951), *Le Musée imaginaire de la sculpture mondiale* (1952-1955), *La Métamorphose des dieux* (1957). Nommé par De Gaulle, en 1958, secrétaire d'État aux Affaires culturelles, puis par la suite ministre d'État, il ne quittera ce poste qu'en 1969 avec le départ du chef de l'État. En 1967, paraissent *Antimémoires I ;* en 1971, *Les chênes qu'on abat...* puis *Oraisons funèbres ;* en 1974, *La Tête d'obsidienne, Lazare ;* en 1975, *Hôtes de passage ;* enfin, deux grandes méditations sur l'art : *L'Irréel* (1974) et *L'Intemporel* (1976), tomes 2 et 3 de la trilogie *La Métamorphose des dieux ;* le tome 1 est publié en 1957 sous le titre *La Métamorphose des dieux ;* une version révisée et finale paraît en 1977 sous le titre *Le Surnaturel.* Peu après sa mort paraît *L'Homme précaire et la littérature.*

Bibl. : voir Bibliographie générale.

MARCEAU (FÉLICIEN) (pseud. de Louis Carette) [Cortemberg, Belgique, 1913]. Journaliste, il travaille à la radio belge et publie son premier roman, *Le Péché de complication* en 1941. Après la guerre il se fixe à Paris et obtient le prix Interallié pour *Les Élans du cœur.* Mais c'est au théâtre qu'il va connaître la célébrité avec : *L'Œuf* (1956), *La Bonne Soupe, La Preuve par quatre, Un jour j'ai rencontré la vérité* (1958-1967). Il a été élu à l'Académie française en 1975.

MARCEL (GABRIEL) [Paris, 1889-1973]. Philosophe, auteur et critique dramatique, compositeur, essayiste, il a été pendant un demi-siècle un animateur, un découvreur, une des consciences les plus attentives de notre temps, interrogeant le monde et ses soubresauts, l'homme, ses angoisses et son au-delà métapsychique, les idées, les sentiments et les événements. On lui a collé l'étiquette d'existentialiste chrétien. En fait, sa foi transcende les cadres des théologies et des orthodoxies. Pour lui, la modernité se dévoile dans le sens vivant du mystère, dans ce qu'il appelle le « métaproblématique ». Gabriel Marcel est l'un des principaux responsables de l'introduction en France de la phénoménologie allemande ; en particulier, il a fait comprendre l'importance de Max Scheler, de Karl Jaspers et surtout de Martin Heidegger. De son œuvre philosophique, citons *Journal métaphysique* (1927), *Être et Avoir* (1935), *Homo viator* (1945), *Le Mystère de l'être* (1951). Parmi les nombreuses pièces qu'il a écrites, dont certaines ont été jouées et ont remporté un succès d'estime, retenons *Un homme de Dieu* (1929), *Le Monde cassé* (1933), *La Soif* (1938), *Rome n'est plus dans Rome* (1951). En 1947, il obtint le grand prix de littérature de l'Académie et fut élu membre de l'Académie des sciences morales et politiques.

Bibl. : François H. et Claire C. Lapointe, *G. Marcel and his Critics. An International Bibliography* (1928-1976), New York, Garland, 1977. — R. Ricœur, *G. M. et Karl Jaspers, philosophie du mystère et philosophie du paradoxe,* 1948. — R. Troisfontaines, *De l'existence à l'être, la philosophie de M., 1968. — Entretiens autour de G. M.*, 1968. — Entretiens autour de G. M. (Colloque du Centre culturel international de Cerisy-la-Salle, 1973).

MARITAIN (JACQUES) [Paris, 1882 — Toulouse, 1973]. Agrégé de philosophie, docteur des universités romaines, il enseigne avant la guerre de 1914 à l'Institut catholique de Paris. La seconde guerre mondiale l'amène en Amérique du Nord — à New York d'abord, où il participe à la fondation de « The New School for Social Research », puis au Canada : il enseigne à l'Institut d'études médiévales de l'université de Toronto ; enfin, de retour aux États-Unis, à l'université de Princeton. Après la mort de sa femme Raïssa, il rentre en France et se retire à Toulouse auprès des Petits Frères de Charles de Jésus et prononce ses vœux en 1971. De 1945 à 1948 il fut ambassadeur de France près le Saint-Siège. Ayant commencé par faire des études de biologie, les cours de Bergson au Collège de France lui révèlent sa vocation métaphysique qui va désormais orienter sa vie. A l'égard de Bergson, Maritain éprouvera un sentiment ambivalent de fascination et de répulsion : il fera appel au thomisme pour échapper aux charmes et facilités du bergsonisme. Son œuvre manifeste la personnalité sans doute la plus complexe de la conscience catholique en notre siècle. Elle se voudra logique et dogmatique dans des études comme *Éléments de philosophie* (1923), *Sept Leçons sur l'être* (1932), *Distinguer pour unir ou les Degrés du savoir* (1932), *La Philosophie morale* (1960). Elle posera le problème de l'expression philosophique et celui de la relation entre la pensée et l'art dans *Art et Scolastique* (1920) et surtout dans *Creative Intuition in Art and Poetry* (1953, trad. fr. 1966). Elle se fera polémique ou apologétique avec *La Philosophie bergsonienne* (1913), *Le Docteur Angélique* (1931), *De Bergson à Thomas d'Aquin* (1944). Elle s'engage généreusement dans les luttes morales et politiques de notre époque, contre les fascismes, contre les idéologies bourgeoise ou communiste, dans *Humanisme intégral* (1937), *Les Juifs parmi les nations* (1938), *Principes d'une politique humaniste* (1944), *Le Philosophe dans la cité* (1960), *Le Paysan de la Garonne* (1966). Une édition des *Œuvres complètes* est en cours : 7 vol. parus (→ 1943), Éditions Saint-Paul.

Bibl. : Donald A. Idella Gallagher, *The Achievement of J. and Raïssa,* M. *A Bibliography (1906-1961),* New York, Doubleday, 1962. — J. W. Nanke, *M.'s Ontology of the Work of Art,* 1973. — John M. Dunaway, *J. M.* Boston, Twayne, 1978.

MARTIN DU GARD (ROGER) [Neuilly-sur-Seine, 1881 — Bellême, 1958]. Fils de la bonne bourgeoisie, il entre à l'École des Chartes. *Jean Barois* (...) est l'histoire passionnée d'une génération marquée par l'affaire Dreyfus. Accueilli à la N.R.F. par Gide et Schlumberger. *Le Testament du père Leleu* est joué en février 1914 au théâtre du Vieux-Colombier. Après la guerre, il commence la rédaction de son journal et, à partir de 1922, entreprend la publication des *Thibault* dont le dernier tome, *Épilogue,* ne paraîtra qu'en 1940. Prix Nobel en 1937.

Bibl. : *Œuvres complètes,* préface d'Albert Camus, 2 vol., « La Pléiade » Gallimard, 1955. — *Correspondance générale,* éditée par M. Rieuneau [J.-C. Airal], tome I, 1896-1913, tome II, 1914-1918, tome III, 1919-1925, tome IV, 1926-1929, Gallimard 1980-1987. — *Correspondance avec André Gide,* préface de J. Delay, 2 vol., Gallimard, 1972. — René Lalou, *R. M. du G.,* Gallimard, 1937. — *Hommage à R. M. du G., N.R.F.,* décembre 1958. — Jacques Brenner, *M. du G.,* Gallimard, 1961. — Robert Roza, *R. M. du G. et la banalité retrouvée,* Didier 1970. — René Garguilo, *La Genèse des « Thibault » de R. M. du G.,* Klincksieck, 1974. — Claude Sicard, *R. M. du G. Les Années d'apprentissage littéraire (1881-1910),* Champion, 1976. — Catalogue de l'exposition R. M. du G., Bibliothèque nationale, 1981. — *R. M. du G., son temps et le nôtre.* Colloque de Saarbrücken, nov. 1981, Klincksieck, 1984.

MASSON (LOYS) [Rose-Hill, Ile Maurice, 1915 — Paris, 1969]. Il s'embarque en 1939 pour la France. Il a déjà découvert le monde de l'injustice, le problème des races et des différences de couleurs. Pendant la guerre, il participe à la Résistance, collabore avec Mounier à la rédaction de la revue *Esprit,* et rencontre Pierre Seghers. En 1945, bien que catholique, il adhère au Parti communiste et devient secrétaire du Comité national des écrivains, puis rédacteur en chef des *Lettres françaises.* Il rompra avec le parti en 1948. Poète et romancier, il a publié des poèmes de guerre, *Délivrez-nous du mal* (1942) et une quinzaine de romans dont *Les Tortues* (1956), *Les Sexes foudroyés* (1958) et *Le Notaire des noirs* pour lequel il obtiendra en 1962 le prix des Deux Magots.

Bibl. : Xavier Tilliette, « L. M. et nous », dans *Études,* mai 1946. — Charles Moulin, *L. M.,* Seghers, 1962. — Catalogue de l'exposition Isle-de-France — Ile Maurice, 1715-1978, Musée de la marine, Paris, 1978.

MAURIAC (CLAUDE) [Paris, 1914]. Fils aîné de François Mauriac, dès avant la guerre il fait ses débuts de critique. Secrétaire particulier du général de Gaulle de 1944 à 1949, il entre en 1947 au *Figaro littéraire* où il assure la critique cinématographique, puis la critique littéraire. Essayiste et romancier, il reçoit le prix Sainte-Beuve pour son livre sur André Breton (1949) et le prix Médicis pour *Le Dîner en ville* (1959), deuxième volet des quatre romans qu'il a groupés sous le titre : *Le Dialogue intérieur.* Il a aussi publié de larges extraits de son journal : *Le Temps immobile* (1974), *Les Espaces imaginaires* (1975) et *Comme l'espérance est violente* (1976), *La Terrasse de Malagar* (1977), *Aimer de Gaulle* (1978), *Le Rire des pères dans les jeux des enfants* (1981).

MAURIAC (FRANÇOIS) [Bordeaux, 1885 — Paris, 1970]. Fils de la bonne bourgeoisie bordelaise, Mauriac a eu une adolescence marquée par la province, par le milieu dont il était issu et par son passage chez les Marianistes. Au début de sa carrière il fréquente les hommes du *Sillon.* Barrès lui prodigue ses encouragements. Il veut être « un catholique qui écrit des romans ». Sa réussite est rapide et brillante. En 1925 il obtient le grand prix du roman pour *Le Désert de l'amour.* En 1933 il est élu à l'Académie française. Moraliste amer, il s'est très tôt passionné pour la politique. Il s'est dressé contre le fascisme et a participé à la Résistance, mais il a su plaider en 1945 l'indulgence pour ceux qui n'avaient pas eu sa clairvoyance. Ce grand romancier, auteur de *Genitrix* (1923), de *Thérèse Desqueyroux* (1927), du *Mystère Frontenac* (1933), lauréat du prix Nobel en 1952, a su aussi faire une carrière de journaliste et de polémiste : ses chroniques dans *Le Figaro, L'Express* et *Le Figaro littéraire,* ont marqué l'époque de la décolonisation et du retour de de Gaulle au pouvoir.

Bibl. : Marc Alyn, *M.,* Seghers, 1960. — Keith Goesch, *F. M., Essai de bibliographie chronologique,* Nizet, 1965. — Émile Glénisson, *L'Amour dans les romans de F. M.,* Éd. Universitaires, 1970. — Jean de Fabrègues, *M.,* Plon, 1971. — André

Séailles, *M.*, Bordas, 1972. Michel Suffran, *F. M.*, Seghers, 1973. — Jacques Vier, *F. Mauriac romancier catholique ?* Impr. de Tancrède, 1938. — Robert Speaight, *F. M. : A Study of the Writer and the Man*, Londres, Chatto and Windus, 1975. — *F. M.*, « Génies et réalités », Hachette, 1977. — Jean Lacouture, *F. M.*, Seuil, 1980. — *Cahiers F. M.*, depuis 1974 (16 fasc.), Grasset. — *Revue des Lettres modernes*, série F. M. (3 fasc.), Minard. — Les *Œuvres romanesques et théâtrales complètes* sont publiées dans la « Pléiade », Gallimard, par Jacques Petit (t. I, 1978 ; t. II, 1979, t. III, 1981). — *Cahier de l'Herne*, n° 48, 1985. — Catalogue de l'exposition F. M., Bordeaux, 1985. — K. Goesch, *F. M. (critique 1975-1984)*, Minard, 1985. — *Présence de F. M.*, Colloque de Bordeaux, 1985, P. U. de Bordeaux, 1987. — K. Goesch, *F. M. Essai de bibliographie des œuvres de F. M. 1961-1984* (Calepins de bibliographie. N° 8), Minard, 1988.

MEMMI (ALBERT) [Tunis, 1920]. Juif tunisien, Memmi appartient par sa naissance et sa culture à plusieurs mondes, celui de l'Afrique et celui de l'Occident, celui du colonisé et celui de l'exclu. Pendant la guerre il doit interrompre ses études, ensuite il est astreint au travail forcé. Il publie en 1953 *La Statue de sel* qui lui vaudra le prix Fénéon. Il écrit en 1957 un essai préfacé par Jean-Paul Sartre, *Portrait du colonisé.* Il se pose ensuite la question de l'identité juive, d'où *Portrait d'un juif* (1962) et *La Libération du juif* (1966). En 1965 une *Anthologie des écrivains maghrébins d'expression française* est publiée sous sa direction. *L'Homme dominé* et *Le Scorpion ou la Confession imaginaire* paraissent en 1968 et 1969 chez Gallimard.

Bibl. : A. Camus, Préface à *La Statue de sel*, 1953. — Étiemble, « Barbarie ou Berberie », dans *N.R.F.*, juillet 1957. — Maurice Blanchot, « Être juif », dans *N.R.F.*, août 1962.

MERLEAU-PONTY (MAURICE) [Rochefort-sur-mer, 1908 — Paris, 1961]. Agrégé de philosophie, docteur ès lettres, il a occupé successivement la chaire de psychologie à l'université de Lyon et à la Sorbonne. En 1952, il a été élu à la célèbre chaire de philosophie du Collège de France. Au début de sa carrière, il a été étroitement associé à Sartre, et a collaboré aux *Temps modernes* dès la fondation de la revue en 1945. Plus tard, des dissensions politiques les séparèrent. Comme l'écrit Sartre dans l'hommage qu'il rend à son ami mort, l'un et l'autre ont eu un jour à choisir entre leurs refus les plus profonds : pour Sartre c'était la haine de la bourgeoisie ; pour Merleau, ce fut l'horreur du stalinisme.

Philosophe et essayiste, après s'être incliné devant les formes traditionnelles des thèses de doctorat dans *La Structure du comportement* (1941) et *Phénoménologie de la perception* (1945), il a essayé de donner à l'écriture philosophique une forme nouvelle, prenant pour modèles Montaigne, Proust et Malraux. De là une œuvre variée, faite d'essais plus ou moins longs, qui touchent aux problèmes éternels de la philosophie et aux questions d'actualité, qui aborde les domaines de la métaphysique, de l'éthique, de la politique, de l'esthétique : tels sont *Sens et Non-Sens* (1948), *Humanisme et terreur* (1947), *Les Aventures de la dialectique* (1955) où il s'attaque à Sartre, *Signes* (1960). Il laisse une œuvre inachevée dont on peut pressentir les promesses et la nouveauté dans un livre posthume intitulé *Le Visible et l'Invisible* (1964).

Bibl. : Claire L. Lapointe, *M. M. P. and his Critics : an International Bibliography, 1942-1976 Preceded by a Bibliography of M. P.'s Writings,* New York, Garland, 1976. E. Morot-Sir, *La Pensée française d'aujourd'hui,* 1971. — A. de Waehlens, *Une philosophie de l'ambiguïté, l'existentialisme de M. M.-P.,* 1951, — F. Heidsieck, *L'Ontologie de M.-P.,* 1971. — E. F. Kaelin, *An Existentialist Aesthetics : The Theories of Sartre and M.-P.,* 1962, John O'Neill, *Perception, Expression and History : The Social Philosophy of M. M.-P.,* 1970. — H. Wallot, *L'Accès au monde littéraire ou Éléments pour une critique littéraire chez M. M.-P.,* Sherbrooke (Québec), Naaman, 1977.

MICHAUX (HENRI) [Namur, (Belgique) 1899-1984]. Il commence ses études de médecine, mais y renonce bientôt et s'embarque pour les deux Amériques. La lecture de Lautréamont a sur lui une influence décisive, et c'est à Paris qu'il se lie vers 1925 avec Klee, Ernst et Chirico. Pendant des années, il voyage un peu partout dans le monde, et il commence à peindre. En 1927, au retour d'un voyage en Équateur, il publie *Qui je fus,* bientôt suivi de *Ecuador* (1929) et de *Un Barbare en Asie* (1933). Avec *Plume* (1938), précédé de *Lointain Intérieur,* Michaux franchit une étape qui le mènera à la découverte d'un autre monde. En publiant en 1948 *Meisodems* avec treize lithographies de sa main, sa poésie verbale s'accompagne d'une fantasmagorie graphique. A partir de 1956, il expérimente sur lui-même les effets des hallucinogènes et particulièrement de la mescaline, ce dont il rendra compte dans *L'Infini turbulent* (1957), *Connaissance par les gouffres* (1961), *Les Grandes Épreuves de l'esprit* (1966). En 1965, le grand prix national des lettres lui est décerné mais Michaux le refuse. L'auteur d'*Émergences-Résurgences* (1972) a voulu repousser les limites de l'expérience, et c'est en poète et en peintre qu'il a étendu le champ de la *libido sciendi.*

Bibl. : voir Bibliographie générale.

MONTHERLANT (HENRY DE) [Paris, 1896-1972]. Ancien du collège Sainte-Croix de Neuilly il affrontera à 15 ans deux taureaux dans les arènes de Burgos. Pendant la Grande Guerre, il recevra sept éclats d'obus dans les reins. Ensuite, c'est dans les stades qu'il retrouvera la camaraderie du collège et celle des tranchées (*La Relève du matin,* 1920; *Les Olympiques,* 1924). Il partira pour l'Espagne et l'Afrique du Nord ; c'est là qu'il écrira *Les Jeunes Filles* (1934) et qu'il commencera *La Rose de sable* parue seulement en 1968. De son œuvre romanesque on retiendra *Les Célibataires* (1934), *Le Chaos et la Nuit* (1963), *Les Garçons* (1969), *Un assassin est mon maître* (1971). De 1942 à 1965, il écrira la partie la plus spectaculaire de son œuvre : son théâtre. Une dizaine de pièces se succèdent à la scène, dont *La Reine morte* (1942), *Fils de personne* (1944), *Le Maître de Santiago* (1947), *Malatesta* (1948), *La ville dont le prince est un enfant* (1951), *Port-Royal* (1954), *Le Cardinal d'Espagne* (1960), *La Guerre civile* (1965). Élu à l'Académie française en 1960, Montherlant restera comme l'un des chantres de l'individu et comme un écrivain acharné à parfaire son style. Héritier de la sagesse antique, il mit lui-même fin à ses jours.

Bibl. : Georges Place, *M. (1896-1972),* La Chronique des Lettres françaises, 1974. — Michel Mohrt, *M. l'homme libre,* Gallimard, 1943. — Georges Bordonove, H. de M. Éd. Universitaires, 1958. Jean de Beer, *M. ou l'Homme encombré de Dieu,* Flammarion, 1963. — John Cruickshank, Londres, Oliver & Boyd, 1964 ; — Sylvie Chevalley, *H. de M., homme de théâtre,* Comédie-Française, 1965. — Philippe de Saint-Robert, *M. le séparé,* Flammarion, 1969. — Paulette von Arx, *La Femme dans le théâtre de H. de M.,* Nizet, 1973. — Jacqueline Michel, *L'Aventure janséniste dans l'œuvre de H. de M.,* Nizet, 1976. — *Album M.,* « *La Pléiade* », Gallimard, 1979. — Michel Raimond, *Les Romans de M.,* SEDES, 1982.

MORAND (PAUL) [Paris, 1888-1976]. Son père étant directeur de l'École des arts décoratifs, il connut de bonne heure les milieux artistiques. En 1913 il entre dans la carrière diplomatique. Lié avec Proust et Cocteau, il commence au lendemain de la guerre une œuvre empreinte de cosmopolitisme où l'imagination le dispute à l'intelligence. Témoin lucide et désinvolte, il mettra en scène les personnages de la génération d'après-guerre : *Ouvert la nuit* (1922), *Fermé la nuit* (1923). Après un riche mariage, il se lance dans de grands voyages et publie de nombreux romans, des recueils de nouvelles et d'essais. Pendant la seconde guerre, il sera ministre de France à Bucarest. Révoqué en 1944, il vivra en Suisse. En 1968 enfin, il sera élu à l'Académie française. Cet amateur de vitesse aura été un grand amoureux de l'espace. De son œuvre innombrable, citons : *Lewis et Irène* (1924), *Bouddha vivant* (1927), *Magie noire* (1928), *L'Homme pressé* (1941), *Hécate et ses chiens* (1954).

Bibl. : G. Place, *P. M.,* La Chronique des lettres françaises, 1977. — Bernard Delvaille, *P. M.,* Seghers, 1966 [n. éd., 1985]. — Stéphane Sarkany, *P. M. et le cosmopolitisme littéraire,* Klincksieck, 1968. — Marcel Schneider, *P. M.,* Gallimard, 1971.

Ginette Guitard-Auviste, *P. M., Légendes et Vérités,* Hachette, 1981. — Jean-François Fojel, *M. express,* Grasset, 1981.

MOUNIER (EMMANUEL) [Grenoble, 1905 — Paris, 1950]. Philosophe engagé dans les grands combats qui secouent la France et l'Europe pendant l'entre-deux-guerres, il fonde en 1932 la revue *Esprit* qui, pendant une vingtaine d'années, sous son impulsion, a été, pour le monde entier, un point de rassemblement spirituel et moral. Il intègre son catholicisme à une métaphysique personnaliste qui s'oppose à toutes les formes de religions closes, qu'elles soient chrétiennes ou athées, bourgeoises ou marxistes. Il se rattache à la tradition d'un christianisme social qui s'épanouit dans l'œuvre de Charles Péguy. Cette défense de l'individu comme personne se situe au cœur des problèmes économiques et politiques de notre temps. En conséquence, l'œuvre de Mounier ne prend pas la forme du système et ne rentre pas dans les cadres traditionnels de la philosophie. Il a écrit des essais qui répondent toujours et simultanément à des problèmes théoriques et pratiques, abstraits et concrets, moraux et sociaux. Tels sont *La Pensée de Charles Péguy* (1931), *Révolution personnaliste et communautaire* (1935), *Manifeste au service du personnalisme* (1936), *Liberté sous condition* (1946), *Traité du caractère* (1946), *Introduction aux existentialismes* (1947), *Le Personnalisme* (1949), *L'Espoir des désespérés* (1953).

Bibl. : *Œuvres,* tomes I à IV, Paris, 1961-1963 (le tome IV contient une bibliographie des œuvres de Mounier). — J.-L. Domenach, E. M. 1972. — E. Borne, *M.,* 1972. — J. Amato, *M. and Maritain : A French Catholic Understanding of the Modern World,* 1975. — J. Hellman : *E. M. and the New Catholic Left,* 1930-1950, 1981.

NIZAN (PAUL) [Tours, 1905 — Dunkerque, 1940]. Ancien élève de l'École normale supérieure où il s'est lié d'amitié avec Jean-Paul Sartre, Nizan part pour Aden en 1925 ; il y sera précepteur dans une famille anglaise. A son retour, il milite au sein du Parti communiste, fonde la *Revue marxiste,* passe l'agrégation de philosophie et se laisse tenter par la politique (en 1931 il se présente aux législatives). Devenu secrétaire de l'Association des écrivains révolutionnaires, il écrit dans *L'Humanité* et dans *Ce Soir.* En 1932, il publie *Les Chiens de garde ;* en 1939, lors de la signature du pacte germano-soviétique, il quitte le parti. Il a su décrire sa propre révolte dans *Aden Arabie* (1932) et dans *La Conspiration* (1933). Communiste convaincu, mais aussi anarchiste et athée, il prend parti pour la guerre et meurt au front le 23 mai 1940.

Bibl. : Jacqueline Leiner, *Le Destin littéraire de P. N. et ses étapes successives,* Klincksieck, 1970. — Adèle King, *P.N., écrivain,*

Didier, 1976. — Pascal Ory, *P.N., communiste impossible,* Ramsay, 1980. — *P. N. écrivain,* P. U. de Lille, 1988.

NOËL (MARIE) (pseud. de Marie Rouget [Auxerre, 1883-1967]. C'est à l'âge de vingt-cinq ans que celle qui jamais ne quitta Auxerre ni l'ombre de sa cathédrale écrivit son premier poème. Elle dira elle-même que son œuvre est « moins une œuvre qu'une vie chantée ». Après la seconde guerre mondiale, elle accède à la notoriété. En 1947 paraîtra *Chants et Psaumes d'automne,* et en 1966 elle recevra le grand prix littéraire de la ville de Paris pour une œuvre marquée par l'inspiration religieuse, l'amour de la nature et les élans du cœur.
Bibl. : Sœur Marie-Tharcisius, sœur de la Sainte-Croix, *L'Expérience poétique de M. N.,* Montréal et Paris, Fides, 1962. — André Blanchet, *M. N.,* Seghers, 1970. — Henri Gouhier, *Le Combat de M. N.,* Stock, 1971. — Les *Œuvres en prose* ont été rééditées (Stock, 1977).

OBALDIA (RENÉ DE) [Hong-Kong, 1918]. Né d'une mère française et d'un père panaméen, René de Obaldia a été d'abord un romancier plein de fantaisie : *Tamerlan des cœurs* (1954), *Fugue à Waterloo* (1956), *Le Centenaire* (1959). Mais il est surtout un dramaturge tendre et insolent, auteur de pièces brèves : *Le Sacrifice du bourreau, Edouard et Agrippine, L'Air du large.* C'est en 1960 que ce poète de l'absurde a donné sa première grande œuvre théâtrale : *Génousie.* Avec *Du vent dans les branches de sassafras,* il s'en est pris, non sans succès, à l'un des mythes les plus populaires de notre temps : le western.
Bibl. : Gérard-Denis Farcy, *Encyclobaldia. Petite Encyclopédie portative du théâtre de R. de O.,* J.-P. Place, 1981.

OLLIER (CLAUDE) [Paris, 1922]. C'est en véritable technicien que Claude Ollier, émule du nouveau roman, aura poussé à l'extrême le parti pris de Robbe-Grillet. Devant l'impossibilité du langage à exprimer les cassures du néant, il met en scène des personnages qui se perdent à la fin dans l'enquête qu'ils mènent à propos d'eux-mêmes. Il a publié plusieurs romans : *La Mise en scène* (1958). *Le Maintien de l'ordre* (1961), *L'Été indien* (1963), *L'Échec de Nolan* (1967), *La Vie sur Epsilon* (1972), *Enigma* (1973), *Our, ou Vingt-Cinq Ans après* (1974).
Bibl. : *Sub-Stance,* n° 14, 1976.

OSTER (PIERRE) [Nogent-sur-Marne, 1933]. Poète de l'unité animée, Pierre Oster, par le biais du langage, interroge l'être, le Tout. Les premiers poèmes de Pierre Oster ont paru en 1954 dans le *Mercure de France* et dans la *N.R.F.* Citons ses principaux ouvrages : *Le Champ de mai* (1955), *Solitude de la lumière* (1957), *Un nom toujours nouveau* (1960), *La Grande Année* (1964).

Bibl. : Georges Lambrichs, « La Dernière des choses », dans *N.R.F.*, juin 1955. — Philippe Jaccottet, « P. O., poète de l'unité animée », dans *N.R.F.*, mars 1958.

PAGNOL (MARCEL) [Aubagne, 1895 — Paris, 1974]. Auteur dramatique de talent, il saura conquérir l'audience du grand public, mettant en scène des personnages pris sur le vif et parlant le langage de tous les jours. Puisant aux sources de la verve marseillaise, il y ajoutera le ton de la satire et même une touche de poésie. Ses premiers succès datent de la création de *Topaze* (1928) et surtout de *Marius* (1929). Servi par de grands acteurs (Raimu, Jouvet, Fresnay), il saura, l'un des premiers, porter ses pièces à l'écran : *Marius* en 1931, *Fanny* en 1932, *Topaze* en 1932, *César* en 1933. Élu à l'Académie française en 1946, il publiera par la suite des recueils de souvenirs empreints de l'amour qu'il a toujours porté à la terre provençale ; *La Gloire de mon père* (1957), *Le Château de ma mère* (1957), *Le Temps des secrets* (1960) et *Le Temps des amours* (1977).

Bibl. : Yvonne Georges, *Les Provençalismes dans l'Eau des collines*, Aix-en-Provence, La Pensée universitaire, 1966. — Yvan Audouard, *Audouard raconte*, Stock, 1973. — C.E.J. Caldicott, *M. P.*, Boston, Twayne, 1977.

PAULHAN (JEAN) [Nîmes, 1884 — Boissise-la-Bertrand, 1968]. Après avoir poursuivi ses études en Sorbonne, Paulhan part pour Madagascar en 1907. Il y exerce diverses activités, dont celle de chercheur d'or. Ayant appris la langue du pays, il s'intéresse à la poésie malgache. De retour en France, il fait la guerre comme sergent au 9e zouave ; c'est alors qu'il écrit son premier récit, *Le Guerrier appliqué* (1917). Collaborateur de Jacques Rivière, il succède bientôt à ce dernier (en 1925) au poste de directeur de la *N.R.F.*, fonction qu'il assumera pendant près d'un demi-siècle. Il découvre et encourage des écrivains comme Jouhandeau, Giono, Ponge, Artaud, Michaux, et apparaît bientôt comme l'un des maîtres de la critique. Dès 1941, il participe à la Résistance et fonde avec Jacques Decour *Les Lettres françaises*, ce qui ne l'empêchera pas à la Libération de s'élever contre les abus de l'Épuration. C'est aussi en 1941 qu'il écrit *Les Fleurs de Tarbes*. Poursuivant son enquête sur le langage et l'expression, il publiera entre autres : *Un rhétoriqueur à l'état sauvage* (1928-1945), *Le Clerc malgré lui* (1948), *La Preuve par l'étymologie* (1953), *Les Douleurs imaginaires* (1956), *Le Clair et l'Obscur* (1958), *Le Don des langues* (1967).

Bibl. : M.-J. Lefebve, *J. P., une philosophie et une pratique de l'expression et de la réflexion*, Gallimard, 1949. — Roger Judrin, *La Vocation transparente de J. P.*, Gallimard, 1961. — *J. P.*, n° spécial de la *N.R.F.*, mai 1969. — *J. P. à travers les peintres*, Catalogue de l'exposition au Grand Palais, 1974. — Jeannine Kohn-Etiemble, *226 Lettres inédites de J. P. Contribu-*

tion à l'étude du mouvement littéraire en France (1933-1967), Klincksieck, 1975. — *J. P. le souterrain,* Colloque international de Cerisy-la-Salle (1973), « 10/18 », U.G.E., 1976. — *Correspondance J. P. — Guillaume de Tarde, 1904-1920* « Cahiers J. P. », Gallimard, 1980. — André Dhôtel, *J. P.,* La Manufacture, 1986.

PÉRET (BENJAMIN) [Rezé, 1899 — Paris, 1959]. Poète surréaliste, fidèle à la doctrine des *Manifestes,* il maintient aussi dans son œuvre le radicalisme de la fureur dadaïste qui s'applique à la destruction de toutes les valeurs de la civilisation occidentale, qu'elles soient intellectuelles, morales ou esthétiques, qu'elles se rattachent à l'idéologie bourgeoise, catholique ou communiste. Plus qu'automatique, son écriture est profondément anarchique ; l'humour lui sert d'explosif linguistique et mental ; la fantaisie domine un lyrisme apparemment cruel, mais qui ne cache pas sa tendresse. Militant surréaliste, il fut aussi un combattant de la liberté : pendant la guerre d'Espagne, il s'engage dans les Brigades internationales. Parmi des œuvres très variées, citons *Le Passage du transatlantique* (1921), *Immortelle maladie* (1924), *152 Proverbes mis au goût du jour,* en collaboration avec Paul Éluard (1925), *Il était une boulangère* (1925), *Le Grand Jeu* (1928), *De derrière les fagots* (1936), *Main forte* (1946), *Feu central* (1947), *La Brebis galante* (1949)...
Bibl. : *Œuvres complètes de* B. P. (tomes I à V, 1969-1989). — J. Costich, *The Poetry of Change : A Study of the Surrealist Works of B. P.,* Chapel Hill, N. C., 1978. — J.-L. Bédouin, *B. P.,* « Poètes d'aujourd'hui », Seghers, 1961. — J. H. Matthews, *B. P.,* Boston, Twayne, 1975.

PERRET (JACQUES) [Trappes, 1901]. Deux livres ont fait son succès, *Le Caporal épinglé* (1947) et *Bande à part* (1951) qui lui a valu le prix Interallié. Fait prisonnier pendant la dernière guerre, il s'est évadé, puis s'est engagé dans la Résistance. Chroniqueur à *Aspects de la France,* il milita pour l'Algérie française. Perret a su chanter l'amitié virile, les jeux de l'enfance et l'esprit guerrier. Nostalgique d'un passé immémorial, c'est au nom d'une enfance rêveuse et hantée par l'héroïsme qu'il s'est insurgé contre le monde bourgeois.
Bibl. : *Itinéraires,* n° 228 [avec bibl.], décembre 1978.

PEYREFITTE (ROGER) [Castres, 1907]. Diplomate de carrière, il publie en 1944 *Les Amitiés particulières,* livre pour lequel il obtient le prix Renaudot. On crut à la naissance d'un grand écrivain. La suite de l'œuvre, hormis *Mort d'une mère* (1950) et peut-être *Du Vésuve à l'Etna* (1952), glisse vers la chronique scandaleuse, le constat de police et le règlement de comptes (*Les Clés de Saint-Pierre, Manouche,* 1972 ; *Tableaux de chasse,* 1976). Peyrefitte a su conquérir le grand public en orientant sa production vers le pamphlet et le journalisme à sensation. Il s'est maintenant tourné vers l'Antiquité avec sa trilogie, *La Jeunesse d'Alexandre* (1977), *Les Conquêtes d'Alexandre* (1979), *Alexandre le Grand* (1981) où il a su associer son talent de romancier à la science de l'érudit.

PICHETTE (HENRI) [Châteauroux, 1924]. Grâce à Paul Éluard, il publie son premier *Apoème* en 1945. Ensuite il fait la rencontre d'Artaud et de Gérard Philipe. Et en 1947 paraît le recueil *Apoèmes.* La même année, Gérard Philipe crée *Épiphanies* au théâtre des Noctambules. En 1952, création au T.N.P. de *Nucléa.* 1957 : publication de *Revendications.* Poète de la révolte au lyrisme chaotique, il a su ne pas renier la tradition, tout en visant à dépasser le surréalisme et à déboucher sur le « cosmisme ». Il a chanté Dieu mais aussi la révolution. Pour lui, « faire fondamentalement de la politique, c'est être poète ».

PIEYRE DE MANDIARGUES (ANDRÉ) [Paris, 1909]. D'origine nîmoise, sa famille a compté un conventionnel, des historiens et un célèbre collectionneur de tableaux impressionnistes, Paul Bérard. En 1943, il écrit *Hedrera, ou la Persistance de l'amour pendant une rêverie*, et publie un premier recueil de poèmes : *Dans les années sordides.* Se situant dans la tradition surréaliste, il mêlera le merveilleux et le fantastique, et visera à exprimer la sensation pure dans un climat érotico-obsessionnel qu'on retrouve aussi bien dans ses poèmes que dans ses récits ou ses romans. On retiendra *Le Musée noir* (1946), *Soleil des loups* (prix des Critiques, 1951), *Le Lis de la mer* (1956), *La Motocyclette* (1963) et *La Marge* (prix Goncourt, 1967).
Bibl. : Salah Stétié, *A. P. de M.*, « Poètes d'aujourd'hui », Seghers, 1978.

PINGAUD (BERNARD) [Paris, 1923]. Ancien élève de l'École normale supérieure, il a été rédacteur à l'Assemblée nationale. Il doit démissionner en 1960 après avoir signé le manifeste des 121. Essayiste et romancier, il a publié un *Madame de La Fayette par elle-même* (1959) et un recueil consacré au roman contemporain, *Inventaire* (1965), ainsi que plusieurs romans dont *L'Amour triste* 1950), *Le Prisonnier* (1959) et *La Scène primitive* (1965).

PINGET (ROBERT) [Genève, 1919]. C'est en 1951 que Pinget publie un premier recueil de nouvelles, *Entre Fantoine et Agapa.* Romancier à l'écoute du dire, Pinget a publié *Graal Flibuste* (1956), *Baga* (1958), *Le Fiston* (1959), *L'Inquisitoire* (prix des Critiques, 1962), *Quelqu'un* (prix Fémina, 1965), *Le Libera* (1968), *Passacaille* (1969), en 1971, *Fable,* et en 1975 *Cette Voix,* tout en donnant des pièces de théâtre : *Identité, Abel et Bella* (1971), *Pour alchimie, Nuit* (1973).

Bibl. : Robert M. Henkels, Jr., *R. P. The Novel as Quest*, University of Alabama Press, 1979.

PITOËFF (GEORGES) [Tiflis, (Russie), 1884 — Genève, 1939]. Sa vie d'homme de théâtre commence à Saint-Pétersbourg en 1912 ; elle se continue à Genève en 1915. A partir de 1927, avec sa femme Ludmilla, grande actrice et sa collaboratrice, il s'installe à Paris où il dirigera plusieurs théâtres, dont le théâtre des Arts. Membre du Cartel, animateur infatigable, vivant le plus souvent dans des conditions financières difficiles, il offrira un des répertoires les plus riches qui soient, avec Shakespeare, Ibsen, Strindberg, O'Neill, Bernard Shaw, Tchekhov, Tolstoï, Pirandello, et des auteurs français tels que Dumas fils, Claudel, Anouilh, Lenormand, Gide, Cocteau, etc. Il montera plus de 200 pièces. Sans obéir à un système théâtral, quel qu'il soit, il a cherché à exprimer, à travers les œuvres les plus diverses, le génie du théâtre, dans sa fantaisie, son charme, sa profondeur. Pour lui et pour Ludmilla, le théâtre fut l'objet d'un culte passionné.

Bibl. : H. R. Lenormand : *Les P., souvenirs*, 1943. — A. Frank, *G. P.* L'Arche, 1958. — J. Hort, *La Vie héroïque des P.*, 1966. — J. Jomaron, *G. P. metteur en scène*, Lausanne, L'Age d'homme, 1979.

PLANCHON (ROGER) [Saint-Chamond, 1931]. D'origine paysanne, il fut élevé à Lyon. Employé de banque, il se cultive lui-même, découvre tôt sa vocation, et en 1952 il fonde à Lyon le théâtre de la Comédie. En 1957 lui est confiée la direction du théâtre municipal de la Cité à Villeurbanne, faubourg ouvrier de Lyon : il crée alors le théâtre de la Cité qui est vite reconnu comme un des grands centres de la vie dramatique en France. Influencé par Piscator et Brecht, à la recherche d'un nouveau réalisme scénique, aidé par une troupe remarquable, il a pour idéal une écriture scénique qui restitue les personnages dans le contexte et le rythme de la société à laquelle ils appartiennent. Directeur, metteur en scène et acteur, il s'est adressé à Shakespeare, au théâtre élisabéthain, aux grands dramaturges espagnols, aux classiques français (Molière, Racine, Marivaux), et parmi les contemporains, à Arthur Adamov, à Michel Vinaver. Auteur lui-même, il a mis en scène ses pièces *La Remise, l'Infâme, Pattes blanches, Dans le vent.*

Bibl. : E. Copferman, *Théâtres de R. P.*, 2e éd., « 10/18 », U.G.E., 1977.

PLISNIER (CHARLES) [Ghlin, 1977. (Belgique), 1896 — Bruxelles (Belgique), 1952]. Écrivain belge de langue française, Plisnier a composé ses premiers vers dès 1912. La révolution de 1917 le marquera profondément. Lors de la publication de son roman *Mariages*, en 1936, on saluera en lui la naissance d'un nouveau

Balzac. L'année suivante, le prix Goncourt lui sera décerné pour *Mariages* et un recueil de nouvelles : *Faux Passeports ou les Mémoires d'un agitateur.* Tout au long de son œuvre de poète et de romancier — d'où se détachent les cinq volumes de *Meurtres* et la trilogie *Mère* —, il a suivi le chemin qui mène de la mystique révolutionnaire à la spiritualité.

Bibl. : Paul Bay, *C. P., l'homme et l'œuvre.* Hommage, suivi d'une bibliographie, Charleroi, F. Guillaume, 1952. — Jean Roussel, *La Vie et l'œuvre ferventes de C. P.*, Rodez, Subervie, 1957.

PONGE (FRANCIS) [Montpellier, 1899]. Ponge s'est révélé au public en 1942 en faisant paraître *Le Parti pris des choses.* Sartre en soulignera le caractère révolutionnaire et Ponge s'expliquera plus tard dans *Le Grand Recueil* (publié en trois volumes chez Gallimard en 1961) sur la nature de son projet : « Je tends à des définitions-descriptions rendant compte du contenu actuel des notions... » Ponge privilégie « l'objet », et dans ses poèmes l'homme n'intervient qu'en tant que pur regard. Pour lui, l'homme doit « reconnaître le plus grand droit à l'objet, son droit imprescriptible opposable à tout poème ». Cette discipline, il en fera l'application dans *Pour un Malherbe* (1965), *Le Savon* (1967), *Le Nouveau Recueil* (1967), *La Fabrique du pré* (1971), *Comment une figue de paroles et pourquoi* (1977).

Bibl. : voir Bibliographie générale.

POULAILLE (HENRY) [Paris, 1896 — Cachan, Val-de-Marne, 1980]. Orphelin de bonne heure, il entre comme préparateur dans une pharmacie, puis exerce beaucoup de métiers. Tout en travaillant pour vivre, il écrit des romans, principalement *Le Pain quotidien* (1932), *Les Damnés de la terre* (1935), *Pain de soldat* (1937), *Les Rescapés* (1938). Il s'affirme très vite comme l'un des premiers écrivains prolétariens. Continuant son œuvre, il se lance dans une intense activité journalistique et dirige des revues auxquelles collaborent Trotsky, Jouhaux, Gorki, Barbusse. Finalement il s'adonnera à la critique littéraire avec *Tartuffe de Pierre Corneille*, et *Corneille sous le masque de Molière.* Son œuvre montre la voie d'une véritable littérature prolétarienne.

Bibl. : « H. P. et la littérature prolétarienne » Documents et témoignages réunis par Henri Chambert-Loir, dans *Entretiens*, n° 23 (1974), Rodez, Subervie. — « X l'école de la vie », Cahiers H. P., n° 1, 1989 [bibl.].

POULET (GEORGES) [Chênée (Belgique), 1902]. Il appartient à ce qu'on a pu appeler l' « École de Genève » avec Jean Rousset, Jean Starobinski, Marcel Raymond. Dans la lignée bachelardienne, il a choisi d'explorer quelques catégories fondamentales de l'esprit comme le temps ou l'espace. Ses ouvrages principaux : *Études sur le temps humain* (à partir de 1950), *Les Métamorphoses du cercle* (1961), *L'Espace proustien* (1964),

Trois essais de mythologie romantique (1966) et plus récemment, *Entre moi et moi* (1977), *La Poésie éclatée. Baudelaire. Rimbaud* (1980).

Bibl. : M. Raymond et G. Poulet, *Correspondance 1950-1977.* Choix et prés. de P. Grotzer, avec une bibliographie des écrits de G. Poulet, J. Corti, 1981.

POURRAT (HENRI) [Ambert, 1887-1959]. Il voulait être ingénieur agronome. Pour des raisons de santé il dut mener une vie retirée. C'est ainsi qu'est née la vocation littéraire de ce poète et conteur dont on a pu dire qu'il était régionaliste, mais qui a su être le chantre épique de son Auvergne natale. L'un des premiers après la première guerre, il a tenté de recréer une littérature « rustique ». En 1941 il a reçu le prix Goncourt pour son livre *Vent de mars.* Mais c'est avec *Gaspard des Montagnes,* adapté pour la télévision au début de 1966, qu'il a touché le grand public. Les treize volumes du *Trésor des contes,* qui parurent à partir de 1948, constituent une somme du folklore auvergnat.

Bibl. : Catalogue de l'exposition H. P., Clermont-Ferrand, 1972. — Roger Gardes, *Un écrivain au travail : H. P. Genèse de Gaspard des Montagnes,* Clermont-Ferrand, 1980. — Cahiers H. P., Clermont-Ferrand (6 n[os], 1981-1988).

PRÉVERT (JACQUES) [Neuilly-sur-Seine, 1900 — Omonville-la-Petite, 1977]. Prévert est un poète différent de tous les autres. Avec *Paroles* (1945), *Histoires* (1948), *Spectacles* (1951), il a tout de suite conquis une audience populaire. Ses poèmes ont été mis en musique et chantés dans les rues. S'il a participé au mouvement surréaliste, il a su s'en détacher sans le renier. En 1932 il est entré au groupe Octobre qui rassemblait les gens passionnés par le « théâtre de choc » ; c'est là qu'il fit ses premières armes et écrivit ses premiers dialogues. De 1936 à 1946, collaborateur de Marcel Carné, il écrit de nombreux scénarios. C'est ainsi qu'il participe à la création de films qui tous sont devenus célèbres : *Jenny, Les Visiteurs du soir, Les Enfants du paradis, Drôle de drame, Le Jour se lève, Les Portes de la nuit.*

Bibl. : Catalogue de l'exposition *Images de J. P.,* Galerie Knoedler, 1963-1964. — Gérard Guillot, *Les P.,* Seghers, 1967. — Anne Hyde Greet, *J. P.'s Word Games,* Berkeley, Los Angeles, University of California Press, 1968. — Joël Sadeler, *A travers P.,* Larousse, 1975.

PRÉVOST (JEAN) [Saint-Pierre-lès-Nemours, 1901 — Saint-Nizier, 1944]. Fils d'instituteur, ancien élève de l'École normale supérieure, il a publié des récits dont *Les Frères Bouquinquant* (1930), une thèse, *La Création chez Stendhal* (éditée en 1951), un *Baudelaire* (paru en 1953), des textes sur le sport, la danse, l'architecture, l'histoire de France. Écrivain sportif, il a voulu maîtriser autant son corps que son esprit. C'est en héros qu'il est mort à l'âge de quarante-trois ans, fusillé par les Allemands dans le Vercors.

Bibl. : Marc Bertrand, *L'Œuvre de J. P.*, Berkeley, Los Angeles, California U.P., 1968. — Odile Yelnik, *J. P. Portrait d'un homme*, Fayard, 1979.

QUEFFÉLEC (HENRI) [Brest, 1910]. Ancien élève de l'École normale supérieure, agrégé de l'Université, Queffélec abandonne l'enseignement en 1942. En 1944 il publie coup sur coup trois romans : *La Fin d'un manoir, Journal d'un salaud, Un recteur de l'île de Sein.* Cédant au courant existentialiste, il décrit les bas-fonds, la descente dans l'abjection, mais d'un autre côté il se montre hanté par les possibilités de salut. Pour cet ancien disciple de Mounier s'ouvre désormais le chemin de la grâce. Dans *Celui qui cherchait le soleil* (1953), il suit la voie spiritualiste. En 1958, le grand prix du roman de l'Académie française lui est décerné pour *Un royaume sous la mer.* A partir des années soixante, il trouvera l'inspiration dans un retour à sa Bretagne natale.

Bibl. : *H. Queffélec. Un Breton bien tranquille,* avec la collaboration de Maurice Chavardès, Stock, 1978.

QUENEAU (RAYMOND) [Le Havre, 1903 — Paris, 1976]. « Ma mère était mercière, et mon père mercier », dira-t-il. Après avoir participé à l'aventure surréaliste, il rompt avec Breton en 1929. Son premier roman-poème, *Le Chiendent,* obtient en 1933 le prix des Deux Magots. Très tôt il part en guerre contre le langage littéraire et lui oppose le langage parlé. Après trois romans autobiographiques, *Les Derniers Jours* (1936), *Odile* (1937), *Les Enfants du limon* (1938), Queneau s'adonne tout entier à l'écriture. Poursuivant son œuvre de romancier-poète (*Pierrot mon ami,* 1942 ; *Saint-Gliglin,* 1948), il mène de front ses recherches sur le langage, à mi-chemin des mathématiques et de la musique (*Exercices de style,* 1947 ; *Cent Mille Milliards de Poèmes,* 1961). Présidant les travaux de l'*Oulipo* (*Ouvroir de littérature potentielle*), il dirige chez Gallimard l'édition de l'*Encyclopédie de la Pléiade.*

Bibl. : Wolfgang Hillen, *R. Q. Bibliographie des études sur l'homme et son œuvre,* Cologne, Gemini, 1981. — Claude Simonnet, *Q. déchiffré (Notes sur le Chiendent),* Julliard, 1962 (1981). — Jacques Guicharnaud, *R. Q.,* New York, Columbia U. P., 1965. — Jean Queval — Jacques Bens, *Q.,* Gallimard, 1962. *R. Q.*, Seghers, 1971. — Renée-A. Beligand, *Les Poèmes de R. Q., étude phonostylistique,* Didier, 1972. — *Cahiers de l'Herne,* n° 29 (1975). — Catalogue de l'exposition *R. Q. plus intime.* Bibliothèque nationale, 1978. — *Europe,* juin-juillet

1983. — *R. Q. poète.* Actes du 2ᵉ colloque international R. Q., Verviers, 1984, *Temps mêlés,* n° 150, mai 1985. — Allen Thiher, *R. Q.*, Twayne, 1985. — *Q. aujourd'hui,* Colloque de Limoges, 1984, Clancier-Guinaud, 1985. — Jean Queval, *R. Q. Portrait d'un artiste,* H. Veyrier, 1984.

RADIGUET (RAYMOND) [Parc-Saint-Maur, 1903 — Paris, 1923]. Phénomène des lettres françaises. Après des études médiocres, il a tout juste quinze ans quand il rencontre Cocteau qui l'introduit dans les milieux littéraires d'avant-garde. Sitôt après la guerre, il quitte le domicile de ses parents et écrit *Le Diable au corps* qui sera lancé à grand renfort de publicité par l'éditeur Grasset (1923). La même année, Radiguet meurt de la fièvre typhoïde. C'est après sa mort que sera publié *Le Bal du comte d'Orgel* (1924) de même qu'un recueil de poèmes : *Les Joues en feu* (1925).
Bibl. : David Noakes : R. R., Seghers, 1968. — Gabriel Boillat, *Un maître de dix-sept ans, R. R.*, Neuchâtel, La Baconnière, 1973. — James P. Mc Nab, *R. R.,* Twayne, 1984.

REBATET (LUCIEN) [Moras-en-Valloire, 1903-1972]. Chroniqueur cinématographique, sous le pseudonyme de François Vinneuil, de *L'Action française,* il collabora dès le début à *Je suis partout.* Séduit par le fascisme, il sera l'un des soutiens de l'ordre nouveau instauré par Vichy. En 1942, il publiera un pamphlet véhément, *Les Décombres.* Condamné à mort à la Libération, il échappa à l'exécution et fera paraître en 1952 un roman : *Les Deux Étendards* [rééd., 1977]
Bibl. : Pol Vandromme : *R.*, Éd. Universitaires, 1968.

RENARD (JEAN-CLAUDE) [Toulon, 1922]. Poète du sacré, Jean-Claude Renard officie en poète de la métamorphose du monde, en témoin de l'homme devant Dieu. En 1957 il a reçu le grand prix catholique de littérature et, en 1966, le prix Sainte-Beuve pour son recueil *La Terre du sacré.* Avec *La Braise et la Rivière* (1969), Renard ira plus loin dans l'approfondissement et la remise en question du mystère cosmique.
Bibl. : André Alter : *J.-C. R.,* Seghers, 1966.

RICHARD (JEAN-PIERRE) [Marseille, 1922]. Il est l'auteur d'une œuvre importante qui relève de la critique thématique d'origine bachelardienne. Il s'est penché plus particulièrement, dans *Littérature et Sensation* (1954), dans sa thèse sur *L'Univers imaginaire de Mallarmé* (1962) ou dans *Onze Études sur poésie moderne* (1964), sur le contact premier d'un écrivain avec le monde, et a tenté dans *Paysage de Chateaubriand* (1967) et *Etudes sur le romantisme* (1971) de restituer « l'univers imaginaire » qui préside à l'acte de création. En 1974, il a publié un essai sur Proust : *Proust et le monde sensible* et, en 1979, ses *Microlectures.*

ROBBE-GRILLET (ALAIN) [Brest, 1922]. Ingénieur agronome de formation, Robbe-Grillet a publié en 1953 le premier de ses nouveaux romans, *Les Gommes.* Rompant avec le roman psychologique, il a inauguré l'ère du roman chosiste. Pour lui, il s'agit de parcourir la phénoménologie de l'objet, de faire appel au lecteur pour qu'il pratique une lecture active et que lui-même il participe à la création littéraire. Parmi les œuvres les plus typiques, citons : *Le Voyeur* (1955), *La Jalousie* (1957) et *Dans le labyrinthe* (1959). Cette passion de décrire, il la transportera dans le domaine du cinéma avec *L'Année dernière à Marienbad, L'Immortelle, Trans Europe Express, L'Homme qui ment, L'Eden et après.* Le voyeur d'objets s'est fait montreur d'images. En 1970 il publie *Projet pour une révolution à New York.* Revenu au roman, il a publié en 1977 *Topologie d'une cité fantôme,* en 1978 *Souvenirs du triangle d'or* et en 1981, *Djinn.*

Bibl. : Bruce Morissette, *A. R.-G.*, 1965 ; trad. française, Minuit, 1971. — Olga Bernal ; *A. R.-G., le roman de l'absence,* Gallimard, 1964. — Jean Miesch, *R.-G.,* 1965. — Elly Jaffé-Freen, *A. R.-G. et la peinture cubiste,* 1966. — Jean Alter, *La Vision du monde d'A. R.-G.,* 1966. — Cinéma : Mélanges, *Alain Resnais et A. R.-G.,* 1974. — *R.-G. Analyse, Théorie* (Centre international culturel de Cerisy-la-Salle, « 10/18 », U.G.E., 1976. — D. Chateau et F. jost, *Nouveau cinéma, nouvelle Sémiologie :* essai d'analyse des films d'A.R.-G., « 10/18 », U.G.E., 1979. — Jean-Jacques Brochier, *A. R.-G.* (Qui suis-je ?), La Manufacture, 1985. — B. Stolzfus, *A. R.-G. : Life, Work and Criticism,* Fredericton, N. B., Canada, York P., 1987.

ROBLÈS (EMMANUEL) [Oran, 1914]. Né en Algérie, il se liera avec Feraoun et Camus. Il publie son premier roman, *L'Action,* à Alger en 1938. Après la guerre il obtient le Prix populiste pour *Travail d'homme* (1945). Comme Camus, dont il a suivi les traces, il a su traduire le lyrisme de la mer et du soleil et donner, dans *Les Hauteurs de la ville* (Prix Femina, 1948), une expression à cette Algérie humiliée luttant alors pour retrouver sa dignité. Son œuvre (*La Mort en face,* 1951, réimpr., 1973 ; *Cela s'appelle l'Aurore,* 1952 ; *Plaidoyer pour un rebelle...*) célèbre la fraternité, l'honneur, la sensualité, l'engagement et la liberté.

Bibl. : Fanny Landi-Bénos, *E. R. ou les Raisons de vivre,* P.-J. Oswald, 1969. — Georges-Albert Astre, *E. R. ou l'Homme et son espoir,* Boulogne, Périples, 1972. — M. Rozier, *E. R. ou la Rupture du cercle,* et apparaît ailleurs comme Québec Ottawa, Naaman, 1973. — Marie-Hélène Chèze, *E. R., témoin de l'homme,* Sherbrooke, Naaman, 1979.

ROCHE (DENIS) [Paris, 1937]. Membre du groupe *Tel Quel*, Denis Roche écrit une poésie qui « fonctionne », à savoir qui n'est ni à dire ni à regarder, mais à lire ; à lire non pas comme on explorerait une intériorité, mais comme si le sens lui-même venait de l'extériorité. Poète acharné à détruire le « poétique », il a publié *Récits complets* (1963), *Les Idées centésimales de miss Elanize* (1964), *Eros énergumène* (1968), *Dépôts de savoir et de technique* (1980).

ROCHEFORT (CHRISTIANE) [Paris, 1917]. Avec *Le Repos du guerrier*, Christiane Rochefort a su, l'une des premières, parler des désirs de la femme avec une facilité jusque-là réservée aux hommes. Son succès est venu du scandale que son premier livre avait provoqué, mais peut-être y eut-il moins scandale que recherche d'une morale plus vraie. Dans ses autres romans, *Les Petits Enfants du siècle* (1961), *Les Stances à Sophie* (1963), *Printemps au parking* (1969), elle a tenté de peindre une société en pleine mutation, celle des H.L.M. et de la société de consommation. Elle a participé activement au mouvement de libération féminine. En 1975 et 1976, elle a publié deux livres sur la revendication des enfants : *Encore heureux qu'on va vers l'été* et *Les Enfants d'abord.*

ROMAINS (JULES) [Saint-Julien-Chapteuil, 1885 — Paris, 1972]. Elève de l'Ecole normale supérieure, agrégé de philosophie, Jules Romains reçoit la révélation un soir de 1903, en s'apercevant que nous ne sommes pas des *archipels de solitude.* C'est la naissance de l'unanimisme. De cette croyance en la solidarité humaine, au socialisme fraternel, naîtra une œuvre. Jules Romains hésitera entre le théâtre, le roman et la poésie, mais sa grande œuvre, ce sera *Les Hommes de bonne volonté*, 27 volumes publiés de 1932 à 1946.

Bibl. : Madeleine Berry, J. R., Éd. Universitaires, 1959. — Werner Widdem, *Weltbejahung und Weltflucht im Werke J. Romains*, Genève, Droz, 1960. — André Bourin et J. Romains, *Connaissance de J. R.*, Flammarion, 1961. — Gabrielle Romains, *1914-1918 ou les années d'un futur académicien*, L. Soulanges, 1969. — André Cuisenier, *J. R., L'Unanimisme et Les Hommes de bonne volonté*, Flammarion, 1969. — Claude Martin, « Correspondance A. Gide. J. R. L'individu et l'Unanisme », *Cahiers J. R.*, Flammarion, 7 n^{os} depuis 1977. — Catalogue de l'exposition J. R., Bibliothèque nationale, 1978. — Actes du colloque J. R. Bibliothèque nationale, 17-18 février 1978 (Flammarion, 1979). — *Bulletin des amis de J. R.* (1974→).

ROUSSEL (RAYMOND) [Paris, 1877 — Palerme, 1933]. Il est né riche, et pendant une vie qui se termine tragiquement par un suicide, il se consacre uniquement à cultiver des dons très variés, qui vont des mathématiques à la poésie, et à travailler à une œuvre de romancier et de dramaturge. Malgré une longue histoire d'insuccès littéraires et d'échecs au théâtre, très tôt l'originalité de Raymond Roussel est reconnue par les surréalistes (A. Breton l'appelle « le plus grand magnétiseur des temps modernes ») et, plus tard, par les nouveaux romanciers qui trouvent dans ses œuvres des modèles techniques. On voit aujourd'hui en lui l'un des grands initiateurs de notre siècle à la modernité. Il commence par un roman en vers, *La Doublure* (1897). Viennent ensuite ses deux œuvres les plus importantes, *Impressions d'Afrique* (1910) et *Locus Solus* (1914). Il transformera ces textes en pièces qui seront des « fours » sensationnels. Il a écrit directement pour la scène *L'Etoile au front* (1925) et *La Poussière des soleils* (1927). Un texte critique *Comment j'ai écrit certains de mes livres,* publié après sa mort en 1935, est souvent cité par les écrivains de la nouvelle critique et du nouveau roman.

Bibl. : A. Breton, *Anthologie de l'humour noir,* édit. aug., 1950. — M. Leiris, « Conception et réalité chez R. Roussel », dans *Critique,* oct. 1954. — M. Butor, *Répertoire,* 1960. — M. Foucault, *R. R.*, Gallimard, 1963. — F. Caradec, *Vie de R. R.*, J. J. Pauvert, 1972. — H. Matthews, *Le Théâtre de R. R. : une énigme,* Archives des lettres modernes, n° 175, Minard, 1977. — *R. en gloire,* Colloque de Nice, L'Age d'Homme, 1984.

ROY (JULES) [Rovigo, Algérie, 1907]. Fils de colons en Algérie, il fit la guerre dans la R.A.F. De ce croisé sans Croisade : *La Vallée heureuse* (prix Renaudot, 1946), *Retour de l'Enfer* (1951), *Le Navigateur* (1954). Par la suite il combattra en Indochine, voyagera, fera du journalisme. En 1960, *La Guerre d'Algérie* provoquera des remous. Dans *Les Chevaux du soleil* (1967), *Une femme au nom d'étoile* (1968) et *Les Cerises d'Icherridène* (1969), il retracera sous une forme romancée toute l'histoire de l'Algérie depuis la conquête jusqu'à la décolonisation.

Bibl. : C. Savage Brosman, *Art as Testimony : the Work of J. R.*, Gainesville, U. of Florida P., 1989.

SAGAN (FRANÇOISE) (pseud. de Françoise Quoirez) [Cajarc, 1935]. Elle n'a pas vingt ans quand paraît en 1954 *Bonjour tristesse.* Le succès est foudroyant. Un certain désenchantement exprimé avec une grande économie de moyens a pu passer pour le reflet d'une jeunesse « désengagée » pour qui « toute vie est un processus de démolition ». Tout en poursuivant son œuvre romanesque dans laquelle Maurice Nadeau verra « une réaction néo-classique », elle fera ses débuts au théâtre en 1960 avec *Château en Suède.* Depuis lors, sa production a été régulière. La vie privée de l'auteur a défrayé la chronique, une légende est née qui a rejailli sur l'œuvre.

Bibl. : Jacques Ourévitch, *Mes noces secrètes...*, La Table ronde, 1969. — Pol Vandromme, *F. S. ou l'Elégance de survivre*, R. Deforges, 1977.

SAINT-EXUPÉRY (ANTOINE DE) [Lyon, 1900 - 1944]. A douze ans il monte dans l'avion de Védrines. Recalé au concours d'entrée de l'Ecole navale, il fera son service militaire dans l'aviation. En 1926 il devient pilote de ligne, puis chef d'escale pour la liaison Toulouse-Casablanca. En 1930 il publie *Courrier Sud*. Un an plus tard paraît *Vol de nuit* qui obtient le prix Fémina. Il poursuit sa carrière de pilote, entreprend le raid Paris-Saïgon, fait des reportages. Dans *Terre des hommes* (1939), il exalte le sens de la solidarité humaine. Pendant la guerre, il parvient à gagner New York où il publie en 1943 *Le Petit Prince*. Il reprend du service et, le 31 juillet 1944, disparaît en Méditerranée au cours d'une mission. En 1948 est publié *Citadelle*, qui constitue en quelque sorte son testament spirituel et moral.

Bibl. : R.-M. Albérès, *S.-E.*, A. Michel, 1961. Clément Borgal, *S.-E., mystique sans la foi*, Centurion, 1964. — Jules Roy, *Passion et Mort de S.-E.*, Julliard, 1964. — Jacqueline Ancy, *S.-E., l'homme et son œuvre*, Didier, 1965. — Josette Smetana, *La Philosophie de l'action chez Hemingway et S.-E.* La Marjolaine, 1965. — Pierre Chevrier, *S.-E.* Gallimard, 1971. — Curtis Cate, *A. de S.-E.* trad. de l'anglais, Grasset, 1973. — Yves Monin, *L'Esotérisme du Petit Prince*, Nizet, 1976. — Eric Deschodt, *S.E. Biographie*, J.-C. Lattès 1980. — Joy D. Marie Robinson, *A. de S.E.*, Twayne, 1984. — *Cahiers S.E.* [avec bibl.], n°s 1 (1980) ; 2 (1981), 3 (1989), Gallimard.

SAINT-JOHN PERSE (pseud. de Marie-René Alexis Saint-Léger) [Pointe-à-Pitre (La Guadeloupe), 1887 — Giens, 1975]. Il commence sa carrière de poète à dix-sept ans avec *Images à Crusoé* (1904) suivies d'*Éloges* (1912). Reçu au concours des Affaires étrangères en 1914, Alexis Léger sera envoyé comme secrétaire d'ambassade à Pékin de 1916 à 1920. Il publie *Anabase* (1924) et devient directeur du cabinet diplomatique de Briand. Bientôt ambassadeur, puis secrétaire général du Quai-d'Orsay, il voit sa carrière brisée en 1940 et s'exile aux Etats-Unis. De 1941 à 1944 il fait paraître *Exil* (suivie de *Poèmes à l'Étrangère, Pluies, Neiges*) et, en 1945, *Vents*. Avec *Amers* (1957), la poésie de Perse prend un nouveau tour : l'épopée a trouvé un centre, qui serait l'image d'un homme réconcilié avec ses désirs. En 1959, Saint-John Perse recevra le Grand Prix national des lettres, et en 1960 lui sera décerné le prix Nobel de littérature. Son œuvre grandiose et singulière, poursuivie en marge des courants visibles qui ont marqué son époque, a fait de lui un des plus grands poètes de notre siècle.

Bibl. : Roger Little, *S.-J. P., A Bibliography...*, Londres, Grant and Cutler, 1971 ; Supplément n° 1, 1977 ; Supplément n° 2, 1982. — *Les Cahiers de la Pléiade,* X, été-automne 1950, numéro consacré à S.-J. P., — Maurice Saillet, *S.-J. P., poète de gloire,* Mercure de France, 1952. — Roger Caillois, *S.-J. P.,* Gallimard, 1954. — Pierre Guerre, *S.-J. P. et l'homme,* Gallimard, 1955. — Alain Bosquet, *S.-J. P.,* Seghers, 1956. — Monique Parent, *S.-J. P. et quelques devanciers : études sur le poème en prose,* Klincksieck, 1960. — Jacques Charpier, *S.-J. P.,* Gallimard, 1962. — *Honneur à S.-J. P., hommages et témoignages...,* Gallimard, 1965. — Roger Little, *Word Index of the Complete Poetry and Prose of S.-J. P., A Study of his Poetry,* Edinburgh U.P., 1966. — Pierre-M. Van Rutten, *Le langage poétique de S.-J. P.,* La Haye-Paris, Mouton, 1975. — « Hommage à S.-J. P. », dans *N.R.F.,* février 1976. — Yves-Alain Favre, *S.-J. P. Le langage et le sacré,* J. Corti, 1977. — Jacques Robichez, *Sur S.-J. P. Eloges. La Gloire des Rois. Anabase,* S.E.D.E.S., 1977, 2e éd., 1982. — « S.-J. P. », dans *Table ronde* (5 février 1977) ; *Revue d'histoire littéraire de France,* mai-juin 1978. Centre S.-J. P., Table ronde, 1978. *Questions de poétique Le Travail du texte.* Colloque 1979 ; *Mots et savoirs dans l'œuvre de S.-J. P.,* Université de Provence ; H. Champion, 1980. — Cahiers S.-J. P. (depuis 1978), Gallimard. — *S.-J. P. et les États-Unis,* U. de Provence ; H. Champion, 1981. — R. Little, *Étude sur S.-J. P.,* Klincksieck, 1984. Guy Féquant, *S.-J. P.* (Qui êtes-vous ?), La Manufacture, 1986. *Pour S.-J. P. Études et essais pour le centenaire...,* P.U. créoles ; L'Harmattan. — *S.-J. P. Antillanité et universalité.* Colloque Pointe-à-Pitre, 1987, Éditions Caribéennes, 1988.

SALACROU (ARMAND) [Rouen, 1899 — Le Havre, 1989]. Un instant tenté par le communisme, Salacrou a beaucoup fréquenté les milieux surréalistes. Il s'est lancé ensuite dans les affaires. Mais c'est au théâtre qu'il a trouvé sa voie. En 1935 il remporte un grand succès avec *L'Inconnue d'Arras,* montée par Lugné-Poe à la Comédie des Champs-Élysées. Hanté par la mort et la poursuite d'un Dieu impossible, il s'engage dans la voie d'un théâtre métaphysique. Après la guerre, il donnera dans la satire sociale avec *L'Archipel Lenoir* (1947) et *Une femme trop honnête* (1961).

Bibl : Paul-Louis Mignon, *S.,* Gallimard, 1960. — Annie Ubersfeld, A. S., Seghers, 1970.

SARRAUTE (NATHALIE) [Ivanova (Russie), 1902]. Arrivée en France toute jeune, elle devient avocate, mais à partir de 1939 elle se consacre entièrement à la littérature. Romancière surtout, et aussi dramaturge, son premier livre, *Tropismes* (1938), ne sera découvert qu'après la guerre. Dans son essai, *L'Ère du soupçon* (1956), elle suit la dégénérescence du roman depuis le XIXe siècle. Elle s'est appliquée dans son œuvre à démonter les mécanismes linguistiques des bourgeois cultivés ou qui voudraient l'être. Citons ses romans : *Portrait d'un inconnu* (1948), *Martereau* (1953), *Le Planétarium* (1959), *Les Fruits d'or* (1963), *Entre la vie et la mort* (1968), *Vous les entendez ?* (1975), *Disent les imbéciles* (1976). Pionnière du nouveau roman, Nathalie Sarraute a-t-elle voulu, comme l'a dit Sartre, « écrire le roman d'un roman qui ne se fait pas » ? Elle a aussi écrit pour le théâtre : *Le Silence* (1964), *Le Mensonge* (1967), *Isma* (1970).

Bibl. : Mimica Cranaki et Yvon Belaval, *N. S.*, Gallimard, 1965. — René Micha, *N. S.*, Éd. Universitaires, 1966. — Micheline Tison-Braun, *N. S. ou la recherche de l'authenticité*, Gallimard, 1971. — Françoise Calin, *La Vie retrouvée : étude de l'œuvre romanesque de N. S.*, Minard, 1976. — André Allemand, *L'Œuvre romanesque de N. S.*, Neuchâtel, La Baconnière, 1980. — Sheila M. Bell, *N. S. : A Bibliography*, Grant and Cutler, 1982. — Simonne Benmussa, *N. S.* (Qui êtes-vous ?), La Manufacture, 1987.

SARRAZIN (ALBERTINE) (pseud. d'Albertine Damien) [Alger (Algérie), 1937 — Montpellier, 1967.] Enfant de l'Assistance publique, adoptée par un couple de gens âgés, elle sera élevée au Bon Pasteur de Marseille. Elle s'en évadera, fera de la prison, et c'est là qu'elle écrira *L'Astragale* (1965), « petit roman d'amour pour Julien » ; Julien, qui deviendra son mari après avoir fait lui aussi de la prison. Ses deux autres romans, *La Cavale* (1965) et *La Traversière* (1966), confirmeront un talent mûri dans l'ombre des cachots.

Bibl. : Josane Duranteau, *A. S.*, 1971, Éd. Sarrazin.

SARTRE (JEAN-PAUL) [Paris, 1905-1980]. Dans *Les Mots* (1964), l'auteur se reconnaît comme le produit d'une névrose, et cette névrose est la culture française qui l'a façonné dès ses premiers pas et contre laquelle il a sans cesse lutté pour affirmer sa liberté, pour n'être dupe ni des autres ni de lui-même. Élève de l'École normale supérieure, agrégé de philosophie, il commence une carrière d'enseignant au lycée du Havre, et la continue au lycée Condorcet à Paris. Un séjour à l'Institut Français de Berlin en 1933 est pour lui l'occasion de découvrir la phénoménologie de Husserl. En 1942 il démissionne de l'enseignement. Désormais il consacrera tout son temps, en un labeur inlassable, à son œuvre, à la direction des *Temps modernes*, revue qu'il lance en 1945, et à la protestation politique — contre le plan Marshall, contre la guerre d'Algérie, contre le gaullisme et, après 1968 surtout, contre les Partis Communistes soviétique et français : alors ses sympathies pour le gauchisme révèlent en lui un anarchisme radical, style 1970, qui est sans doute la source profonde qui alimente les aspects divers d'une œuvre une, complexe et inachevée. Sartre s'est essayé dans tous les genres, sauf la poésie, du moins à l'âge adulte. Il est un grand dramaturge ; il a préparé la voie au nouveau roman ; il a été le plus grand critique littéraire de notre époque, non seulement parce qu'il a ouvert la voie à Roland Barthes et à la nouvelle critique, mais parce que c'est à l'intérieur de sa problématique critique que se situent aujourd'hui toutes les écoles modernes de la critique littéraire. Enfin l'œuvre philosophique domine le reste sans pourtant l'écraser : l'auteur circule avec une aisance acrobatique d'un plan à l'autre. Il n'est pas un philosophe qui illustre ses idées en les appliquant au roman ou au théâtre ; il se retrouve lui-même, original, dans chacune de ses expressions. L'Œuvre est considérable dans son inachèvement ; on attend de nombreux inédits. Pour une première découverte ; *Écrits de Sartre* (1970), par Michel Contat et Michel Rybalka.

Bibl. : voir Bibliographie générale.

SCHÉHADÉ (GEORGES) [Alexandrie, 1907-1989]. Poète libanais de langue française, découvert par Saint-John Perse, Schéhadé, a subi longtemps l'influence des surréalistes. Il a écrit toutefois une poésie limpide et dépouillée : *Les Poésies* (1952). Dramaturge aussi, c'est en 1951 que fut créé *Monsieur Bib'le* et en 1957 *Histoire de Vasco.*

Bibl. : Salah Stetié, *Les Porteurs de feu et autres essais,* Gallimard, 1972.

SENGHOR (LÉOPOLD SÉDAR) [Joal, Sénégal, 1906]. Agrégé de grammaire, il est devenu en 1960 président de la République du Sénégal et il l'est resté jusqu'en 1980. S'il a su chanter la lutte de l'Africain contre l'Europe, il n'en a pas moins pratiqué « le métissage culturel ». Sa poésie (*Chants d'ombre,* 1945 ; *Hosties noires,* 1948 ; *Éthiopiques,* 1958 ; *Nocturnes,* 1961) s'inspire de Claudel et de Saint-John Perse, mais elle emprunte aussi au lyrique magique de la poésie orale africaine. Avec Césaire et Léon Damas, il avait fondé en 1934 la revue *L'Étudiant noir* et lancé le thème de la « négritude ». Élu à l'Académie française en 1983.

Bibl. : Hubert de Leusse, *L. S. S. l'Africain,* Hatier, 1967. — Jean Rous, *L. S. S., la vie d'un président de l'Afrique nouvelle,* Didier, 1967. — S. Okechukwu, *L. S. S. et la défense et illustration de la civilisation noire,* Didier, 1968. — Ernest Milcent et Monique Sordet, *L. S. S. et la naissance de l'Afrique moderne,* Seghers, 1969. — Armand Guibert, *L. S. S.,* Seghers, 1974. — *Hommage à L. S. S., homme de culture,* Présence africaine, 1976. — Catalogue de l'exposition L. S. S., Bibliothèque nationale, 1978. — Robert Jouanny, *Les Voies du lyrisme dans les « Poèmes » de L. S. S.,* Champion, 1986. — *L. S. S. Un poète* (Itinéraires et contacts de cultures), L'Harmattan, 1988. — *Revue d'histoire littéraire de la France,* mars-avril 1988.

SIMENON (GEORGES) [Liège, 1903 — Lausanne, 1989]. Gide le tenait pour un grand romancier. L'Œuvre est colossale, et Simenon peut à juste titre passer pour un phénomène. Écrivain belge de langue française, il a commencé par écrire sous divers pseudonymes des centaines de romans populaires. En 1930 il invente le personnage de Maigret et il publie un grand nombre de romans policiers. A partir de 1934 il produit ce que lui-même appelle des « romans durs », où il met en scène avec l'art d'un clinicien et d'un moraliste des tableaux de mœurs, cruels et sans fard. Simenon que l'on a parfois comparé à Balzac cite souvent cette phrase de *La Comédie humaine :* « Un personnage de roman, c'est n'importe qui dans la rue, mais qui va jusqu'au bout de lui-même. » Entre 1970 et 1977 il publie plusieurs livres à tendance autobiographique : *Quand j'étais vieux* (1970), *Lettres à ma mère* (1974), *De la cave au grenier* (1977).

Bibl. : Ses Œuvres complètes ont été publiées aux Éditions Rencontre, Lausanne. — Bernard de Fallois, *S.*, Gallimard, 1961. — Roger Stéphane, *Le Dossier S.* Laffont, 1961. — Quentin Ritzen, S. *avocat des hommes,* Le livre contemporain, 1961. — Anne Richter, *G. S. et l'homme désintégré,* Bruxelles, La Renaissance du livre, 1964. — Lucille Frackman Becker, *G. S.*, Boston, Twayne, 1977. — *S.* Lausanne, L'Age d'homme, 1980. — *L'Univers de S. Guide des romans et nouvelles* (1931-1972) de G. S., Presses de la Cité, 1983. — Michel Lemoine, *Index des personnages de S.,* Labor, 1985. — Stanley G. Eskin ; *S. A Critical Biography,* London, Mac Farland, 1987.

SIMON (CLAUDE) [Tananarive, 1913]. Après avoir écrit des livres empreints de classicisme, Claude Simon a utilisé dans *Le Vent* (1957) une technique et des thèmes qui ont permis de voir en lui l'un des tenants du nouveau roman. L'histoire sert de toile de fond à la plupart de ses romans (*L'Herbe,* 1958 ; *La Route des Flandres,* 1960 ; *Le Palace,* 1962 ; *Histoire,* 1967 ; *La Bataille de Pharsale,* 1969 ; *Les Corps conducteurs,* 1971 ; *Tryptique,* 1973 ; *Les Géorgiques,* 1981), car le temps est un thème dominant, même s'il pense que « l'homme est non seulement *incapable* de faire l'Histoire mais de faire sa propre histoire ».

Bibl. : voir Bibliographie générale.

SOLLERS (PHILIPPE) [Bordeaux, 1936]. Salué dès ses débuts par Mauriac et Aragon, lors de la publication d'*Une curieuse solitude* (1958), roman de facture traditionnelle, Sollers négociera un virage en 1963 : il prend la tête de la rédaction de la revue *Tel Quel* (fondée en 1960). L'écrivain se mue alors en théoricien du langage, ce qu'il met en pratique dans un roman comme *Drame* (1965). Sous sa conduite le groupe *Tel Quel* élabore une théorie de l'écriture et l'applique désormais à l'histoire humaine considérée comme un texte auquel serait donné un sens révolutionnaire. Principales publications : *Nom-*

bres (1968), *Logiques* (1968), *Lois* (1972), *H* (1973), *Sur le matérialisme* (1974). Publie en 1982 (Gallimard) un long roman : *Femmes.* En 1983, abandonne *Tel Quel,* passe chez Denoël-Gallimard et lance une nouvelle revue *L'Infini.*

STAROBINSKI (JEAN) [Genève, 1920]. Docteur en médecine et ès lettres, il a été interne dans divers hôpitaux, en particulier dans les services psychiatriques ; il a également enseigné la littérature française aux États-Unis avant de devenir professeur d'histoire des idées à la faculté des lettres de Genève. S'inspirant à la fois de la psychanalyse et de la phénoménologie, il a publié un important *Jean-Jacques Rousseau, la transparence et l'obstacle* (1958), *L'Œil vivant* (1961), *L'Œil vivant II : la Relation critique* (1971).
Bibl. : *J. S.* [bibl.], Centre G. Pompidou, 1985.

TARDIEU (JEAN) [Saint-Germain-de-Joux, Jura, 1903]. Poète au lyrisme contenu, il a tenté de cerner la difficulté d'être. Ses premières œuvres ont été publiées dans la *N.R.F.* en 1927. Un recueil, *Le Fleuve caché,* rassemblant les poèmes de 1924 à 1960, a paru chez Gallimard en 1968. Mais Tardieu a joué un rôle de découvreur à la R.T.F. où, tout en menant ses recherches personnelles sur l'expression scénique, il a su encourager de jeunes talents. Lui-même a écrit quelques pièces de théâtre dont les exercices de style ne sont pas sans rappeler Ionesco : *Théâtre de chambre* (1955) et *Poèmes à jouer* (1960).
Bibl. : Émilie Noulet, *J. T.*, Seghers, 1964 (1978). — Edmond Kinds, *J. T. ou l'Énigme d'exister,* Éditions de l'université de Bruxelles, 1973. — Paul Vernois, *La Dramaturgie poétique de J. T.*, Klincksieck, 1981.

TEILHARD DE CHARDIN (PIERRE) [Orcines, Puy-de-Dôme, 1881 — New York, 1955]. Jésuite et homme de science, il a cherché la synthèse glorieuse qui réunit en un seul élan la mystique et l'objectivité, la prévision scientifique et l'intuition de la création cosmique, la rigueur de l'observation et l'éclatement des symboles de la Foi. Géologue et paléontologiste, il a enseigné à l'Institut catholique de Paris ; puis il fit de nombreuses recherches sur le terrain, en Europe, en Égypte et en Asie orientale. En 1938, il est nommé directeur du laboratoire de géologie appliquée à l'École des hautes études et, en 1947, directeur de recherches au C.N.R.S. Il est élu membre de l'Académie des sciences en 1950. Cependant, à côté des mémoires scientifiques, il poursuit une œuvre métaphysique audacieuse, qui lui valut de nombreux rappel à l' « ordre ». Ses ouvrages ont été publiés surtout par les Éditions du Seuil : le plus important, l'œuvre centrale en laquelle sont orchestrés les thèmes de sa pensée visionnaire et cosmique, dans lequel une nouvelle philosophie de l'évolution transforme l'anthropologie en une véritable cosmogonie du futur, est *Le Phénomène humain* (1955). Le P. Teilhard de Chardin a aussi laissé une très riche correspondance qui offre un grand intérêt humain, philosophique et spirituel.

Bibl : E. Morot-Sir, *La Pensée française d'aujourd'hui*, 1971. — M. Barthélémy-Madaule, *Bergson et T. de C.*, 1963, et *L'Idéologie du hasard et de la nécessité*, 1972. — L. Cohn, *La Nature et l'Homme dans l'œuvre d'Albert Camus et la pensée de T. de C.*, 1976. — A.-A. Devaux, *T. et Saint-Exupéry : convergences et divergences*, Éd. Universitaires, 1962. — H. de Lubac, *La Religion du P. T. de C.*, 1962. — J. Onimus, *P. T. de C., ou la Foi au monde*, 1968. — H. de Lubac, *T. posthume*, Fayard, 1977.

THIBAUDEAU (JEAN) [La Roche-sur-Yon, 1935]. Thibaudeau entre au groupe *Tel Quel* en 1960. Dans *Une cérémonie royale* (1960), la description minutieuse donne lieu à plusieurs possibilités. Mais avec *Ouverture* (1966) et surtout *Imaginez la nuit* (1968), le sujet écrivant se libère un peu plus des contraintes traditionnelles ; il est celui qui produit un texte, texte qui à son tour engendre le sujet.

Bibl : *Digraphe* [avec bibl.], n° 15 (juin 1978), Flammarion.

THOMAS (HENRI) [Anglemont, 1912]. Poète, il a publié ses premiers vers, *Travaux d'aveugle*, en 1941. Ensuite il s'est passionné pour la littérature étrangère et a traduit entre autres plusieurs œuvres de Jünger. Romancier, il a obtenu en 1960 le prix Médicis pour *John Perkins* et, l'année suivante, le prix Femina pour *Le Promontoire*. Il s'est fait dans son œuvre le défenseur d'une métaphysique très personnelle, tournant autour d'une certaine idée de la mort, de la mort envisagée comme une manière d'être.

TORTEL (JEAN) [Saint-Saturnin-lès-Avignon, 1904]. Dès 1938 il participe à la rédaction des *Cahiers du Sud* où il publiera de savantes études. Mais bientôt c'est le poète qui s'affirme avec un premier recueil de vers, *De mon vivant*, publié en 1942. De la lignée de Saint-John Perse et de Segalen, il a aussi prolongé la poésie surréaliste. Des recueils comme *Naissance de l'objet* (1955), *Les Villes découvertes* (1965) ou *Relations* (1968) ont fait de lui un poète d'avant-garde.

TOURNIER (MICHEL) [Paris, 1924]. Licencié ès lettres et en droit, diplômé d'études supérieures de philosophie, après un échec à l'agrégation de philosophie il s'oriente vers le travail de traduction et plus tard, en 1949, vers la radio : il est attaché de presse d'Europe I de 1955 à 1958. En 1967 il devient chef des services littéraires des Éditions Plon, poste qu'il occupera pendant dix ans. Influencé par Bachelard et Lévi-Strauss, il donne une œuvre profondément enracinée dans la pensée métaphysique universelle. En 1967, son roman *Vendredi ou les Limbes du Pacifique* obtient le grand prix de l'Académie française. En 1980 *Le Roi des aulnes* est reconnu par l'Académie Goncourt : ce livre est salué par Janet Flanner comme le livre le plus important depuis Proust. Plus récemment il publie *Les Météores* (1975), *Le Vent Paraclet* (1977), *Gaspard, Melchior et Balthazar* (1980). En 1972 Michel Tournier a été élu membre de l'Académie Goncourt.

Bibl. : *Sud,* n° hors-série, printemps 1980 [avec bibl.]. — *M. T., Sud,* n° 61, 1986. — William J. Cloonan, *M. T.,* Twayne, 1985. — D. G. Bevan, *M. T.,* Rodopi, 1986.

TRIOLET (ELSA) [Moscou, 1896 — Paris, 1970]. Née en Russie, elle y a fait ses études. Tentée un moment par les arts plastiques et l'architecture, elle se lancera assez vite dans la littérature et publiera ses premiers romans à Moscou. Liée au poète Maïakovski, elle fera grâce à lui la rencontre à Paris, en 1928, de Louis Aragon qui deviendra son mari et « le chantre d'Elsa ». Elle publie sa première œuvre en français en 1938 : *Bonsoir Thérèse.* Elle participe à la Résistance et publie plusieurs ouvrages dont *Le Cheval blanc* (1943). En 1945, prix Goncourt pour *Le premier accroc coûte deux cents francs.* Elle publiera entre autres un cycle romanesque, *L'Age du nylon* (*Roses à crédit,* 1959 ; *Luna-Park,* 1959 ; *L'Ame,* 1963) et de nombreuses traductions du russe, dont le théâtre de Tchékhov. La publication des œuvres croisées d'Elsa Triolet et d'Aragon a été entreprise dès 1964 par les Éditions Robert Laffont.

Bibl. : Jacques Madaule, *Ce que dit E.,* Denoël, 1960. — Suzanne Labry, *Aragon, poète d'E.,* Centre d'études et de recherches marxistes, 1965. — *E. T.,* numéro spécial de la revue *Europe,* 1971. — Catalogue de l'exposition E. T., Bibliothèque nationale, 1972.

TROYAT (HENRI) (pseud. de Lev Tarassov) [Moscou, 1911]. Venu jeune en France, il commence à publier en 1935 et obtient en 1938 le prix Goncourt pour son roman *l'Araigne.* Comptant au nombre des derniers tenants du naturalisme, Troyat s'est taillé une popularité en publiant de grands cycles romanesques : *Tant que la terre durera* (1947-1950), *Les Semailles et les Moissons* (1953-1958), *La Lumière des Justes* (1959-1962), *Les Eygletières* (1965-1967), *Les Héritiers de l'avenir* (1968-1970). Écrivain prolixe, on lui a reproché sa trop grande habileté. On citera aussi les grandes biographies qu'il a consacrées à Dostoïevski, Lermontov, Pouchkine, Tolstoï, Gogol.

Bibl. : Nicholas Hewitt, *H. T.,* Twayne, 1984.

VAILLAND (ROGER) [Acy-le-Multien, 1907 — Meillonnas, 1965]. Pendant ses études secondaires il se lie avec René Daumal.

Ensemble ils participent à la fondation de la revue *Le Grand Jeu* (1928). Il fait ensuite du journalisme. Pendant la guerre il s'engage dans la Résistance et devient un compagnon de route du Parti communiste. En lui se conjuguent l'apôtre de la solidarité et le libertin hanté par l'idéal aristocratique. Autour de deux thèmes, le bonheur et le plaisir, c'est après la guerre qu'il publie l'essentiel de son œuvre (*Drôle de jeu*, Prix Interallié, 1945 ; *Les Mauvais Coups*, 1948 ; *Bon Pied, Bon Œil*, 1950 ; *Un jeune homme seul*, 1951 ; *Beau Masque*, 1954 ; *325 000 francs*, 1955 ; *La Loi*, prix Goncourt, 1957). *Le Regard froid*, paru en 1963, réunit un certain nombre de textes essentiels pour la compréhension de l'œuvre et du personnage, de même que *Écrits intimes* publiés en 1966.

Bibl. : François Bott, *Les Saisons de R. V.*, Grasset, 1969. — Michel Picard, *Libertinage et Tragique dans l'œuvre de R. V.*, Hachette, 1972. — René Ballet et Élisabeth Vaillant, *R. V.*, Seghers, 1973. — J. E. Flower, *R. V. : The Man and his Masks*, Londres, Hodder and Stoughton, 1975. — *Autour de R. V.* [bibl.], Reims, Bibliothèque universitaire, 1978. — *Europe*, août-septembre 1988.

VERCORS (pseud. de Jean-Marcel Bruller) [Paris, 1902]. D'abord dessinateur et graveur, c'est dans la clandestinité qu'il prendra le nom de Vercors. Il fonde en 1941 avec Pierre de Lescure les Éditions de Minuit qui publieront pour commencer les textes des écrivains de la clandestinité. Lui-même fera paraître en 1942 *Le Silence de la mer*. Après la guerre, tout en poursuivant son activité littéraire, il parcourt le monde, fait des conférences et tente de définir un humanisme susceptible de réconcilier des hommes appartenant à des idéologies contraires (*Les Animaux dénaturés*, 1952). Il rompt avec le Parti communiste et publie *P.P.C. Pour prendre congé* en 1957. En 1965 paraît : *Les Chemins de l'être* (en collaboration avec P. Mistraki).

Bibl. : R. D. Konstantinovic, *écrivain et dessinateur*, Klincksieck, 1969.

VIAN (BORIS) [Ville-d'Avray, 1920 — Paris, 1959]. Il a incarné une certaine jeunesse de l'après-guerre. « Roi » de Saint-Germain-des-Prés, il sera tour à tour romancier, poète, musicien de jazz et chanteur. Précurseur du nouveau théâtre, il a écrit en 1947 une farce explosive. *L'Équarrissage pour tous*. Ses romans ont passés à peu près inaperçus lors de leur apparition, si ce n'est le célèbre *J'irai cracher sur vos tombes* (1946), mais ont connu ensuite un vif intérêt (*Vercoquin et le Plancton*, 1946 ; *L'Écume des jours*, 1947 ; *L'Arrache-Cœur*, 1953). Homme-orchestre des années 50, il a écrit des poèmes dont certains sont devenus aussi des chansons, et dont les meilleurs se trouvent rassemblés dans le recueil *Je voudrais pas crever* (1959). Son théâtre, tel *Les*

Bâtisseurs d'empire, est souvent repris par de jeunes compagnies.

Bibl. : F. de Vree, *B. V.*, E. Losfeld, 1966. — Jacques Duchateau, *B. V.*, La Table ronde, 1969. — Michel Fauré, *Les Vies posthumes de B. V.* « 10/18 », U.G.E., 1975. — *Obliques* n°s 8-9, 1976. — *B. V.*, Colloque 1976, Centre culturel international de Cerisy-la-Salle, « 10/18 », U.G.E., 1977. — Michel Rybalka, *B. V., essai d'interprétation et de documentation,* Minard, 1984.

VILAR (JEAN) [Sète, 1912-1971]. Élève de Dullin, metteur en scène et acteur, il crée en 1943 une compagnie théâtrale, *La Compagnie des sept.* Alors il monte et joue *La Danse macabre* de Strindberg et *Meurtre dans la cathédrale* de T. S. Eliot. En 1947 il prend une initiative qui aura des conséquences importantes sur la vie culturelle française des trente dernières années : il lance le Festival d'Avignon, qui très vite, et pendant quelques mois chaque été, devient un centre mondial de rencontres théâtrales et un banc d'essai pour l'avant-garde. En 1951 il est nommé directeur du théâtre du Palais de Chaillot, auquel il donnera un renom international sous le nom de Théâtre national populaire, en abrégé le T.N.P. Il en restera le directeur jusqu'en 1963. Il s'entoure d'excellents acteurs, tels que Maria Casarès, Jeanne Moreau, Gérard Philipe, Daniel Sorano, Georges Wilson. Pour ses décors il fait appel à des peintres comme Léon Gischia, Édouard Pignon, et pour la musique, à Maurice Jarre. Son répertoire comprend les plus grands noms du théâtre classique et moderne, français et étranger, de Sophocle à Shakespeare, de Corneille, Racine et Molière à Musset et Hugo, de Calderon à Kleist, Büchner, Ibsen et Tchékhov. Parmi les auteurs contemporains il jouera Jarry, Pirandello, Brecht, Eliot. En 1967 il accepte la charge de réorganiser l'Opéra de Paris. En désaccord avec les autorités gouvernementales, il démissionne en 1968. Il fut le plus direct continuateur de Jacques Copeau et de ses idées sur la fonction sociale et la rénovation morale du théâtre contemporain. Il fit du T.N.P. un service public. Il lutta pour faire sortir le théâtre de ses conventions et de son public bourgeois, et pour y associer les publics ouvrier et paysan. En 1955 il publie un livre *De la tradition théâtrale.*

Bibl. G. Leclerc, *Le T.N.P. de J. V.*, U.G.E., 1971. — Cécile Giteau, « La Maison J. V., centre régional du Département des arts du spectacle », dans *Bulletin de la Bibliothèque nationale*, juin 1979. — Philippa Wehle, *Le Théâtre populaire selon J. V.*, traduit de l'américain, Avignon, A. Barthélémy et Actes-Sud, 1981. — *Jean V. Théâtre et utopie.* Colloque international, Venise, 1985, Cahiers Théâtre Louvain, 1986.

VILMORIN (LOUISE DE) [Verrières-le-Buisson, 1902-1970]. Sous une apparente désinvolture elle cache une parfaite connaissance de son milieu. Dans ses romans transparaissent les jeux subtils d'un esprit malicieux passé maître dans l'art des pirouettes et des cabrioles. Que ce soit dans *Madame de...* (1951), *La Lettre dans un taxi* (1958) ou dans *L'Heure Maliciôse* (1967), tout est prétexte à marivaudage, à mots d'esprit et au plaisir de jouer avec soi-même et les autres.

Bibl. : André Lévêque de Vilmorin, *Essai sur L. de V.*, Seghers, 1972.

WEIL (SIMONE) [Paris, 1909 — Ashford, 1943]. Élève de l'École normale supérieure, agrégée de philosophie, après avoir été l'élève d'Alain au lycée Henri-IV, elle sent très vite l'insuffisance de la philosophie universitaire et de son enseignement. Professeur dans une classe de philosophie de lycée provincial, elle fait scandale par la liberté de son enseignement et ses engagements politiques. Pour elle l'engagement doit être total ; elle a l'expérience de la vie ouvrière et paysanne : elle travaille à la chaîne aux usines Renault ; elle est aussi employée dans une ferme. La même volonté d'épreuves personnelles s'applique quand elle affronte les problèmes politiques (guerre d'Espagne, hitlérisme) et religieux (judaïsme, christianisme, hindouisme). Mystique engagée, elle impose à un corps fragile une discipline ascétique rigoureuse, et il s'y épuise. Elle meurt en Angleterre à 34 ans, de privations volontaires.

Son œuvre, qui a eu et continue à avoir un grand rayonnement, est posthume. Elle est faite de méditations personnelles, de recherches morales et mystiques ; elle déroule une parole intérieure tragique qui n'est à aucun moment marquée par la vanité de la publication ; elle aborde les plus grands problèmes de notre époque. Citons *La Condition ouvrière* (1951), *L'Enracinement* (1949), *La pesanteur et la Grâce* (1947), *La Connaissance surnaturelle* (1950), *Attente de Dieu* (1950).

Bibl. : J. P. Little, *S. W. A Bibliography,* Londres, Grant and Cutler, 1973, Supplément n[os], 1979. — E. Morot-Sir, *La Pensée française d'aujourd'hui,* 1971. — J. Cabaud, *S. W.*,, 1964. — M. M. Davy, *S. W., sa vie, son œuvre, avec un exposé de sa philisophie,* 1966. — S. Pétrement, *La vie de S. W.*, Fayard, 1973, 2 vol. — John M. Dunaway, *S. W.*, Twayne, 1984. — J. P. Little, *S. W. Waiting on Truth,* Oxford, Berg, 1988. — Cahiers S. W. (1976 →). Les tomes I et II des *Œuvres complètes* ont été publiés chez Gallimard en 1988.

WEINGARTEN (ROMAIN) [Paris, 1926]. Disciple de Jarry, de Vitrac et d'Artaud, il fut un précurseur et, dans ses premières pièces, a ébauché ce qu'allait être le théâtre d'aujourd'hui. Il monte sa première pièce, *Akara*, en 1948 mais c'est avec *L'Été*, créée en 1965 en Allemagne, puis montée à Paris l'année suivante, qu'il obtient son premier succès. Un volume de son théâtre a été publié en 1967 (*L'Été ; Akara ; Les Nourrices*).

WIESEL (ELIE) [Sighet (Roumanie), 1928]. Déporté avec toute sa famille à Birkenau. Sa mère et ses sœurs mourront à Auschwitz. Il assistera à la mort de son père à Buchenwald. Pris en charge par l'œuvre de Secours aux enfants, il sera élevé en France où il poursuivra ses études en Sorbonne. Sa première œuvre, *La Nuit* (1958), le classe parmi les grands écrivains. A travers ses autres récits ou romans, *La Ville de la chance* (1962), *Le Mendiant de Jérusalem* (1968) qui lui vaudra en 1968 le prix Médicis, ou dans son théâtre, *Zalmen ou la Folie de Dieu* (1968), il témoigne de la tradition hassidique dont il est issu et s'interroge sur la persécution et par voie de conséquence sur la mort de Dieu, la question restant toujours de savoir ce que signifie : être juif. Pour Elie Wiesel, c'est souvent attendre quelqu'un qui ne vient pas, et, au besoin, devenir ce quelqu'un.

Bibl. : Joë Friedemann, *Le Rire dans l'univers tragique d'E. Wiesel*, Nizet, 1981.

YACINE (KATEB) [Condé Smendou, aujourd'hui Zighoud Youcef (Algérie), 1929 — La Tronche]. Algérien, écrivain de langue française, il a connu très tôt la prison. A seize ans, il est arrêté pour avoir participé aux manifestations de 1945 à Sétif. Désormais il sera le chantre de l'Algérie, de la nation algérienne. Son premier roman, *Nedjma* (1956), publié quand éclate la guerre d'Algérie, a révélé un des auteurs les plus vigoureux de la littérature du Maghreb. Persécuté en France, il vivra longtemps en exil. Méconnu dans son pays, il a poursuivi, loin des siens, l'édification d'une œuvre qui puise à la source de l'âme arabe. Poète et romancier, il a aussi publié un cycle théâtral, *Le Cercle des Représailles* (1959).

Bibl. : Peter Sarter, *Kolonialismus im Roman. Aspekte algerischer literatur französisch Sprache und ihrer Rezeption am Beispiel K. Yacines Nedjura.*, Berne, P. Lang, 1977. — Jean Deleux, « Bibliographie de K. Yacine », dans *Présence francophone*, n° 15 (1977). — Jacqueline Arnaud, *Recherches sur la littérautre maghrébine de langue française. Le cas de K. Y.* (thèse Paris II, 1978), L'Harnattan, 1982.

YOURCENAR (MARGUERITE) (pseud. de Marguerite de Crayencour) [Bruxelles, 1903 — Northeast Hartor, Me., 1987]. Elle a reçu une éducation à l'ancienne mode et, dès l'âge de vingt-six ans, a mené une vie nomade qui devait la conduire aux États-Unis où depuis lors elle s'est établie. Ses œuvres les mieux connues sont des romans historico-philosophiques : *Les Mémoires d'Hadrien* (1951), autobiographie apocryphe de l'empereur romain du deuxième siècle, et *L'Œuvre au noir* (1968), biographie imaginaire d'un héros du XVIe siècle tenté par l'hermétisme et les sciences nouvelles. Mais il faut citer aussi *Alexis, ou le Traité du vain combat* (1929), sa pièce, *Électre ou la*

Chute des masques (1954), son essai *Sous bénéfice d'inventaire* (1962). Entre 1963 et 1974 elle fait paraître les rééditions d'œuvres antérieures : *Feux* (1935 ; 1974 et 1978), *Nouvelles orientales* (1938 ; rééd. 1963). *Souvenirs pieux* est publié en 1974, *Archives du Nord* en 1977. En 1981, elle est la première femme à être élue à l'Académie française.

Bibl. : *Études littéraires* [nº spécial], avril 1979, faculté des lettres, université Laval, Québec. — Jean Blot, *M. Y.*, Seghers, 1980. — Georgia Hooks Shurr, *M. Y. A Reader's Guide,* Lanham, New York, U.P. of America, 1987. — *M. Y. Biographie, autobiographie.* Actes du IIᵉ colloque international, Valencia, octobre 1986. Univ. de Valencia, 1988. — *Voyage et connaissance dans l'œuvre de M. Y.*, Pisa, Giardini, 1988.

CHRONOLOGIE
[1920-1980]

Cette chronologie ne prétend pas épuiser le contexte historique. Les auteurs sont conscients d'avoir écarté des faits humains de grande portée. Mais ce tableau de simultanéités doit être compris comme un jeu de correspondances qui sera poursuivi par le lecteur ; il doit être aussi interprété comme un essai de totalisation culturelle. C'est une série de corrélations fortes et faibles, de nécessités et de contingences entre lesquelles le lecteur peut établir les communications profondes : en somme ce qu'André Breton a si justement appelé « les vases communicants ».

Ordre suivi à l'intérieur de chaque année : événements politiques, sociaux, économiques, événements scientifiques ; âge des écrivains ; leurs œuvres ; philosophes, essayistes, théoriciens de la littérature ; périodiques ; musique ; arts plastiques ; théâtre ; cinéma ; ballet ; œuvres publiées à l'étranger.

Principales abréviations :

Etr. = œuvres publiées à l'étranger ; m. = mort en ; n. = né en ; pub. = publié en ; tr. = traduit en ; → indique le terme d'une publication.

1920

Alexandre Millerand, président de la République.
Bloc national (jusqu'en 1924).

Congrès de Tours ; le groupe communiste minoritaire de la C.G.T. adhère à la IIIe Internationale.
Première assemblée plénière de la Société des Nations à Genève.
Prix Nobel de physique : C. Guillaume. Von Frisch : découverte du langage des abeilles.
Entrent dans leur 20e année : R. Desnos (m. 1945), A. Dhôtel, R. Crevel (m. 1935), J. Green, J. Prévert, A. de Saint-Exupéry (m. 1944).
Colette : *Chéri.*
Duhamel : *Confession de minuit.*
Montherlant : *La Relève du matin.*
Proust : *Le Côté de Guermantes* I.
Valéry : *Le Cimetière marin.*
Alain : *Système des beaux-arts.*
Lukacs : *Théorie du roman* (tr. 1963).
Fondation de la *Revue de Genève.*
Les Six (G. Auric, L. Durey, A. Honegger, D. Milhaud, F. Poulenc, G. Tailleferre).
Satie : Musique d'ameublement.
Mort de Modigliani (n. 1884).
Manifestations DADA.
Manifeste Puriste, l'Esprit nouveau (Ozenfant, Jeanneret = « Le Corbusier »).
Manifeste constructiviste (Pevsner, Gabo).
Crommelynck : *Le Cocu magnifique.*
Vildrac : *Le Paquebot Tenacity.*
Ballets : *Le Bœuf sur le toit* (Milhaud/Cocteau), *Caramel mou* (Milhaud), *Le Chant du rossignol* (Stravinski).
Etr. D. H. Lawrence : *Femmes amoureuses.*
S. Undset : *Christine Lavransdatter* (en norvégien ; tr. 1938).

1921 :

Ministère Briand.
Mao Tsé-toung fonde le parti communiste chinois.
Formation de la République d'Irlande (Eire).
Mort de G. Feydeau (n. 1862).
Entrent dans leur 20e année : J. Lacan (m. 1981) M. Leiris, A. Malraux (m. 1976).
Prix Nobel : A. France.

Mise en accusation et jugement de M. Barrès par DADA, A. Breton président du tribunal.
Cendrars : *Anthologie nègre.*
Gide : *Si le grain ne meurt.*
Proust : *Le Côté de Guermantes* II, *Sodome et Gomorrhe* I.
Freud : *La Psychanalyse*, traduction française.
Fondation de la revue *Le Disque vert* (Bruxelles, jusqu'en 1941) et de la *Revue de littérature comparée.*
Mort de Saint-Saëns (n. 1835).
Fauré : *L'Horizon chimérique.*
Klee devient professeur au Bauhaus de Weimar.
Léger : *Les Disques dans la ville ; L'Homme au chien.*
Picasso : *Les Trois Musiciens ; Femme assise.*
Dullin fonde sa troupe.
Tzara : *Le Cœur à gaz.*
Chaplin : *Le Kid.*
Ballets : *L'Homme et son désir* (Milhaud/Claudel). *Les Mariés de la Tour Eiffel* (Les Six/Cocteau).
Etr. Pirandello : *Six Personnages en quête d'auteur* (représenté à Paris, 1923).

1922

Ministère Poincaré.
Mort de Benoît XV ; élection de Pie XI.
Chute du ministère Lloyd George.
Mussolini au pouvoir.
Proclamation de la République turque (Kemal pacha atatürk).
Prix Nobel de physique : A. Einstein.
Mort de H. Bataille (n. 1872), M. Proust (n. 1871).
Entrent dans leur 20e année : M. Aymé (m. 1967), N. Sarraute, Vercors.
Barrès : *Un jardin sur l'Oronte.*
Margueritte : *La Garçonne* (film, 1925).
Martin du Gard : *Les Thibault* I (→ 1940)
Mauriac : *Le Baiser au lépreux.*
Proust : *Sodome et Gomorrhe* II.
Valéry : *Charmes.*
Du Bos : *Approximations* I.
Lalou : *Histoire de la littérature française contemporaine.*
Fondation de l'hebdomadaire *Les Nouvelles littéraires.*

Hindemith : *Quatuor à corde III.*
Découverte du tombeau de Tout Ankh Amon.
Exposition au Bauhaus de Weimar.
Copeau fonde le Vieux-Colombier.
Jouvet fonde la Comédie des Champs-Elysées.
Pitoëff s'installe à Paris.
R. Roussel : *Locus Solus* (suscite des bagarres).
Vildrac : *Michel Auclair.*
Gance/Cendrars : *La Roue.*
Murnau : *Nosferatu le vampire.*
Brecht : *Tambours dans la nuit.*
Eliot : *The Waste Land* (tr. 1947).
Fitzgerald : *Les Enfants du jazz* (tr. 1967), *Heureux et Damnés* (tr. 1965).
Joyce : *Ulysse* (tr. 1929).
Lewis : *Babbitt.*
Mansfield : *La Garden Party* (tr. 1929).

1923

Occupation de la Ruhr (→ 1925).
Formation de l'U.R.S.S.
Echec du putsch de Munich (Hitler).
Mort de Barrès (n. 1862), P. Loti (n. 1850).
Entrent dans leur 20e année : J. Follain (m. 1971), R. Queneau (m. 1977) ; R. Radiguet (m. 1923) ; G. Simenon, J. Tardieu, M. Yourcenar.
Cocteau : *Thomas l'imposteur.*
Proust : *La Prisonnière.*
Radiguet : *Le Diable au corps.*
Freud : *Trois Essais sur la sexualité* (tr.).
Piaget : *Le Langage et la Pensée.*
Bédier et Hazard : *Histoire de la littérature française.*
Jaloux : *L'Esprit des livres I* (→ 1947).
Fondation d'*Europe* et de *La Revue européenne.*
Satie fonde l'Ecole d'Arcueil.
M. de Falla : *Le Retable de Maître Pierre.*
Fauré : *Trio pour piano, violon et violoncelle.*
Duchamp : *La Mariée mise à nu, par ses célibataires, même.*
Ernst : *Pietà ou la Révolution la nuit* (1re peinture surréaliste).

Kandinsky : *Composition VIII.*
Picabia : *Le Baiser.*
Picasso : *Arlequin ; Femme en blanc.*
Mort de Sarah Bernhardt (n. 1844).
Feyder : *Visages d'enfants.*
Flers/Croisset : *Ciboulette* (musique de R. Hahn).
Romains : *Knock ou Le Triomphe de la médecine* (films, 1925, 1933, 1950).
Romains : *M. le Trouhadec saisi par la débauche* (pub. 1921).
Ballets : *La Création du monde* (Milhaud/Cendrars).
Noces (Stravinski).
Padmâvatî (A. Roussel).
Mort de K. Mansfield (n. 1888).
Rilke : *Elégies à Duino ; Sonnets à Orphée.*

1924

Cartel des gauches (→ 1926).
Mort de Lénine.
Le Labour Party au pouvoir pour la première fois en Angleterre.
Reconnaissance de l'U.R.S.S. par la France et l'Angleterre.
Australopithèques découverts en Afrique.
Mort d'Anatole France (n. 1844) ; obsèques nationales ; attaque surréaliste : « Un Cadavre ».
Breton : *Manifeste du surréalisme ; Les Pas perdus ; Poisson soluble.*
B. Crémieux : *XXe siècle.*
Eluard : *Mourir de ne pas mourir.*
Reverdy : *Les Epaves du ciel.*
Saint-John Perse : *Anabase.*
Tzara : *Sept Manifestes Dada.*
Valéry : *Variété* I.
Marcel Mauss : *Essai sur le don, forme archaïque de l'échange.*
Fondation de *Candide* (→ 1943), *Commerce* (→ 1932), *Philosophie* (→ 1925), *La Révolution surréaliste* (→ 1929).
Mort de Fauré (n. 1845).
Gershwin : *Rhapsody in Blue.*

Honegger : *Pacific 231 ; Le Roi David* (2e version).
Ravel : *Tzigane.*
Schönberg : *Suite pour piano, op. 25.*
Kandinsky, Klee, Jawlensky et Feiniger forment le « Blaue Reiter ».
R. Roussel : *L'Etoile au front* (pièce).
René Clair : *Entr'acte.*
Ballet mécanique (Antheil/Léger).
Les Biches (Poulenc/Diaghilev).
Relâche (Satie/Picabia).
Etr. Mort de Conrad (n. 1857), Kafka (n. 1883).
Forster : *Passage to India.*
Mann : *La Montagne magique* (tr. 1931).
Neruda : *Vingt poèmes d'amour et une chanson désespérée.*
Shaw : *Sainte Jeanne.*
Unamuno : *L'Agonie du christianisme* (publié d'abord dans la tr. française, puis en espagnol en 1930).

1925

Mort de Sun Yat-sen.
Guerre du Rif au Maroc.
Hindenburg, président de l'Allemagne (→ 1934).
Traité de Locarno.
Entrent dans leur 20e année : P. Klossowski, J.-P. Sartre, (m. 1980), P. Nizan (m. 1940).
Artaud : *L'Ombilic des limbes.*
Proust : *Albertine disparue.*
Supervielle : *Gravitations.*
Bremond : *La Poésie pure.*
Duhamel : *Essai sur le roman.*
Fondation de la revue *Le Roseau d'or* (→ 1932).
Mort de Satie (n. 1866).
Berg : *Wozzeck* (opéra).
Ravel/Colette : *L'Enfant et les Sortilèges.*
Bauhaus à Dessau (→ 1933).
Exposition internationale des arts décoratifs (Paris).
Exposition Neue Sachlichkeit (Mannheim).
Première exposition surréaliste (Paris).
Crommelynck : *Tripes d'Or.*
Salacrou : *Tour à terre* à l'Œuvre.
Chaplin : *La Ruée vers l'or.*

Eisenstein : *Le Cuirassé Potemkine.*
Ballet : *Les Matelots* (Auric).
Etr. Dos Passos : *Manhattan Transfer* (tr. 1928).
Fitzgerald : *Gatsby le Magnifique* (tr. 1926).
Hitler : *Mein Kampf.*
Kafka : *Le Procès* (tr. 1933).
Pound : *Cantos I-XVI*
V. Woolf : *Mrs. Dalloway.*
Tr. de Th. Mann, *La Mort à Venise* (éd. originale, 1913).

1926

Ministère Poincaré (→ 1929).
Coups d'Etat en Pologne et au Portugal.
Prix Nobel de physique : J. Perrin.
Entrent dans leur 20e année : S. Beckett, L. S. Senghor.
Aragon : *Le Paysan de Paris.*
Bernanos : *Sous le soleil de Satan.*
Cendrars : *Moravagine ; L'Or* (film, 1936).
Eluard : *Capitale de la douleur.*
Gide : *Les Faux-Monnayeurs.*
Giraudoux : *Bella.*
Malraux : *La Tentation de l'Occident.*
Ponge : *Douze Petits Ecrits.*
Mort de Monet (n. 1840).
Braque : *Canéphores.*
Calder : Sculptures en fil d'acier.
O'Keefe : *Abstractions.*
Cocteau : *Orphée* (film, 1950).
Goll : *Assurance contre le suicide.*
Jean Renoir : *Nana.*
Etr. Mort de Rilke (n. 1875).
Kafka : *Le Château* (tr. 1938).

1927

Conflits entre Tchang Kaï-chek et les communistes chinois.
Grave crise économique en Allemagne.
Lindbergh : première traversée de l'Atlantique en avion.
Film parlant.
Sinanthrope découvert près de Pékin.

Entrent dans leur 20e année : R. Abellio, M. Blanchot, R. Char, J. Genet, E. Guillevic, V. Leduc (m. 1972), R. Peyrefitte, R. Vailland (m. 1965).
Prix Nobel : H. Bergson.
Desnos : *La Liberté ou l'amour.*
Gide : *Journal des Faux-Monnayeurs.*
Mac Orlan : *Quai des brumes* (film, 1938).
Mauriac : *Thérèse Desqueyroux.*
Proust : *Le Temps retrouvé.*
Benda : *La Trahison des clercs.*
Heidegger : *L'Etre et le Temps.*
Massis : *Défense de l'Occident.*
Mort de Juan Gris (n. 1887).
Dali : *Le Sang est plus doux que le miel.*
Ernst : *La Grande Forêt.*
Mondrian : *Composition avec rouge, jaune et bleu.*
Vitrac : *Les Mystères de l'amour* (premier spectacle du Théâtre Alfred Jarry).
Clair : *Un chapeau de paille d'Italie.*
Gance : *Napoléon.*
Greta Garbo dans *Anna Karénine.*
Jolson : *Le Chanteur de jazz* (premier film parlant).
Weil/Brecht : *Grandeur et Décadence de la ville de Mahagonny* (opéra).
Milhaud/Cocteau : *Le Pauvre Matelot* (opéra).
Stravinski/Cocteau : *Œdipus Rex* (opéra).
Mort d'Isadora Duncan (n. 1878).
Etr. V. Woolf : *La Promenade au phare.*

1928

L'Union nationale (jusqu'en 1930).
Tchang Kaï-chek, président de la Chine.
Staline au pouvoir.
Enregistrements des sons sur bande magnétique.
Prix Nobel de médecine : C. Nicolle.
Entrent dans leur 20e année : A. Adamov (m. 1970), S. de Beauvoir, R. Daumal (m. 1944), C. Lévi-Strauss.
Aragon : *Le Con d'Irène.*
Bataille : *Histoire de l'œil.*
Breton : *Nadja. Le Surréalisme et la Peinture.*
Malraux : *Les Conquérants.*

Péret : *Le Grand Jeu.*
Manifeste de l'école de Prague au Congrès international de linguistique : Troubetzkoï, Jakobson, etc., rupture avec la linguistique de Saussure.
Fondation de la revue : *Le Grand Jeu* (→ 1930), de l'hebdomadaire *Gringoire* (→ 1944), de *La Lutte des classes* (→ 1933).
Weil/Brecht : *L'Opéra de quat' sous.*
Ravel : *Boléro.*
Chagall : *Le Coq et l'Arlequin.*
Dufy : *Fontaine à Hyères.*
Miro : *Intérieur hollandais.*
Ghelderode : *La Mort du Docteur Faust.*
Giraudoux : *Siegfried* (film, 1954).
Pagnol : *Topaze* (film, 1933).
Vitrac : *Victor ou les Enfants au pouvoir.*
Buñuel/Dali : *Un chien andalou.*
Dreyer : *La Passion de Jeanne d'Arc.*

1929

Ministère Briand.
Hoover, président des Etats-Unis.
Trotski exilé.
Traité du Latran entre le pape et Mussolini.
Krach de Wall Street.
Prix Nobel de physique : L. de Broglie.
Entrent dans leur 20ᵉ année : R. Brasillach (m. 1945), A. Pieyre de Mandiargues, S. Weil (m. 1943).
Breton : Second manifeste du surréalisme.
Cocteau : *Les Enfants terribles* (film, 1949).
Colette : *Sido.*
Dabit : *Hôtel du Nord* (film, 1938).
Michaux : *Mes Propriétés.*
Saint-Exupéry : *Courrier Sud* (film 1932).
Billy : *La Littérature française contemporaine.*
Heidegger : *Qu'est-ce que la métaphysique ?*
Fondation de *Bifur* (→ 1931), *Documents* (→ 1930), *Latinité* (→ 1932), *La Revue marxiste* (1930).
Ansermet et Fourestier fondent l'Orchestre symphonique de Paris.
Poulenc : *Aubade.*

Webern : *Symphonie, op. 21* (musique dodécaphonique).
Première exposition Kandinsky à Paris.
Mouvement Zeitkunst (Berlin).
Moore : *Figure allongée.*
Le Corbusier : Villa Savoye (Poissy).
Achard : *Jean de la Lune.*
Giraudoux : *Amphitryon 38.*
Mort de Diaghilev (n. 1872).
Etr. Faulkner : *Le Bruit et la Fureur* (tr. 1938).
Hemingway : *L'Adieu aux armes* (tr. 1932).
Moravia : *Les Indifférents* (tr. 1949).
V. Woolf : *Une chambre à soi.*

1930

Le Ras Tafari devient l'empereur Haïlé Sélassié Ier d'Ethiopie.
Evacuation de la Rhénanie (30 juin).
Régression économique mondiale.
Entrent dans leur 20e année : J. Anouilh, J.-L. Barrault, J. Gracq.
Desnos : *Corps et biens.*
Giono : *Regain* (film, 1937).
Malraux : *La Voie royale.*
Simenon : *Pietr le Letton* (premier roman « Maigret »).
Lemonnier : Manifeste du roman populiste.
Poulaille : Nouvel Age littéraire.
Fondation de *Je suis partout* (→ 1944), *Minutes* (→ 1934), *Le Surréalisme au service de la révolution* (→ 1933).
Stravinski : *Symphonie de psaumes.*
Mies van der Rohe, directeur du Bauhaus.
Première exposition internationale d'art abstrait (Paris).
Matisse : illustrations pour les poésies de Mallarmé.
Stève Passeur : *L'Acheteuse.*
Buñuel/Dali : *L'Age d'or.*
Chaplin : *Les Lumières de la ville.*
Clair : *Sous les toits de Paris.*
Cocteau : *Le Sang d'un poète.*
Sternberg : *L'Ange bleu.*
Mort de D. H. Lawrence (n. 1885).
Auden : *Poèmes.*
Crane : *Le Pont.*

Faulkner : *Tandis que j'agonise* (tr. 1934).
Musil : *L'Homme sans qualités* (tr. 1957-1958).
Ortega y Gasset : *La Révolte des masses.*

1931

P. Doumer, président de la République.
Ministère Laval.
Politisation des intellectuels en France ; croissance des groupes d'extrême droite et des activités antifascistes de gauche.
Occupation de la Mandchourie par les troupes japonaises.
Création de la République espagnole (9 déc.).
Entrent dans leur 20e année : H. Bazin, J. Cayrol, P. de La Tour du Pin, H. Troyat.
Nizan : *Aden, Arabie.*
Poulaille : *Le Pain quotidien.*
Saint-Exupéry : *Vol de nuit* (film, 1933).
Tzara : *L'Homme approximatif.*
Husserl : *Méditations cartésiennes.*
Jaloux : *Au pays du roman.*
Création de la revue *Sur* (Buenos Aires).
Auric commence à composer pour le cinéma.
Messiaen : *Les Offrandes oubliées.*
Ravel : *Concerto en sol majeur ; Concerto pour la main gauche.*
Stravinski : *Concerto en ré pour violon.*
Exposition coloniale à Paris.
Deuxième exposition surréaliste.
Calder : *Stabiles.*
Dali : *La Persistance de la mémoire ; Le Rêve.*
Picasso : illustrations pour les *Métamorphoses* d'Ovide.
Obey : *Noé.*
Clair : *A nous la liberté ; Le Million.*
Etr. Faulkner : *Sanctuaire* (tr. 1933).
V. Woolf : *Les Vagues* (tr. 1937).
Tr. de Lawrence, *Amants et fils* (éd. originale 1913).

1932

Ministères Tardieu (févr.), Herriot (juin), Paul-Boncour (déc.).
Mort de Briand.

Salazar au pouvoir au Portugal (jusqu'en 1968).
Premières émissions de télévision à Paris.
Invention du microscope électronique.
Entrent dans leur 20e année : Ionesco, Jabès.
Breton : *Les Vases communicants.*
Céline : *Voyage au bout de la nuit.*
Mauriac : *Le Nœud de vipères.*
Romains : *Les Hommes de bonne volonté* I (→ 1947).
Bergson : *Les Deux Sources de la morale et de la religion.*
Maurras : *Prologue d'un essai sur la critique.*
Fondation des revues *Esprit* et *Regards* (→ 1940).
Formation de la société musicale Le Triton (Milhaud, Honegger, etc.).
Milhaud : *Maximilien* (opéra).
Fondation du groupe Abstraction-Création (Paris ; Mondrian, Gabo, etc.).
Supervielle : *La Belle au bois.*
Max Ophüls : *Liebelei.*
Tr. de *L'Amant de Lady Chatterley*, avec préface de Malraux.

1933

Ministères Daladier (janv.), Sarraut (oct.), Chautemps (nov.).
Affaire Stavisky (déc.).
Hitler devient chancelier du Reich (30 janv.).
Roosevelt, président des Etats-Unis.
Kolmogorov : axiomatique du calcul.
Fabrication de l'eau lourde.
Mort de la comtesse de Noailles (n. 1876), R. Roussel (n. 1887).
Entrent dans leur 20e année : Caillois (m. 1978), Camus (m. 1960), Césaire, G. Cesbron (m. 1979), Cl. Simon.
Aymé : *La Jument verte* (film, 1959).
Crevel : *Les Pieds dans le plat.*
Duhamel : *La Chronique des Pasquier* I (→ 1945).
Malraux : *La Condition humaine.*
Queneau : *Le Chiendent.*
Freud : *Essais de psychanalyse appliquée*, tr. française.
F. Mauriac : *Le Romancier et ses personnages.*
Marcel Raymond : *De Baudelaire au surréalisme* (nouv. éd., 1940).

Fondation de *Marianne* (→ 1940), *Le Minotaure* (→ 1939), *L'Ordre nouveau* (→ 1937).
Honegger/Valéry : *Sémiramis.*
Le Bauhaus fermé par les Nazis.
Calder : *Mobiles.*
Ernst : *La Foresta inbalsamata.*
Giacometti : *Le Palais à quatre heures du matin.*
Giraudoux : *Intermezzo.*
Benoît-Lévy : *La Maternelle* (d'après le roman de L. Frapié).
Clair : *Quatorze juillet.*
Greta Garbo dans *La Reine Christine.*
Etr. Mort de Stephan George (n. 1868).
Garcia Lorca : *Noces de sang* (représentée à Paris, 1939).
G. Stein : *L'Autobiographie d'Alice B. Toklas* (tr. 1934).

1934

Emeutes fascisantes à Paris : tentative manquée de prise de pouvoir par la droite (févr.).
Le parti communiste français propose une action collective contre le fascisme et commence à préconiser une alliance avec les socialistes (Blum) et les radicaux (Daladier).
Assassinat du chancelier Dollfuss à Vienne.
Joliot-Curie : radio-activité artificielle.
Mort de G. Lanson (n. 1857).
Entre dans sa 20e année : M. Duras.
Char : *Le Marteau sans maître.*
G. Chevallier : *Clochemerle* (film, 1947).
Drieu La Rochelle : *La Comédie de Charleroi.*
Giono : *Le Chant du monde* (film, 1965).
Jouve : *Sueur de sang.*
Fondation de la revue *Mesures* (→ 1940).
Hindemith : *Mathis le peintre.*
Stravinski/Gide : *Perséphone.*
Première exposition de Balthus.
Exposition Maîtres de la réalité (Paris).
Dali : illustration des *Chants de Maldoror.*
Ernst : *Une Semaine de bonté ou les Sept Eléments capitaux* (roman-collage).
Picasso : série des *Tauromachies.*
Cocteau : *La Machine infernale.*
Salacrou : *Une femme libre.*

Clair : *Le Dernier Milliardaire.*
J. Renoir : *Madame Bovary.*
Etr. Au premier Congrès des écrivains soviétiques, Jdanov formule la doctrine littéraire du réalisme socialiste.
Fitzgerald : *Tendre est la nuit* (tr. 1951).
Garcia Lorca : *Yerma* (tr. 1947).
Miller : *Tropique du Cancer* (tr. 1945).

1935

Ministère Laval.
Accords franco-italiens.
Création du Front populaire (3 nov.).
Pacte franco-russe.
Institution du service militaire obligatoire en Allemagne.
Guerre d'Ethiopie.
Prix Nobel de chimie : F. et I. Joliot-Curie.
Mort de H. Barbusse (n. 1873), P. Bourget (n. 1852).
Entre dans sa 20e année : R. Barthes (m. 1980).
Giono : *Que ma joie demeure.*
Malraux : *Le Temps du mépris.*
Naissance du mouvement de la négritude.
Roussel : *Comment j'ai écrit certains de mes livres.*
Fondation de *Vendredi* (→ 1938).
Mort d'Alban Berg (n. 1885).
Artaud : *Les Cenci.*
Giraudoux : *La Guerre de Troie n'aura pas lieu.*
Salacrou : *L'Inconnue d'Arras.*
Etr. T. S. Eliot : *Meurtre dans la cathédrale* (tr. 1944).

1936

Le Front populaire au pouvoir (jusqu'en juin 1937) ; ministère Léon Blum.
Occupation de la Rhénanie par l'Allemagne (mars).
La guerre civile éclate en Espagne (juillet) ; Franco devient chef d'Etat.
Procès des révolutionnaires importants en U.R.S.S. dont plusieurs sont condamnés à mort.
Début de la guerre sino-japonaise.
Création du Centre national de la recherche scientifique (C.N.R.S.).

Entrent dans leur 20e année : P. Emmanuel, A. Hébert.
Aragon : *Les Beaux Quartiers.*
Bernanos : *Journal d'un curé de campagne* (film de Bresson, 1950).
Céline : *Mort à crédit.*
Montherlant : *Les Jeunes Filles.*
Constitution du groupe Jeune France (Baudrier, Jolivet, Messiaen, Daniel Lesur).
Enesco : *Œdipe* (opéra).
Ernst : *Ville entière.*
Lurçat : *Les Illusions d'Icare* (sa première tapisserie).
Rouault : *Le Vieux Roi.*
Supervielle : *Bolivar.*
Chaplin : *Les Temps modernes.*
Etr. Mort de Garcia Lorca (n. 1898), Gorki (n. 1868), Pirandello (n. 1867).
Faulkner : *Absalon ! Absalon !* (tr. 1953).

1937

Exposition universelle à Paris.
Guerre d'Espagne.
Ministère Chamberlain en Angleterre (jusqu'en mai 1940).
Invention du nylon.
Prix Nobel : R. Martin du Gard.
Bosco : *L'Ane Culotte.*
Malraux : *L'Espoir* (film 1939).
Bachelard : *La Psychanalyse du feu.*
Béguin : *L'Ame romantique et le rêve.*
Mort de : Ravel (n. 1875), Albert Roussel (n. 1869).
Berg : *Lulu* (opéra inachevé).
Poulenc/Eluard : *Tel jour, telle nuit* (suivi jusqu'en 1952 par une centaine de mélodies de Poulenc sur des poèmes d'Eluard, d'Apollinaire, de Max Jacob, de Desnos, etc.).
Picasso : *Guernica.*
Anouilh : *Le Voyageur sans bagage* (film 1944).
Giraudoux : *Electre.*
Duvivier : *Pépé-le-Moko.*
J. Renoir : *La Grande Illusion.*
Etr. Gombrowicz : *Ferdydurke* (tr. 1958).

1938

Ministère Daladier (avril).
L'Allemagne annexe l'Autriche (Anschluss).
Accords de Munich (29 septembre).
Annexion par l'Allemagne de la région des Sudètes (Tchécoslovaquie).
Mort de F. Jammes (n. 1868).
Bernanos : *Les Grands Cimetières sous la lune.*
Daumal : *La Grande Beuverie.*
Gracq : *Au Château d'Argol.*
Michaux : *Plume*, précédé de *Lointain intérieur.*
Nizan : *La Conspiration.*
Sarraute : *Tropismes.*
Sartre : *La Nausée.*
Artaud : *Le Théâtre et son Double.*
Maritain : *Situation de la poésie.*
Thibaudet : *Réflexions sur la littérature* I ; *Réflexions sur le roman.*
Réunion et nationalisation des Théâtres lyriques (Opéra et Opéra-Comique).
Honegger/Claudel : *Jeanne au bûcher.*
Bonnard : *Le Bateau jaune.*
Dufy : *Regatta.*
Moore : *Figure allongée.*
Rouault : *Ecce Homo* ; illustrations pour la *Passion* d'André Suarès.
Anouilh : *Le Bal des voleurs.*
Cocteau : *Les Parents terribles* (film, 1948).
Salacrou : *La Terre est ronde.*
Eisenstein : *Alexandre Newsky.*
Fleming : *Autant en emporte le vent.*
Etr. Mort de D'Annunzio (n. 1863).
Tr. Kafka, *La Métamorphose* (éd. originale, 1916).

1939

Fin de la guerre d'Espagne.
Les Allemands occupent la Tchécoslovaquie (mars).
Pacte de non-agression germano-russe (août).
Invasion de la Pologne (1er sept.).

Déclaration de guerre anglo-française à l'Allemagne (3 sept.); la « drôle de guerre » à l'abri des lignes Maginot et Siegfried (→ mai 1940).
Mort de Pie XI; élection de Pie XII.
Hahn/Strassman : fission nucléaire de l'uranium.
Le groupe Bourbaki commence la publication des *Eléments de mathématiques.*
Troubetzkoï (école de Prague) : *Principes de phonologie* (tr. 1949).
Mort de Milosz (n. 1877).
Césaire : *Cahier d'un retour au pays natal.*
Leiris : *L'Age d'homme.*
Queneau : *Un rude hiver.*
Saint-Exupéry : *Terre des hommes.*
Sartre : *Le Mur.*
Mort de Freud (n. 1856), à Londres où il a été obligé de s'exiler.
Caillois : *L'Homme et le Sacré.*
Henri Lefebvre : *Le Matérialisme dialectique.*
Rougemont : *L'Amour et l'Occident.*
Thibaudet : *Réflexions sur la critique.*
Fondation de la revue *Fontaine* (→ 1947).
Sauguet : *La Chartreuse de Parme* (opéra).
Chagall : *Le Temps n'a pas de rives; Le Songe d'une nuit d'été.*
Giraudoux : *Ondine.*
Carné : *Le Jour se lève.*
Etr. Mort de W. B. Yeats (n. 1865).
Brecht : *Mère Courage* (tr. 1952).
Joyce : *Finnegan's Wake* (tr. 1964).
Miller : *Tropique du Capricorne* (tr. 1946).
Steinbeck : *Les Raisins de la colère.*
Yeats : *Derniers Poèmes* (tr. 1954).

1940

Reynaud succède à Daladier (mars).
Dunkerque.
Les Allemands occupent Paris (14 juin).
Le maréchal Pétain au pouvoir (16 juin).
De Gaulle, de Londres, lance son premier appel à la résistance (18 juin).

Armistices franco-allemand (22 juin) et franco-italien (25 juin). La France est divisée en zone occupée et zone libre.
Assassinat de Trotski au Mexique.
Premiers magnétophones pratiques.
Découverte du facteur Rhésus.
Mort de Saint-Pol Roux (n. 1861).
Entrent dans leur 20e année : A. Memmi, B. Vian (m. 1959).
Bachelard : *L'Eau et les Rêves.*
Fondation de la revue *Poésie* (→ 1944).
Britten : *Illuminations*
Honegger/Claudel : *La Danse des morts.*
Jolivet : *Trois Complaintes du soldat.*
Stravinski : *Symphonie en ut.*
Mort de Klee (n. 1879).
Découverte des fresques préhistoriques de Lascaux.
Masson : *Le Fleuve Héraclite.*
Matisse : *Femme assise dans un fauteuil.*
Anouilh : *Léocadia.*
Chaplin : *Le Dictateur.*
John Ford : *Les Raisins de la colère.*
Etr. Buzzati : *Le Désert des Tartares* (tr. 1949).
Hemingway : *Pour qui sonne le glas* (tr. 1944).
Koestler : *Le Zéro et l'Infini* (tr. 1945).
McCullers : *Le Cœur est un chasseur solitaire.*
Wright : *Un Enfant du pays.*

1941

Prise d'Athènes (27 avril).
L'Allemagne envahit la Crète (mai).
Offensive allemande contre la Russie (22 juin).
Roosevelt et Churchill souscrivent à la charte de l'Atlantique (14 août).
Pearl Harbor; entrée des Etats-Unis dans la guerre (7 déc.).
Première application de la découverte de Flemming sur la pénicilline.
Mort de H. Bergson (n. 1859).
Aragon : *Le Crève-cœur.*
Blanchot : *Thomas l'obscur.*
Brasillach : *Notre Avant-Guerre.*

Céline : *Les Beaux Draps.*
Paulhan : *Les Fleurs de Tarbes ou la Terreur dans les lettres.*
Valéry : *Tel quel* I.
Fondation de la revue *Confluences* (→1947).
Messiaen : *Quatuor pour la fin du temps.*
Brancusi : *L'Oiseau.*
Ernst : *Europe après la pluie.*
Daquin : *Nous les gosses.*
Welles : *Citizen Kane.*
Etr. Mort de Joyce (n. 1882), V. Woolf (n. 1882).
Fitzgerald : *Le Dernier Nabab* (tr. 1952).
Vittorini : *Conversations en Sicile* (tr. 1948).

1942

Les Allemands mettent le siège devant Stalingrad (sept.).
En Afrique du Nord, retraite de Rommel (nov.).
Débarquement anglo-américain en Afrique du Nord (8 nov.).
Les Allemands occupent la zone libre (11 nov.).
Construction de la première pile atomique.
Les Allemands lancent la première fusée expérimentale, prototype de la V-2.
Cousteau : scaphandre autonome.
Entrent dans leur 20e année : A. Resnais, A. Robbe-Grillet.
Camus : *L'Etranger ; Le Mythe de Sisyphe.*
Ponge : *Le Parti pris des choses.*
Saint-John Perse : *Exil.*
Vercors : *Le Silence de la mer* (film, 1947).
Merleau-Ponty : *La Structure du comportement.*
Sartre : *L'Etre et le Néant.*
Bachelard : *L'Air et les Songes.*
Fondation des *Lettres françaises* (→ 1972).
Messiaen professeur au Conservatoire de Paris.
Chostakovitch : *VIIe Symphonie*, dite *Léningrad.*
Ernst : *Le Surréalisme et la Peinture.*
Gabo : *Variations sur une construction linéaire.*
Maillol : *La Rivière.*
Anouilh : *Eurydice.*
Montherlant : *La Reine morte.*
Carné : *Les Visiteurs du soir.*

Visconti : *Ossessione.*
Etr. Mort de Musil (n. 1880).

1943

Défaite allemande à Stalingrad (févr.).
Révolte du ghetto de Varsovie (avril).
Jean Moulin fonde le Conseil national de la Résistance (mai) ; formation du Comité de libération nationale à Alger (juin).
Chute de Mussolini (26 juil.).
Débarquement des Alliés en Italie (3 sept.).
Conférence de Téhéran : Churchill, Roosevelt, Staline (déc.).
Entrent dans leur 20e année : Y. Bonnefoy, B. Pingaud.
Conseil national des Ecrivains (résistants).
S. de Beauvoir : *L'Invitée.*
Drieu La Rochelle : *L'Homme à cheval.*
Queneau : *Les Ziaux.*
Saint-Exupéry : *Le Petit Prince.*
Bataille : *L'Expérience intérieure.*
Blanchot : *Faux-pas.*
Caillois : *Puissances du roman.*
Prévost (éd.) : *Problèmes du roman.*
Fondation de la revue *Messages* (→ 1944).
Mort de Rachmaninov (n. 1873).
Dubuffet : *Gardes du corps.*
Kandinsky : *Sept.*
Mondrian : *Broadway boogie-woogie.*
Pollock : *Pasiphaé.*
Claudel : *Le Soulier de satin* à la Comédie-Française (pub. 1930).
Montherlant : *Fils de personne.*
Sartre : *Les Mouches.*
Cocteau/Delannoy : *L'Eternel Retour.*
Etr. Hesse : *Le Jeu des perles de verre* (tr. 1955).

1944

Débarquement des Alliés en Normandie (6 juin).
Libération de Paris ; de Gaulle accueilli comme chef du gouvernement provisoire (21-25 août).

Epuration.
Libération de Bruxelles (5 sept.).
Guerre civile en Grèce (déc.).
Biro : perfectionnement du crayon à bille.
Mort de J. Giraudoux (n. 1882), M. Jacob (n. 1876), R. Rolland (n. 1886).
Genet : *Notre-Dame-des-Fleurs.*
Peyrefitte : *Les Amitiés particulières.*
Von Neumann : *Théorie des jeux.*
Fondation des revues *L'Arche* (→ 1947) et *Paru* (→ 1950).
La Radio française assume un rôle important dans la création de nouvelles compositions musicales.
Bartok : *Concerto pour orchestre.*
Exposition Vasarely à Paris.
Dubuffet : *Grand Y.*
Fautrier : série des *Otages.*
Chagall : *A ma femme.*
Anouilh : *Antigone.*
Camus : *Le Malentendu.*
Sartre : *Huis clos.*
Olivier : *Henri V.*
J. Renoir : *L'Homme du Sud ; La Règle du jeu* (tourné en 1939).
Vigo : *Zéro de conduite* (tourné en 1932).
Etr. Borges : *Fictions* (tr. 1952).
Eliot : *Four Quartets.*

1945

Conférence de Yalta (fév.).
Mort de Hitler, Mussolini, Roosevelt (avril).
Capitulation de l'Allemagne (8 mai).
Libération des camps de concentration.
Charte de l'O.N.U. (juin).
Première bombe atomique à Hiroshima (6 août).
Capitulation japonaise (2 sept.).
Ho Chi Minh proclame l'indépendance de la République démocratique du Viêt-nam (sept.).
L'Etat polonais est recréé (nouvelles frontières) et reconnu par toutes les nations.
De Gaulle élu président du gouvernement provisoire (nov.).

Procès de Nuremberg (nov.).
Commissariat à l'énergie atomique (CEA).
Le C.N.R.S. prend son essor sous la direction de Joliot-Curie.
Suicide de Drieu La Rochelle (n. 1893) ; mort de Valéry (n. 1871).
Entrent dans leur 20e année : J.-P. Faye, P. Jaccottet, R. Nimier (m. 1962).
Bosco : *Le Mas Théotime.*
Gracq : *Un Beau Ténébreux.*
Saint-John Perse : *Vents.*
Sartre : *Les Chemins de la liberté* I (→ 1949).
Senghor : *Chants d'ombre.*
Merleau-Ponty : *Phénoménologie de la perception.*
Benda : *La France byzantine.*
Hytier : *Les Arts de littérature.*
Cl.-Ed. Magny : *Les Sandales d'Empédocle.*
Nadeau : *Histoire du surréalisme* I.
Fondation de la revue *Les Temps modernes.*
Mort de Bartok (n. 1881), Webern (n. 1883).
N. Boulanger professeur au conservatoire de Paris.
Stravinski renonce à la nationalité française pour devenir citoyen américain.
Britten : *Peter Grimes* (opéra).
Premier salon de mai (Paris).
Dubuffet : série des *Murs.*
Lipchitz : *Mère et enfant.*
Camus : *Caligula.*
Giraudoux : *La Folle de Chaillot.*
Lotar/Prévert : *Aubervilliers.*
Carné/Prévert : *Les Enfants du paradis.*
Malraux : *L'Espoir* (tourné en 1938-1939).
Etr. Brecht : *Le Cercle de craie caucasien* (tr. 1957).
Wright : *Black Boy* (tr. 1947).

1946

De Gaulle démissionne.
Début de la guerre d'Indochine (déc.).
Début de la guerre froide.
Régimes communistes en Albanie, Bulgarie, Yougoslavie.
Perón au pouvoir en Argentine.

L'Italie devient une République.
Entrent dans leur 20e année : M. Butor, M. Foucault.
Césaire : *Les Armes miraculeuses.*
Genet : *Miracle de la rose.*
Gide : *Thésée.*
Prévert : *Paroles.*
Leiris : « De la littérature considérée comme une tauromachie » (préface à la réédition de *L'Age d'homme*).
Malraux : *Esquisse d'une psychologie du cinéma.*
Pouillon : *Temps et Roman.*
Fondation des revues : Cahiers de la Pléiade (→1952), Critique, Synthèses (→1972).
Mort de M. de Falla (n. 1876).
L'Expressionnisme abstrait.
Grande exposition de la tapisserie (Paris).
N. de Staël : *Composition bleue.*
Tanguy : *Nombres réels.*
Barrault et Renaud fondent leur compagnie.
Audiberti : *Quoat-Quoat.*
Cocteau : *L'Aigle à deux têtes* (film, 1948).
Sartre : *La Putain respectueuse* (film, 1952).
Création du Centre national de la Cinématographie.
Premier festival de Cannes.
Mort de G. Stein (n. 1874).
Etr. Kazantzakis : *Alexis Zorba* (tr. 1947).

1947

De Gaulle fonde le R.P.F. (avril).
Révolte à Madagascar.
Le parti communiste rentre dans l'opposition.
Création du Kominform. La Roumanie devient une République populaire.
La doctrine Truman.
Création de l'Union indienne.
Mort de Henry Ford (n. 1863), Max Planck (n. 1858).
Avion supersonique.
Cryogénie.
Appareil photographique Polaroïd.
Mort de Fargue (n. 1876), Ramuz (n. 1878).
Entrent dans leur 20e année : F. Billetdoux, J. Gréco.
Prix Nobel : A. Gide.
Beckett : *Murphy* (angl. 1938).

Camus : *La Peste.*
Cayrol : *Je vivrai l'amour des autres.*
Queneau : *Exercices de style.*
Sarraute : *Portrait d'un inconnu.*
Troyat : *Tant que la terre durera.*
Vian : *L'Automne à Pékin ; L'Ecume des jours.*
Weil : *La Pesanteur et la Grâce.*
Kojève : *Introduction à la lecture de Hegel.*
Wiener : *La Cybernétique.*
Klossowski : *Sade mon prochain.*
Sartre : *Baudelaire ; Situations* I ; *Qu'est-ce que la littérature ? ;* Préface au *Portrait d'un inconnu* de Sarraute (« l'anti-roman »).
Création du Festival d'Aix-en-Provence.
Mort de Bonnard (n. 1867).
Salon des Réalités nouvelles (art concret).
Giacometti : *Femmes debout ; L'Homme au doigt.*
Le Corbusier : Unité d'habitation (Marseille).
Audiberti : *Le Mal court.*
Genet : *Les Bonnes.*
Kafka/Gide/Barrault : *Le Procès.*
S. Lilar : *Le Burlador.*
Pichette : *Les Epiphanies.*
Etr. Anne Frank : *Journal* (tr. 1950).
Lowry : *Au-dessous du volcan* (tr. 1950).

1948

Assassinat de Gandhi.
Proclamation de l'Etat d'Israël (mai) ; première guerre israélo-arabe.
Les communistes prennent le pouvoir en Tchécoslovaquie.
Rupture entre la Yougoslavie (Tito) et l'U.R.S.S.
Blocus de Berlin (juin).
Libby : datation par radiocarbone 14.
Piccard : bathyscaphe.
Disques microsillon.
Invention du transistor.
Première pile atomique française (ZOÉ).
Mort d'Artaud (n. 1896), Bernanos (n. 1888), A. Suarès (n. 1868).
Fondation du collège de Pataphysique.
Bazin : *Vipère au poing.*

Leiris : *La Règle du jeu* I (→ 1966).
Ponge : *Proêmes.*
Senghor : *Anthologie de la nouvelle poésie nègre et malgache ;* introduction de Sartre : « Orphée noir ».
Bachelard : *La Terre et les rêveries de la volonté ; La Terre et les rêveries du repos.*
Kinsey : *Le Comportement sexuel de l'homme.*
Cl.-Ed. Magny : *L'Age du roman américain.*
Fondation de *Botteghe oscure* (Rome → 1960), *Revue d'histoire du théâtre, La Table ronde* (→ 1969).
Boulez : *2e sonate pour piano.*
Jolivet : *Concerto pour ondes Martenot.*
Schaeffer : *Concert de bruits* à la RTF (première réalisation de musique concrète).
Stravinski : *Messe.*
Formation du groupe La Compagnie d'Art brut (Dubuffet).
Formation du groupe l'Homme témoin (Buffet, Rebeyrolle, etc.)
Matisse : construction et décoration de la chapelle du Rosaire (Vence).
Camus : *L'Etat de siège.*
Ghelderode : *Escurial* (pub. 1928).
Montherlant : *Le Maître de Santiago.*
Sartre : *Les Mains sales* (film, 1951).
Supervielle : *Le Voleur d'enfants.*
De Sica : *Le Voleur de bicyclette.*
Renais/Hessens : *Van Gogh.*
Etr. Mailer : *Les Nus et les Morts.*
Pound : *Les Cantos Pisans* (tr. 1966).

1949

O.T.A.N. (avril).
Création de la République fédérale allemande (mai).
Tchang Kaï-chek s'établit à Taïwan ; Mao Tsé-toung proclame la République populaire chinoise.
Formation de la République démocratique allemande (oct.).
La Hongrie s'engage dans la voie du stalinisme.
Première bombe atomique soviétique.
Début de la construction de la centrale atomique à Saclay.

Mise en service du télescope de 5 m du Mont Palomar.
Mort de Maeterlinck (n. 1862).
Abellio : *Les Yeux d'Ezéchiel sont ouverts.*
Aragon : *Les Communistes* I (→ 1951).
S. de Beauvoir : *Le Deuxième Sexe.*
Genet : *Journal du voleur.*
Nimier : *Les Epées.*
Supervielle : *Oublieuse Mémoire.*
Blanchot : *La Part du feu.*
Picon : *Panorama de la nouvelle littérature française.*
Fondation de la revue *Présence africaine.*
Mort de R. Strauss (n. 1864).
Messiaen : *Turangalila-Symphonie.*
Formation du Salon de la jeune peinture.
Pollock : *Numéro I.*
Rouault : *La Passion.*
Mort de Copeau (n. 1879), Dullin (n. 1885).
Camus : *Les Justes.*
Genet : *Haute Surveillance.*
Ghelderode : *Fastes d'enfer.*
Tardieu : *Qui est là ?*
Reed : *Le Troisième Homme.*
Tati : *Jour de fête.*
Etr. Böll : *Le Train était à l'heure.*
Malaparte : *La Peau* (tr. 1949).
Arthur Miller : *Mort d'un commis-voyageur.*
Orwell : *1984.*

1950

Mort de Léon Blum.
Début de la guerre de Corée (juin).
Télévision : 1re chaîne.
Entrent dans leur 20e année : M. Deguy, J. Derrida, G. Genette, J.-L. Godard, F. Mallet-Joris.
Bataille : *L'Abbé C.*
Duras : *Un barrage contre le Pacifique.*
Green : *Moïra.*
Nimier : *Le Hussard bleu.*
Gracq : *La Littérature à l'estomac.*
Poulet : *Etudes sur le temps humain* I.
Fondation des *Cahiers du cinéma.*

Milhaud/Supervielle : *Bolivar* (opéra, comp. 1943).
Schaeffer/Henry : *Symphonie pour un homme seul.*
Lipchitz : *Notre-Dame-de-Liesse* (église d'Assy).
G. Richier : *Christ* (église d'Assy) ; *L'Eau.*
Construction du siège de l'ONU (New York).
Le Corbusier : église à Ronchamp.
Adamov : *La Grande et la Petite Manœuvre.*
Ionesco : *La Cantatrice chauve.*
Montherlant : *Malatesta* (publ. 1946).
Tardieu : *Un Mot pour un autre.*
Vian : *L'Equarissage pour tous.*
Cocteau : *Orphée.*
Kurosawa : *Rashomon.*
Etr. Suicide de Pavese (n. 1908), Shaw (n. 1856).
Lagerkvist : *Barabbas.*
Néruda : *Le Chant général.*

1951

Le plan Schuman crée « les Six » (avril).
Recul du communisme ; progrès du R.P.F.
McCarthy ; procès anticommunistes aux Etats-Unis.
Mort d'Alain (n. 1868), Gide (n. 1869).
Beckett : *Molloy.*
Camus : *L'Homme révolté.*
Giono : *Le Hussard sur le toit.*
Gracq : *Le Rivage des Syrtes* (pour lequel il refuse le prix Goncourt).
Mallet-Joris : *Le Rempart des béguines.*
Paulhan : *Petite Préface à toute critique.*
Tardieu : *Monsieur, monsieur.*
Weil : *La Condition ouvrière.*
Yourcenar : *Les Mémoires d'Hadrien.*
Fondation de la revue *Roman* (→ 1955).
Mort de Schönberg (n. 1874).
Constitution du Groupe de Recherche de Musique concrète de la R.T.F. (Schaeffer, Boulez, etc.).
Boulez : *Polyphonie X.*
Stravinski : *The Rake's Progress* (opéra).
Constitution du groupe Espace.
Groupe tachiste Véhémences confrontées (Mathieu, Pollock, etc.).

Vilar prend la direction du Théâtre national populaire.
Ionesco : *La Leçon.*
Sartre : *Le Diable et le Bon Dieu.*
Ophüls : *Le Plaisir.*
Resnais : *Guernica.*
Etr. Salinger : *L'Attrape-cœurs* (tr. 1953).

1952

La Pologne devient une démocratie populaire.
La reine Elizabeth II accède au trône (févr.).
Chute de la monarchie égyptienne.
Bombe H.
Inauguration du barrage hydro-électrique de Donzère-Mondragon.
Mort de Eluard (n. 1895), Maurras (n. 1868), Vitrac (n. 1899).
Entrent dans leur 20e année : Arrabal, Ricardou.
Prix Nobel : F. Mauriac.
Beckett : *Malone meurt.*
Etiemble : *Hygiène des lettres* I.
Poulet : *La Distance intérieure.*
Sartre : *Saint-Genet.*
Boulez : *Structures* I.
Cage : *Quatre minutes trente-trois secondes* (musique silence).
Stockhausen : *Jeu pour orchestre.*
Le Corbusier : Cité radieuse (Marseille).
Serreau fonde le Théâtre de Babylone.
Anouilh : *La Valse des toréadors.*
Bernanos : *Dialogues des Carmélites* (pub. 1948 ; opéra de Poulenc, 1957 ; film, 1960).
Ionesco : *Les Chaises.*
Becker : *Casque d'or.*
Clément : *Jeux interdits.*
Etr. Hemingway : *Le Vieil Homme et la mer.*
Pavese : *Le Métier de vivre* (tr. 1958).

1953

Mort de Staline (5 mars).
Emeutes anticommunistes à Berlin-Est (juill.)

Grèves générales (août).
Armistice en Corée.
Hillary/Tenzing : conquête de l'Everest.
Watson/Crick : structure de l'ADN.
Centre européen de recherche nucléaire, Genève.
Barthes : *Le Degré zéro de l'écriture.*
Beckett : *L'Innommable.*
Bonnefoy : *Du mouvement et de l'immobilité de Douve.*
Breton : *La Clé des champs.*
Jaccottet : *L'Effraie.*
Camara Laye : *L'Enfant noir.*
Memmi : *La Statue de sel.*
Robbe-Grillet : *Les Gommes.*
Sarraute : *Martereau.*
Fondation des journaux *L'Express, Lettres nouvelles.*
Mort de R. Dufy (n. 1877), Picabia (n. 1879).
Braque : plafond de la salle Henri II au Louvre.
Richier : série des *Femmes-insectes.*
Boulez inaugure les Concerts du Petit Marigny (qui deviendront en 1954 le Domaine musical).
Messiaen : *Le Réveil des oiseaux.*
Stockhausen : *Kontrapunkte.*
Adamov : *Le Professeur Taranne.*
Anouilh : *L'Alouette.*
Beckett : *En attendant Godot.*
Claudel/Milhaud : *Le Livre de Christophe Colomb* (créé à Berlin, 1930).
Green : *Sud.*
Tati : *Les Vacances de Monsieur Hulot.*
Etr. Leonov : *La Forêt russe* (tr. 1966).
Fellini : *I Vitelloni.*

1954

Ministère Mendès France.
Chute de Diên Biên Phu (7 mai) ; fin de la guerre d'Indochine ; partage du pays en Viêt-nam du Nord et du Sud (Conférence de Genève).
Début de la guerre d'Algérie (1er nov.).
Nasser au pouvoir (1970).
Expériences atomiques à Bikini.
Mort de Colette (n. 1873).

S. de Beauvoir : *Les Mandarins.*
Butor : *Passage du Milan.*
De Gaulle : *Mémoires de guerre* I (1958).
Klossowski : *Roberte ce soir.*
Pauline Réage : *Histoire d'O.*
Sagan : *Bonjour Tristesse.*
Léautaud : *Journal littéraire* I (→ 1964).
J.-P. Richard : *Littérature et Sensation.*
Fondation de la *Revue des lettres modernes.*
Milhaud : *David* (opéra).
Schönberg : *Moïse et Aaron* (opéra inachevé, comp. 1932).
Varèse : *Déserts* (musique électronique).
Xenakis : *Metastaseis* (musique stochastique, composée avec l'aide d'un ordinateur).
Mort de Matisse (n. 1869).
Le Berliner Ensemble de Brecht joue *Mère Courage* à Paris.
Ionesco : *Amédée, ou comment s'en débarrasser.*
Montherlant : *Port-Royal.*
Fellini : *La Strada.*
Etr. Asturias : *Le Pape vert* (tr. 1956).
Böll : *Les Enfants des morts.*
Kazantzaki : *Le Christ recrucifié* (tr. 1955).

1955

Conférence afro-asiatique de Bandung.
Chute de Perón.
Mort d'Einstein (n. 1879).
Cockerell : aéroglisseurs Hovercraft.
Début de la chirurgie à cœur ouvert.
Création du doctorat de 3e cycle.
Mort de Claudel (n. 1868), Teilhard de Chardin (n. 1881).
Entrent dans leur 20e année : F. Sagan, J. Thibaudeau.
Chraïbi : *Les Boucs.*
Duras : *Le Square* (pièce, 1962).
Robbe-Grillet : *Le Voyeur.*
Blanchot : *L'Espace littéraire.*
Goldmann : *Le Dieu caché.*
Lévi-Strauss : *Tristes Tropiques.*
Richard : *Poésie et Profondeur.*
Teilhard de Chardin : *Le Phénomène humain.*

Fondation des *Cahiers des saisons* (→ 1967).
Boulez : *Le Marteau sans Maître.*
Mort Honegger (n. 1892), Léger (n. 1881), Utrillo (n. 1883).
L'exposition Le Mouvement marque le début du Cinétisme (Vasarely, Agam, Soto, Schöffer).
Début du Pop'Art.
Giacometti : *Annette.*
Adamov : *Ping-Pong.*
Ionesco : *Jacques ou la soumission.*
Tardieu : *Le Guichet.*
Cousteau : *Le Monde du silence.*
Max Ophüls : *Lola Montès.*
Renais/Cayrol : *Nuit et Brouillard.*
Etr. Mort de Th. Mann (n. 1875).
Nabokov : *Lolita* (tr. 1959).
O'Neill : *Long voyage vers la nuit* (tr. 1960).

1956

Indépendance de la Tunisie et du Maroc (mars).
Rapport Khrouchtchev au XXe Congrès (déstalinisation).
Nasser nationalise le canal de Suez ; intervention militaire franco-anglaise (juil.).
Intervention des troupes soviétiques en Hongrie (oct.).
Câble téléphonique transatlantique.
Entre dans sa 20e année : Ph. Sollers.
Butor : *L'Emploi du temps.*
Camus : *La Chute.*
Sagan : *Un certain sourire.*
Sarraute : *L'Ere du soupçon.*
Landowski : *Le Fou* (opéra).
Messiaen : *Oiseaux exotiques.*
Exposition : Propositions monochromes (Klein).
Mathieu : *L'Impératrice Irène.*
Anouilh : *Pauvre Bitos ou le Dîner de têtes.*
Faulkner/Camus : *Requiem pour une nonne.*
Schehadé : *Histoire de Vasco.*
Bergman : *Le Septième Sceau.*
Bresson : *Un condamné à mort s'est échappé.*
Etr. Mort de Brecht (n. 1898), Pollock (n. 1912).
Dürrenmatt : *La Visite de la vieille dame.*
Osborne : *Look Back in Anger.*

1957

Le Marché Commun et l'Euratom fondés à Rome (mars).
Mort d'Herriot (n. 1872).
Premier Congrès de l'année géophysique.
Spoutnik I.
Mort de S. Guitry (n. 1885), Larbaud (n. 1881).
Entrent dans leur 20e année : M. Alyn, H. Cixous, D. Roche, A. Sarrazin (m. 1967).
Prix Nobel : A. Camus.
Barthes : *Mythologies.*
Bataille : *Le Bleu du ciel; La Littérature et le Mal; L'Erotisme.*
Butor : *La Modification.*
Camus : *L'Exil et le Royaume.*
Céline : *D'un château l'autre.*
Cendrars : *Du Monde entier; Au cœur du monde.*
Michaux : *L'Infini turbulent.*
Robbe-Grillet : *La Jalousie.*
Saint-John Perse : *Amers.*
Cl. Simon : *Le Vent; tentative de restitution d'un retable baroque.*
Bachelard : *La Poétique de l'espace.*
Lukács : *Signification présente du réalisme critique* (tr. 1960).
Chomsky : *Structures syntaxiques.*
Boulez : *3e sonate pour piano* (musique aléatoire).
Landowski : *Le Ventriloque* (opéra).
Poulenc/Bernanos : *Dialogue des Carmélites* (opéra).
Stockhausen : *Klavierstuck XI.*
Présentation de l'Epoque bleue de Klein (Milan).
Achard : *Patate.*
Adamov : *Paolo Paoli.*
Beckett : *Fin de partie.*
Etr. Mort de Sibelius (n. 1865), Toscanini (n. 1867).
Bergman : *Les Fraises sauvages.*
Durrell : *Justine* (tr. 1960).
Kérouac : *Sur la route* (tr. 1960).
Pasternak : *Dr Jivago* (tr. 1958).
Paz : *Pierre de soleil.*

1958

Cinquième République (après le 13 mai).
Proclamation des Républiques de Guinée, du Soudan, du Sénégal, du Congo, du Tchad, du Gabon, de la Côte-d'Ivoire, du Dahomey, de la Haute-Volta, du Niger; proclamation de la République Centrafricaine et de la République malgache (sept.-nov.). De Gaulle élu président de la République (déc.).
Mort de Pie XII; élection de Jean XXIII.
Khrouchtchev au pouvoir.
Difficile intégration des jeunes Noirs dans un *high school* de Little Rock (Arkansas).
Disques stéréophoniques.
Création des comités gouvernementaux chargés de la gestion de la recherche scientifique en France.
Mort de Carco (n. 1886), R. Martin du Gard (n. 1881).
Alyn : *Cruels divertissements.*
S. de Beauvoir : *Mémoires d'une jeune fille rangée.*
Duras : *Moderato cantabile* (film, 1960).
Klein : *Le Gambit des étoiles.*
Ollier : *La Mise en scène.*
Chr. Rochefort : *Le Repos du guerrier* (film de Vadim, 1962).
Cl. Simon : *L'Herbe.*
Caillois : *Les Jeux et les Hommes.*
Lévi-Strauss : *Anthropologie structurale.*
Cl. Mauriac : *L'Allitérature contemporaine.*
Fr. Mauriac : *Bloc-Notes.*
Starobinski : *Jean-Jacques Rousseau, la transparence et l'obstacle.*
Fondation de la revue *L'Art.*
Création du groupe Recherches musicales de la RTF (Schaeffer).
Boulez/Michaux : *Poésie pour pouvoir.*
Rivier : *VIe Symphonie, Les Présages.*
Varèse : *Poème électronique.*
Mort de Rouault (n. 1871)
Exposition du Vide (Klein).
Mies van der Rohe/Johnson : le bâtiment Seagram (New York).
Nervi/Ponti : bâtiments Pirelli (Milan).

Niemeyer : le palais du président (Brasilia).
Chabrol : *Le Beau Serge* (Nouvelle Vague).
Malle : *Les Amants.*
Tati : *Mon Oncle.*
Etr. Albee : *Zoo Story* (tr. 1965).

1959

Malraux, ministre d'Etat chargé des Affaires culturelles.
Castro prend le pouvoir à Cuba.
La Chine envahit le Tibet.
Incidents de frontière entre la Chine et l'Inde.
Premières photographies de la face de la Lune opposée à la Terre.
Première greffe du rein.
Mort de B. Péret (n. 1899).
Pinget : *Lettre morte.*
Queneau : *Zazie dans le métro* (film, 1960).
Robbe-Grillet : *Dans le labyrinthe.*
Sagan : *Aimez-vous Brahms...*
Sarraute : *Le Planétarium.*
Schwartz-Bart : *Le Dernier des justes.*
Blanchot : *Le Livre à venir.*
Georges Blin : *Stendhal et les problèmes du roman.*
Henri Lefebvre : *La Somme et le Reste.*
Dutilleux : *IIe Symphonie,* dite *Le Double.*
Messiaen : *Premier Catalogue d'oiseaux.*
Poulenc/Cocteau : *La Voix humaine* (opéra).
Xenakis : *Stratégie, jeu pour deux orchestres* (musique stratégique).
Kaprow crée le premier Happening (New York).
Exposition Pollock et la Nouvelle Peinture américaine (Paris).
Miro : fresques céramiques *Le Soleil et la Lune* pour le bâtiment UNESCO.
Picasso : fresques pour le bâtiment UNESCO (Paris).
Rauschenberg : *Combined Painting.*
Tinguely : *Métamatics.*
Wright : Musée Guggenheim (New York).
Anouilh : *Becket ou l'honneur de Dieu.*
Billetdoux : *Tchin-Tchin.*
Dostoïevski/Camus : *Les Possédés.*

Claudel : *Tête d'or* (version définitive d'une pièce qui date de 1890).
Genet : *Les Nègres.*
Ionesco : *Tueur sans gages.*
Sartre : *Les Séquestrés d'Altona.*
Vian : *Les Bâtisseurs d'empire.*
Antonioni : *L'Avventura.*
Fellini : *La Dolce Vita.*
Godard : *A bout de souffle.*
Resnais/Duras : *Hiroshima mon amour.*
Truffaut : *Les quatre cents coups.*
Etr. Alberti : *La Forêt des arbres perdus.*
Böll : *Les Deux Sacrements.*
Burroughs : *Le Festin nu* (tr. 1964).
Mishima : *Le Pavillon d'or* (tr. 1961).
Tomasi di Lampedusa : *Le Guépard* (tr. 1959).

1960

Nouveau franc (1er janv.)
Indépendance des Etats africains (Congo, Côte-d'Ivoire, Dahomey, Gabon, Haute-Volta, Madagascar, Mauritanie, République Centrafricaine, Sénégal, République du Mali, Tchad, Cameroun et Togo).
Insurrection à Alger (24 janv.-1er fév. ; « semaine des barricades »).
Indépendance du Congo belge ; la guerre civile éclate (Tschombé-Lumumba).
Première bombe atomique française.
Mort de Camus (n. 1913), Paul Fort (n. 1872), Reverdy (n. 1889), Supervielle (n. 1884).
Entrent dans leur 20e année : P. Guyotat, J. M. Le Clézio.
Prix Nobel : Saint-John Perse.
S. de Beauvoir : *La Force de l'âge.*
Butor : *Degrés.*
Céline : *Nord.*
Deguy : *Fragments du cadastre.*
Anne Hébert : *Poèmes.*
Cl. Simon : *La Route des Flandres.*
Bachelard : *La Poétique de la rêverie.*
Butor : *Répertoire* I (II en 1964 ; III en 1968 ; IV en 1974).
Sartre : *Critique de la raison dialectique.*

Fondation de la revue *Tel Quel.*
Naisssance du mouvement artistique international Fluxus (en France, Ben, Kudo, etc.)
Au Salon de mai, les voitures compressées de César font scandale.
Giacometti : *L'Homme qui marche*, I, II ; *Femme debout* II.
Klein : *Anthropométries de l'époque bleue* (empreintes humaines apposées sur papier à l'accompagnement de la Symphie Monoton) ; peintures de feu (Centre d'essais du Gaz de France).
Mihalovici/Beckett : *Krapp* (*La Dernière Bande*, opéra).
Groupe de Recherche d'art visuel (Rossi, Le Parc, Morellet, Sobrino, etc.)
Genet : *Le Balcon.*
Ionesco : *Rhinocéros.*
Obaldia : *Genousie.*
Sagan : *Un château en Suède.*
Tardieu : *Les Amants du métro.*
Antonioni : *La Nuit.*
Cocteau : *Le Testament d'Orphée.*
Vadim : *Liaisons dangereuses.*
Mort de Pasternak (n. 1890).
Pinter : *Le Gardien* (tr. 1967).
Updike : *Cœur-de-lièvre* (tr. 1962).

1961

Echec de l'insurrection militaire à Alger (22-25 avril) ; elle a été provoquée par les généraux Challe, Jouhaud, Zeller et Salan.
Ouverture de la Conférence d'Evian entre les délégations du gouvernement français et du F.L.N. (mai).
Assassinat de Lumumba.
Kennedy, président des Etats-Unis.
Construction du Mur à Berlin (août).
Mort de Hammarskjöld.
Gagarine, premier homme dans l'espace.
Mort de Céline (n. 1891), Cendrars (n. 1887).
Senghor : *Nocturnes.*
Sollers : *Le Parc.*
Mort de C.-G. Jung (n. 1875).
D. de Rougement : *Les Mythes de l'amour.*

Fondation des *Cahiers de l'Herne et de Communications.*
« 40° au-dessus de Dada », première exposition du groupe Les Nouveaux Réalistes (Tinguely, Klein, César, Saint-Phalle, Christo, etc.).
Création par Malraux des Maisons de la Culture.
Dubillard : *Naïves Hirondelles.*
Salacrou : *Boulevard Durand.*
Schehadé : *Le Voyage.*
Resnais/Robbe-Grillet : *L'Année dernière à Marienbad.*
Truffaut : *Jules et Jim.*
Etr. Mort de Hemingway (n. 1898).

1962

Ministère Pompidou.
Accords d'Evian (18 mars) ; indépendance de l'Algérie (3 juillet).
Référendum constitutionnel sur l'élection au suffrage universel du chef de l'Etat (oct.).
Début du concile Vatican II.
Intégration d'étudiants noirs dans une université du Sud (Mississipi).
Hess : théorie de la dérive des continents.
Découverte du vent solaire.
Satellite Telstar.
Mort de Bachelard (n. 1884), G. Bataille (n. 1897), M. de Ghelderode (n. 1898).
Butor : *Mobile, Réseau aérien.*
Pinget : *L'Inquisitoire.*
Saint-John Perse : *Ordre des Oiseaux.*
Cl. Simon : *Le Palace.*
Rousset : *Forme et signification : Essai sur les structures littéraires.*
Création de l'ensemble d'avant-garde *Musica Nova (Ars Nova).*
Boulez : *Pli selon pli — portrait de Mallarmé.*
Mort de Y. Klein (n. 1928).
Dubuffet : le cycle de *L'Hourloupe.*
Saint-Phalle : *Tableaux-surprise.*
Ionesco : *Le Roi se meurt.*
Welles : Le Procès.
Robbe-Grillet : *L'Immortelle.*

Vadim/Giono : *Les Grands Chemins.*
Etr. Albee : *Qui a peur de Virginia Woolf?* (tr. 1964).
Baldwin : *Un autre pays* (tr. 1964).
Soljenitsyne : *Une journée dans la vie d'Ivan Denissovitch* (tr. 1963).

1963

Accords franco-allemands.
Mort de Jean XXIII ; élection de Paul VI.
Assassinat de Kennedy.
Traité de Moscou sur l'arrêt des expériences atomiques (96 Etats).
Mort de Cocteau (n. 1889), Tzara (n. 1896).
Jabes : *Le Livre des questions.*
Le Clézio : *Le Procès-verbal.*
Pieyre de Mandiargues : *La Motocyclette.*
Pleynet : *Provisoires Amants des nègres.*
Roche : *Récits complets.*
Sarraute : *Les Fruits d'or.*
Sollers : *L'Intermédiaire.*
Barthes : *Sur Racine.*
Jakobson : Essais de linguistique générale.
Mauron : *Des métaphores obsédantes au mythe personnel : Introduction à la psychocritique.*
Robbe-Grillet : *Pour un nouveau roman.*
Fondation de la revue *Nouveau Commerce.*
Mort de Hindemith (n. 1895), Edith Piaf (n. 1915), Poulenc (n. 1899).
Premier festival de musique d'avant-garde (Royan).
Messiaen : *Couleurs de la cité céleste.*
Milhaud/Claudel : *L'Orestie* (trilogie, comp. de 1913 à 1922).
Milhaud/Jean XXIII : *Pacem in Terris.*
Mort de Braque (n. 1882).
Première exposition Mathieu à Paris.
Chagall : plafond de l'Opéra (Paris).
Adamov : *Le Printemps 71.*
Beckett : *Cascando* (pièce radiophonique).
Fellini : *Huit et demi.*
Malle/Drieu La Rochelle : *Feu Follet.*
Resnais/Cayrol : *Muriel.*

Etr. Mort de R. Frost (n. 1875), A. Huxley (n. 1894). Hochhuth : *Le Vicaire* (tr. 1963).

1964

Mort de Nehru.
Destitution de Khrouchtchev; Kossyguine, Brejnev au pouvoir.
1re bombe atomique chinoise.
Arabie Saoudite : Fayçal accède au trône.
Télévision : 2e chaîne.
Ranger VII photographie la surface de la lune.
Prix Nobel : J.-P. Sartre, qui le refuse.
Violette Leduc : *La Bâtarde.*
Sartre : *Les Mots.*
Barthes : *Essais critiques.*
Goldmann : *Pour une sociologie du roman.*
Fondation du *Nouvel Observateur.*
Op Art.
Rauschenberg : *Retroactive.*
Saint-Phalle : premières *Nanas.*
Vasarely : *Composition 1964.*
Billetdoux : *Il faut passer par les nuages ; Comment va le monde Môssieu ? Il tourne Môssieu !*
Césaire : *La Tragédie du Roi Christophe.*
Truffaut : *La Peau douce.*
S. Bellow : *Herzog* (tr. 1966).

1965

De Gaulle réélu au second tour à la présidence.
Mort de Winston Churchill.
Bombardements américains sur le Viêt-nam du Nord.
Guerre entre l'Inde et le Pakistan.
Indépendance de la Rhodésie.
Prix Nobel de médecine : Jacob, Lwoff et Monod.
Première sortie d'un homme dans l'espace (Leonov).
Le programme Diamant A place sur orbite les premiers satellites français.
Ouverture du tunnel sous le Mont-Blanc.
Mort de J. Audiberti (n. 1899).

Aragon : *La Mise à mort.*
Butor : *6810000 litres d'eau par seconde.*
Le Clézio : *La Fièvre.*
Pérec : *Les Choses.*
Robbe-Grillet : *La Maison de rendez-vous.*
Albertine Sarrazin : *L'Astragale ; La Cavale.*
Sollers : *Drame.*
Althusser : *Pour Marx.*
Raymond Picard : *Nouvelle Critique ou nouvelle imposture.*
Fondation du *Magazine littéraire.*
Mort de Varèse (n. 1883).
Dutilleux : Métaboles.
Début du Mec'Art.
Exposition : Hommage au vent au XVIe Salon de la Jeune Peinture (l'Anti-Art).
Aillaud/Arroyo/Recalcati : La Fin tragique de Marcel Duchamp (série de 8 toiles collectives)
Mort de Le Corbusier (n. 1888).
Montherlant : *La Guerre civile.*
Obaldia : *Du vent dans les branches de sassafras.*
Fellini : *Juliette des esprits.*
Godard : *Pierrot le fou.*
Etr. Mort de T. S. Eliot (n. 1888).
Jones : Le Métro fantôme (tr. 1967).
Mrozek : Tango (tr. 1966).
Pinter : Le Retour (tr. 1968).
Plath : Ariel.

1966

La France quitte l'O.T.A.N.
Début de l'affaire Ben Barka.
Indira Gandhi devient premier ministre de la République de l'Inde.
En Indonésie, coup d'Etat contre Sukarno.
Révolution culturelle chinoise (avril).
Prix Nobel de physique : Alfred Kastler.
Engins soviétique et américain sur la Lune.
Radiogalaxies.
Mort de Breton (n. 1896), Duhamel (n. 1884).
Bataille : *Ma mère.*
Chedid : *Double-pays.*

Deguy : *Actes.*
Le Clézio : *Le Déluge.*
Thibaudeau : *Ouverture* I.
Colloque : *Les Chemins actuels de la critique*, à Cerisy-la-Salle (édité en 1968).
Barthes : *Critique et Vérité.*
Doubrovsky : *Pourquoi la nouvelle critique ?*
Foucault : *Les Mots et les Choses.*
Genette : *Figures* I.
Greimas : *Sémantique structurale.*
Ionesco : *Notes et Contre-Notes.*
Lacan : *Ecrits* I & II.
Macherey : *Pour une théorie de la production littéraire.*
Serreau : *Histoire du « Nouveau Théâtre ».*
Todorov (éd.) : *Théorie de la littérature.*
Fondation de *La Quinzaine littéraire.*
Cage : *Variations I-VII* (musique aléatoire).
Mort de Giacometti (n. 1902).
Premier festival des arts nègres (Dakar).
En province, premiers travaux du groupe Support/Surface (Bioulès, Dezeuze, Viallat, etc.)
Le Parc : grand prix de la Biennale de Venise.
Schöffer : *Tour luminodynamique.*
Arrabal : *Le Cimetière des voitures* (publ. 1958) ; *Le Grand Cérémonial.*
Gatti : *Chant public devant deux chaises électriques.*
Genet : *Les Paravents* (publ. 1961 et alors interdits de représentation).
Dassin/Duras : *Dix heures et demie du soir en été.*
Godard : *Deux ou trois choses que je sais d'elle.*
Resnais : *La Guerre est finie.*
Robbe-Grillet : *Trans-Europ-Express.*
Etr. Buzzati : *Le K* (tr. 1967).
Capote : *De sang-froid* (tr. 1968).

1967

Discours de de Gaulle à Montréal : « Vive le Québec libre ! »
Formation de la Fédération de la gauche démocratique.
Mort d'Adenauer.
Guerre des Six Jours entre Israël et les pays arabes (juin).

Bombe H chinoise.
Début de la guerre civile nigérienne (Biafra).
Mort de Che Guevara en Bolivie.
Premières émissions de télévision en couleur en France (SECAM).
Entre dans sa 20e année : P. Modiano.
Aragon : *Blanche ou l'oubli.*
Guyotat : *Tombeau pour 500 000 soldats.*
Malraux : *Antimémoires.*
Pieyre de Mandiargues : *La Marge.*
Cl. Simon : *Histoire.*
Derrida : *L'Ecriture et la Différence.*
Ricardou : *Problèmes du nouveau roman.*
Landowski crée l'Orchestre de Paris (Ch. Munch, directeur).
Xenakis fonde l'Equipe de Mathématique et Automatique musicales (recherches de méta-musique).
Boulez : *Relevés d'apprenti* (livre).
Exposition Lumière et Mouvement au musée d'Art moderne (Paris).
Quatre manifestations du groupe BMPT (Buren, Mosset, Parmentier, Toroni).
Adamov : *La Politique des restes.*
Arrabal : *L'Architecte et l'Empereur d'Assyrie.*
Duras : *L'Amante anglaise.*
Godard : *La Chinoise ; Week-end.*
Lheureux/Genet : *Le Condamné à mort.*
Etr. Marquez : *Cent Ans de solitude* (tr. 1969).
Boulgakov : *Le Maître et Marguerite* (tr. 1968).
Malamud : *The Fixer.*
Mao : *Citations* (Le petit livre rouge).

1968

Insurrection des étudiants et grève générale (14-29 mai).
Reprise en main du pouvoir par de Gaulle.
Dissolution de l'Assemblée nationale (30 mai).
Bombe H française (24 août).
Assassinats de Martin Luther King et de Robert Kennedy.
« Printemps de Prague » (Dubcek) : intervention des troupes du Pacte de Varsovie en Tchécoslovaquie (août).
Portugal : chute de Salazar.

Tour de la lune par Zond V et par 3 astronautes américains (Apollo 8)
Modiano : *La Place de l'Etoile.*
Denis Roche : *Eros énergumène.*
Sarraute : *Entre la vie et la mort.*
Daix : *Nouvelle Critique et art moderne.*
Derrida : *De la grammatologie.*
Sollers : *Logiques.*
Fondation de la revue *Change.*
Mort de Ch. Munch (n. 1891).
Cage : *Réunion.*
Betsy Jolas : *Points d'aube.*
Milhaud : *Musique pour Nouvelle-Orléans.*
Pousseur/Butor : *Votre Faust* (opéra).
Théâtre-Laboratoire de Grotowski à Paris.
Barrault doit quitter la direction de l'Odéon-Théâtre de France.
La « Déclaration de Villeurbanne » signée par les 42 directeurs des théâtres populaires et des maisons de la culture, demande un sursis à la construction de nouvelles maisons de la culture et une augmentation du budget des affaires culturelles ; elle préconise une définition plus large de la culture dans un effort d'atteindre le « non-public ».
Prolongements des « événements de mai » au Festival d'Avignon, où les représentations du Living Theatre sont interdites.
Gatti : *La Passion du général Franco,* interdite au T.N.P.
Buñuel : *Belle de jour.*
Godard : *Les Carabiniers.*
Etr. Mort de Steinbeck (n. 1902).
Soljenytsine : *Le Pavillon des cancéreux* (tr. 1968) ; *Le Premier Cercle* (tr. 1968).
Styron : *Les Confessions de Nat Turner* (tr. 1969).

1969

De Gaulle démissionne. Pompidou président.
Mort d'Eisenhower (n. 1890).
Affrontements protestants-catholiques en Irlande du Nord.
Golda Meir, premier ministre en Israël.
Willy Brandt, chancelier de l'Allemagne fédérale.

Nixon, président des Etats-Unis.
Mort de Hô Chi Minh.
Armstrong et Aldrin marchent sur la lune (Apollo II).
Prix Nobel : S. Beckett.
Céline : *Rigodon.*
Jacques Dupin : *L'Embrasure.*
Duras : *Détruire dit-elle* (film, 1969).
Le Clézio : *Le Livre des fuites.*
Sabatier : *Les Allumettes suédoises.*
Cl. Simon : *La Bataille de Pharsale.*
Blanchot : *L'Entretien infini.*
Foucault : *L'Archéologie du savoir.*
Kristeva : *Séméiôtiké : Recherches pour une sémanalyse*
Boulez : *Livre pour cordes.*
Messiaen : *La Transfiguration de Notre-Seigneur Jésus-Christ.*
Xenakis : *Kraanerg* (ballet pour orchestre et bande magnétique).
Festival culturel panafricain (Alger).
Apparition de l'Art Conceptuel (Kosuth).
Mort de Mies van der Rohe (n. 1886).
Arrabal : *Le Jardin des délices.*
Splendeur et Misère de Minette la bonne Lorraine (création collective du Théâtre populaire de Lorraine, directeur Jacques Kraemer).
Adamov : *Off limits.*
Chabrol : *La Femme infidèle.*
Costa-Gravas : *Z.*
Etr. Mort de Jack Kérouac (n. 1922).
Grass : *Anesthésie locale* (tr. 1971).
Nabokov : *Ada.*
Paz : *Versant est* (tr. 1970).
Ionesco : *Jeux de massacre.*
Arrabal : *Viva la muerte !*
Bunuel : *Tristana.*
Fellini : *Satyricon.*
Robbe-Grillet : *L'Eden et après.*

1970

Mort du général de Gaulle, Nasser, Salazar, Sukarno, Daladier.
Intervention militaire américaine au Cambodge.

Sadate, président de la République arabe unie.
Fin de la guerre du Biafra (Nigeria).
Allende, président de la République du Chili.
Coup d'Etat en Bolivie et en Equateur.
Barrage d'Assouan.
Mise en service du Boeing-747 sur la ligne Paris-New York.
Violentes bagarres à Nanterre entre étudiants et policiers.
Etats généraux des femmes.
Mort de Crommelynck (n. 1886), Giono (n. 1895), Mac Orlan (n. 1882), Massis (n. 1886), Mauriac (n. 1885), Elsa Triolet (n. 1896), (n. 1903).
Sartre : *L'Idiot de la famille*, t. I et II. Il prend la direction de *La Cause du peuple.*
S. de Beauvoir : *La Vieillesse.*
H. Cixous : *Le Troisième Corps ; Les Commencements.*
Gracq : *La Presqu'île.*
Guyotat : *Eden Eden Eden.*
A. Hébert : *Kamouraska.*
Le Clézio : *La Guerre.*
Robbe-Grillet : *Projet pour une révolution à New York.*
Cl. Simon : *Orion aveugle.*
Barthes : *S/Z.*
Dubois *et al.* (groupe de Liège) : *Rhétorique générale.*
Fondation des revues *Poétique* et *Indices de la psychanalyse.*
Hair à Paris.
Eloy : Amas ; *Faisceaux-diffractions.*
Jolivet : *Songe à nouveau rêvé.*
Formation de la coopérative des Malassis (art politisé et collectif).
Premières manifestations parisiennes, puis dissolution de Support/Surface.
Dubuffet : *Jardin d'hiver.*
Marcel Ophüls : *Le Chagrin et la Pitié.*
Mort de Bourvil (n. 1917).
Etr. Mort de Dos Passos (n. 1896), Mishima (n. 1925), Ungaretti (n. 1888).

1971

Par référendum la France se prononce en faveur de l'entrée de la Grande-Bretagne dans le Marché commun.
Démolition des pavillons Baltard aux Halles.

R.E.R. : Mise en service de la ligne Charles de Gaulle-Auber.
Mort d'André Billy (n. 1882), Jean Follain (n. 1903), Louis Armand (n. 1905).
Prix Nobel de littérature : Pablo Neruda (Chili).
Fondation de la revue *Littérature.*
Exposition Rouault au Musée d'art moderne.
Rétrospective Fernand Léger à Paris.
Le Siècle de Rembrandt au Petit-Palais.
Vogue des cafés-théâtres.
Série de soirées consacrées aux « Auteurs nouveaux » (Weingarten, Dubillard, Billetdoux, Chedid, Foissy, Pinget, Cousin, Grumberg, Obaldia) à la Comédie-Française.
Le Grand Magic Circus (Jérôme Savary) : *Les Derniers Jours de solitude de Robinson Crusoë.*
Francis Ford Coppola : *Le Parrain.*
J. Losey : *Le Messager.*
Mort de Fernandel (n. 1903), Jean Vilar (n. 1912) qui avait animé le T.N.P. de 1951 à 1963, de Harold Lloyd (n. 1893).

1972

Accident de chemin de fer dans le tunnel de Vierzy (Aisne) : 108 morts.
Le laser, rayon de la mort, se transforme en rayon de vie (chirurgie, photo, T.V., disques, etc.).
Mise au point par les Japonais de la caméra miniature pour l'auscultation du cœur.
Premières photos de la planète Mars.
Polaroïd met au point une caméra qui permet de développer les films instantanément à l'air libre.
Mise en vente à Chicago de la vidéo-cassette.
Construction d'une centrale nucléaire à Marcoule.
Ville nouvelle d'Evry, au sud de Paris.
R.E.R. : Mise en service de la ligne Défense-Saint-Germain-en-Laye.
Une jeune fille entre première à l'Ecole polytechnique.
A la rentrée scolaire début de l'utilisation de l'électronique dans l'enseignement.
P. Messmer remplace J. Chaban-Delmas comme premier ministre.

Un fou mutile la Pietà de Michel-Ange à Saint-Pierre de Rome.
Aux Jeux Olympiques de Munich, attentat contre les sportifs israéliens.
Sartre : *L'Idiot de la famille*, t. III.
Derrida : *La Dissémination.*
Prix Nobel de littérature : Heinrich Böll (Allem. féd.).
Mort de Jules Romains (n. 1885) ; suicide de Montherlant (n. 1896).
Boulez utilise pour la première fois l'électronique dans *Explosantefixe* créé à New York.
Rolf Liebermann, directeur de l'Opéra.
Exposition George de La Tour (Orangerie).
Exposition Van Gogh (Orangerie).
L'Ecole de Fontainebleau (Grand Palais).
Barrault met en scène *Sous le vent des îles Baléares* (la quatrième journée du *Soulier de satin* de Claudel).
Ionesco : *Macbett.*
Le Théâtre du Soleil (Ariane Mnouchkine) : *1793.*
W. Friedkin : *French Connection.*
Costa-Gravas : *L'Etat de siège.*
Truffaut : *La Nuit américaine.*
Bertolucci : *Le Dernier Tango à Paris.*
Mort de Pierre Brasseur (n. 1905), Maurice Chevalier (n. 1888), Jacques Deval (n. 1890), Robert Le Vigan (n. 1900).
Etr. Mort d'Ezra Pound (n. 1885).

1973

Fin de la guerre du Viet-nâm.
Au Chili, assassinat d'Allende (le 11 septembre) ; prise du pouvoir par une junte militaire.
La mini-calculatrice envahit le marché occidental.
Construction de l'aéroport de Roissy, de la tour Montparnasse, du Centre International de Paris (Porte Maillot). Le musée Beaubourg est terminé.
Arrêt de l'exploitation du paquebot *France.*
Barthes : *Le Plaisir du texte.*
Malraux : *Lazare.*
Marguerite Yourcenar : *Souvenirs pieux.*
Article de Sartre dans *Les Temps modernes :* « Elections, pièges à cons » (janvier).

Le 22 mai paraît le premier numéro de *Libération ;* Sartre devra en abandonner la direction peu après pour raisons de santé.
Le prix Goncourt est attribué à un Suisse Jacques Chessex, pour son livre *L'Ogre.*
Prix Nobel de littérature : Patrick White (Australie).
Mort de Maurice Dekobra (n. 1885), Roland Dorgelès (n. 1886), Gabriel Marcel (n. 1889), Jacques Maritain (n. 1882).
Exposition Dubuffet, Braque, Soutine (Orangerie).
Mort de Picasso (n. 1881).
Michel Vinaver : *Par-dessus bord.*
Serge Ganzl : *Le Quichotte.*
Ionesco : *Ce Formidable Bordel !*
Roger Planchon : *Le Cochon noir.*
Claude Confortès : *Le Marathon.*
La Comédie-Française dont la salle Richelieu est en réfection donne ses représentations aux Tuileries, sous une tente.
G. R. Hill : *L'Arnaque.*
G. Oury : *Les Aventures de Rabbi Jacob.*
Mort de Marc Allégret (n. 1900), Jean-Pierre Melville (n. 1917), Fernand Reynaud (n. 1926).
Etr. Mort de Pearl Buck (n. 1892), Noël Coward (n. 1899), John Ford (n. 1895), Anna Magnani (n. 1907), Edward G. Robinson (n. 1893), Pablo Neruda (n. 1904).

1974

Mort de Georges Pompidou (avril).
Election de Valéry Giscard d'Estaing à la présidence de la République (mai).
Jacques Chirac, premier ministre.
Fin du scandale « Watergate » : le président Nixon démissionne ; Gerald Ford lui succède.
Guerre à Chypre qui va libérer la Grèce du régime des colonels. Mgr Makarios reviendra en décembre.
Soljenitsyne obtient l'autorisation de quitter la Russie.
L'âge de la majorité abaissé à 18 ans.
Loi sur l'avortement.
Mise en service de l'aéroport de Roissy et de l'Airbus.
L'inflation est de 13 %.

Attentat au drugstore Saint-Germain à Paris.
Ouverture, rue de Rennes, à Paris, de la FNAC qui vend les livres avec un rabais de 20 %.
Réorganisation de la radio et de la télévision en sept sociétés distinctes.
Maurice Genevoix quitte le poste de secrétaire perpétuel de l'Académie française. Il est remplacé par Jean Mistler.
Butor : *Répertoire IV.*
Derrida : *Glas.*
Mort de Henri de Monfreid (n. 1879), Marcel Achard (n. 1899), Marcel Pagnol (n. 1895), T'Sterstevens (n. 1885), Jean Wahl (n. 1888).
Prix Nobel de littérature : Eyvind Johnson et Harry Martinson (Suède).
Centenaire de l'Impressionnisme (Grand Palais).
De David à Delacroix (Grand Palais).
Cézanne (Orangerie).
Fondation Guggenheim : L'Art au XXe siècle (Orangerie).
Jean-Claude Grumberg : *Dreyfus.*
Félicien Marceau : *L'Homme en question.*
Barrault s'installe au Théâtre d'Orsay et monte son adaptation d'*Ainsi parlait Zarathoustra* de Nietzsche.
1er Festival de la Bande dessinée à Angoulême.
Mort de Darius Milhaud (n. 1892), Françoise Rosay (n. 1881).
Fellini : *Amarcord.*
Just Jaekin : *Emmanuelle.*
Louis Malle : *Lacombe Lucien.*
Alain Resnais : *Stavisky.*
William Friedkin : *L'Exorciste.*
Jean Yanne : *Les Chinois à Paris.*
Marguerite Duras : *Indian Song.*

1974 (2)

Etr. Mort de Gino Cervi (n. 1901), Duke Ellington (n. 1899), Vittorio de Sica (n. 1901), Miguel Asturias (n. 1899).
Alejo Carpentier, *Concert baroque.*

1975

Mort de Franco, d'Haïlé Sélassié, de Tchang-Kaï-Chek, d'Onassis ; assassinat du roi Fayçal.
Débuts des rencontres régulières entre le chancelier Schmidt et le président Giscard, qui resserrent les liens de la coopération franco-allemande.
Rencontre Chirac-Brejnev.
Visite du président Giscard en Algérie.
Troubles graves en Corse.
A la fin de l'année le nombre des chômeurs atteint le million.
Premiers échos sur Mgr Lefebvre et l'intégrisme.
Rendez-vous spatial entre Russes et Américains.
Contestation parmi les appelés à Besançon.
Gerald Ford en visite chez Mao.
La France a le record du monde du cœur greffé avec Emmanuel Vitria.
Chute de Saïgon.
On ferme le Parthénon aux touristes.
Malraux : *Hôtes de passage.*
Le prix Goncourt est décerné à Emile Ajar pour son livre : *La Vie devant soi.* On apprendra quelques années plus tard que l'auteur était Romain Gary.
Pierre Jakez Hélias : *Le Cheval d'orgueil* qui marque le début d'une nouvelle littérature : le paysan devient l'ethnologue de sa propre histoire.
Cixous : *Souffles.*
Prix Nobel de littérature : Eugenio Montale (Italie).
Mort de Robert Aron (n. 1898), Raymond Cartier (n. 1904), Saint-John Perse (n. 1887), Patrice de La Tour du Pin (n. 1911).
Le Trésor des Scythes (Grand Palais).
Rétrospectives Carpeaux et Corot (Orangerie).
Exposition Bonnard à la galerie Maeght à Saint-Paul-de-Vence.
La Ronde de Nuit est lacérée par un déséquilibré.
Michel Guy, secrétaire d'Etat aux Affaires culturelles, annonce plusieurs changements dans la direction des théâtres subventionnés (y compris le remplacement de Jack Lang par André Perinetti au Théâtre National de Chaillot) ; après de vives protestations du public il doit

renoncer à remplacer Guy Rétoré au Théâtre de l'Est Parisien.
Jean-Claude Grumberg : *En r'venant d'l'Expo.*
Peter Brook s'installe aux Bouffes du Nord et monte *Timon d'Athènes* et *Les Iks.*
Le Théâtre du Soleil (Ariane Mnouchkine) : *L'Age d'or.*
Mort de Pierre Fresnay (n. 1897), Saint-Granier (n. 1890), Michel Simon (n. 1895).
M. Forman : *Vol au-dessus d'un nid de coucou.*
J.-Ch. Tachella : *Cousin Cousine.*
Lakhdar Hamina : *Chronique des années de braise.*
Mort de Georges Carpentier (n. 1894).
Etr. Mort de Carlo Levi (n. 1902), Alejo Carpentier (n. 1904). Assassinat de Pier Paolo Pasolini (n. 1922).
Garcia Marquez : *L'Automne du patriarche.*

1976

Premier atterrissage du Concorde à Washington.
Djibouti devient indépendante.
Eté de sécheresse qui va coûter des milliards à la France.
« Casse du siècle » à Nice à la Société Générale.
Paul VI déclare Mgr Lefebvre « suspens a divinis ».
Chirac est remplacé par Raymond Barre à Matignon.
Scandale aux Pays-Bas : le prince Bernhard est accusé d'avoir reçu de l'argent de la Société Lockheed.
Bi-centenaire de la guerre d'Indépendance des Etats-Unis.
Israël envoie un commando sur l'aéroport de Kampala pour libérer les otages d'un Airbus.
En Italie, dans le petit village de Seveso, un nuage de défoliant qui s'échappe d'une usine, défigure et tue.
Mort de Mao, Chou En-Laï, maréchal Montgomery, dernier des grands chefs militaires de la Seconde Guerre mondiale.
René Char : *Les Matinaux, A une sérénité crispée, Aromates chasseurs.*
Foucault : *Histoire de la sexualité.*
Michel Leiris : *Frêle bruit.*
Malraux : *La Corde et la souris.*
Robbe-Grillet : *Un régicide.*
Sarraute : *Disent les imbéciles.*
Prix Nobel de littérature : Saul Bellow (U.S.A.).

Mort d'Emmanuel Berl (n. 1892), Henri Bosco (n. 1888), Dubout (dessinateur), Pierre Jean Jouve (n. 1887), André Malraux (n. 1901), Jacques Monod (n. 1910), Paul Morand (n. 1888).

Pour le centenaire de Bayreuth, Boulez dirige Wagner et à l'Opéra de Paris Libermann fait aussi triompher Wagner.

Exposition Millet (Grand Palais).

Vol de 119 tableaux de Picasso au palais des Papes à Avignon.

Inauguration à Aix-en-Provence de la Fondation Vasarely.

Exposition Ramsès II (Grand Palais).

Vol au Louvre de l'épée du sacre de Charles X.

Armand Gatti : *La Passion du général Franco par les émigrés eux-mêmes* (création en France, la première version ayant été interdite en 1968).

Jean-Paul Wenzel : *Loin d'Hagondange.*

Jean Anouilh : *Le Scénario, Chers Zoizeaux.*

Sortie du film *Sartre par lui-même* d'Alexandre Astruc et Michel Contat.

Martin Scorsese : *Taxi driver.*

Stanley Kubrick : *Barry Lyndon.*

R. Attenborough : *Un pont trop loin.*

Création des « Césars » à l'imitation des Oscars américains. Meilleur film de l'année *Le Vieux Fusil* de R. Enrico.

Mort de Jean Gabin (n. 1904).

Noureev danse à Paris *La Belle au Bois dormant.*

Etr. Mort d'Agatha Christie (n. 1891), Howard Hugues (n. 1905), Paul Getty (n. 1893) Fritz Lang (n. 1890), Man Ray (n. 1890).

Erica Jong : *Le Complexe d'Icare.*

1977

Rencontre Sadate-Beghin à Jérusalem.

Tremblement de terre à Bucarest ; des écrivains y trouvent la mort.

Premier vol de la navette spatiale.

Jubilé de la reine Elizabeth II.

Chirac est élu maire de Paris.

Occupation par les Intégristes de l'église Saint-Nicolas-du-Chardonnet.

Le paquebot *France* vendu à un homme d'affaires saoudien.
R.E.R. : Mise en service des lignes Luxembourg-Châtelet-Les Halles, Auber-Nation et Marne-la-Vallée-Noisy-le-Grand.
Début de la planche à voile.
Avec Bjorn Borg débuts des vedettes millionnaires du tennis.
Prix Nobel de médecine à Roger Guillemin, Français vivant aux Etats-Unis.
Barthes : *Fragments d'un discours amoureux.*
Robert Escarpit : *Vivre à gauche.*
Glucksmann : *Les Maître penseurs.*
Ionesco : *Antidotes.*
Robert Sabatier commence la publication de son *Histoire de la poésie française.*
Prix Nobel de littérature : Vincente Aleixandre (Espagne).
Prix Prince Pierre de Monaco : Leopold Sedar Senghor.
Mort de Goscinny (n. 1926), Jacques Prévert (n. 1900), Jean Rostand (n. 1894).
L'Orchestre de Paris fête ses 10 ans.
Le musée Beaubourg entre en fonctions ; exposition Paris-New York.
Exposition à la galerie Claude Bernard à Paris des œuvres de Francis Bacon.
Exposition Bernard Buffet : *L'Enfer* de Dante.
Exposition à Marseille de Charles-Louis La Salle « découvert » par Aragon.
Chagall a 90 ans.
Le *Tartuffe* de Planchon au T.N.P.
Xavier Pommeret : *L.S.B. le Salamandre's Business.*
Loleh Bellon : *Les Dames du jeudi.*
Geneviève Serreau : *Peines de cœur d'une chatte anglaise* (d'après Balzac).
Paolo et Vittorio Taviana : *Padre padrone.*
G. Lucas : *La Guerre des étoiles.*
Ken Russell : *Valentino* (avec Noureev).
« César » du meilleur film : *Monsieur Klein* de J. Losey.
Mort de Henri Clouzot (n. 1907),
Etr. Mort de Wernher von Braun (n. 1912), Maria Callas (n. 1923), Joan Crawford (n. 1908), Bing Crosby (n. 1904), Nabokov (n. 1889), Anaïs Nin (n. 1903), Elvis Presley (n. 1935).

1978

Mort du pape Paul VI.
Election de Jean-Paul Ier.
Mort de Jean-Paul Ier. Il aura été pape pendant 33 jours.
Election de Karol Wojtyla, archevêque de Cracovie, qui prend le nom de Jean-Paul II. C'est la première fois depuis 456 ans que le pape n'est pas italien.
Visite à Paris du président Carter.
Explosion due au gaz, rue Raynouard à Paris. Plusieurs immeubles détruits. Plusieurs morts.
En Italie, enlèvement et exécution d'Aldo Moro.
Polémique autour de l'autodéfense.
Kolwezi : Intervention rapide des parachutistes français pour sauver des Européens dont 250 ont été massacrés.
Premier « bébé éprouvette » en Angleterre par les Drs Steptoe et Edwards.
Début d'une révolution en Iran.
L'*Amoco Cadiz* s'échoue sur les côtes de Bretagne et déverse 228 000 tonnes de pétrole dans la mer.
Yves Bonnefoy : *Poèmes (Du Mouvement et de l'immobilité de Douve, Hier régnant Désert, Pierre écrite, Dans le leurre du seuil).*
François Mitterrand : *L'Abeille et l'Architecte.*
Patrick Modiano : *Rue des boutiques obscures.*
Prix Nobel de littérature : Isaac Bashevis Singer (U.S.A.).
Mort de Gabriel Audisio (n. 1900), Roger Caillois (n. 1913), Jacques Chastenet (n. 1893), Joseph Delteil (n. 1894), Etienne Gilson (n. 1884), Jean Guéhenno (n. 1890). Suicide de Jean-Louis Bory (n. 1919).
Inauguration de l'IRCAM (Institut de recherche acoustique/musique), bâti sous terre entre Beaubourg et Saint-Merri.
Boulez dirige à l'Opéra le 10 décembre le concert en l'honneur du 70e anniversaire de son maître Olivier Messiaen.
Découverte près de Verginas (mer Egée) de la tombe d'or de Philippe de Macédoine, père d'Alexandre le Grand.
Exposition Paul Delvaux à Paris.
Picasso entre au Louvre : il a fait don de sa collection personnelle.
Michel Vinaver : *Théâtre de chambre.*

Anne-Marie Kraemer : *Déménagement.*
Guy Foissy : *La Crique* (double création simultanée à Paris et à Montréal).
Reprise de *Mon père avait raison* de S. Guitry avec Paul Meurisse.
Débuts à la scène de Michèle Morgan dans la pièce de Fr. Dorin : *Le Tout pour le tout.*
Louis Malle : *La Petite.*
Ermanno Olmi : *L'Arbre aux sabots.*
S. Spielberg : *Rencontres du 3e type.*
La Fièvre du samedi soir avec John Travolta.
« César » du meilleur film de l'année : *Providence* d'Alain Resnais.
Mort de Jacques Brel (n. 1929), Claude François (n. 1939).
Etr. Randal Kleiser : *Grease* (comédie musicale).
Mort de Charles Boyer (n. 1897), Charlie Chaplin (n. 1889).

1979

Voyages de Jean-Paul II en Pologne et aux Etats-Unis.
Mort de lord Mountbatten à la suite d'un attentat.
Mort de Boumedienne (n. 1932). Libération de Ben Bella par le nouveau président Bendjedid Chadli. Ben Bella était détenu depuis 1965.
Le monde apprend l'existence des « Boat People », bateaux des réfugiés du Vietnam.
Suicide collectif de plusieurs centaines de personnes à Guyana (ex-Guyane britannique) sous l'impulsion de James Jones.
Chute de Bokassa.
Départ du chah pour l'exil. Retour de l'ayatollah Khomeiny, qui avait trouvé refuge en France.
Voyager I transmet les premières photos de Jupiter.
Amin Dada fuit l'Ouganda devant les troupes tanzaniennes.
Invasion de l'Afghanistan par les troupes soviétiques.
Prise d'otages à l'ambassade américaine à Téhéran : ils ne seront libérés qu'à la fin de janvier 1981.
Suicide de Robert Boulin, ministre du Travail.
La Boisserie, dernier domicile du général de Gaulle, va être classée et deviendra un musée ouvert au public.

Mort de Jean Monnet, « père » de l'unité européenne, du général Challes, chef de file du putsch d'Alger en 1961.
S. de Beauvoir : *Primauté du spirituel.*
H. Carrère d'Encausse : *L'Empire éclaté.*
P. Emmanuel : *Duel.*
Les Goncourt couronnent une Canadienne, Antonine Maillet pour son livre *Pélagie-la-Charrette.*
Prix Nobel de littérature : Odysseus Alepoudhelis, dit Elytis (Grèce).
Mort de Maurice Clavel (n. 1920), Gilbert Cesbron (n. 1913), Marcel Jouhandeau (n. 1888), Joseph Kessel (n. 1898).
Triomphe de *Lulu* d'Alban Berg à l'Opéra.
Expositions Magritte (Beaubourg), Chardin (Grand Palais), Dali (Beaubourg).
Tout Picasso au Grand Palais.
Jeanine Worms : *Avec ou sans arbres.*
Jean-Claude Grumberg : *L'Atelier.*
Ionesco : *Contes, Exercices de conversation et de diction françaises pour étudiants américains.*
Les Enfants du paradis de Marcel Carné consacré chef-d'œuvre n° 1 du cinéma français.
F. F. Coppola : *Apocalypse now.*
V. Schöndorff : *Le Tambour.*
« César » du meilleur film de l'année : *L'Argent des autres* de Ch. de Chalonge.
Mort de Bruno Coquatrix (n. 1910), Gabrielle Dorziat (n. 1880), Marcel L'Herbier (n. 1888), André Luguet (n. 1892), Jean Lumière, Marie Marquet (n. 1895), Paul Meurisse (n. 1912), Jean Renoir (n. 1895), Ray Ventura (n. 1908). Suicide de Jean Seberg (n. 1938).
Etr. Prix Nobel de la Paix à sœur Teresa.
Mort de Marcuse (n. 1898), John Wayne (n. 1907).

1980

Victoire de Ronald Reagan qui est élu président des Etats-Unis contre le président sortant Jimmy Carter.
Mort de Tito le dernier des « Grands » (n. 1892).
Sakharov exilé à Gorki. Mort d'Alexis Kossyguine à Moscou.
La reine Juliana des Pay-Bas abdique en faveur de sa fille aînée, Beatrix.

L'ambassade de France à Tripoli est ravagée par des manifestants.
Famine au Cambodge.
Trudeau retrouve le pouvoir au Canada.
L'archevêque Romero y Galdamez est assassiné au Salvador.
Le volcan Mont Saint-Hélène (Etat de Washington) entre en éruption.
Echec d'un commando américain dans sa tentative de délivrer les otages de Téhéran.
Le pape Jean-Paul II en Afrique et en France.
Mort du premier ministre japonais Masayoshi. Il est remplacé par Zenko Suzuki.
Ouverture des Jeux Olympiques de Moscou, boycottés par un certain nombre de pays dont les Etats-Unis, la Chine, le Japon, l'Allemagne fédérale, en raison de l'invasion de l'Afghanistan par les Russes en décembre 79.
Mort du chah d'Iran à l'hôpital du Caire.
Une bombe dans la gare de Bologne fait 76 morts et plus de 200 blessés.
Les Polonais obtiennent la formation d'un syndicat indépendant « Solidarité » sous l'impulsion de Lech Walesa.
Guerre entre l'Irak et l'Iran.
Bombe à Munich à l' « Oktoberfest » : 12 morts et plus de 200 blessés.
Helmut Schmidt est réélu chancelier de l'Allemagne fédérale.
Plus de 4 000 morts dans le tremblement de terre qui détruit El Asnam (ex-Orléansville) en Algérie. Des milliers de morts dans le séisme de la région de Naples.
Attentat à la synagogue de la rue Copernic à Paris.
Le président Giscard en Chine.
Ouverture du « Nouveau Drouot ».
Gérard d'Aboville traverse l'Atlantique à la rame.
Le prix Nobel de médecine décerné au professeur Jean Dausset, chef de service d'hémato-immunologie de l'hôpital Saint-Louis à Paris.
Angélique, œuvre de jeunesse de Giono.
Désert de Jean-Marie Le Clézio.
Election de Marguerite Yourcenar à l'Académie française (6 mars). Elle sera reçue sous la Coupole le 22 janvier 1981.
Prix Nobel de littérature : Czelaw Milocz (Pologne).

Mort de Roland Barthes (n. 1915), Albert Simonin (n. 1905), Jean-Paul Sartre (n. 1905) : 25 000 personnes à son enterrement au cimetière Montparnasse.
Suicide de Romain Gary (n. 1914).
Exposition Man Ray à Artcurial.
Expositions Viollet-le-Duc, Monet, Alphonse Mucha (Grand Palais).
Biennale de Paris au musée d'Art moderne.
Biennale des Antiquaires au Grand Palais.
La Comédie-Française fête ses 300 ans.
René de Obaldia : *Les Bons Bourgeois.*
Guy Foissy : *L'Escargot.*
Eduardo Manet : *Un Balcon sur les Andes.*
« César » du meilleur film de l'année : *Tess* de Polanski.
Joseph Losey : *Don Giovanni.*
Woody Allen : *Manhattan.*
Robert Benton : *Kramer contre Kramer.*
Akiro Kurosawa : *Kagemusha.*
Etr. Jorge Semprun : *Quel beau dimanche.*
Michael Voslensky : *La Nomenklatura.*
Mort de Cecil Beaton, le grand photographe anglais (n. 1904), Alfred Hitchcock (n. 1900), Steve McQueen (n. 1930), Henry Miller (n. 1892), Jess Owens (n. 1913). Assassinat à New York de John Lennon, un des célèbres « Beatles » des années 60 (n. 1940).

BIBLIOGRAPHIE
par René Rancœur

H. P. Thieme, *Bibliographie de la littérature française de 1800 à 1930,* Droz, 1933, 3 vol. (reprint, Genève, 1971). — S. Dreher et M. Rolli, *Bibliographie de la littérature française 1930-1939. Complément à la bibliographie de H. P. Thieme,* Lille, Giard-Genève, Droz, 1948 (reprint, Genève, Slatkine, 1976). — M. Drevet, *Bibliographie de la littérature française 1940-1949. Complément à la bibliographie de H. P. Thieme,* Lille, Giard-Genève, Droz, 1955. — H. Talvart et J. Place, *Bibliographie des auteurs modernes de langue française (1801-1974),* continuée à partir du tome XV par Georges Place, La Chronique des lettres françaises, 1928-1975. Le t. XXII (1976) s'arrête à C. Morgan (avec index des illustrateurs des ouvrages décrits, t. I à XXII). — C. Cordié, *Avviamento allo studio della lingua e della letteratura francese,* Milano, C. Marzorati, 1955. — D. W. Alden, R. A. Brooks, *A Critical Bibliography of French Literature. VI. The XXth Century,* Syracuse, Syracuse U.P., 1981, 3 vol. [I. Thèmes généraux, roman avant 1940. — II. Poésie, théâtre, critique avant 1940 ; essai. — III. Tous les genres après 1940, index] (ouvrage de base). — B. Beugnot, J.-M. Moureaux, *Manuel bibliographique des études littéraires. Les bases de l'histoire littéraire. Les voies nouvelles de l'analyse critique,* Nathan, 1982.

Bibliographies annuelles

Modern Language Association of America, Annual Bibliography, New York, depuis 1922. — *The Year's work in Modern Language Studies,* vol. I (1929/1930), Oxford, depuis 1931. — *French VII Bibliography* [à partir du n° 21 (1969), *French XX*]. *Critical and biographical references for French literature since 1885*, n° 1 (1940-1948), New York, French Institute — Alliance française, depuis 1949. — O. KLAPP, *Bibliographie der französischen Literaturwissenschaft/Bibliographie d'histoire littéraire française*, 1re année, 1956/1958, Frankfurt/am/Main, V. Klostermann, depuis 1960 par Astrid KLAPP-LEHRMANN, depuis 1986. — La bibliographie trimestrielle de la *Revue d'histoire littéraire de la France* assurée par R. RANCŒUR depuis 1948, a été rassemblée en volume en 1953, en 1957 et en 1961 et annuellement depuis 1962 sous le titre : *Bibliographie de la littérature française moderne (XVIe-XXe siècles)* ; de 1966 à 1980, sous le titre *Bibliographie de la littérature française du Moyen Age à nos jours* (A. Colin) ; de 1981 à 1984, consulter les fascicules de la *R.H.L.F.* ; à partir de 1985, le fascicule de mai-juin est réservé à la bibliographie, sous le titre *Bibliographie de la littérature française (XVIe-XXe siècles)*.

Thèses

Ministère de l'Éducation nationale, *Catalogue des thèses de doctorat soutenues devant les universités françaises*, annuel depuis 1941. — Ministère de la Recherche et de l'Enseignement supérieur. *Inventaire des thèses de doctorat soutenues devant les Universités françaises*, annuel depuis 1982, C.N.R.S., Univ. Paris-X Nanterre. — *Catalogue 1984 des thèses reproduites* (Lettres et sciences humaines), Didier-Érudition, 1987. — G. U. GABEL, *Répertoire bibliographique des thèses françaises (1885-1975) concernant la littérature française des origines à nos jours*, Köln, Gemini, 1984. *Dissertation Abstracts International*, Ann Arbor, Michigan, University Microfilms, annuel depuis 1938 (les services photographiques de University Microfilms expédient sur demande des copies microfilms de thèses américaines).

Littérature comparée

F. BALDENSPERGER et W. P. FRIEDERICH, *Bibliography of Comparative Literature*, Chapel Hill, Univ. of North Carolina Press, 1950. — *Yearbook of Comparative and General Literature*, Indiana University, Bloomington, Ind., annuel depuis 1952.

Archives et bibliothèques
A. Chauleur, *Bibliothèques et Archives : Comment se documenter ? Guide pratique...* 2e éd. Economica, 1980 (orientation générale ; adresses ; Paris et régions).

LES CIRCONSTANCES HISTORIQUES ET POLITIQUES

E. Bonnefous, *Histoire politique de la IIIe République*, 2e éd. rev. et augm., t. III-VII (1919-1940), P.U.F., 1965. — J. Chastenet, *Cent ans de République, 1870-1970* (rééd. de l'*Histoire de la IIIe République*), t. V-IX (1931-1970), Tallandier, 1970. — P. Renouvin, *Histoire des relations internationales*, t. VII et VIII, *Les Crises du XXe siècle* (1914-1945), Hachette, 1957, 1958. — J.-B. Duroselle, *Histoire diplomatique de 1919 à nos jours*, 8e éd. prolongée jusqu'en 1981, Dalloz. — J.-B. Duroselle, *La Décadence 1932-1939*, Imprimerie Nationale, 1972. — S. Hoffmann, *Essais sur la France. Déclin ou renouveau ?*, Seuil, 1974. — F. Goguel, *La Politique des partis sous la IIIe République*, Seuil, 1946. — G. Lefranc, *Le Mouvement socialiste sous la IIIe République (1875-1940)*, 2e éd. Payot, 1977. — E. Weber, *Action Française : Royalism and Reaction in XXth Century France*, Stanford, California, Stanford U.P., 1962 [trad. fr. *L'Action Française*, par Michel Chrestien, Stock, 1964].

Les crises (1934-1936)
M. Chavardès, *Le 6 février 1934. La République en danger*, Calmann-Lévy, 1966. — M. Chavardès, *Une campagne de presse : la droite française et le 6 février 1934*, Flammarion, 1970. — L. Bodin et J. Touchard, *Front populaire 1936*, 3e éd., A. Colin, 1972. — M. Chavardès, *Été 1936 : la victoire du Front populaire*, Calmann-Lévy, 1966. — G. Lefranc, *Histoire du Front populaire, 1934-1938*, 2e éd., Payot, 1974. — P. Bauchard, *L. Blum. Le pouvoir pour quoi faire ?* Arthaud, 1976. — J. Moch, *Le Front populaire, grande espérance*, Perrin, 1971. — Gérald Leroy, Anne Roche, *Les Écrivains et le Front populaire*, P.F.N.S.P., 1986.

La guerre d'Espagne et les écrivains

F. BENSON, *Writers in arms : the Literary Impact of the Spanish Civil War*, New York, New York U.P., 1967. — *Les Écrivains et la guerre d'Espagne*, dossier dirigé par Marc HANREZ, L'Herne 1975. — M. BERTRAND DE MUÑOZ, *La Guerre civile espagnole et la littérature française*, Montréal et Paris, Didier, 1972. — D. W. PIKE, *Les Français et la guerre d'Espagne*, P.U.F., 1975. — J. B. ROMEISER éd., *Red Flags, Black Flags*, Madrid, Studia Humanitatis, 1982. — *La Guerre et la paix dans les lettres françaises de la guerre du Rif à la guerre d'Espagne (1925-1939)*, P.U. de Reims, 1983.

LA GUERRE

E. BEAU DE LOMÉNIE, *La Mort de la IIIe République*, Conquistador, 1951. — E. BERL, *La Fin de la IIIe République, 10 juillet 1940*, Gallimard, 1968. — M. BLOCH, *L'Étrange défaite, témoignage écrit en 1940*, Franc-Tireur, 1946. — CH. DE GAULLE, *Mémoires de guerre*, Plon, 3 vol., 1954-1959. — H. MICHEL, *La Drôle de guerre*, Hachette, 1971. — H. MICHEL, *La Seconde Guerre mondiale*, P.U.F., 2 vol., 1968-1969. — W. SHIRER, *The Collapse of the Third Republic : an Inquiry into the Fall of France in 1940*, New York, Simon & Schuster, 1969.

Vichy

R. ARON, *Histoire de Vichy, 1940-1944*, Fayard, 1954. — AMIRAL P. AUPHAN, *Histoire élémentaire de Vichy*, France-Empire, 1971. — H. MICHEL, *Vichy année 40*, R. Laffont, 1966. — R. PAXTON, *Vichy France : Old Guard and New Order, 1940-1944*, New York, A. Knopf, 1972 ; trad. fr. par C. Bertrand, *La France de Vichy*, Seuil, 1973. — J. DELPERRIE DE BAYAC, *Histoire de la Milice*, Fayard, 1969. — J. DELPERRIE DE BAYAC, *Le Royaume du maréchal : histoire de la zone libre*, R. Laffont, 1975. — A. SAUVY, *La Vie économique des Français de 1939 à 1945*, Flammarion, 1978.

La Résistance, la Libération

H. MICHEL, *Bibliographie critique de la Résistance*, Institut pédagogique national, 1964. — CL. BOURDET :

L'Aventure incertaine : de la Résistance à la Restauration, Stock, 1975. — H. MICHEL, *Les Courants de pensée de la Résistance*, P.U.F., 1962. — H. MICHEL et B. MIRKINE-GUETZEVITCH, *Les Idées politiques et sociales de la Résistance (documents clandestins, 1940-1944)*, P.U.F., 1954. — H. NOGUÈRES et al., *Histoire de la Résistance en France de 1940 à 1945*, 5 vol., Laffont, 1967-1981. — A. CALMETTE : *L'O.C.M. : histoire d'un mouvement de résistance de 1940 à 1946*, P.U.F., 1961. — M.-M. FOURCADE, *L'Arche de Noé*, Fayard, 1968. — R. ARON, *Histoire de la libération de la France, juin 1944 - mai 1945*, Fayard, 1959. — R. ARON, *Histoire de l'épuration*, 4 vol., Fayard, 1967-1975.

L'APRÈS-GUERRE

L'Année politique, économique, sociale et diplomatique en France, annuel, depuis 1945, P.U.F. — G. DE CARMOY, *Les Politiques étrangères de la France, 1944-1966*, La Table ronde, 1967. — G. DUPEUX, *La France de 1945 à 1965*, A. Colin, 1969 (recueil de documents). — S. HOFFMANN et al., *A la recherche de la France*, Seuil, 1963. — H. LUTHY, *A l'heure de son clocher, essai sur la France*, Calmann-Lévy, 1955. — J. FAUVET, *La IVe République*, Fayard, 1960. — A. GROSSER, *La IVe République et sa politique extérieure*, 2e éd., A. Colin, 1961. — J. JULLIARD, *La IVe République*, Calmann-Lévy, 1968. — D. MACRAE, *Parliament, Parties and Society in France, 1946-1958*, New York, St. Martin's Press, 1967. — P. VIANSSON-PONTÉ, *Histoire de la République gaullienne*, 2 vol., Fayard, 1970-1971. — A. GROSSER, *La Politique extérieure de la Ve République*, Seuil, 1965. — E. F. CALLOT, *Le Mouvement républicain populaire*, M. Rivière, 1978. — R. CHIROUX, *L'Extrême-Droite sous la Ve République*, Librairie générale de droit et de jurisprudence, 1974. — J. FAUCHER, *La Gauche française sous de Gaulle*, Didier, 1969. — F.-G. DREYFUS, *Histoire des gauches en France, 1940-1974*, Grasset, 1975.

La décolonisation

G. KELLY, *Lost Soldiers : The French Army and Empire in Crisis : 1947-1962*, Cambridge, Mass., Mass. Institute of Technology Press, 1965 (bibl.). — L. BODARD, *La Guerre d'Indochine,* Gallimard, 3 vol., 1963-1967. — R. ARON et al., *Les Origines de la guerre d'Algérie,* Fayard, 1962. — Y. COURRIÈRE, *La Guerre d'Algérie,* Fayard, 4 vol., 1968-1971. — S. BERNARD, *Le Conflit franco-marocain, 1943-1956,* Bruxelles, Institut de sociologie de l'Univ. libre de Bruxelles, 1963. — J. SURET-CANALE, *Afrique noire, occidentale et centrale,* Éd. sociales, 2 vol., 1958, 1964. — G. DE LUSIGNAN, *French-speaking Africa since Independance,* New York, Praeger, 1969. — E. MORTIMER, *France and the Africans 1944-1960 : a Political History,* London, Faber, 1960.

Les événements de mai 1968

R. ARON, *La Révolution introuvable, réflexions sur la révolution de mai,* Fayard, 1968. — A. DANSETTE, *Mai-1968,* Plon, 1971. — H. LEFEBVRE, *L'Irruption de Nanterre au sommet,* Anthropos, 1968. — A. SCHNAPP et P. VIDAL-NAQUET, *Journal de la commune étudiante. Textes et documents,* novembre 1967 - juin 1968, Seuil, 1969. — P. COMBES, *La Littérature et le mouvement de mai 1968. Écriture, mythe, critique, écrivains. 1968-1981,* Seghers, 1984.

LA VIE POLITIQUE

J. CHAPSAL, *La Vie politique en France depuis 1940,* 5e éd., P.U.F., 1979. — J. CHAPSAL, *La Vie politique sous la Ve République,* P.U.F., 1981, 2e éd., 1984. — M. DUVERGER, *Les Partis politiques,* 10e éd., Seuil, 1981. — G. LEFRANC, *Les Gauches en France, 1789-1972,* Payot, 1973. — J. POPEREN, *La Gauche française,* t. I, *Le Nouvel Âge, 1958-1965,* t. II, *L'Unité de la gauche, 1965-1973,* Fayard, 1972, 1975. — R. RÉMOND, *Les Droites en France,* Aubier-Montaigne, 1982 (bibl.). — D. LIGOU, *Histoire du socialisme en France, 1871-1961,* P.U.F., 1962. — J. FAUVET et A. DUHAMEL, *Histoire du Parti communiste français,* 2 vol., Fayard, 1964, 1965. — A. KRIEGEL, *Les Communistes français, essai d'ethnographie politique,* 2e éd., Seuil, 1970. — N. RACINE et L. BODIN, *Le Parti communiste français pendant l'entre-deux-guerres,* A. Colin, 1972. — C. PURTSCHET, *Le Rassemblement du peuple français, 1947-1953,* Cujas, 1965.

L'EUROPE

H. BRUGMANS, *L'Idée européenne, 1920-1970,* Bruges, De Tempel, 1970. — S. GRAUBARD et al., *A New Europe ?* Boston, Houghton-Mifflin ; Cambridge, Mass., Riverside Presse, 1964. — J.-J. GUTH, E. PETITHUGUENIN, *La Communauté européenne. Comprendre l'Europe,* Études vivantes, 1980. — C. ZORGBIBE, *La Construction politique de l'Europe,* 1946-1976, P.U.F., 1978.

LE CLIMAT SOCIAL

P. BOUSSEL, *Histoire de la vie française,* t. VIII, *1914-Horizon 1980,* Ed. de l'Illustration, 1973. — J. CHARPENTREAU et R. KAES, *La Culture populaire en France,* Éd. ouvrières, 1962 (naissance d'une paraculture française). — M. CRUBELLIER, *Histoire culturelle de la France, XIXe-XXe siècle,* A. Colin, 1974. — G. DUPEUX, *La Société française, 1789-1970,* 6e éd., A. Colin, 1972. — H. S. HUGHES, *The Obstructed Path : French Social Thought in the Years of Desperation, 1930-1960,* New York, Harper-Row, 1968. — H. LE BRAS, E. TODD, *L'Invention de la France. Atlas anthropologique et politique,* Livre de Poche, « Pluriel », 1981. — Ph. OUSTON, *France in the Twentieth Century,* London, Macmillan, 1972 (la société française vue par un étranger). — P. SORLIN, *La Société française contemporaine,* t. II, *1914-1968,* Arthaud, 1971 (excellente étude de synthèse ; bibl.). — Y. TROTIGNON, *La France au XXe siècle,* 2 vol., Bordas-Mouton, n. éd., 1978 (essais sur le climat social, économique et politique de la Belle Époque jusqu'à nos jours).

Les années trente

J. BERNARD, *La Vie de Paris, 1920-1933,* A. Lemerre, 10 vol., 1924-1935. — G. GUILLEMINAULT et al., *Le Roman vrai de la IIIe République,* t. IV, *Les Années folles,* Denoël, 1958. — A. LANOUX, *Paris 1925,* Grasset, 1975. — N. FRANK, *Les Années trente où l'on inventait aujourd'hui,* P. Horay, 1969. — G. GUILLEMINAULT et al., *Les Années difficiles, 1927-1938,* Denoël, 1956. — J.-L. LOUBET DEL BAYLE, *Les Non-Conformistes des années trente,*

Seuil, 1969 (thèse Toulouse, étudie les profonds changements dans la pensée politique et sociale de la décennie).

La guerre

H. AMOUROUX, *Quatre ans d'histoire de France, 1940-1944*, Hachette, 1966. — H. AMOUROUX, *La Vie des Français sous l'occupation*, Fayard, 1961. — H. AMOUROUX, *La Grande histoire des Français sous l'occupation*, R. Laffont, 1976, 1977, 1978, 1979, 1981, 1983. — H. AMOUROUX, *La Vie de la France sous l'occupation, 1940-1944, Documents*, Plon, 3 vol., 1957 (publié d'abord en anglais par l'Institut Hoover à Stanford Univ., recueil de documents et textes), 4 vol. — G. WALTER, *La Vie à Paris sous l'occupation, 1940-1944*, A. Colin, 1960 (dossiers de presse et photos).

L'essor de l'après-guerre

J. ARDAGH, *La France vue par un Anglais* [publié en anglais sous le titre *The New French Revolution : A Social and Economic Study of France, 1945-1968*], R. Laffont, 1968 (ouvrage essentiel). — J. BROIZAT, *La Fureur de mieux vivre ; croissance économique et bien-être des Français*, L'Entreprise moderne, 1962. — J.-J. CARRÉ, P. DUBOIS et E. MALINVAUD, *La Croissance française ; essai d'analyse économique causale de l'après-guerre*, Seuil, 1972 (excellent bilan de la croissance économique depuis 1945 ; étudie les origines du « miracle français »). — M. CROZIER, *La Société bloquée*, Seuil, 1970. — C. DEBBASCH, *La France de Pompidou*, P.U.F., 1974. — J. DUMAZEDIER, *Vers une civilisation de loisir ?* Seuil, 1962, n. éd., 1974. — E.-H. LACOMBE, *Les Changements de la société française*, Économie et humanisme, 1971 (perspective sociologique sur les mutations sociales depuis 1945). — M. PARODI, *L'Économie et la société française de 1945 à 1970*, A. Colin, 1971. — R. QUILLOT, *La Société de 1960 et l'avenir politique de la France*, Gallimard, 1960. — F. SELLIER, *La Confrontation sociale en France. 1936-1981*, P.U.F., 1984. — I. THOMPSON, *Modern France : A Social and Economic Geography*, London, Butterworths, 1970 (essais intéressants sur les régions de la France).

Les classes sociales

M. DUVERGER et al., *Partis politiques et Classes socia-*

les en France, A. Colin, 1955 (ouvrage important). — L.-M. FERRÉ, *Les Classes sociales dans la France contemporaine*, Vrin, 1936 (une des premières études sur les classes sociales, bibl.).

La paysannerie

P. HOUÉE, *Quel avenir pour les ruraux ?* Économie et humanisme, Éd. ouvrières, 1974. — M.-L. MARDUEL, M. ROBERT, *Les Sociétés rurales françaises. Éléments de bibliographie*, C.N.R.S., 1979. — H. MENDRAS, *La Fin des paysans, innovations et changement dans l'agriculture française*, S.E.D.E.I.S., 1967 (important). — G. WRIGHT, *Rural Revolution in France : The Peasantry in the Twentieth Century*, Stanford, California, Stanford U.P., 1964 ; trad. fr., Éd. de l'Épi, 1967 (les changements dans la vie paysanne au XXe siècle).

Les ouvriers

G. ADAM et al., *L'Ouvrier français en 1970 : enquête nationale auprès de 1 116 ouvriers d'industrie*, A. Colin, 1971. — P. GAVI, *Les Ouvriers du tiercé à la révolution*, Mercure de France, 1970 (enquête). — B. GRANOTIER, *Les Travailleurs immigrés en France*, Maspero, 1970 (thèse). — R. HAMILTON, *Affluence and the French Worker in the Fourth Republic*, Princeton, N.J., Princeton U.P., 1967 (ouvrage capital qui étudie la position sociale et économique des ouvriers sous la IVe République). — S. WEIL, *La Condition ouvrière*, Gallimard, 1951 (essai classique). — G. LEFRANC, *Le Mouvement syndical sous la IIIe République*, Payot, 1967. — G. LEFRANC, *Le Mouvement syndical, de la Libération aux événements de mai-juin 1968*, Payot, 1969.

Les classes moyennes

C. BAUDELOT, R. ESTABLET et H. MALEMORT, *La Petite Bourgeoisie en France*, Maspero, 1974. — J. DUBOIS, *Les Cadres, enjeu politique*, Seuil, 1971. — J. ELLUL, *Métamorphoses du bourgeois*, Calmann-Lévy, 1971 (essai). — E. GOBLOT, *La Barrière et le Niveau ; étude sociologique sur la bourgeoisie française moderne*, nouv. éd., F. Alcan, 1930. — G. LAVAU [et al.] *L'Univers politique des classes moyennes*, P.F.N.S.P., 1983. — G. LECORDIER, *Les Classes moyennes en marche*, Bloud et Gay, 1950 (étude sur l'essor de la bourgeoisie dans l'après-guerre). — M. Perrot, *Le Mode de vie des familles bourgeoises, 1873-1953,* A. Colin, 1961.

Le patronat
G. Lefranc, *Les Organisations patronales en France du passé au présent,* Payot, 1976.

Sociologie de Paris
J. Bastie, *La Croissance de la banlieue parisienne,* P.U.F., 1964. — L. Chevalier, *Les Parisiens,* Hachette, 1967 (essai qui tente de définir la mentalité parisienne). — P.-H. Chombart de Lauwe, *Essais de sociologie, 1952-1964,* Éd. Ouvrières, 1965. — M. Cornu, *La Conquête de Paris,* Mercure de France, 1972. — R. Franc, *Le Scandale de Paris,* Grasset, 1971 (essai contre Paris).

La vie provinciale
M. Dion-Salitot et M. Dion, *La Crise d'une société villageoise ; « les survivanciers ». Les Paysans du Jura français, 1880-1970,* Anthropos, 1972. — G. Friedmann et al., *Villes et Campagnes ; civilisation urbaine et civilisation rurale en France,* A. Colin, 1953, 2e éd., 1970 (importante étude d'ensemble sociologique). — E. Morin, *Commune en France, la métamorphose de Plodémet,* Fayard, 1967. — J. Planchais et al., *Les Provinciaux ou la France sans Paris,* Seuil, 1970. — L. Wylie, *Un village du Vaucluse* [*Village in the Vaucluse*], 2e éd. fr., Gallimard, 1968 (ouvrage important). — L. Wylie, *Chanzeaux village d'Anjou* [*Chanzeaux, a village in Anjou*], tr. fr., Gallimard, 1970.

Nouveaux modes de vie
Beaujeu-Garnier (J.) et al., *La France des villes,* 6 vol., la Documentation française, 1978-1980. — P. Clerc, *Grands ensembles, Banlieues nouvelles. Enquête démographique et psycho-sociologique,* P.U.F., 1967. — R.-P. Droit et A. Gallien, *La Chasse au bonheur. Les Nouvelles Communautés en France,* Calmann-Lévy, 1972 (étude sur les expériences de vie communautaire en France de 1967 à 1972). — Cl. Jannoud et M.-H. Pinel, *La Première Ville nouvelle* [Sarcelles], Mercure de France, 1974.

Le mouvement régionaliste

T. FLORY, *Le mouvement régionaliste français : sources et développement*, P.U.F., 1966 (étude d'ensemble). — J.-F. GRAVIER, *Paris et le Désert français*, Flammarion, 1947, 2e éd., 1958 (ouvrage capital, complété par *Paris et le Désert français en 1972*, Flammarion, 1972). — J.-F. GRAVIER, *L'Aménagement du territoire et l'avenir des régions françaises*, Flammarion, 1964. — J.-F. GRAVIER, *La Question régionale*, Flammarion, 1970. — R. LAFONT, *La Révolution régionaliste*, Gallimard, 1967. — M. LE BRIS, *Occitanie : volem viure ! (nous voulons vivre !)*, Gallimard, 1974. — O. MORDREL, *Breiz atao ou Histoire et Actualité du nationalisme breton*, A. Moreau, 1973. — *Régions et Régionalismes en France du XVIIIe siècle à nos jours.* Actes [du colloque de Strasbourg, 11-13 oct. 1974] publiés par C. GRAS et G. LIVET, P.U.F., 1977. — Les Régionalismes [bibliographie], *Anthinéa*, n° 9/10, 2e trimestre 1976.

Écrivains et société

G. BONNEVILLE, *Prophètes et Témoins de l'Europe, essai sur l'idée d'Europe dans la littérature française de 1914 à nos jours*, Leyde, A. W. Sythoff, 1961. — D. CAUTE, *Le Communisme et les intellectuels français, 1914-1966*, Gallimard, 1967 (étude de base). — H. POULAILLE, *Nouvel Age littéraire*, Valois, 1930 (essais pour une littérature prolétarienne). — C. PRÉVOST, *Littérature, politique, idéologie*, Éd. Sociales, 1973 (essais qui s'insèrent dans le cadre de la politique culturelle du parti communiste). — C. BOUAZIS, *Littérature et société ; théorie d'un modèle du fonctionnement littéraire*, Mame, 1972. — CH. GLICKSBERG, *Literature and Society*, La Haye, M. Nijhoff, 1972. — P. GUIRAL, *La Société française, 1914-1970, à travers la littérature*, A. Colin, 1972 (anthologie). — G. HANOTEAU, *L'Age d'or de Saint-Germain-des-Prés*, Denoël, 1965 (nombreuses illustrations). — *Littérature et société. Problèmes de méthodologie en sociologie de la littérature*, Bruxelles, Institut de sociologie de l'Univ. libre de B., 1967 (actes du colloque de 1964). — *Roman et société*, colloque organisé par la Société d'histoire littéraire de la France 6 nov. 1971), A. Colin, 1973. — P.-H. SIMON, *Témoins de l'homme, la condition humaine dans la littérature contemporaine*, 6e éd., A. Colin, 1966. — M. TISON-BRAUN, *La Crise de l'humanisme. Le Conflit de l'individu et de la société dans la littérature française moderne*, t. II, 1914-1939, Nizet, 1967 (excellente étude d'ensemble).

Femme et société

Les Femmes, Guide bibliographique établi par la Bibliothèque de la Documentation française, 1974, mise à jour 1975. — S. de Beauvoir, *Le Deuxième sexe*, 2 vol., Gallimard, 1949. — F. d'Eaubonne, *Le Féminisme, histoire et actualité*, A. Moreau, 1972. — G. Gennari, *Le Dossier de la femme*, Perrin, 1965. — A. Leclerc, *Parole de femme*, Grasset, 1974 (essai sur les femmes et le langage). — É. Sullerot, *Les Françaises au travail*, Hachette, 1973 (enquête).

La jeunesse

M. Crubellier, *L'Enfance et la Jeunesse dans la société française. 1800-1950*, A. Colin, 1979. — J. Delais, *Les Enfants majuscules*, Gallimard, 1974. — Cl. Dufrasne et al., *Des millions de jeunes. Aspects de la jeunesse*, Cujas, 1967 (dossier établi par des sociologues). — J. Jousselin, *Une nouvelle jeunesse dans un monde en mutation*, Privat, 1966 (histoire). — R. Kanters et G. Sigaux, *Vingt ans en 1951. Enquête sur la jeunesse française*, Julliard, 1951. — H. Perruchot, *La France et sa jeunesse*, Hachette, 1958 (enquêtes). — A. Sauvy, *La Révolte des jeunes*, Calmann-Lévy, 1970. — C. Valabrègue, *La Condition étudiante*, Payot, 1970. — G. Vincent, *Les Lycéens : contribution à l'étude du milieu secondaire*, A. Colin, 1971 (sondage, avec une importante documentation).

Église

W. Bosworth, *Catholicism and Crisis in Modern France. French Catholic Groups at the Threshold of the Fifth Republic*, Princeton, N.J., Princeton U.P., 1962 (étude historique ; excellente bibliographie). — A. Dansette, *Destin du catholicisme français, 1926-1956*, Flammarion, 1957. — A. Dansette, *Histoire religieuse de la France contemporaine*, éd. rev. et corr., Flammarion, 1965 (jusqu'à la fin de la IIIe République). — P. Vigneron, *Histoire des crises du clergé français contemporain*, Téqui, 1976. — J.-M. Domenach et R. de Montvalon, *The Catholic Avant-Garde : French Catholicism since the World War II*, New York, Holt, Rinehart and Wilson, 1967. — J. Potel,

P. Huot-Pleuroux et J. Maitre, *Le Clergé français, évolution démographique, nouvelles structures de formation, images de l'opinion publique*, Centurion, 1967 (étude sociologique, année 1965). — E. Poulat, *Une Église ébranlée. Changement, Conflit et Continuité de Pie XII à Jean-Paul II*, Casterman, 1980. — R. Rémond et al., *Forces religieuses et Attitudes politiques dans la France contemporaine* (Cahiers de la Fondation nationale des sciences politiques, nº 130), A. Colin, 1965 (colloque de Strasbourg, mai 1963, catholicisme, protestantisme et judaïsme). E. Poulat, *Le Catholicisme sous observation du modernisme à aujourd'hui. Entretiens avec G. Lafon*, Le Centurion, 1983. — R. Mehl, *Le Protestantisme français dans la société actuelle*, Labor et Fides, 1982.

Enseignement

M. Chapsal et M. Manceaux, *Les Professeurs, pour quoi faire ?*, Seuil, 1970 (interviews). — E. Faure, *Philosophie d'une réforme*, Plon, 1969. — W. R. Fraser, *Education and Society in Modern France*, Londres, Routledge and Kegan Paul, 1963 (les années trente et l'après-guerre). — W. R. Fraser, *Reforms and Restraints in Modern French Education*, Londres, Routledge and Kegan Paul, 1971 (depuis 1945). — J. Minot, *L'Entreprise éducation nationale*, A. Colin, 1970 (depuis 1945). — J. Majault, *La Révolution de l'enseignement*, R. Laffont, 1967 (période 1945-1964). — J. E. Talbott, *The Politics of Educational Reform in France, 1918-1940*, Princeton, N.J., Princeton U.P., 1969. — P. Chevallier, *La Scolarisation en France depuis un siècle*, Mouton, 1974. — V. Isambert-Jamati, *Crises de la société, Crises de l'enseignement, Sociologie de l'enseignement secondaire français*, P.U.F., 1970. — J. Fourastié, *Faillite de l'Université*, Gallimard, 1972. — J. Schriewer, *Die Französischen Universitäten, 1945-1968. Probleme, Diskussionen, Reformen*, Bad Heilbrunn/Obb, J. Klinkhardt, 1972. — J.-F. Sirinelli, *Génération intellectuelle. Khâgneux et normaliens dans l'entre-deux-guerres*, Fayard, 1989. — M. Zamansky, *Mort ou Résurrection de l'Université*, Plon, 1969. — Cl. Grignon, *L'Ordre des choses, les fonctions sociales de l'enseignement technique*, Éd. de Minuit, 1971.

La langue

S. BENGATSSON, *La Défense organisée de la langue française. Étude sur l'activité de quelques organismes qui depuis 1937 ont pris pour tâche de veiller à la correction et à la pureté de la langue française*, Uppsala, Almqvist und Wiksell, 1968. — M. BLANCPAIN, A. REBOULLET, *Une langue : le français aujourd'hui dans le monde*, Hachette, 1976. — M.-P. CAPUT, *La Langue française, histoire d'une institution*, t. II, *1915-1974*, Larousse, 1975. — R. ÉTIEMBLE, *Parlez-vous franglais?* Gallimard, 1964 (célèbre défense de la langue contre les incursions étrangères). — P. LALANNE, *Mort ou Renouveau de la langue française*, A. Bonne, 1957. — R. QUENEAU, *Entretiens avec Georges Charbonnier*, Gallimard, 1962. — F. ROZ et M. HONORÉ, *Le Rayonnement de la langue française dans le monde*, Documentation française, 1957 (universalité de la langue française). — R. GODENNE, *Études sur la nouvelle langue française*, H. Champion, 1993.

VIE LITTÉRAIRE

Études générales et témoignages

L'Ami du lettré, année littéraire et artistique, 7 vol., Grasset, 1923-1929. — *Almanach des lettres*, annuel, 7 vol., Flore et la Gazette des lettres, 1947-1953. — M. BÉMOL, *Essai sur l'orientation des littératures françaises au XXe siècle*, Nizet, 1960. — J.-P. BERNARD, *Le Parti communiste français et la question littéraire, 1921-1939*, Grenoble, 1972 (bib.). — A. BILLY, *L'Époque contemporaine, 1905-1930*, Tallandier, 1956. — J. BRENNER, *Journal de la vie littéraire*, t. I, 1962-1964, t. II, 1964-1966, Julliard, 1965-1966. — E. BUCHET, *Les Auteurs de ma vie ou ma Vie d'éditeur*, Buchet-Chastel, 1969 (journal, 1935-1968). — R. KANTERS, *L'Air des lettres ou Tableau raisonnable des lettres françaises d'aujourd'hui*, Grasset, 1973 (recueil d'articles). — P. LÉAUTAUD, *Journal littéraire*, t. III-XIX (1910-1956), Mercure de France, 1956-1966. — F. LEFÈVRE, *Une heure avec...*, 6 vol., N.R.F., 1924-1933 (interviews avec des personnalités littéraires). — H. R. LOTTMANN, *La Rive gauche. Du Front populaire à la guerre froide*, Seuil, 1984. — Maurice MARTIN DU GARD, *Les Mémorables*, t. I, 1918-1923, t. II, 1924-1930, t. III, 1930-1945, Flammarion, 1957,

1960, 1978. — A. MONNIER, *Rue de l'Odéon,* A. Michel, 1960. — O'BRIEN, *The French Literary Horizon,* New Brunswick, N.J., Rutgers U.P., 1967. — L. RIESE, *Les Salons littéraires parisiens du second Empire à nos jours,* Toulouse, Privat, 1962. — M. SACHS, *Au temps du Bœuf sur le toit,* Nouvelle Revue critique, 1939 (années 1919-1929). — A. THÉRIVE, *Galerie de ce temps,* Nouvelle Revue critique, 1931. — M.-C. BANCQUART, P. CAHNÉ, *Littérature française du XX*[e] *siècle,* PUF, 1992.

Culture de masse

A. de BAECQUE, *Les Maisons de la culture,* Seghers, 1967. — G. BELLOIN, *Culture, personnalité et sociétés,* Éd. Sociales, 1973. — G. BENSAID, *La Culture planifiée ?* Seuil, 1969 (l'action culturelle de l'État, bibl.). — P. EMMANUEL, *Pour une politique de la culture*, Seuil, 1971 (le poète P. E. était président de la commission culturelle). — R. KAES, *Les Ouvriers français et la culture. Enquête, 1958-1961*, Dalloz, 1962.

Statut de l'intellectuel

J. BENDA, *La Trahison des clercs*, Grasset, 1927 ; rééd., Pauvert, 1965, B. Grasset, 1975 (essai célèbre et controversé). — J. GUÉHENNO, *Caliban parle*, Grasset, 1928. — E. BERL, *Mort de la pensée bourgeoise*, Grasset, 1929 ; rééd., Pauvert, 1965. — M. SACHS, *La Décade de l'illusion*, Gallimard, 1950 (Paris de 1918 à 1928). — R. ARON, *Opium des intellectuels*, nouv. éd. (éd. orig. 1955), Gallimard, 1968 (essai anticommuniste important). — J. KANAPA, *Critique de la culture*, t. I, Situation de l'intellectuel, Éd. Sociales, 1957 (point de vue communiste). — V. BROMBERT, *The Intellectual Hero, 1880-1955*, Philadelphie, Lippincott, 1961. — L. BODIN, *Les Intellectuels*, P.U.F., 1962. — F. BON et M.-A. BURNIER, *Les Nouveaux Intellectuels*, 2e éd., Seuil, 1971 (la fin des intellectuels libéraux, l'avènement des intellectuels technocrates). — J.-P. SARTRE, *Plaidoyer pour les intellectuels*, Gallimard, 1972 (trois conférences à Tokyo et Kyoto 1965). — G. SUFFERT, *Les Intellectuels en chaise longue*, Plon, 1974. — P. NIZAN, *Les Chiens de garde*, Maspero, rééd. 1969 (sur le statut des philosophes et de la philosophie). — P. ORY, J.-F. SIRINELLI, *Les Intellectuels en France, de l'affaire Dreyfus à nos jours,* A. Colin, 1992. — M.

JACQUIN, « Les Intellectuels du XXe siècle à travers les collections du département des Manuscrits de la B.N. », *Bulletin de l'Institut d'Histoire du Temps Présent,* décembre 1990.

L'écrivain face à la guerre

J. DEBÛ-BRIDEL, *La Résistance intellectuelle,* Julliard, 1970. — J.-M. GUIRAUD, *La Vie intellectuelle et artistique à Marseille à l'époque de Vichy et sous l'occupation,* Marseille, C.R.D.P., 1987. — T. KUNNAS, *Drieu la Rochelle, Céline, Brasillach et la tentation fasciste,* Les Sept Couleurs, 1972 (thèse, documentation très complète). — H. LE BOTERF, *La Vie parisienne sous l'occupation, 1940-1944,* France-Empire, 2 vol., 1974-1975. — « La Poésie et la Résistance », *Europe,* n° 543-544, juillet-août 1974 (études et anthologie). — G. et J.-R. RAGACHE, *La Vie quotidienne des écrivains et des artistes sous l'occupation, 1940-1944,* Hachette, 1988. — P. SEGHERS, *La Résistance et ses Poètes :* France, 1940-1945, Seghers, 1974 (essai et anthologie). — M. RIEUNEAU, *Guerre et Révolution dans le roman français de 1919 à 1939, Klincksieck, 1974* (ouvrage excellent, point de vue thématique). — P. SÉRANT, *Le Romantisme fasciste : étude sur l'œuvre politique de quelques écrivains français,* Fasquelle, 1959 (Céline, Drieu la Rochelle, Brasillach, Rebatet, etc.). — R. ARON, *Histoire de l'Épuration,* t. III, vol. 2, *Le Monde de la presse, des arts, des lettres...* 1944-1953, Fayard, 1975 (ouvrage indispensable). — P. NOVICK, *The Resistance versus Vichy. The Purge of Collaborators in Liberated France,* Londres, Chatto and Windus, 1968 (point de vue anglais sur l'Épuration). — *La Littérature française sous l'occupation. Actes du colloque de Reims,* P.U. de Reims, 1989.

L'édition

P. ANGOULVENT, *L'Édition française au pied du mur,* 2e éd., P.U.F., 1961. — J. CAIN, R. ESCARPIT et H.-J. MARTIN, *Le Livre français, hier, aujourd'hui, demain,* Imprimerie Nationale, 1972 (Bilan). — H.-J. MARTIN, R. CHARTIER et J.-P. VIVET, *Histoire de l'édition française,* t. IV, *Le Livre concurrencé,* 1900-1950, Promodis, 1986. — G. CANNE, *Messieurs les bests-sellers,* Perrin, 1966. — J. DEBÛ-BRIDEL, *Les Éditions de Minuit, historique et bibliographie,* Minuit, 1945. — J. MISTLER, *La*

Librairie Hachette de 1826 à nos jours, Hachette, 1964. — P. ASSOULINE, *G. Gallimard. Un demi-siècle d'édition française,* Balland, 1984. — P. FOUCHÉ, *L'Édition française sous l'occupation,* Univ. Paris VII, 2 vol., 1987. — R. LAFFONT, *Éditeur,* Laffont, 1974. — A. SIMONIN, *Les Éditions de Minuit, 1942-1945, le devoir d'insoumission,* IMEC, 1994.

Les prix littéraires

Guide des prix littéraires, 5e éd. revue et corrigée, Cercle de la Librairie, 1966. — M. DANSEL, *Les Nobel français de littérature,* A. BONNE, 1967 (notices biographiques). — R. GOUZE, *Les Bêtes à Goncourt, un demi-siècle de batailles littéraires,* Hachette, 1973.

La Presse (quotidiens, hebdos, revues)

R. ADMUSSEN, *Les Petites Revues littéraires, 1914-1939. Répertoire descriptif,* St-Louis, Washington U.P., Paris, Nizet, 1970. — P. ALBERT et C. LETEINTURIER, *La Presse française* (Notes documentaires et études. N° 4469), La Documentation française, 1978 (n. éd., 1983). — Cl. BELLANGER, J. GODECHOT, P. GUIRAL, F. TERROU, *Histoire générale de la presse française,* t. III (1871-1940), IV (1940-1958), V (de 1958 à nos jours), P.U.F., 1972, 1975, 1976 (étude de base). — R. CAYROL, *La Presse écrite et audiovisuelle,* « Thémis », P.U.F., 1973. — Cl. ESTIER, *La Gauche hebdomadaire, 1914-1962,* A. Colin, 1962. — J.-M. PLACE, *Bibliographie des revues et journaux littéraires des XIXe et XXe siècles,* t. III, 1915-1930. J.-M. PLACE, 1977. — É. SULLEROT, *La Presse féminine,* A. Colin, 1963. — *Rivages des origines. Archives des Cahiers du Sud,* catalogue de l'exposition, décembre 1981, Marseille, Archives de la Ville. — *Catalogue des périodiques clandestins diffusés en France de 1939 à 1945, suivi d'un catalogue des périodiques clandestins diffusés à l'étranger,* Bibliothèque nationale, 1954. — Cl. BELLANGER, *Presse clandestine, 1940-1944,* A. Colin, 1961. — P. ALBERT, *Histoire de la presse,* PUF, 1990.

On consultera en outre

G. DE BROGLIE, *Histoire politique de la Revue des Deux Mondes de 1829 à 1979,* Perrin, 1979. — P.-M. DIOUDONNAT, *Je suis partout, 1930-1944. Les Maurrassiens devant la tentation fasciste*, La Table ronde, 1973. — J.-N. JEANNENEY et J. JULLIARD, *Le Monde de Beuve-Méry ou le Métier d'Alceste*, Seuil, 1979. — *La N.R.F.* Études et travaux réunis sous la direction de C. MARTIN, 5 fasc., 1975-1982, Univ. de Lyon II, Centre d'études gidiennes (table des sommaires, index des auteurs). — J.-P. MEYLAN, *La Revue de Genève : miroir des lettres européennes 1920-1930*, Genève, Droz, 1969 (thèse Bâle). — L. MORINO, *La N.R.F. dans l'histoire des lettres 1908-1937*, Gallimard, 1939. — M. WINOCK, *Histoire politique de la revue Esprit, 1930-1950*, Seuil, 1975.

LES COURANTS INTELLECTUELS

L'ouverture à l'étranger

S. MICHAUD, sous la direction de, *L'Impossible semblable, regard sur 3 siècles de relations littéraires franco-allemandes*, Sedes, 1991. — *Dictionnaire des littératures étrangères contemporaines*, sous la dir. de D. DE ROUX, Éd. Universitaires, 1974. — R.-M. ALBÉRÈS, *L'Aventure intellectuelle du XXe siècle, panorama des littératures européennes, 1900-1970*, 4e éd., A. Michel, 1969. — F. ANSERMOZ-DUBOIS, *L'Interprétation française de la littérature américaine d'entre-deux-guerres, 1919-1939*, Lausanne, Impr. de la Concorde, 1944 (avec un essai bibl. très utile). — S. BEACH, *Shakespeare and Company*, Mercure de France, 1962. — L. D. FALB, *American Drama in Paris, 1945-1970. A Study of his critical reception*, Chapel Hill, N.C., Univ. of North Carolina P., 1973. — « France and World literature », *Yale French Studies*, n° 6, 1950. — C.-E. MAGNY, *L'Age du roman américain*, Seuil, 1948. — A. MALRAUX, *La Tentation de l'Occident*, Grasset, 1926. — H. MASSIS, *Défense de l'Occident*, Plon, 1927. — T. SMITH et W. MINER, *Transatlantic migration : the Contemporary American Novel in France*, Durham, N.C., Duke U.P., 1955 (accueil critique des romanciers, américains, bibl.).

La littérature d'expression française

Le Français en France et hors de France, t. I, *Créoles et contacts africains*, t. II, *Les Français régionaux, le français en contact* (Annales de la faculté des lettres et sciences humaines de Nice, n°s 7 (1969) et 12 (1970), Les Belles-

Lettres, 1969, 1970 (colloque de Nice, avril 1968). — « Le Français, langue vivante », *Esprit*, n° 311, nov. 1962. — A. NAAMAN, L. PAINCHAUD et al., *Le Roman contemporain d'expression française*, Sherbrooke, Univ. de S., 1971. — A. REBOULLET, M. TÉTU et al., *Guide culturel. Civilisations et Littératures d'expression française*, Hachette, 1977 (bibl.). — F. SCHOELL, *La Langue française dans le monde*, 1936 (étude de base pour la francophonie dans l'entre-deux-guerres). — G. TOUGAS, *Les Écrivains d'expression française et la France*, Denoël, 1973. — A. VIATTE, *Histoire comparée des littératures francophones*, Nathan, 1980. — *Histoire des littératures*, t. III (Encycl. de la Pléiade), n. éd., Gallimard, 1978. — J.-L. JOUBERT, J. LECARME, E. TABONE, B. VERCIER, *Les Littératures francophones depuis 1945*, Bordas, 1986. — J.-J. LUTHI, A. VIATTE, G. ZANANIRI, *Dictionnaire général de la francophonie*, Letouzey et Ané, 1987.

Belgique

G. DOUTREPONT, *Histoire illustrée de la littérature française en Belgique*, Bruxelles, 1939. — *Histoire illustrée des lettres françaises de Belgique*, publiée sous la direction de G. CHARLIER et J. HANSE, Bruxelles, La Renaissance du livre, 1956. — J.-M. CULOT [puis R. BRUCHER], *Bibliographie des écrivains français de Belgique 1881-1950* (puis 1881-1960), 5 vol. (A-Q), Bruxelles, 1958-1988, — C. HANLET, *Les Écrivains belges contemporains de langue française*, Liège, H. Dessain, 1946, 2 vol. — A. MOR, J. WEISBERGER, *Le Letterature del Belgio*, n. éd., Florence-Milan, Sansoni-Accademia, 1968 (litt. d'expression française et flamande). — *Lettres vivantes. Deux Générations d'écrivains français en Belgique* (1945-1975), sous la direction d'A. JANS, Bruxelles, La Renaissance du livre ; Paris, Nizet, 1975. — V. MARTIN-SCHMETS, Bibliographie analytique des revues littéraires belges, *Le Livre et l'estampe*, n° 138, 1992.

Luxembourg

Géographie littéraire du Luxembourg, Liège, L'Horizon nouveau, 1942 (histoire).

Suisse

A. BERCHTOLD, *La Suisse romande au cap du XXe siècle. Portrait littéraire et moral*, Lausanne, Payot, 1963 (excellente étude d'ensemble ; thèse Genève, bibl., avec un fasc. de bibl.). — V. GODEL, *Poètes à Genève et au-delà*, Genève, Georg, 1966. — M. GSTEIGER, *La Nouvelle Littérature romande*, Vevey, Bertil-Galland, 1979. — E. MARTINET, *Portraits d'écrivains romands contemporains*, Neuchâtel, La Baconnière, 2 vol., 1940, 1954 (interviews). — G. TOUGAS, *Littérature romande et culture française*, Seghers, 1963 (étude d'ensemble et essais sur Gilliard, Roud et al.). — C. HAYOZ, *Bibliographie analytique des revues littéraires de Suisse romande (1900-1981)*, Lausanne, Le Front littéraire, 1984. — « La Suisse romande et sa littérature », n° sous la direction de P.A. Bloch, *La Licorne*, n° 16, Poitiers, 1989.

Haïti

L. F. HOFFMANN, *Bibliographie des études littéraires haïtiennes, 1804-1983*, Édicef, 1992. — R. CORNEVIN, *Le Théâtre haïtien des origines à nos jours*, Ottawa, Leméac, 1973. — N. GARRET, *The Renaissance of Haitian Poetry*, Présence africaine, 1963. — G. GOURAIGE, *Histoire de la littérature haïtienne de l'Indépendance à nos jours*, Port-au-Prince, N. A. Théodore, 1960.

Canada

M. LEMIRE, *Dictionnaire des œuvres littéraires du Québec*, Montréal, Fides, 5 vol., 1990. — *Livres et auteurs canadiens*, annuel de 1961 à 1968, puis *Livres et Auteurs québécois*, annuel depuis 1969, Québec, Presses de l'univ. Laval (important). — *Histoire littéraire du Québec*, Montréal, Bellarmin, t. I, 1980, t. II, 1982 (méthodologie ; genres littéraires ; bibl. de la critique). — J.-P. TREMBLAY, *Bibliographie québécoise... Inventaire des écrits du Canada français*, Ottawa, Éduco média, 1973 (Bibl. annotée, donne une vue d'ensemble). — J. BLAIS, *De l'ordre et de l'aventure, la poésie au Québec de 1934 à 1944*, Québec, Presses de l'univ. Laval, 1975 (les tendances, accueil critique). — F. DUMONT, J.-C. FALARDEAU et al. *Littérature et société canadienne-française*, Québec, Presses de l'Univ. Laval, 1964. — P. DE GRANDPRÉ, *Histoire de la littérature française du Québec*, t. II, *1900-1945*, t. III, *La Poésie de 1945 à nos jours*, t. IV, *Le Roman et le Théâtre de 1945 à nos jours*, Montréal, Beauchemin, 1968-1970 (ouvrage essentiel). — G. MARCOTTE, *Le*

Temps des poètes, description critique de la poésie actuelle au Canada français, Montréal, H.M.H., 1969 (de 1953 à 1969). — *La Poésie canadienne-française. Perspectives historiques et thématiques-Profils de poètes-Témoignages-Bibliographie*, Montréal, Fides, 1969 (ouvrage important). — R. ROBIDOUX et A. RENAUD, *Le Roman canadien-français du XXe siècle*, Ottawa, Éd. de l'univ. d'O., 1966. — G. TOUGAS, *Histoire de la littérature canadienne-française*, 2e éd., P.U.F., 1964 (la meilleure étude pour la période 1608-1960).

Afrique

P. HAWKINS, A. LAVERS, *Protée noir. Essais sur la littérature francophone de l'Afrique noire et des Antilles*, L'Harmattan, 1992. — J. SCHERER, *Le théâtre en Afrique noire francophone*, PUF, 1992. — *Littératures africaines à la BN*. Catalogue des ouvrages des écrivains africains et de la littérature critique s'y rapportant, entrés à la BN, 1920-1972, établi par P. Lordienne, BN, 1991. — T. BARRATE-E. BELINGA et al., *Bibliographie des auteurs africains de langue française*, 4e éd., Nathan, 1979. — J. JAHN et C. DRESSLER, *Bibliography of creative African writing*, Nendeln, Kraus-Thomas, 1971, 2e éd., 1973 (écrivains noirs d'expression française et anglaise). — D. S. BLAIR, *African literature in French. A History of creative Writing in French from West and Equatorial Africa*, Cambridge, Cambridge U.P., 1975 (éd. anglaise, Londres, 1976). — J. CHEVRIER, *Littérature nègre, Afrique, Antilles, Madagascar*, A. Colin, 3e éd., 1979. — R. CORNEVIN, *Littératures d'Afrique noire de langue française*, P.U.F., 1975. — R. CORNEVIN, *Le Théâtre en Afrique noire et à Madagascar*, Le Livre africain, 1970. — L. KESTELOOT, *Les Écrivains noirs de langue française : naissance d'une littérature*, 8e éd., 1983, Bruxelles, Univ. libre de B., Institut de sociologie. — C. LARSON, *The Emergence of African fiction*, Bloomington, Indiana U.P., 1972 (étude de base sur le roman). — J. NANTET, *Panorama de la littérature noire d'expression française*, Fayard, 1972. — R. PAGEARD, *Littérature négro-africaine : le mouvement littéraire contemporain dans l'Afrique noire d'expression française*, 4e éd., L'École, 1979. — A. KOM, *Dictionnaire des œuvres littéraires négro-africaines de langue française*, ACCT ; Naaman, 1983. — *Réception critique de la littéra-*

ture africaine et antillaise d'expression française, prés. par J. LEINER, *Œuvres et Critiques,* t. III, 2, IV, 1, automne 1979, J.-M. Place. — J. RIAL, *Littérature camerounaise de langue française,* Lausanne, Payot, 1972 (bibl.). — R. CHEMAIN, A. CHEMAIN-DEGRANGE, *Panorama critique de la littérature congolaise contemporaine,* Présence africaine, 1979. — D. S. BLAIR, *Senegalese Literature : a Critical History,* Twayne, 1984.

La négritude

« Colloque sur la négritude », Présence africaine, 1972 (colloque de Dakar, avril 1971). — L. LAGNEAU-KESTELOOT, *Négritude et situation coloniale,* Yaoundé, Clé, 1968. — T. MELONE, *De la négritude dans la littérature négro-africaine,* Présence africaine, 1962 (essai). — C. V. MICHAEL, *Negritude. An Annotated Bibliography,* West Cornwall, CT, 1988.

Ile Maurice

J. G. PROSPER, *Histoire de la littérature mauricienne de langue française,* Ile Maurice, L'Océan Indien, 1978.

Études sur les littératures francophones du Maghreb et du Proche-Orient.

C. BOHN, F. KACHOUK, Bibliographie de la littérature maghrébine, 1980-1990, Edicef, 1992. — J. DÉJEUX, *Littérature maghrébine de langue française,* Axantère, 1992. — C. BONN, *La Littérature algérienne de langue française et ses lecteurs. Imaginaire et discours d'idées,* Sherbrooke, Naaman, 1974. — J. DÉJEUX *Bibliographie méthodique et critique de la littérature algérienne de langue française 1945-1977,* Alger, S.N.E.D., 1981. — S. KHALAF, *Littérature libanaise de langue française,* Sherbrooke, Naaman, 1974 (thèse Grenoble). — J. DÉJEUX, *Littérature maghrébine de langue française,* Sherbrooke, Naaman, 1973 (bibl.). — *La Littérature maghrébine de langue française,* prés. par J. DÉJEUX, *Œuvres et Critiques,* t. IV, 2, J.-M. Place, 1979. — J. ARNAUD, F. AMACKER, *Répertoire mondial des travaux sur la littérature maghrébine de langue française,* Univ. Paris XII ; L'Harmattan, 1984. — J. DÉJEUX, *Dictionnaire des auteurs maghrébins de langue française,* Karthala, 1984. — J. P. MONEGO, *Maghrebian Literature in French,* Twayne, 1984.

Les arts plastiques
Les arts du spectacle, bibliographie de René Hainaux, Bruxelles, Labor, 1989. — R. CABANNE et P. RESTANY, *L'Avant-garde au XXe siècle,* A. Balland, 1969 (étude d'ensemble ; chronologie). — J. CASSOU et al., *Débat sur l'art contemporain. Rencontres internationales de Genève, 1948,* Neuchâtel, La Baconnière, 1949. — J. CASSOU, *La Situation de l'art moderne,* Minuit, 1950. — J. CLAIR, *Art en France, une nouvelle génération,* Chêne, 1972 (l'art français de la fin des années soixante jusqu'en 1971). — G. GASSIOT-TALABOT, P. GAUDIBERT et al., *Figurations, 1960-1973,* U.G.E. « 10/18 », n° 811, 1973 (essais critiques sur la « nouvelle figuration »). — M. HOOG, *L'Art d'aujourd'hui et son public,* Éd. Ouvrières, 1967 (diffusion de l'art moderne). — R. HUYGHE et al., *L'Art et le monde moderne,* t. II, *De 1920 à nos jours,* Larousse, 1970 (encyclopédie). — A. de LA BEAUMELLE, N. POUILLON, *La Collection du Musée national d'art moderne,* Éd. du Centre G. Pompidou, 1986. — R. MAILLARD, *Vingt-cinq ans d'art en France, Larousse/J. Legrand, 1986. — R.* NACENTA, *École de Paris, son histoire, son époque,* Neuchâtel, Ides et Calendes, s.d. — F. PLUCHART, *Pop art et Cie, 1960-1970,* Martin-Malburet, 1971 (étude critique). — P. RESTANY, *Les Nouveaux Réalistes,* Planète, 1968, 233 p. — H. RISCHBIETER, *Bühne und bildende Kunst im XX. Jahrhundert; Maler und Bildhauer Arbeiten für das Theater,* Velber bei Hannover, Friedrich, 1968 (participation des artistes à la mise en scène théâtrale). — A. TRONCHE et H. GLOAGUEN, *L'Art actuel en France, du cinétisme à l'hyperréalisme,* Balland, 1973. — P. WALDBERG, *Mains et Merveilles, Peintres et Sculpteurs de notre temps,* Mercure de France, 1961 (essais).

L'art surréaliste
S. ALEXANDRIAN, *L'Art surréaliste*, F. Hazan, 1969. — A. BRETON, *Le Surréalisme et la peinture*, n. éd. rev. et corr., Gallimard, 1965. — R. HELD, *L'Œil du psychanalyste, surréalisme et surréalité*, Payot, 1973. — G. HUGNET, *L'Aventure Dada, 1916-1922*, Seghers, 1971. — M. JEAN, *Histoire de la peinture surréaliste*, Librairie générale française, 1968. — J. PIERRE, *Le Surréalisme*, Lausanne, Rencontre, 1966 (histoire, témoignages, documents). —

J. VOVELLE, *Le Surréalisme en Belgique*, Bruxelles, De Rache, 1972.

La musique

M. HONEGGER et al., *Dictionnaire de la musique ; les hommes et leurs œuvres*, Bordas, 1970, 2 vol. (ouvrage de référence essentiel). — U. BACKER, *Frankreichs Moderne von C. Debussy bis P. Boulez. Zeitgeschichte im Spiegel der Musik-Kritik*, Regensburg, G. Bosse, 1962 (bibl.). — R. DUMESNIL, *La Musique contemporaine en France*, A. Colin, 1930, 2 vol. (étude de base). — R. DUMESNIL, *La Musique en France entre les deux guerres, 1919-1939*, Genève, Milieu du Monde, 1946. — L. DAVIES, *The Gallic Muse*, Londres, J. M. Dent, 1967 (biographie et essais critiques sur six compositeurs de Fauré à Poulenc). — H. HALBRECHT, *O. Messiaen*, Fayard, 1980. — J. HARDING, *The Ox on the Roof. Scenes from Musical Life in Paris in the Twenties*, Londres, Macdonald, 1972. — D. MILHAUD, *Études*, C. Aveline, 1927. — R. MYERS, *Modern French Music, its Evolution and Cultural Background from 1900 to the Present Day*, Oxford, B. Blackwell, 1971 (étude de base). — J.-E. MARIE, *L'Homme musical*, Arthaud, 1976 (les révolutions technologiques et la musique des temps modernes). — S. LIFAR, *Diagilev is Diagilevym*, Maison du Livre étranger, 1939 (D. et les ballets russes). — S. GRIGORIEW, *The Diaghilev Ballet*, 1909-1929, Londres, Constable, 1953. — Catalogue de l'exposition « Diaghilew et les Ballets russes », Bibliothèque nationale, 1979. — O. MERLIN, *Le Bel Canto*, Julliard, 1961 (2e éd., 1969, *Le Chant des sirènes* ; étude générale sur l'opéra, avec mention des chanteurs et représentations françaises). — P. DERVAL, *Folies-Bergère*, Éd. de Paris, 1954. — M. DORIGNE, *Jazz, culture et société*, suivi du *Dictionnaire du jazz*, Éd. Ouvrières, 1967. — H. PANASSIÉ, *Le Jazz hot*, Corrêa, 1934 (étude de base ; discographie ; la trad. américaine rééd. en 1970 contient de nombreuses révisions).

Le cinéma

M. BESSY et J.-L. CHARDANS, *Dictionnaire du cinéma et de la télévision*, 4. vol., J.-J. Pauvert, 1965-1971 (ouvrage de référence important). — J. DAISNE, *Dictionnaire filmographique de la littérature mondiale*, Gand, E. Story-Scientia, 1971. — M. BARDÈCHE et R. BRASILLACH

Histoire du cinéma, éd. orig., 1935 ; n. éd., Givors, A. Martel, 1948. — A. BAZIN, *Le Cinéma de l'Occupation et de la Résistance*, « 10/18 », U.G.E., 1975 (comptes rendus, articles et essais). — A. BAZIN, *Qu'est-ce que le cinéma ?* t. I, *Ontologie et langage*, t. II, *Le Cinéma et les autres arts*, t. III, *Cinéma et sociologie*, t. IV, *Une esthétique de la réalité : le néo-réalisme*, Cerf, 1958-1962 (ouvrage important). — J.-P. BERTIN-MAGHIT, *Le Cinéma français sous Vichy*, Albatros, 1980. — R. CLAIR, *Cinéma d'hier, Cinéma d'aujourd'hui*, Gallimard, 1970 (recueil d'essais). — R. CLAIR, *Réflexion faite. Notes pour servir à l'histoire de l'art cinématographique de 1920 à 1950*, Gallimard, 1951. — C. CLOUZOT, *Le Cinéma français depuis la nouvelle vague*, Nathan, 1972 (de 1958 à 1972). — J.-P. JEANCOLAS, *Le Cinéma des Français sous la Ve République (1958-1978)*, Stock, 1979. — C. METZ, *Essais sur la signification au cinéma*, 2 vol., Klincksieck, 1968, 1972. — J. MITRY, *Esthétique et Psychologie du cinéma*, t. I, *Les Structures*, t. II, *Les Formes*, Éd. Univ., 1963, 1965. — J. MITRY, *Histoire du cinéma, Art et Industrie*, t. II, 1915-1925, t. III, 1925-1930, t. IV, *Les Années 30*, 1980, t. V, *Les Années 40*, 1980 (histoire du cinéma mondial). — E. MORIN, *Le Cinéma ou l'Homme imaginaire, essai d'anthropologie sociologique*, Minuit, 1956. — J. PIVASSET, *Essai sur la signification politique du cinéma ; l'exemple français de la Libération aux événements de mai 1968*, Cujas, 1971. — G. SADOUL, *Écrits 1, Chroniques du cinéma français, 1939-1967*, U.G.E., « 10/18 », 1979. — R. FREDAL, *La Société française à travers le film, 1914-1945*, A. Colin, 1972. — *Psychanalyse et cinéma, Communications*, n° 23, 1975. — M.-C. ROPARS-WUILLEUMIER, *De la littérature au cinéma, genèse d'une écriture*, A. Colin, 1970. — A. KYROU, *Le Surréalisme au cinéma*, Arcanes, 1953. — J. H. MATTHEWS, *Surrealism and Film*, Ann Arbor, Michigan, Univ. of M.P., 1971. — *Surréalisme et cinéma*, 2 vol., Minard, 1965 (nos 38-39 et 40-42 des *Études cinématographiques* ; développement et influence du cinéma surréaliste). — J. TULARD, *Dictionnaire du cinéma. Les réalisateurs*, Laffont, 1982. — A. BAZIN, *Le Cinéma français de la Libération à la Nouvelle vague (1945-1958)*, Les Cahiers du cinéma, 1983. — C. BEYLIE, Ph. CARCASSONNE, *Le Cinéma*, Bordas, 1983. — J.-M. CLERC, *Écrivains et cinéma*, Klincksieck, 1985.

La paralittérature

Entretiens sur la paralittérature, sous la direction de N. Armand, F. Lacassin et J. Tortel, Plon, 1970 (colloque de Cerisy-la-Salle, 1967). — A. Helbo et al., *Sémiologie de la représentation ; théâtre, télévision, bande dessinée*, Bruxelles, Complexe, 1975. — *La Paralittérature*, Québec, Presses de l'univ. Laval, 1974, 219 p. (*Études littéraires*, n° spécial, t. VII, n° 1, avril 1974).

La bande dessinée

J. Adhémar et al., *L'Aventure et l'image*, Gallimard, 1974. — *La Bande dessinée et son discours, Communications*, n° 24, 1976. — P. Couperie et al., *Bande dessinée et figuration narrative*, Société civile d'études et de recherches des littératures dessinées, 1967. — P. Fresnault-Dewelle, *Bande dessinée, l'univers et les techniques de quelques « comics » d'expression française*, Hachette, 1972. — H. Filippini, J. Glénat, T. Martens, N. Sadoul, *Histoire de la bande dessinée en France et en Belgique*, Glénat, 1984. — P. Bronson, *Guide de la bande dessinée*, Temps futurs, 1984.

La chanson

C. Brunschwig, L.-J. Calvet, J.-C. Klein, *Cent ans de chanson française*, Seuil, 1972, nouv. éd., 1981 (excellent dictionnaire biographique). — L. Cantaloube-Ferrieu, *Chanson et Poésie des années 30 aux années 60. Trenet, Brassens, Ferré... ou les « Enfants naturels » du surréalisme*, Nizet, 1981. — G. Coulanges, *La Chanson en son temps, de Béranger au juke-box*, Ed. français réunis, 1969 (histoire). — L. Rioux, *Vingt ans de chansons en France*, Arthaud, 1966. — B. Vian, *En avant la zizique et par ici les gros sous*, La Jeune Parque, 1966 (sur la chanson contemporaine).

Le roman policier

P. Boileau-Narcejac, *Le Roman policier*, Payot, 1964 (mondial). — F. Hoveyda, *Histoire du roman policier*, Pavillon, 1965. — F. Lacassin, *Mythologie du roman policier*, 2 vol., « 10/18 » U.G.E., 1974. — S. Radine, *Quelques aspects du roman policier psychologique*, Genève,

Mont-Blanc, 1960. — J.-J. TOURTEAU, *D'Arsène Lupin à San-Antonio, le roman policier français de 1900 à 1970*, Tours, Mame, 1970 (thèse Paris).

La science-fiction

J. SADOUL, *Histoire de la science-fiction moderne, 1911-1981*, R. Laffont, 1984. — *Science-Fiction, Europe*, n°s 139-140, juill.-août 1957 (essais et anthologie). — P. VERSINS, *Encyclopédie de l'utopie, des voyages extraordinaires et de la science-fiction*, Lausanne, l'Age d'homme, 1972. — S. BARETS, *Catalogue des âmes et cycles de la S.-F.*, Denoël, 1979.

La recherche scientifique

G. BACHELARD, *La Formation de l'esprit scientifique, contribution à une psychanalyse de la connaissance objective*, J. Vrin, 1947. — G. BACHELARD et al., *L'Homme devant la science*, Rencontre internationale de Genève, 1952, Neuchâtel, La Baconnière, 1952. — J. BERNHARDT al., *La Philosophie du monde scientifique et industriel*, 1860-1940, Hachette, 1973. — S. DUPLESSIS, *The Compatibility of Science and Philosophy in France, 1840-1940*, Cape Town, A. A. Balkema, 1972 (bibl.). — R. GIPLIN, *France in the Age of the Scientific State*, Princeton, N.J., Princeton, 1968 (étude critique des rapports entre le gouvernement et la recherche scientifique depuis la guerre). — C.-J. MAESTRE, *La Science contre ses maîtres*, Grasset, 1973 (critique du pouvoir du gouvernement et de l'industrie sur la recherche scientifique). — P. ROQUEPLO, *Le Partage du savoir, Science, Culture, Vulgarisation*, Seuil, 1974 (technocratie, politique et connaissances ; bon essai). — P. ROUSSEAU, *Survol de la science française contemporaine*, Fayard, 1974. — J.-J. SALOMON, *Science et politique*, Seuil, 1970. — R. TATON et al., *Histoire générale des sciences*, t. III, *La Science contemporaine*, vol. 2, *Le XXe siècle*, P.U.F., 1964. — R. TORTRAT, *La véritable révolution du XXe siècle ; la révolution scientifique, ses conséquences pratiques, ses conséquences philosophiques et les grands problèmes de notre temps*, F. Nathan, 1971. — J. ULLMO, *La Pensée scientifique moderne*, Flammarion, 1969 (introduction utile).

La biologie

J. Cousteau, *Le Monde du silence*, Éd. de Paris, 1953 (livre célèbre, par le pionnier de l'exploration sous-marine). — J. Monod, *Le Hasard et la Nécessité, essai sur la philosophie naturelle de la biologie moderne*, Seuil, 1970. — F. Jacob, *La Logique du vivant, une histoire de l'hérédité*, Gallimard 1970. — M. Beigbeder, *Le Contre-Monod*, Grasset, 1972.

Les sciences physiques et mathématiques

L. de Broglie, *La Physique nouvelle et les Quanta*, Flammarion, 1937 (introduction historique par un des fondateurs de la physique moderne). — O. Costa de Beauregard et al., *Relativité et Quanta, les grandes théories de la physique moderne*, Masson, 1968 (introduction technique). — *L'Évolution des sciences physiques et mathématiques*, Flammarion, 1935 (conférences données à l'univ. de Poitiers). — A. David, *La Cybernétique et l'humain*, Gallimard, 1965. — R. Thom, *Modèles mathématiques de la morphogenèse*, « 10/18 », U.G.E., 1947 (recueil d'essais d'interprétation psycho-linguistique »).

La linguistique

A. Vuillemin, *Informatique et littérature*, 1950-1990, Travaux de linguistique quantitative, 47, Paris-Genève, Champion-Slatkine, 1990. — J. Dubois et al., *Diction naire de linguistique*, Larousse, 1973. — O. Ducrot et T. Todorov, *Dictionnaire encyclopédique des sciences du langage*, Seuil, 1972. — G. Mounin, *Dictionnaire de la linguistique*, P.U.F., 1974. — E. Benveniste, *Problèmes de linguistique générale*, 2 vol., Gallimard, 1966, 1974 (ouvrage capital). — *Current Trends in Linguistics*, t. XIII, *Historiography of Linguistics*, vol. 2, La Haye-Paris, Mouton, 1975 (histoire de la linguistique structurale européenne et américaine). — A. Jacob, P. Caussat et R. Nadeau, *Genèse de la pensée linguistique*, A. Colin, 1973 (étude et choix de textes). — F. Kiefer, N. Ruwet et al., *Generative Grammar in Europe*, Dordrecht, D. Reidel, 1973. — M. Leroy, *Les Grands courants de la linguistique moderne*, 2e éd., Bruxelles, 1980, P.U. de Bruxelles. — *Linguistique et littérature* (actes du colloque de Cluny, 1968), *La Nouvelle Critique*, n° spécial, 1969. — G. Mounin, *La Linguistique du XXe siècle*, P.U.F., 1972

(étude d'ensemble, chronologie). — R.-L. WAGNER, *Essais de linguistique française*, Nathan, 1980.

La psychanalyse

J. BELLEMIN-NOËL, *Psychanalyse et littérature*, P.U.F., 1978. — J. CHASSEGUET-SMIRGEL, *Pour une psychanalyse de l'art et de la créativité*, Payot, 1971. — D. HAMELINE, *Anthologie des psychologues français contemporains*, P.U.F., 1969. — R. JACCARD, *Histoire de la psychanalyse* (Livre de poche), L.G.F., 1985, 2 vol. — J. LAPLANCHE, J.-B. PONTALIS, *Vocabulaire de la psychanalyse*, 5e éd., P.U.F., 1976. — J. LE GALLIOT, S. LECOINTRE, *Psychanalyse et langages littéraires. Théorie et pratique*, F. Nathan, 1977. — G. POLITZER, *Critique des fondements de la psychologie, la psychologie et la psychanalyse*, P.U.F., 1967. — E. MOUNIER, *Traité du caractère*, Seuil, 1946. — J.-B. PONTALIS, *Après Freud*, n. éd., Gallimard, 1968. — E. ROUDINESCO, *Histoire de la psychanalyse en France*, Seuil, 1986, 2 vol. — N. SILLAMY, *Dictionnaire de psychologie*, Bordas, 1980, 2 vol.

Freud

H. J. BARRAUD, *Freud et Janet, étude comparée*, Toulouse, Privat, 1971 (thèse Paris). — R. DADOUN, *Freud* (Dossiers Belfond), Belfond, 1982. — P. FOUGEYROLLAS, *La Révolution freudienne, Freud et la philosophie*, Denoël-Gonthier, 1970. — « French Freud : Structural Studies in Psychoanalysis » *Yale French Studies*, n° 48, 1972. — « Freud », *L'Arc*, n° 34, 1968. — S. KOFMAN, *L'Enfance de l'art, une interprétation de l'esthétique freudienne*, Payot, 1970. — J. LACAN, *Écrits*, Seuil, 1966 (ouvrage capital). — M. MILNER, *Freud et l'interprétation de la littérature*, S.E.D.E.S. 1980. — P. RICŒUR, *De l'interprétation, essai sur Freud*, Seuil, 1965. — M. ROBERT, *La Révolution psychanalytique, la Vie et l'Œuvre de S. Freud*, 2 vol., Payot, 1964.

Lacan. Métaphysiques, humanismes et mythologies

Anthologie des philosophes français contemporains, 5e éd., Sagittaire, 1931 (notices et choix de textes). — E. BRÉHIER, *Transformations de la philosophie française*, Flammarion, 1950 (de 1900 à 1950). — J.-L. CHALUMEAU,

La Pensée en France de Sartre à Foucault, F. Nathan-Alliance française, 1974. — A. CUVILLIER, *Anthologie des philosophes français contemporains*, P.U.F., 1962 (notices et textes). — M. FARBER et al., *L'Activité philosophique contemporaine en France et aux États-Unis*, 2 vol., P.U.F., 1950 (ouvrage de référence excellent pour la période). — J.-B. FAGES, *Comprendre J. Lacan*, Toulouse, Privat, 1971. — « Lacan », *L'Arc*, n° 58, 1974. — A. HESNARD, *De Freud à Lacan*, É.S.F., 1970. — H. LANG, *Die Sprache und das Unbewusste. J. Lacan Grundlegung der Psychoanalyse*, Frankfurt /a/M., Suhrkamp, 1973 (bibl.). — A. RIFFLET-LEMAIRE, *J. Lacan*, Bruxelles, C. Dessart, 1970. — J. SÉDAT, *Retour à Lacan?*, Fayard, 1981. — A. JURANVILLE, *Lacan et la philosophie*, P.U.F., 1984. — J. DOR, *Introduction à la lecture de Lacan*, t. I, Denoël, 1985. — P. FOUGEYROLLAS, *Marx, Freud et la révolution totale*, Anthropos, 1972. — R. GARAUDY, *Perspectives de l'homme, Existentialisme, Pensée catholique, Structuralisme, Marxisme*, 4e éd., P.U.F., 1969. — J. LACROIX, *Panorama de la philosophie française contemporaine*, 2e éd., P.U.F., 1968. — H. LEFEBVRE, *Hegel, Marx, Nietzsche ou le Royaume des ombres*, Casterman, 1975. — M. MERLEAU-PONTY, *Signes*, Gallimard, 1960 (essais). — E. MOROT-SIR, *La Pensée française d'aujourd'hui*, P.U.F., 1971. — G. PICON et al., *Panorama des idées contemporaines*, 1957, n. éd., 1968, Gallimard. — J. WAHL, *Tableau de la philosophie française*, Fontaine, 1946, n. éd., Gallimard, 1962.

Alain : Voir *Le XXe siècle*, de P. O. WALZER (Coll. « Littérature française »).

S. DEWIT, *Alain, essai de bibliographie, 1893 — juin 1961*, Bruxelles, Commission belge de bibliographie, 1961. — *Hommage à Alain, N.R.F.*, 1952. — A. MAUROIS, *Alain*, Domat, 1950 (rééd., Gallimard, 1963). — G. PASCAL, *L'Idée de philosophie chez Alain*, Bordas, 1970. — O. REBOUL, *L'Homme et ses passions d'après Alain*, 2 vol., P.U.F., 1968.

L'existentialisme

H. BARNES, *An Existentialist Ethics*, New York, Knopf, 1967. — O. BOLLNOW, *Französischer Existentialismus*, Stuttgart, Kohlhammer, 1965 (recueil d'articles, 1947-1962). — M.-A. BURNIER, *Les Existentialistes et la politi-*

que, Gallimard, 1966 (leur pensée d'après les *Temps modernes*). — G. DELEDALLE, *L'Existentiel, philosophies et littératures de l'existence*, R. Lacoste, 1949. — R. JOLIVET, *Les Doctrines existentialistes de Kierkegaard à Jean-Paul Sartre*, Fontenelle, 1948 (histoire). — M. MERLEAU-PONTY, *Les Aventures de la dialectique*, Gallimard, 1955 (la dialectique et le système existentialiste). — H. LEFEBVRE, *L'Existentialisme*, Sagittaire, 1946. — E. WERNER, *De la violence au totalitarisme, essai sur la pensée de Camus et de Sartre*, Calmann-Lévy, 1972 (essai intéressant).

On consultera en outre

O. BORRELLO, *L'Estetica dell'esistenzialismo*, Messina, G. d'Anna, 1956. — G. BRÉE, *Camus and Sartre : Crisis and Commitment*, New York, Delacorte Press, 1972. — E. KAELIN, *An Existentialist Aesthetic ; the Theories of Sartre and Merleau-Ponty*, Madison, Univ. of Wisconsin P., 1962. — E. KERN, *Existential Thought and Fictional Technique : Kierkegaard, Sartre, Beckett*, New Haven, Yale U.P., 1970. — L. POLLMAN, *Sartre und Camus, Literatur des Existenz*, Stuttgart, Kohlhammer, 1967.

Sur Hegel

« Hegel », *l'Arc*, n° 38, 1969. — J. HYPPOLITE, *Introduction à la philosophie de l'histoire de Hegel*, nouv. éd., M. Rivière, 1968. — R. GARAUDY, *Dieu est mort, étude sur Hegel*, P.U.F., 1962. — A. KOJÈVE, *Introduction à la lecture de Hegel*, Gallimard, 1947 (ouvrage capital). — J. WAHL, *Le Malheur de la conscience dans la philosophie de Hegel*, P.U.F., 1951.

Marx et la dialectique marxienne

L. ALTHUSSER, *Pour Marx*, 3e éd., Maspero, 1966. — L. ALTHUSSER, *Lire Le Capital*, 2 vol., Maspero, 1965 (ouvrage important). — R. ARON, *D'une sainte famille à l'autre, essais sur les marxismes imaginaires*, Gallimard, 1969, 2e éd., 1970 (le marxisme contemporain de Sartre à Althusser). — J. CALVEZ, *La Pensée de K. Marx*, Seuil, 1956 (étude d'ensemble par un jésuite). — R. GARAUDY, *Marxisme du XXe siècle*, Paris-Genève, la Palatine, 1966. — J. GUICHARD, *Le Marxisme de Marx à Mao, théorie et pratique de la révolution*, Lyon, Chronique sociale de France, 1968. — H. LEFEBVRE, *La Somme et le Reste*, La

Nef de Paris, 1959 (recueil d'essais par l'interprète de Marx). — H. LEFEBVRE, *Sociologie de Marx*, P.U.F., 1966. — *Marx et la pensée scientifique contemporaine*, La Haye, Mouton, 1970 (actes du colloque de Paris, 1968). — H. NIEL, *K. Marx, situation du marxisme*, Desclée De Brouwer, 1971 (contre Althusser). — M. POSTER, *Existential Marxism in Postwar France : from Sartre to Althusser*, Princeton, N. J., Princeton U.P., 1975 (le « marxisme existentiel » de Sartre à Althusser). — J. AUZIAS, *Clefs pour le structuralisme*, Seghers, 1967 (introd. à la linguistique structurale). — *L'Analyse structurale du récit, Communications*, t. VIII, 1966 (films, contes, textes ; articles de Barthes, Greimas, Todorov, Genette et al.). — M. CORVEZ, *Les Structuralistes*, Aubier-Montaigne, 1969 (les linguistes ; Foucault, Lévi-Strauss, Lacan, Althusser ; les critiques littéraires). — O. DUCROT, T. TODOROV, D. SPERBER, M. SAFOUAN et F. WAHL, *Qu'est-ce que le structuralisme ?* Seuil, 1968 (essais sur la linguistique, la poétique, l'anthropologie, la psychanalyse et la philosophie).

Le structuralisme

J. M. MILLER, *French Structuralism, an annotated Bibliography*, New York, Garland, 1981. — J. EHRMANN et al., *Structuralism*, Garden City, New York, Anchor-Doubleday, 1970 (réédition du n° de *Yale French Studies*, 1966, bibl.). — H. GARDNER, *The Quest for Mind : Piaget, Lévi-Strauss, and the Structuralist Movement*, New York, Knopf, 1973. — F. JAMESON, *The Prison-House of Language : A Critical Account of Structuralism and Russian Formalism*, Princeton, N. J., Princeton U.P., 1972 (ouvrage important sur la linguistique structuraliste). — *The Languages of Criticism and the Sciences of Man, the Structuralist Controversy*, édité par R. MACKSEY et E. DONATO, Baltimore, Johns Hopkins Press, 1970 (colloque de Baltimore, 1966, avec la participation de Lacan, Barthes, Derrida, Goldmann et al.). — H. LEFEBVRE, *L'Idéologie structuraliste*, 2e éd. rev. (éd. orig., *Au-delà du structuralisme*, 1971), Anthropos, 1975 (polémique contre le structuralisme). — « Problèmes du structuralisme », *les Temps modernes*, n° 246, nov. 1966. — *Structuralisme et marxisme*, U.G.E., 1970. — *Structuralismes, idéologie et méthode*, *Esprit*, n° 360, mai 1967.

Lévi-Strauss
« *La Pensée sauvage* » *et le structuralisme*, *Esprit*, n° 322, nov. 1963 (la méthode et la contribution de ce célèbre sociologue). — L. et R. MAKARIUS, *Structuralisme ou ethnologie, pour une critique radicale de l'anthropologie de Lévi-Strauss*, Anthropos, 1973. — M. MARC-LIPIANSKY, *Le Structuralisme de Lévi-Strauss*, Payot, 1973 (bibl., étude excellente sur la méthodologie de Lévi-Strauss). — I. ROSSI et al., *The Unconscious in Culture, The Structuralism of C. Lévi-Strauss in Perspective*, New York, Dutton, 1974 (introd. et évaluation de sa méthode du point de vue linguistique et anthropologique).

La critique littéraire : une pluralité de langages
L. LESAGE et A. YON, *Dictionnaire des critiques littéraires, guide de la critique française du XXe siècle*, Univ. Park, Penn., Pennsylvania State Univ. Press, 1969, 218 p. (bio-bibliographie ; médiocre). — A. EUSTIS, *Trois critiques de la Nouvelle Revue française : M. Arland, B. Crémieux, R. Fernandez*, Nouvelles Éd. Debresse, 1961. — W. FOWLIE, *The French Critic, 1894-1967*, Carbondale, Ill., Southern Illinois U.P., 1968. — S. LAWALL, *Critics of Consciousness, the Existential Structures of Literature*, Cambridge, Mass., Harvard U.P., 1968 (excellente étude sur la critique thématique ; Raymond, Poulet, Richard, Starobinski, Rousset, Blanchot). — B. PIVOT, *Les Critiques littéraires*, Flammarion, 1968, 237 p. (« procès » — critique des critiques-journalistes ; tendancieux mais intéressant). — G. POULET, *La Conscience critique*, Corti, 1971, 314 p. (essai sur plusieurs critiques de Du Bos, Béguin et Blin à Starobinski et Barthes, suivi de deux essais sur la « phénoménologie de la conscience critique » et la « conscience de soi et conscience d'autrui »). — J.-L. CABANÈS, *Critique littéraire et sciences humaines*, Toulouse, Privat, 1974 (bonne présentation de la critique psychologique, linguistique et marxiste). — A. CLANCIER, *Psychanalyse et critique littéraire*, Toulouse, Privat, 1973 (classification des divers courants ; analyse des méthodes ; les psychiatres et les critiques ; bibl.). — C. DUCHET et al., *Sociocritique*, Nathan, 1979. — R. FAYOLLE, *La Critique*, A. Colin, 1978. — P. GUIRAUD et P. KUENTZ, *La Stylistique*, Klincksieck, 1970 (introduction utile). — W. MARTINS, *Les Théories*

critiques dans l'histoire de la littérature française, Curitiba, 1952. — J. PAULHAN, *Petite Préface à toute critique*, Minuit, 1951 (essai important). — J. REBOUL, *Critique universitaire et critique créatrice*, Aux Amateurs de livres, 1986. — G. RUDLER, *Les Techniques de la critique et de l'histoire littéraires en littérature française moderne*, Oxford, 1923 (manuel). — J. SIMON et al., *Modern French Criticism from Proust and Valéry to Structuralism*, Chicago, III., Univ. of Chicago, P. 1972. — J.-Y. TADIÉ, *La Critique littéraire au XXe siècle*, Belfond, 1987. — A. THIBAUDET, *Physiologie de la critique*, Éd. de la Nouvelle Revue critique, 1948 (conférences données en 1922). — R. GODENNE, « Premier supplément à la Bibliographie critique de la nouvelle de langue française », *1940-1990, Histoire des idées et critique littéraire*, n° 315, Genève, Droz, 1993.

Gaston Bachelard

J. RUELLAND, *Bibliographie des œuvres de G. B. ainsi que des divers ouvrages que sa pensée et sa personne ont inspirés*, Univ. du Québec à Q. et Trois-Rivières, 1980. — M. DE GANDILLAC, H. GOUHIER, R. POIRIER et al., *B.* (colloque de Cerisy-la-Salle), « 10/18 », U.G.E., 1974. — P. GINESTIER, *La Pensée de B.*, Bordas, 1968 (bref exposé des théories scientifiques et artistiques). — M. MANSUY, *B. et les éléments*, J. Corti, 1967. — M. SCHAETTEL, *B. critique ou l'Alchimie du rêve. Un art de lire et de rêver*, Lyon, L'Hermès, 1977. — G. SERTOLI, *Le Immagini e la Realtà, saggio su G. B.*, Firenze, La Nuova Italia, 1972 (étude générale d'orientation littéraire). — R. G. SMITH, *G. B.*, Twayne, 1982. — V. THERRIEN, *La Révolution de G. B. en critique littéraire, ses fondements, ses techniques, sa portée. Du nouvel esprit scientifique à un nouvel esprit littéraire*, Klincksieck, 1970 (ouvrage très complet, biblio., thèse Nanterre). — « B. », *L'Arc*, n° 42, 1972. — *G. B. l'homme du poème et du théorème*, Colloque du centenaire, Éd. universitaires de Dijon, 1986.

Maurice Blanchot

F. COLLIN, *M. B. et la question de l'écriture*, Gallimard, 1971 (bibl.). — E. LONDYN, *M. B. romancier*, Nizet, 1976. — R. STILLERS, *M. B. « Thomas l'obscur ». Erst-und Zweitfassung als Paradigmen des Gesamtwerks*,

Frankfurt/M. — Berne, P. Lang, 1979. — *M. B., Critique*, n° 229, juin 1966.

Les nouvelles critiques

M. ANGENOT, *Glossaire de la critique littéraire contemporaine*, Montréal, H.M.H., 1972, n. éd., 1979. — *Les Chemins actuels de la critique* (direction : G. POULET, colloque de Cerisy-la-Salle, 1966), Plon, 1967. — R. PICARD, *Nouvelle Critique ou Nouvelle Imposture ?*, J.-J. Pauvert, 1965 *(ouvre la « querelle » de la « nouvelle critique »)*. — R. BARTHES, *Critique et vérité*, Seuil, 1966 (réponse à R. Picard). — S. DOUBROVSKY, *Pourquoi la nouvelle critique, critique et objectivité*, Mercure de France, 1966 (réponse à R. Picard). — *Théorie d'ensemble*, Seuil, 1968 (le groupe de *Tel Quel*, textes de M. Foucault, R. Barthes, J. Derrida et al.). — *Quatre Conférences sur la « Nouvelle critique »* (textes de G. Poulet, J. Starobinski, K. Wais, R. Girard, intr. de F. Simone), Supplément au n° 34 de *Studi Francesi*, janv.-avril 1968.

Roland Barthes

R. B., *R. B. par lui-même*, Seuil, 1975 (ouvrage important préparé par B. lui-même). — L.-J. CALVET, *R. B., un regard politique sur le signe*, Payot, 1973 (essai critique). — J.-B. FAGES, *Comprendre R. B.*, Privat, 1979. — S. FREEMAN, A. C. TAYLOR, *R.B. A Bibliographical Reader's Guide*, New York, Garland, 1982. — S. HEATH, *Vertige du déplacement, lecture de B.*, Fayard, 1974. — G. A. WASSERMAN, *R. B.*, Boston, Twayne, 1982 (introduction à l'œuvre). — Prétexte : *R. B.* Direction : A. Compagnon (colloque de Cerisy-la-Salle, 1977), « 10/18 », U.G.E., 1978. — *L'Arc*, n° 56, 1978. — *Lectures*, n° 6, Bari, sept.-déc. 1980 (bibl.). — *Tel Quel*, n° 47, 1971. *Communications*, n° 36, 1982 (bibl.).

L'ESPACE LITTÉRAIRE

Histoires et panoramas

P. ABRAHAM, R. DESNÉ et al., *Histoire littéraire de la France*, t. 11, 1913-1939 ; t. 12, 1939-1970, Éditions Sociales, 1979, 1980 (bibl.). — A. ADAM, C. LERMINIER, E. MOROT-SIR, *Littérature française*, t. II, XIXe et XXe siècle, Larousse, 1968. — J.-P. de BEAUMARCHAIS, D. COUTY, A. REY, *Dictionnaire des littératures de langue française,* Bordas, 1984, 2 vol. ; nouv. éd., 1987, 4 vol. — M. BEMOL, *Essai sur l'orientation des littératures de langue française au XX*e *siècle,* Nizet, 1960 (de 1900 à 1958). — J. BERSANI, M. AUTRAND, J. LECARME et B. VERCIER, *La Littérature en France depuis 1945,* Paris-Montréal, Bordas, 4e éd., 1982 (ouvrage essentiel ; extraits, notices, bibl.). — P. DE BOISDEFFRE et al., *Dictionnaire de littérature française contemporaine,* 3e éd., Éd. Universitaires, 1966 (essais sur l'espace littéraire ; dictionnaire critique des auteurs). — C. BONNEFOY, T. CARTANO et D. OSTER, *Dictionnaire de littérature française contemporaine,* J.-P. Delarge, 1977 (bibl.). — J. BRENNER, *Histoire de la littérature française de 1940 à nos jours,* Fayard, 1978. — J. BRENNER, *Tableau de la vie littéraire en France d'avant-guerre à nos jours,* Luneau-Ascot, 1982. — L. CHAIGNE, *Les Lettres contemporaines,* Del Duca, 1964 (important ; bibl. annotée ; point de vue catholique). — P. A. JANNINI, G. A. BERTOZZI, *Letteratura francese contemporanea. Le correnti d'avanguardia,* Roma, Lucarini, 1984, 2 vol. — A. LÉONARD, *La Crise du concept de littérature en France au XX*e *siècle,* J. Corti, 1975. — *Littérature de notre temps. Écrivains français,* recueils 1-5, Tournai, Casterman, 1966-1974 (ouvrage de référence ; fiches bio-bibl.). — M. NADEAU, *Littérature présente,* Corrêa, 1957 (panorama). — G. PICON, *Panorama de la nouvelle littérature française,* Point du Jour, 1949, 1960 ; nouv. éd., Gallimard, 1988. — P.-H. SIMON, *Diagnostic des lettres françaises contemporaines,* Bruxelles, La Renaissance du livre, 1966. — A. THÉRIVE, *Procès de la littérature,* La Renaissance du livre, 1970 (étude générale).

L'entre-deux-guerres

P. ARCHAMBAULT, *Jeunes maîtres, états d'âmes d'aujourd'hui,* Bloud et Gay, 1926 (essais sur Montherlant, Mauriac, Maritain, Massis, Rivière). — F. BALDENSPERGER, *La Littérature française entre les deux guerres, 1919-1939,* Los Angeles, California, Lymanhouse, 1949. — B. CRÉMIEUX, *Inquiétude et Reconstruction, essai sur la littérature française d'après-guerre,* Corrêa, 1931 (1918-1930). — R. GROOS et G. TRUC, *Les Lettres,* Denoël et Steele, 1934 (1900-1933). — C. SÉNÉCHAL, *Les Grands *courants de la littérature française contemporaine*, E. Malfère, 1933 (de la Belle Époque aux années trente). — P. DE BOISDEFFRE, *Histoire de la littérature française des années 1930 aux années 1980*, n. éd., Perrin, 1985, 2 vol.

Guerre et après-guerre, de 1940 à 1970

T. JUNDT, *Past Imperfect, French intellectuals, 1944-1956*, Berkley California University Press, 1992. — R.-M. ALBÉRÈS, *Littérature horizon 2000*, A. Michel, 1974. — P. de BOISDEFFRE, *Une histoire vivante de la littérature d'aujourd'hui*, « 10/18 », U.G.E. 1969). — C. MAURIAC, *L'Allittérature contemporaine*, n. éd., 1969, A. Michel. — B. PINGAUD et al., *Écrivains d'aujourd'hui*, 1940-1960, Grasset, 1960 (dictionnaire).

Études spécialisées : tendances et mouvements divers

« Le Grand Jeu », *Cahiers de l'Herne*, n° 10, 1968 (essais sur Daumal, rééd. des textes parus dans la revue du groupe). — M. RANDOM, *Le Grand Jeu*, 2 vol., Denoël, 1970 (histoire du groupe ; textes et documents). — L. SOMVILLE, *Devanciers du surréalisme, les groupes d'avant-garde et le mouvement poétique, 1912-1925*, Genève, Droz, 1971. — J. WEIGHTMAN, *The Concept of Avant-garde. Explorations in Modernism*, Londres, Alcove Press, 1973. — R. M. ALBÉRÈS, *La Révolte des écrivains d'aujourd'hui*, Corrêa, 1949. — P. LOFFLER, *Chronique de la littérature prolétarienne française de 1930 à 1939*, Rodez, Subervie, 1967 (bibl.). — M. RAGON, *Histoire de la littérature prolétarienne en France, Littérature ouvrière, Littérature paysanne, Littérature d'expression populaire*, A. Michel, 1974. — L. GUISSARD, *Littérature et pensée chrétienne*, Tournai, Casterman, 1969. — J. MAJAULT, *L'Évidence et le mystère* (littérature d'inspiration chrétienne), Le Centurion, 1978. — P. VANDROMME, *La Droite buissonnière*, Les Sept Couleurs, 1960. — B. KNAPP, N. SARRAUTE, *Collection monographique Rodopi en littérature contemporaine*, n° 24, Amsterdam-Atlanta, Rodopi, 1994.

Un courant perturbateur : Dada et le surréalisme

C. ABASTADO, *Introduction au surréalisme*, Bordas, 1986. — M. ALEXANDRE, *Mémoires d'un surréaliste*, La Jeune Parque, 1968. — S. ALEXANDRIAN, *Le Surréalisme et le rêve*, Gallimard, 1974. — *Almanach surréaliste du demi-siècle,* Sagittaire, 1950 (n° spécial de *La Nef*). — F. ALQUIÉ, *Philosophie du surréalisme,* « Champs », Flammarion, 1956; 1977. — A. BALAKIAN, *Literary Origins of Surrealism. A New Mysticism in French poetry,* New York, King's Crown Press, 1947. — H. BÉHAR, *Étude sur le théâtre Dada et surréaliste,* Gallimard, 1967, n. éd., 1979 (étude importante). — H. BÉHAR, M. CARASSOU, *Le Surréalisme* (Livre de poche), L.G.F., 1984. — A. BRETON, *Manifestes du surréalisme...* (textes et documents), J.-J. Pauvert, 1962. — J.-J. BROCHIER, *L'Aventure du surréalisme : 1914-1940,* Stock, 1977. — P. BÜRGER, *Der französische Surrealismus. Studien zum Problem der avantgardistischen Literatur,* Frankfurt a/M., Athenäum, 1971. — M. A. CAWS, *The Poetry of Dada and Surrealism : Aragon, Breton, Tzara, Éluard and Desnos,* Princeton, N. J., Princeton U.P., 1970. — J. CHÉRIEUX-GENDRON, *Le Surréalisme et le roman, 1922-1950,* L'Age d'homme, 1983. — *Le Surréalisme (Littératures modernes),* P.U.F., 1984. — *Entretiens sur le surréalisme,* sous la dir. de F. ALQUIÉ (Centre culturel de Cerisy-la-Salle), Paris-La Haye, Mouton, 1968. — S. FAUCHEREAU, *Expressionnisme Dada Surréalisme et autres ismes,* t. I. Domaine étranger, t. II : Domaine français, Les Lettres nouvelles, Denoël, 1976. — H. GERSHMAN, *The Surrealist Revolution in France,* Ann Arbor, Univ. of Michigan P., 1969. — R. R. HUBERT, *Surrealism and the Book,* Univ. of California Press, 1988. — G. LEMAÎTRE, *From Cubism to Surrealism in French Literature,* 2e éd., Cambridge, Mass. Harvard U.P., 1947. — J. H. MATTHEWS, *Introduction to Surrealism,* Pennsylvania State U.P., 1965. — J. H. MATTHEWS, *Surrealism and the Novel,* Ann Arbor, Univ. of Michigan P., 1966. — J. H. MATTHEWS, *Theatre in Dada and Surrealism,* Syracuse, N.Y., Syracuse U.P., 1974. — M. NADEAU, *Histoire du surréalisme,* Seuil, 2 vol., 1945, 1948 (vol. 1 réédité en 1964, coll. « Points »). — B. POMPILI, *Breton, Aragon : Problemi del surrealismo,* Bari, Sindia, 1972. — M. SANOUILLET, *Dada à Paris,* J.-J. Pauvert, 1965. — A. THIRION, *Révolutionnaires sans révolution,* R. Laffont, 1972 (témoignage d'un membre du groupe). — A. et O. VIRMAUX, *Les Surréalistes et le cinéma,* Seghers 1976. — *Dictionnaire du surréalisme,* A. BIRO, R. PASSERON, Fribourg/S., Office du livre, P.U.F., 1982 (important). — « La femme surréaliste », sous la direction de M. Camus, *Obliques,* n° 14-15, 4e trimestre

1977. — « Permanence du surréalisme » (Entretiens de Saillans, 6-8 juillet 1974), *Cahiers du XXe siècle*, n° 4, Klincksieck, 1975. — « Surréalisme », *Europe*, n°s 475-476, nov.-déc. 1968. — *Mélusine,* 10 n^os^ depuis 1979, Lausanne-Paris. — Reproduction en fac-sim. des revues surréalistes : *Littérature,* 1919-1921, 1922-1924 ; *La Révolution surréaliste,* 1924-1929 ; *Le Surréalisme au service de la révolution,* 1930-1933, J.-M. Placa, 1978, 1976. — B. LECHERBONNIER, *La Chair du verbe, Histoire et poétique des surréalismes de langue française,* PubliSud, 1992. — *Les avant-gardes littéraires. Au confluent des arts et des langues* (1880-1950), sous la direction de Jean Weisberger, Bruxelles, Labor, 1991.

Les genres littéraires

S. BERNARD, *Le Poème en prose de Baudelaire jusqu'à nos jours,* Nizet, 1959 (étude d'ensemble indispensable ; bibl.). — M. BLANCHOT, *Le Livre à venir,* Gallimard, 1959. — R. CHAMPIGNY, *Le Genre romanesque, le Genre poétique, le Genre dramatique,* 3 vol., Monte Carlo, Regain, 1963, 1964, 1965. — P. HERNADI, *Beyond Genre, New Directions in literary classification,* Ithaca, N.Y., Cornell U.P., 1972 (panorama mondial des concepts critiques de genre). — J. BENDA, *La France byzantine ou le Triomphe de la littérature pure,* Gallimard, 1945 (rééd. « 10/18 », U.G.E. 1970). — M. BLANCHOT, *L'Espace littéraire,* Gallimard, 1955. — J. HYTIER, *Les Arts de littérature,* Alger, Charlot, 1945. — C.-E. MAGNY, *Les Sandales d'Empédocle, essai sur les limites de la littérature* (éd. orig., 1945), Payot, 1968. — J. ROUSSELOT, *Mort ou survie du langage,* U.G.E., 1969. — G. P. SOZZI, La Letteratura francese d'espressione populare nel XXe secolo, Napoli, Federico Ardia, 1992.

Le roman : un genre sans frontières

R.-M. ALBÉRÈS, *Métamorphoses du roman,* A. Michel, 1966 (Beckett, Blanchot, Butor, Camus et al.). — R.-M. ALBÉRÈS, *Histoire du roman moderne,* A. Michel, 4e éd., 1971. — R.-M. ALBÉRÈS, *Portrait de notre héros, essai sur le roman actuel,* Le Portulan, 1945. — R.-M. ALBÉRÈS, *Le Roman d'aujourd'hui,* 1960-1970, A. Michel, 1970. — L. BERSANI, *Balzac to Beckett : Center and Circumference in French fiction,* New York, Oxford U.P., 1970. — G.

BRÉE et M. GUITON, *An Age of Fiction. The French novel from Gide to Camus,* New Brunswick, N.J., Rutgers U.P., 1957 (panorama critique). — C. S. BROSMAN, *French novelists, 1930-1960* (Dictionary of literary biography, 72), Detroit, Gale Research, 1988 ; *French novelists since 1960* (Dictionary... 83), Gale Research, 1989. — F. GONTIER, *La Femme et le Couple dans le roman de l'entre-deux-guerres,* Klincksieck, 1976 (les représentations de la « féminité »). — G. JEAN, *Le Roman,* Seuil, 1971. — C.-E. MAGNY, *Histoire du roman français depuis 1918,* Seuil, 1950 (ouvrage important). — M. NADEAU, *Le Roman français depuis la guerre,* Gallimard, 1970 (ouvrage capital). — H. PEYRE, *The Contemporary French Novel,* New York, Oxford U.P., 1955. — M. RAIMOND, *Le Roman contemporain. Le signe des temps.* I, Sedes, 1976 (Proust, Gide, Bernanos, Mauriac, Céline, Malraux, Aragon). — M. ZERAFFA, *La Révolution romanesque,* « 10/18 », U.G.E., 1972. — Voir aussi *Personne et personnage, le romanesque des années 1920 aux années 1950,* Klincksieck, 1969 (bibl.). — *Problèmes du roman,* 62 études publiées sous la direction de J. PRÉVOST, Lyon-Paris, Confluences, 1943. — « Le Roman par les romanciers » (enquête auprès de 51 romanciers), *Europe,* n° 474, oct. 1968. — *Positions et oppositions sur le roman contemporain,* éd. M. MANSUY, Klincksieck, 1971 (Actes du colloque de Strasbourg, avril 1970).

Essais sur le roman

P. DE BOISDEFFRE, *Où va le roman ?* Del Duca, 1962 (n. éd., 1972). — M. BUTOR, *Essais sur le roman,* Minuit, 1964 (rééd. 1969, Gallimard). — L. GOLDMANN, *Pour une sociologie du roman,* Gallimard, 1964. — M. ROBERT, *Roman des origines et origines du roman,* Grasset, 1972. — N. SARRAUTE, *L'Ère du soupçon, essai sur le roman,* Gallimard, 1956 (essai important). — A.-M. MACÉ, *Le Roman français des années 70,* PUF, 1995.

Le nouveau roman

P. ASTIER, *La Crise du roman français et le nouveau réalisme,* Debresse, 1969 (essai de synthèse ; bibl.). — J. BLOCH-MICHEL, *Le Présent de l'indicatif* (éd. orig., 1963), n. éd., Gallimard, 1973. — S. HEATH, *Le Nouveau Roman : a Study in the Practice of Writing,* Philadelphia,

Temple U.P., 1972. — V. MERCIER, *The New Novel from Queneau to Pinget*, New York, Farrar, Straus, Giroux, 1971. — *Nouveau roman : hier, aujourd'hui*, t. II, Pratiques, sous la dir. de J. RICARDOU, « 10/18 », U.G.E., 1972 (colloque de Cerisy-la-Salle, 1971). — J. RICARDOU, *Problèmes du nouveau roman*, Seuil, 1967. — J. RICARDOU, *Pour une théorie du nouveau roman*, Seuil, 1971. — J. RICARDOU *Le Nouveau Roman*, Seuil, 1973. — J. RICARDOU, *Nouveaux problèmes du roman*, Seuil, 1978. — L. ROUDIEZ, *French Fiction today : a New Direction*, New Brunswick, N.J., Rutgers U.P., 1972. — J. STURROCK, *The French New Novel*, London, Oxford U.P., 1969 (C. Simon, M. Butor, A. Robbe-Grillet). — C. SAVAGE, *French novelists since 1960. Dictionary Litterare, biography*, vol. 83, Detroit, 1989.

L'autobiographie et les mémoires

G. BRÉE, « *Narcissus absconditus* ». *The Problematic Art of Autobiography in Contemporary France* (The Zaharoff lecture for 1977-1978), Oxford, Clarendon Press, 1979. — P. LEJEUNE, *L'Autobiographie en France*, A. Colin, 1971 (important). — P. LEJEUNE, *Le Pacte autobiographique*, Seuil, 1975. — M. LOBET, *Écrivains en éveil, essais sur la confession littéraire*, Bruxelles-Paris, Brepols-Garnier frères, 1962. — M. LELEU, *Les Journaux intimes*, P.U.F., 1952. — J. MEHLMAN, *A Structural Study of Autobiography : Proust, Leiris, Sartre, Lévi-Strauss*, Ithaca, N. Y., Cornell U.P., 1974. — P. LEJEUNE, *Bibliographie des études en langue française sur la littérature personnelle et les récits de vie*, t. IV, (1988-1989) ; t. V, (1990-1992) ; t. VI, (1993), Université de Paris X-Nanterre.

L'essai

B. BERGER, *Der Essay : Form und Geschichte*, Bern, Francke, 1964. — R. CHAMPIGNY, *Pour une esthétique de l'essai, analyses critiques* (Breton, Sartre, Robbe-Grillet), Minard, 1967. — R. GODENNE, *Bibliographie critique de la nouvelle de langue française* (1940-1985), Droz, 1989.

La poésie

M. ALYN, *La Nouvelle Poésie française*, R. Morel, 1968. — Y. BELAVAL, *Poèmes d'aujourd'hui*, Gallimard, 1964 (essais critiques). — M. BISHOP, *The Contemporary poetry of France. Eight studies,* Rodopi, 1985. — Y. BONNEFOY, *Leçons sur la poésie,* Neuchâtel, La Baconnière, 1981. — A. BOSQUET, *Verbe et vertige, situation de la poésie,* Hachette, 1961. — H. BREMOND, *La Poésie pure,* Grasset, 1926. — S. BRINDEAU et al., *La Poésie contemporaine de langue française depuis 1945,* Saint-Germain-des-Prés, 1973 (ouvrage de référence indispensable). — D. BRIOLET, *Le Langage poétique. De la linguistique à la logique du poème,* Nathan, 1984. — R. CARDINAL et al., *Sensibility and Creation. Studies in XXth Century French Poetry,* Londres, C. Helm, New York, Barnes and Noble, 1977. — G.-E. CLANCIER, *Panorama de la poésie française de Rimbaud au surréalisme,* 3e éd., Seghers, 1970. — G.-E. CLANCIER, *La Poésie et ses Environs,* Gallimard, 1973 (essais). — J.-P. CURTAY, *La Poésie lettriste,* Seghers, 1974 (histoire, anthologie, documents). — *L'École de Rochefort (1941-1963).* Colloque d'Angers, 1983, Presses de l'Univ. d'Angers, 1984. — A. FONTAINAS, *Tableau de la poésie française d'aujourd'hui,* La Nouvelle Revue critique, 1931. — J. GARELLI, *La Gravitation poétique,* Mercure de France, 1966 (ouvrage théorique). — P. JACCOTTET, *L'Entretien des muses,* Gallimard, 1968 (chroniques de poésie, 1955-1966). — G. JEAN, *La Poésie,* Seuil, 1966 (étude sociohistorique, bibl., filmographie, discographie). J. MOLINO, J. TAMIME, *Introduction à l'analyse linguistique de la poésie,* P.U.F., 1982. — W. RAIBEL, *Modern Lyrik in Frankreich. Darstellung und Interpretationen,* Stuttgart, Kohlhammer, 1972. — M. RAYMOND, *De Baudelaire au surréalisme, essai sur le mouvement poétique contemporain,* Corrêa, 1933 (étude importante). — J. ROUSSELOT, *Dictionnaire de la poésie française contemporaine,* Larousse, 1968. — R. SABATIER, *Histoire de la poésie française.* T. VI. *La Poésie du XXe siècle,* A. Michel 1982-1988, 3 vol. (étude importante).

La poétique et les questions de versification

J. CHARPIER, P. SEGHERS et al., *L'Art poétique,* Seghers, 1956 (anthologie des arts poétiques et des écrits théoriques de tous les pays et de tous les temps, mais surtout du XXe s.). — J. COHEN, *Structure du langage poétique,* Flammarion, 1966 (du point de vue linguistique). — D. DELAS et J. FILLIOLET, *Linguistique et poétique,* Larousse, 1973. — T. ELWERT, *Traité de versification française des origines à nos jours,* Klincksieck, 1965. — R. JAKOBSON,

Questions de poétique, Seuil, 1973. — Y. LE HIR, *Esthétique et Structure du vers français d'après les théoriciens du XVIe siècle à nos jours*, P.U.F., 1956. — H. MORIER, *Dictionnaire de poétique et de rhétorique*, P.U.F. 3e éd., 1981. — M. PARENT et al., *Le Vers français au XXe siècle*, Klincksieck, 1967 (Actes du colloque de Strasbourg, mai 1966). — J. ROUBAUD, *La Vieillesse d'Alexandre, Essai sur quelques états récents du vers français*, Maspero, 1978.

Henri Michaux

L. BADOUX, *La Pensée de H. M. Esquisse d'un itinéraire spirituel*, Zurich, Juris-Verlag, 1963. — M. BEGUELIN, *H. M., esclave et démiurge, essai sur la loi de domination-subordination*, Lausanne, l'Age d'homme, 1974. — R. BELLOUR, *H. M. ou une Mesure de l'être*, Gallimard, 1965. — M. BOWIE : *H. M. : a Study of his Literary Works*, Oxford, Clarendon Press, 1973 (ouvrage important). — R. DADOUN, *Ruptures de H. M.*, Payot, 1976. — V. A. LA CHARITÉ, *H. M.*, Boston, Twayne, 1977 (introduction à l'œuvre). — K. LEONARD, *M.*, Stuttgart, G. Hatje, 1967 (sur ses peintures, essai et reproductions). — O. LORAS, *Rencontres avec H. M., au plus profond des gouffres*, Chassieu, J. et S. Bleyon, 1967. — N. MURAT, *M.*, Éd. Universitaires, 1967 (initiation et essai). — M. peintre : M. TAPIE, *H. M.*, R. Drouin, 1948. — A. JOUFFROY, *H. M.*, « Le Musée de poche », G. Fall, 1961. — M. et la drogue : J. DE AJURIAGUERRA et F. JAEGGI, *Le Poète H. M. et les drogues hallucinogènes. Contribution à la connaissance des psychoses toxiques*, Bâle, Sandoz S.A., 1963. — *Cahiers de l'Herne*, n° 8 (sous la dir. de R. BELLOUR), 1966 (excellent recueil d'essais) ; nouv. éd., 1982. — *Europe*, juin-juillet 1987.

Francis Ponge

G. BUTTERS, *F. P. Theorie und Praxis einer neuen Poesie*, Rheinfelden, Schauble Verlag, 1976. — A. DENAT, *F. P. and the New Problem of Ethos*, Brisbane, Univ. of Queensland, 1963. — J.-M. GLEIZE, B. VECK, *Introduction à P.*, Larousse, 1979. — I. HIGGINS, *F. P.*, Londres, Athlone Press, 1979. — H. MALDINEY, *Le Legs des choses dans l'œuvre de F. P.*, Lausanne, L'Age d'homme, 1974 (influence de Hegel et de Heidegger). — PH. SOLLERS, *Entretiens avec F. P.*, Gallimard, 1970. — M. SORRELL, *F.*

P., Boston, Twayne, 1981 (intr. à l'œuvre). — E. WALTHER, *F. P., eine ästhetische Analyse*, Köln, Kiepenheuer und Witsch, 1965 (solide étude critique). — « F. P. : 1974 Laureate », *Books Abroad*, Autumn 1947 (plusieurs articles excellents). — *P. inventeur et classique*, Colloque de Cerisy-la-Salle, avril 1975, « 10/18 », U.G.E., 1977. — Catalogue de l'exposition F. P., Bibliothèque littéraire J. Doucet, 1960. — Catalogue de l'exposition F. P. (établi par F. Chapon), Centre d'art et de culture G. Pompidou, 1977. — « Hommage à F. P. » *N.R.F.*, sept. 1956. — *F. P.* [bibl.] *Cahiers de l'Herne*, n° 51 [sous la dir. de J.-M. GLEIZE], 1986.

Le théâtre

Encyclopédie du théâtre contemporain, éd. G. QUÉANT, t. II, 1914-1950, Perrin, 1959. — W. FOWLIE, *Dionysus in Paris : a Guide to Contemporary French Theater*, New York, Meridian Books, 1960 (de Giraudoux à Beckett). — D. GROSSVOGEL, *The Self-Conscious Stage in Modern French Drama*, New York, Columbia U.P., 1958 (de Jarry à Beckett). — J. GUICHARNAUD, *Modern French Theatre from Giraudoux to Genet*, New Haven, Yale U.P., 2e éd., 1975. — P.-L. MIGNON, *Le Théâtre au XXe siècle*, éd. augm. (Folio/Essais), Gallimard, 1986. — P. SURER, *Cinquante Ans de théâtre*, S.E.D.E.S., 1969. — *Revue d'histoire du théâtre* (bibl. annuelle, France et étranger, par R.-M. MOUDOUÈS et al.). — *Les Problèmes du théâtre en France (1920-1960)*, colloque de la Société d'histoire littéraire de la France, *Revue d'histoire littéraire de la France*, nov.-déc. 1977. — C. GODARD (journaliste au *Monde*), *Le Théâtre depuis 1968*, J.-C. Lattès, 1980.

Le théâtre de 1918 à 1945

Aspects du théâtre contemporain en France, 1930-1945, Théâtre, 3e cahier, Pavois, 1945. — P. BRISSON, *Le Théâtre des années folles*, Genève, Milieu du Monde, 1943 (histoire, 1919-1940). — D. KNOWLES, *French Drama of the interwar years, 1918-1939*, Londres, Harrap, 1967. — P. MARSH, *Le Théâtre à Paris sous l'Occupation*, *Revue d'histoire du théâtre* (n° spécial), 3e trimestre 1981. — D. M. CHURCH, « State Subsidies and militant regionalism in Contemporary French theater », *Contemporary French Civilization*, vol. VI, Spring 1982, n° 3. — *Jouvet, Dullin,*

Baty, Pitoëff : le Cartel. Catalogue de l'exposition de la Bibl. nationale, 1987-1988.

Le théâtre dans l'après-guerre

A. de Baecque, *Le Théâtre d'aujourd'hui*, Seghers, 1964 (panorama de 1944 à 1964). — M. Beigbeder, *Le Théâtre en France depuis la Libération*, Bordas, 1959 (étude d'ensemble). — D. Bradby, *Modern French Drama 1940-1980*, Cambridge U.P., 1984. — J.-L. Dejean, *Le Théâtre français d'aujourd'hui*, Nathan-Alliance française, 1971. — J. Jacquot et al., *Le Théâtre moderne*, t. II, *Depuis la Deuxième Guerre mondiale*, C.N.R.S., 1967 (recueil d'articles). — D. Bradby, *Modern French Drama*, 1940-1990, C.U.P., 1991.

Études spécialisées

S. Dhomme, *La mise en scène contemporaine, d'Antoine à Brecht*, Nathan, 1959. — D. Gontard, *La Décentralisation théâtrale en France*, 1895-1952, S.E.D.E.S., 1973 (ouvrage excellent). — J. Hort, *Les Théâtres du Cartel et leurs animateurs : Pitoëff, Baty, Jouvet, Dullin*, Genève, Skira, 1944. — M. Kurtz, *J. Copeau, biographie d'un théâtre* (le Vieux-Colombier), Nagel, 1950. — V. Lee, *Quest for a Public French Popular Theatre since 1945?* Cambridge, Mass., Schenkman, 1970 (soigneusement documenté).

Chroniques de théâtre

E. Sée, *Le Mouvement dramatique*, 4 vol., Éditions de France, 1930-1935 (chroniques de la *Revue de France*,1929-1934). — R. Brasillach, *Animateurs de théâtre* (éd. orig., 1936), 2e éd., La Table ronde 1954 (chroniques de 1936 à 1944). — R. Kemp, *La Vie du théâtre*, A. Michel, 1956 (chroniques de 1938 à 1956). — B. Dussane, *Notes de théâtre, 1940-1950*, Lyon, Lardanchet, 1951. — B. Dussane, *J'étais dans la salle*, Mercure de France, 1963 (chroniques de 1951 à 1962). — B. Dort, *Théâtre public, 1953-1966*, essais de critique, Seuil, 1967 ; *Théâtre réel, 1967-1970*, Seuil, 1971 ;*Théâtre en jeu, 1970-1978*, Seuil, 1979.

Essais sur le théâtre

A. Adamov, *Ici et Maintenant*, Gallimard, 1964. — A. Artaud, *Le Théâtre et son Double*, Gallimard, 1038 (essai séminal). — R. DEMARCY, *Eléments d'une sociologie du spectacle,* « 10/18 », U.G.E., 1973. — J. DUVIGNAUD, *Sociologie du théâtre, essai sur les ombres collectives,* P.U.F., 1965 (bibl.). — H. GOUHIER, *L'Essence du théâtre,* Plon, 1943. — E. IONESCO, *Notes et Contre-Notes,* Gallimard, 1962. — P.-A. TOUCHARD, *Dionysos. Apologie pour le théâtre* (éd. orig., 1938), n. éd., Seuil, 1949. — *L'Onirisme et l'insolite dans le théâtre français contemporain,* éd. P. VERNOIS, Klincksick, 1974 (Actes du colloque de Strasbourg).

Le théâtre d'avant-garde

« A. Artaud et le théâtre de notre temps », *Cahiers de la Compagnie M. Renaud-J.L. Barrault,* n° 22/23, mai 1958. — R. DAUS, *Das Theater des Absurden in Frankreich,* Stuttgart, Retzler, 1977. — M. ESSLIN, *Le Théâtre de l'absurde* (1re éd. anglaise, 1962), Buchet-Chastel, 1963 (étude de base). — E. JACQUART, *Le Théâtre de la dérision,* Gallimard, 1974 (essai sur Beckett Adamov et Ionesco). — L. PRONKO, *Théâtre d'avant-garde. Beckett, Ionesco et le théâtre expérimental* (1re éd. américaine, 1962), Denoël, 1963. — G. SERREAU, *Histoire du « Nouveau théâtre »,* Gallimard, 1966 (Ionesco, Adamov, Beckett, Genet et al.).

JEAN COCTEAU

Cl. MAURIAC, *J. C. ou la Vérité du mensonge,* O. Lieutier, 1945 (une des premières études). — P. DUBOURG, *Dramaturgie de J. C.,* Grasset, 1954 (sur le théâtre et le cinéma). — N. OXENHANDLER, *Scandal and Parade : the Theatre of J. C.,* New Brunswick, N.J., Rutgers U.P., 1957 (excellente étude sur son théâtre). — P. CAIZERGUES, J. MAS, *Jean Cocteau-Darius Milhaud, Correspondance,* Université Paul-Valéry, Montpellier, 1992. — C. BEYLIE, *C.,* Anthologie du cinéma, 1966. — J.-J. KIHM, E. SPRIGGE et H. BÉHAR, *J. C., l'Homme et les Miroirs,* La Table ronde, 1968. — F. STEEGMULLER, *C. : A Biography,* Boston, Little, Brown, 1970 (biographie bien documentée). — W. FIFIELD, *J. C.,* New York, Columbia U.P., 1974. — L. CROWSON, *The Esthetic of J. C.,* Hanover, N.H., The U.P. of New England, 1978. — Catalogue de l'exposition « J. C. et son temps », Bibliothèque nationale, 1965. *Cahiers J. C.* (11 nos publiés depuis 1969), Gallimard. — M. BROSSO-

LETTE, P. GLAUDES, *Jean Cocteau-Jacques Maritain, Correspondance, 1923-1963, Cahiers Jean Cocteau* n° 12, Gallimard, 1993.

ANDRÉ BRETON

M. SHERINGHAM, *A. B. : A Bibliography*, Londres, Grant and Cutler, 1972 (bibl. des écrits de B. et des études consacrées à son œuvre). — *A. B. et le Mouvement surréaliste, N.R.F.*, avril 1967. — A. BALAKIAN, *A. B., Magus of Surrealism*, Oxford U.P., 1971 (livre important). — M. BONNET, *A. B., naissance de l'aventure surréaliste*, J. Corti, 1973 (excellente étude sur l'œuvre de jeunesse). — C. BROWDER, *A. B., Arbiter of Surrealism*, Genève, Droz, 1967 (bibl.). — M. CARROUGES, *A. B. et les Données fondamentales du surréalisme*, Gallimard, 1950 (essentiel). — J. GRACQ, *A. B., quelques aspects de l'écrivain*, J. Corti, 1948 (éd. revue, 1966). — G. LEGRAND, *B.*, Belfond, 1977. — E. LENK, *Der springende Narziss, A. Bs. poetischer Materialismus*, Munich, Rogner & Bernhard, 1971. — J. H. MATTHEWS, *Sketch for an early portrait*, J. Benjamins, 1986. — Cl. MAURIAC, *A. B., essai*, Éd. de Flore, 1949. — *B. Entretiens*, 1913-1952, avec André Parinaud et al., Gallimard, 1952. — A. VIELWAHR, *Sous le signe des contradictions. A. B. de 1913 à 1924*, Nizet, 1980. — E. ADAMOWICZ, *A. Breton a biography* (1972-1989) supplément au n° 1, *Research bibliographies and cheklists*, London, Grant and Cutler, 1992. — H. BÉHAR, *A. Breton, ce grand indésirable*, Calmann-Lévy, 1990.

ANDRÉ MALRAUX

W. G. LANGLOIS. A. M., t. II, *Essais de bibliographie des études en langue anglaise consacrées à A. M.*, 1924-1970, Lettres modernes, 1972.

Biographie

Exposition M., *Catalogue*, Fondation Maeght, Saint-Paul-de-Vence, 1973 (intérêt documentaire). — J. LACOUTURE, *A. M., une vie dans le siècle*, Seuil, 1973 (soigneuse documentation) ; nouv. éd., « Points Histoire », Seuil, 1975. — W. G. LANGLOIS, *L'Aventure indochinoise* (éd. originale américaine, 1966), Mercure de France, 1967 (utile et bien documenté). — A. MADSEN, *M.*, New York,

W. Morrow, 1976. — R. PAYNE, *A Portrait of A. M.*, Englewood-Cliffs, N.J., Prentice-Hall, 1970. — *M. Être et Dire.* Textes réunis par Martine de Courcel, Plon, 1976.

Études

G. BLUMENTHAL, *A. M. The Conquest of Dread*, Baltimore, Johns Hopkins Press, 1960. — D. BOAK, *A. M.*, Oxford U.P., 1968. — J. R. CARDUNER, *La Création romanesque chez M.*, Nizet, 1968 (esthétique et éthique). — M. CAZENAVE, *A. M. Une œuvre, une époque* [bibl.], Balland, 1985. — J. DELHOMME, *Temps et Destin, essai sur A. M.*, Gallimard, 1955 (première étude sur sa pensée). — F. E. DORENLOT, *M. ou l'Unité de pensée*, Gallimard, 1970 (biblio.). — B. T. FITCH, *Le Sentiment d'étrangeté chez M., Sartre, Camus et S. de Beauvoir*, Lettres modernes, 1964. — B. T. FITCH, « *Les Deux univers romanesques d'A. M.* », *Archives des Lettres modernes*, n° 54, 1964 (les techniques narratives). — W. FROHOCK, *A. M. and the Tragic imagination*, Stanford, California, Stanford U.P., 1952 (étude de base). — S. GAULUPEAU, « A. M. et la mort », *Archives des Lettres modernes*, n° 98, 1969. — A. GOLDBERGER, Visions of a New Hero, Lettres modernes, 1965. — G. T. HARRIS, *A. M. : l'éthique comme fonction de l'esthétique*, Lettres modernes, 1972. — G. HARTMAN, *M.*, London, Bowes and Bowes, New York, Hillary House, 1960 (bonne introduction d'ensemble). — J. HOFFMANN, *L'Humanisme de M.*, Klincksieck, 1963 (thèse Strasbourg). — I. JUILLAND, *Dictionnaire des idées dans l'œuvre d'A. M.*, Paris La Haye, Mouton, 1968. — J. T. KLINE, A. M. and the Metamorphosis of Death, New York et Londres, Columbia U. P., 1973 (étude stylistique et linguistique ; biblio.). — A. LORANT « Orientations étrangères chez A. M. : Dostoïevskij et Trotsky », *Archives des Lettres modernes*, n° 121, 1971. — S. MORAWSKI, *L'Absolu et la Forme, l'esthétique d'A. M.*, traduit du polonais, Klincksieck, 1972. — J. MOSSUZ, *A. M. et le gaullisme*, A. Colin, 1970 (bibl. ; thèse Nanterre). — J. MOSSUZ-LAVAU, *A. M.* (Qui êtes-vous ?), La Manufacture, 1987. — E. MOUNIER, *M., Camus, Sartre, Bernanos*, Seuil, 1970. — G. PICON, *A. M.*, Gallimard, 1945. — W. RIGHTER, *The Rhetorical Hero, an Essay on the Aesthetics of A. M.*, Londres, Routledge, 1964. — P. SABOURIN, *La Réflexion sur l'art d'A. M. :*

origines et évolution, Klincksieck, 1972 (biblio ; thèse Strasbourg). — C. SAVAGE, *M., Sartre and Aragon as political novelists,* University of Florida Press, 1964. — R. S. THORNBERRY, *A. M. et l'Espagne,* Genève, Droz, 1977. — A. VANDEGANS, *La Jeunesse littéraire d'A. M., essai sur l'inspiration farfelue,* J.-J. Pauvert, 1964. — J. P. VAN DER LINDEN, *Driemaal M.,* Hilversum, P. Brand, 1968 [en néerlandais]. — D. WILKINSON, *M., an Essay in political criticism,* Cambridge, Mass., Harvard U.P., 1967. — *Album M.* (Pléiade), Gallimard, 1986.

Cahiers A. M. — 1. Du « farfelu » aux « Antimémoires ». — 2. Visages du romancier. — 3. Influences et affinités. — 4. M. et l'art. — 5. M. et l'histoire. — *Revue des Lettres modernes,* 1972, 1973, 1975, 1978, 1982. — *Mélanges/Malraux/Miscellany* (dir. W. G. Langlois), Univ. of Kentucky, Lexington, puis Laramie, Wyoming (depuis 1969).

[A. M., *L'Espoir,* table ronde, 15 mars 1980, organisée par la Société d'histoire littéraire de la France], *Revue d'histoire littéraire de la France,* mars-avril 1981.

LOUIS-FERDINAND CÉLINE

P. CARILE, *C. oggi : l'autore del « Voyage au bout de la nuit » e di « Rigodon » nella prospettiva critica attuale ;* in appendice : Scritti celiniani apparsi sulla stampa collaborazionista, 1941-1944, Roma, Bulzoni, 1974 (état présent : 1970-1974 ; bibl., texte). — Actes du colloque international de Paris *Louis-Ferdinand Céline;* Société des études céliniennes, 1987. — *L'Année célinienne,* revue annuelle d'actualité célinienne, Tusson, éd. Du Lérot, 1990-1994.

Bibliographie, catalogues, iconographie

J.-P. DAUPHIN, *L.-F. C. I. Essai de bibliographie des études en langue française consacrées à L.-F. C.* t. I, 1914-1944. 1re livraison (Calepins de bibliographie. 6), Minard, 1977. — J.-P. DAUPHIN, P. FOUCHÉ, *Bibliographie des écrits de L.-F. C. 1918/1984,* Univ. Paris VII, 1985. — S. L. LUCE, W. K. BUCKLEY, *A Half-Century of C. An Annotated Bibliography,* Garland, 1983. — *Catalogue de l'exposition C.,* Lausanne, nov. 1977 (avec le concours de l'univ. de Paris III), Lausanne, Edita, 1977. — *Album C.* Iconographie réunie et commentée par J.-P. DAUPHIN et J. BOUDILLET, Gallimard, 1977.

Études

Ph. ALMERAS, *Les Idées de C.* Univ. Paris VII, 1987. — A. CHESNEAU, « Essai de psychocritique de L.-F. C. », *Archives des Lettres modernes*, n° 129, 1971, Minard. — P. S. DAY, *Le Miroir allégorique de L.-F. C.*, Klincksieck, 1974. — F. GIBAULT, *Céline.* 1re partie. *Le Temps des espérances* (1894-1932). — 2e partie. *Délires et persécutions* (1932-1934). — 3e partie. *Cavalier de l'Apocalypse* (1944-1961), Mercure de France, 1977, 1981, 1985. — G. HOLTUS, *Untersuchungen zu Stil und Konzeption von Cs. « Voyage au bout de la nuit »*, Bern-Frankfurt, H. Lang-P. Lang, 1972. — H. GODARD, *Les Manuscrits de C. et leurs leçons,* Éd. du Lérot, 1988. — B. KNAPP, *C., Man of Hate,* Univ. of Alabama P., 1974. — D. LATIN, *Le « Voyage au bout de la nuit » de C. : roman de la subversion et subversion du roman,* Bruxelles, Palais des Académies, 1988. — J. H. MATTHEWS, *The Inner Dream : C. as Novelist,* Syracuse, Syracuse U.P., 1978. — J. MORAND, *Les Idées politiques de L.-F. C.,* Librairie générale de droit et de jurisprudence, 1972 (bibl.). — P. MONNIER, *Ferdinand furieux,* avec 313 lettres inédites de L.-F. C., Lausanne, l'Age d'homme, 1979. — D. O'CONNELL, *L.-F. C.,* Boston, Twayne, 1976 (introduction à l'homme et à l'œuvre). — E. OSTROVSKY, *C. and his Vision,* New York, New York U.P., 1967. — E. OSTROVSKY, *C., Le Voyeur-voyant,* Buchet-Chastel, 1973 (trad. de l'anglais « Voyeur Voyant » New York, Random House, 1971 ; (bibl.). — D. DE ROUX, *La Mort de L.-F. C.,* essai C. Bourgois, 1966. — A. SMITH, *La Nuit de L.-F. C.,* Grasset, 1973. — W. SZAFRAN, C., essai psychanalytique, Univ. de Bruxelles, 1976. — A. THIHER, *C., the Novel as Delirium,* New Brunswick, N.J., Rutgers U.P., 1972 (sur le roman célinien). — M. THOMAS, *L.-F. C.,* Londres, Boston, Faber & Faber, 1979. — F. VITOUX, *C.,* Belfond, 1987. — *Les critiques de notre temps... et C.* Introduction par J.-P. DAUPHIN, Garnier, 1976. — *L.-F. C.,* Actes du Colloque international d'Oxford (1975). Textes réunis par J.-P. DAUPHIN et M. THOMAS, *Australian Journal of French Studies,* janvier-août 1976. — *Actes du Colloque international de Paris* (1976), Société des études céliniennes, 1979. — Actes du colloque international d'Oxford, 13-16 juillet 1981, Bibl. L.-F. C., Univ. Paris VII, 1982. — *Actes du*

Colloque international de La Haye (1983), Univ. Paris VII, 1984. — *Cahiers C.*, Grasset (7 fasc. publiés depuis 1976). — *Revue des lettres modernes,* Série L.-F. C., textes réunis par J.-P. Dauphin, Minard (6 fasc. publiés depuis 1974).

SIMONE DE BEAUVOIR

C. Francis et F. Gontier, *Les Écrits de S. de B. La Vie, l'écriture,* Gallimard, 1979 (chronologie, bibl., textes inédits ou retrouvés). — B. Larsson, *Bibliographie préliminaire des études beauvoiriennes,* Lund, Institut d'études romanes, 1985. — K. Bieber, *S. de B.,* Boston, Twayne, 1979. — Cl. Cayron, *La Nature chez S. de B.,* Gallimard, 1973 (bibl.). — R. D. Cottrell, *S. de B.,* New York, F. Ungar, 1975. — L. Gagnebin, *S. de B. ou le Refus d'indifférence,* Fischbacher, 1968 (introduction à sa pensée). — F. Jeanson, *S. de B. ou l'Entreprise de vivre,* Seuil, 1966 (vie et pensée). — J. Leighton, *S. de B. on Woman,* Rutherford, N. J., Fairleigh Dickinson U.P., 1974. — S. Lilar : *Le Malentendu du Deuxième Sexe,* P.U.F., 1969. — E. Marks : *S. de B., Encounters with Death,* New Brunswick, N. J., Rutgers U.P., 1973. — C. Moubachir, *S. de B. ou le Souci de différence,* Seghers, 1972. — Chr. L. Van der Bergh, *Dictionnaire des idées dans l'œuvre de S. de B.,* La Haye — Paris, Mouton, 1966. — « S. de B. et la lutte des femmes », *L'Arc,* n° 61, 1975.

ALBERT CAMUS

B. T. Fitch et P. Hoy, *A. C.*, t. I, *Essai de bibliographie des études en langue française consacrées à A. C.,* 1937-1967, Lettres modernes, 1969. — P. Hoy, *C. in English,* Wymondham, Brewhouse Press, 1968. — R. Roeming, *C., a Bibliography,* Madison, Wisc., Univ. of W. P., 1968 (écrits et études consacrées à l'œuvre). — F. Di Pilla, *A. C. e la critica.* Bibliografia internazionale (1937-1971), Lecce, Milella, 1973.

Études d'ensemble

L. Braun, *Witness of Decline. A. C. Moralist of the Absurd,* Rutherford, N.J., Fairleigh Dickinson U.P., 1974. — G. Bree, *C.,* New Brunswick, N. J., Rutgers U.P., 1959 (3e éd., 1972). — A. Costes, *A. C. ou la Parole manquante,* Payot, 1973 (lecture freudienne). — J. Cruickshank, *A. C. and the Literature of Revolt,* London, Oxford

U.P., 1959. — R. GAY-CROSIER, *C.*, Darmstadt, Wissenschaftliche Buchgesellschaft, 1976. — J. GRENIER, *A. C.* (souvenirs), Gallimard, 1968. — D. LAZERE, *The Unique Creation of A. C.*, New Haven — London, Yale U.P., 1973 (bibl.). — H. R. LOTTMAN, *C.*, Seuil, 1978 (biographie).— L. MAILHOT, *A. C., ou l'Imagination du désert*, Montréal, Presses de l'Univ., 1973 (bibl.). — E. PARKER, *A. C. : the Artist in the Arena*, Madison, Wisc., Univ. of W. P., 1965 (rééd. 1970) (C. journaliste). — R. QUILLIOT, *La Mer et les Prisons*, Gallimard, 1956 (une des premières études d'ensemble). — P. THODY, *A. C., a Study of his Work*, Londres, H. Hamilton, 1957. — P. VIALLANEIX, *Le premier C.*, suivi de *Écrits de jeunesse* d'A. C., Gallimard, 1973 (Cahiers A. C. N° 2). — Hommage à A. C., *N.R.F.*, mars 1960.— Série A. C., *Revue des Lettres modernes*, 1968-1982 (10 n^os^ parus, avec des carnets bibliographiques). — *A. C.'s Literary Milieu : Arid Lands*. Proceedings of the Comparative Literature Symposium. Vol. VIII, Lubbock, Texas, 1976. — *A. C. 1980*, 2nd International Conference, Febr. 21-23, 1980, éd. par R. GAY-CROSIER, Gainesville, U.P. of Florida, 1980. Album C. (Bibl. de la Pléiade), Gallimard, 1982. — *A.C : œuvre fermée, œuvre ouverte ? Actes du colloque de Cerisy (1982)*, Gallimard, 1985 (Cahiers A.C. N° 5). — *C. et la politique. Actes du colloque de Nanterre (1985)*, L'Harmattan, 1986.

Études

É. BARILIER, *A. C. Philosophie et littérature*, Lausanne, L'Age d'homme, 1977. — E. FREEMAN, *The Theater of A. C.*, Londres, Methuen, 1971. — P. A. FORTIER, *Une lecture de C. : la valeur des éléments descriptifs dans l'œuvre romanesque*, Klincksieck, 1977. — R. GAY-CROSIER, *Les Envers d'un échec : étude sur le théâtre d'A. C.*, Minard, 1967. — G. P. GELINAS, *La Liberté dans la pensée d'A. C.*, Fribourg/S., Éditions Universitaires, 1965 (étude érudite). — A. NICOLAS, *Une philosophie de l'existence, A. C.*, P.U.F., 1964. — J. SARROCHI, *C.*, P.U.F., 1968. — C. TREIL, *L'Indifférence dans l'œuvre d'A. C.*, Cosmos, 1971.

MARGUERITE DURAS

A. CISMARU, *M. D.*, New York, Twayne, 1971 (introduction à son œuvre). — J.-L. SEYLAZ, « Les Romans de

M. D., essai sur une thématique de la durée », *Archives des lettres modernes*, n° 47, 1963, Minard. — N. BERNHEIM, *M. D. tourne un film*, Albatros, 1975 (*India Song*). — A. VIRCONDELET, *M. D.*, Seghers, 1972. — *M. D.*, par M. D., J. LANCAN, M. BLANCHOT, Albatros, 1976. — M. D., M. PORTE, *Les Lieux de M. D.*, Minuit, 1977 (interviews, iconographie). — M. TISON-BRAUN, *M.D.*, Rodopi, 1985. — J. PIERROT, *M.D.*, Corti, 1986. — *Il Confronto letterario*, Supplemento al n° 8, 1988.

CLAUDE SIMON

« C. S. », *Entretiens*, n° 31, Rodez, Subervie, 1972 (bibl.). — K. L. GOULD, *C. S.'s mythic muse*, Columbia, S. C., French Literature Publications, 1979. — S. JIMÉNEZ-FAJARDO, *C. S.*, Boston, Twayne, 1975 (introduction à l'homme et à l'œuvre). — J. LOUBÈRE, *The Novels of C. S.*, Ithaca, N.Y., Cornell U.P., 1975 (étude solide ; bibl.). — S. SYKES, *Les Romans de C. S.*, Éd. de minuit, 1979. — *C.S. New directions. Collected Papers*, ed. A. P. DUNCAN, Edinburgh, Scottish Academic Press, 1985.

JEAN-PAUL SARTRE

M. CONTAT et M. RYBALKA, *Les Écrits de S., chronologie, bibliographie commentée*, Gallimard, 1970 (ouvrage de référence indispensable ; l'éd. américaine, Evanston, Ill. Northwestern Univ., 1974, est revue et augmentée) ; *Sartre : bibliographie 1980-1992*, CNRS éditions - Philosophy Documentation Center, Bowling Green State University, Ohio, 1993. — E. et C. LAPOINTE, *J.-P. S. and his Critics. An International Bibliography* (1938-1980), Philosophy Documentation Center, Bowling Green State Univ., Ohio, 1975, 2e éd., 1981 (indispensable.) — R. WILCOCKS, *J.-P. S. : a Bibliography of International Criticism*, Edmonton, Alberta, Univ. of Alberta P., 1975 (Sections : fiction, théâtre, critique, philosophie, politique, bibliographie ; index). — J.-P. S., *Œuvres romanesques*. Édition établie par M. CONTAT et M. RYBALKA..., Gallimard, « Bibliothèque de la Pléiade », 1982. — *Lectures de S.*, éd. C. BURGELIN, P.U. de Lyon, 1986. — W. HAUG, *J.-P. S. und die Konstruktion des Absurden*, Frankfurt-am-Main, Suhrkamp, 1966. — F. JEANSON, *Le Problème moral et la pensée de S.*, suivi de *Un quidam nommé S.*, Seuil, 1965 (ouvrage important). — R. LAING et D. COOPER, *Raison et violence, dix ans de la philosophie de S.* (éd. anglaise, 1964), Payot, 1972. — E. KAELIN, *An Existentialist Aesthetic,* Madison, Univ. of Wisconsin P., 1962 (théories esthétiques de S. et de Merleau-Ponty). — J. McMAHON, *Humans Being : the World of J.-P. S.,* Chicago, Chicago U.P., 1971 (bibl.). — G. SEEL, *Sis. Dalektik,* Bonn, Bouvier, 1971. — H. E. BARNES, *S.,* Philadelphie et New York, Lippincott (introd. à l'œuvre). — G. H. BAUER, *S. and the Artist,* Chicago, Univ. of Chicago P., 1969 (étude utile, bibl.). — M. D. BOROS, *Un sequestré, l'homme sartrien,* Nizet, 1968 (étude thématique). — D. COLLINS, *S. as Biographer,* Cambridge, Harvard U.P., 1980. — J. COLOMBEL, *S.* (Livre de Poche, Essais), 2 vol. L.G.F., 1985-1986. — C. HOWELLS, *S.'s Theory of Literature,* Londres, M.H.R.A., 1979. — F. JAMESON, *S., the Origins of a Style,* New York et Londres, Yale U.P., 1961. — D. LA CAPRA, *A Preface to S. A Critical Introduction to S.'s Literary and Philosophical Writings,* Cornell U.P., 1987. — S. LILAR, *A propos de S. et de l'amour,* Grasset, 1967 (critique de la théorie sartrienne de l'amour). — *S. Images d'une vie,* réunies par L. SENDYK-SIEGEL, commentaires de S. de Beauvoir, Gallimard, 1978. — « Trajectoires de S. », éd. M. SICARD, *Obliques,* n°s 18-19, 2e trimestre 1979 (bibl.). — P. THODY, *S. : a Biographical Introduction,* New York, Scribners, 1971. — W. DESAN, *The Marxism of J.-P. S.,* Garden City, New York, Doubleday, 1965. — F. FÉ, *S. e il communismo,* Firenze, La Nuova Italia, 1970. — J. P. FELL, *Emotion in the Thought of S.,* New York, Columbia U.P., 1965. — R. GARAUDY, *Questions à J.-P. S.,* Denoël, 1960. — M. GRENE, *S.,* New York, Newwiewpoints, 1978 (étude philosophique). — R. GUTWIRTH, *La Phénoménologie de J.-P. S.,* Bruxelles, Éd. scientifiques, 1973. — A. MANSER, *S., a Philosophic Study,* Londres, Univ. de L., Athlone P., 1966. — D. McCALL, *The Theater of J.-P. S.,* New York, Londres, Columbia U.P., 1969. — J. PACALY, *S. au miroir. Une lecture psychanalytique de ses écrits biographiques,* Klincksieck, 1980. — G. J. PRICE, *Métaphysique et technique dans l'œuvre romanesque de S.,* Genève, Droz, 1968. — A. D. RANWEZ, *J.-P.'s Les Temps modernes : a Literary History,* 1945-1952, Troy, N.Y., Whitston, 1982. — P. REED, *J.-P. S. « Les Mains sales »,* Univ. of Glasgow, 1988. — M. SICARD, *Essais sur S.,* Éd. Galilée, 1989. — P.

THODY, *J.-P. S. : a Literary and Political Study,* Londres, H. Hamilton, 1960. — E. WERNER, *De la violence au totalitarisme,* Calmann-Lévy, 1972 (Camus et S.). — R. ARON, *Histoire et dialectique de la violence,* Gallimard, 1973 (sur *Critique de la raison dialectique).* J. S. CATALANO, *A Commentary on S.'s « Being and Nothingness »*, New York, Harper and Row, 1974. — M. CONTAT, « Explication des *Séquestrés d'Altona* », *Archives des Lettres modernes,* n° 89, 1968, Minard. — A. COHEN-SOLAL, *Album Sartre,* iconographie choisie et commentée, Pléiade-Gallimard, 1991. — *The Cambridge Companion to Sartre,* Christina Howells, N-Y, C.U.P., 1992.

INDEX DES NOMS ET DES THÈMES

Toute référence à un auteur, un artiste ou à quelques thèmes parmi les plus importants, est mentionnée dans cet index. Les caractères gras indiquent les pages où l'étude d'un auteur est particulièrement développée.

TABLE DES MATIÈRES

GF — TEXTE INTÉGRAL — GF

1/1635-VIII-1996. — Imp. Bussière Camedan Imprimeries, St-Amand (Cher).
N° d'édition FG096501. — Septembre 1996. — Printed in France.